LESLIE SILBERT

Der Marlowe-Code

Buch

Im Mai 1953 wurde Londons berühmtester Dichter bei einem Wirtshausstreit brutal erstochen. War es wirklich nur Notwehr? Oder Mord? Ein Unfall, erklärte damals der königliche Leichenbeschauer, doch bis heute kursieren andere Gerüchte: Denn Christopher Marlowe war als Spion im Auftrag von Königin Elizabeth I. unterwegs. Mehr als vierhundert Jahre später soll die New Yorker Privatermittlerin und Renaissance-Expertin Kate Morgan klären, wer ein wertvolles Manuskript mit verschlüsselten historischen Spionageberichten zu entwenden versucht. Als sie zu Nachforschungen über die Zeit Marlowes nach London reist, verstrickt sich Kate dabei immer tiefer im tödlichen Netz der internationalen Geheimdienste, in dem Lüge, Verrat und doppeltes Spiel zu den Regeln gehören. Als Kate realisiert, dass sie mit dem Code für das alte Renaissance-Manuskript auch den Schlüssel zu ihrem eigenen Leben in der Hand hält, ist es fast schon zu spät…

Autorin

Die Harvard-Absolventin Leslie Silbert arbeitete nach ihrem Studium mit Schwerpunkt Renaissance-Literatur in einer der weltweit führenden Detekteien in Manhattan. Doch sie entschied sich schließlich gegen eine Karriere als Privatermittlerin und für ihren Herzenswunsch, als Romanautorin dunkle Geheimnisse der Literaturgeschichte mit Krimihandlungen der Gegenwart zu verbinden. Leslie Silbert, die in New York lebt, schreibt bereits an ihrem zweiten Thriller mit der Heldin Kate Morgan.

Leslie Silbert

Der Marlowe-Code

Roman

Aus dem Amerikanischen
von Klaus Berr

blanvalet

Die amerikanische Originalausgabe erschien 2004 unter dem Titel
»The Intelligencer« bei Atria Books,
Simon & Schuster Inc., New York.

1. Auflage
Taschenbuchausgabe August 2006 bei Blanvalet,
einem Unternehmen der Verlagsgruppe
Random House GmbH, München.
Copyright © by Leslie Silbert 2004
Copyright © der deutschsprachigen Ausgabe 2004 by
Blanvalet Verlag, München,
in der Verlagsgruppe Random House GmbH
All rights reserved.
Published by arrangement with Linda Michaels Limited,
International Literary Agents.
Umschlaggestaltung: Design Team München
Umschlagillustration: Design Team München
ES · Herstellung: Heidrun Nawrot
Satz: Uhl + Massopust, Aalen
Druck und Einband: GGP Media GmbH, Pößneck
Printed in Germany
ISBN-10: 3-442-36479-5
ISBN-13: 978-3-442-36479-4

www.blanvalet-verlag.de

Für meine Eltern

Personen

Die Elisabethaner

* **Lee Anderson** – Seemann der Moskowiter Gesellschaft
Richard Baines – Spion mittleren Alters
* **Ambrosia Bellamy** – Tavernenwirtin
Sir Robert Cecil – Leiter eines privaten Spionagenetzes
Robert Devereux, Graf von Essex – Leiter eines rivalisierenden Spionagenetzes
Elizabeth I. – Tudor-Königin, regierte England von 1558–1603
* **Oliver Fitzwilliam (»Fitz Fat«)** – Zollbeamter
Ingram Frizer – Geschäftsmann
Thomas Hariot – Wissenschaftler in Walter Raleighs Diensten
Thomas Kyd – Dramatiker
Christopher Marlowe – Dramatiker, Dichter und Spion
Kit Miller – Fälscher
Thomas Phelippes – ranghoher Offizier in Essex' Spionagenetz
Robert Poley – ranghoher Offizier in Cecils Spionagenetz
Sir Walter Raleigh – Höfling, Dichter, Entdecker
* **Teresa Ramires** – Magd in Essex' Haushalt
Nicholas Skeres – Spion in Essex' Spionagenetz
* **Ned Smyth** – Waffenmeister Ihrer Majestät
Richard Topcliffe – der königliche Foltermeister
Sir Francis Walsingham (ca. 1530–1590) – Gründer des ersten offiziellen Geheimdienstes der Königin Elizabeth
Thomas Walsingham – junger Cousin von Francis Walsingham

* Bis auf die mit einem Sternchen gekennzeichneten Namen sind alle anderen reale historische Personen, wie sie im Jahr 1593 erwähnt wurden.

Akteure der Gegenwart

Jason Avera – Paramilitär im Dienst der Slade Group
Hamid Azadi – ranghoher iranischer Geheimdienstoffizier
Connor Black – Paramilitär im Dienst der Slade Group
Vera Carstairs – Studentin in Oxford
Edward Cherry – leitender Angestellter bei Sotheby's
Alexis Cruz – Direktorin des CIA
Colin Davies – Ermittlungsbeamter von Scotland Yard
Luca de Tolomei – wohlhabender Kunsthändler
Lady Peregrine James – Marquise von Halifax
Khadar Khan – Geschäftsmann mit Sitz in Islamabad
Surina Khan – Tochter von Khadar Khan
Max Lewis – Computerspezialist der Slade Group
Bill Mazur – Privatdetektiv in New York City
Cidro Medina – Financier
Donovan Morgan – US-Senator, Kates Vater
Kate Morgan – Privatdetektivin und Spionin
Jack O'Mara – Kates bester Freund
Hannah Rosenberg – Antiquarin für seltene Bücher
Andrew Rutherford – Historiker in Oxford
Jeremy Slade – Direktor der Slade Group
Hugh Sinclair – Kriminalpolizist in Oxford
Adriana Vandis – Kates Zimmergenossin am College

Stolz musst du sein, kühn, freundlich, unerbittlich,
Und bei Gelegenheit stich zu.

DER JUNGE SPENCER in Marlowes *Edward II.*

1

Was, seid ihr so gegen mich, glücklose Sterne...
Dass ich auf Erden mich in Luft auflösen könnte
Und hinterlassen keine Spur, dass ich je war.
Nein, ich will leben...

BARABAS in Marlowes *Der Jude von Malta*

Southwark, England – Abenddämmerung, Mai 1593

Sein Treffen war für den Einbruch der Nacht festgesetzt, und die Sonne stand schon sehr tief. Der junge Mann hatte keine Zeit zu verlieren. Doch als er sich der London Bridge näherte, waren die vertrauten Geräusche an diesem Abschnitt der Themse beinahe unwiderstehlich für ihn. Er verlangsamte seinen Schritt und spitzte die Ohren. Der Lärm der Bärenkampfarena lockte – ein angeketteter Bär brüllte, als Hundefänge sich in sein Fleisch gruben, rasende Köter jaulten bei jedem Hieb der Bärenpranke, die Zuschauer brüllten Wetteinsätze und johlten wild.

Er hielt inne, der eine schwarze Stiefel einige Zoll über dem Boden, und prüfte seine Standhaftigkeit. Sie war zu schwach.

Er verließ den Uferweg und ging auf die Arena zu. Unterwegs erregte ein grellfarbiges Tuch seine Aufmerksamkeit – der Baldachin einer ihm unbekannten Bude. Neugierig ging er darauf zu. Lange, scharlachrote Locken kamen in Sicht, dann das runzlige Gesicht einer alten Frau, die ihn mit rotfleckigen Lippen, passend zu ihrer glänzenden Perücke, anlächelte. Zuerst sah es so aus, als würde sie Spielkarten verkaufen, doch nachdem sie ihn eingehend gemustert hatte, hob sie ein kleines Schild, das ihr verbotenes Gewerbe anpries: GRIZELS TAROT. Seine kecke Kleidung und seine offen hängenden, braunen Haare zeigten deutlich, dass er kein pingeliger städtischer Beamter war.

Der junge Mann warf ein paar Pennies auf ihren Tisch und fragte: »Soll ich mein Geld auf den Bär setzen?«

»Interessiert das Schicksal des Bären Euch mehr als Euer eigenes?«

Er wandte kurz den Blick ab, als würde er nachdenken, und schaute sie dann mit einem schelmischen Grinsen wieder an. »Ja.«

»Wäre es nicht gedeihlicher, Ihr würdet Euch Eurer selbst widmen?«

»Nun, das ist ein Thema, das mir sehr am Herzen liegt.« Er setzte sich.

Langsam legte sie die abgenutzten Karten aus, wobei schlecht sitzende Ringe an ihren verschrumpelten Fingern klimperten. Als sie die zehnte Karte behutsam mit dem Bild nach unten auf den Tisch gelegt hatte, hob die alte Frau den Kopf.

»Können wir gleich zum Ende springen? Ich habe nicht viel Zeit.«

»Das zu entscheiden, solltet Ihr wohl besser Grizel überlassen. Zunächst muss ich wissen, wer Ihr seid.« Neben ihrer linken Hand waren fünf Karten in der Form eines keltischen Kreuzes angeordnet. Sie nahm die Karte in der Mitte zur Hand. »Eure Seele.« Sie drehte sie um und starrte ehrfurchtsvoll das Abbild eines Mannes mit rotem Umhang und Kappe an. »Der Magier. Manipulator der natürlichen Welt ... liebt Kunstgriffe und Blendwerk. Er hat eine mächtige Einbildungskraft. Ein Meister der Sprache, sehr geschickt mit Worten.«

»Mm-hm.«

Mit hochgezogener Augenbraue angesichts seiner wortlosen Erwiderung betrachtete sie die Karte noch einmal. Dann legte sie sie mit einem Achselzucken weg und nahm die unterste Karte des Kreuzes. »Die Karte des gegenwärtigen Augenblicks. O Gott, der Bube der Schwerter. Ihr habt ein leidenschaftliches Herz, nicht wahr, mein Freund? Immer auf der Suche, immer bestrebt, die verborgene Wahrheit zu enthüllen. Und in der Tat beginnt Ihr heute eine solche Untersuchung.«

Der junge Mann beugte sich interessiert vor. »Reizende Dame, Ihr seid gut.«

Geschmeichelt deckte sie nun die Karten auf, die den Rest des Kreuzes bildeten. »Die Zehn der Münzen – auf dem Kopf. Ihr spielt gerne. Und Ihr liebt die Gefahr, große Gefahr. Immer am Rande des Abgrunds.«

»Das macht das Leben abwechslungsreich und füllt meine Taschen.«

»Äußere Einflüsse... mal sehen. Die Drei der Schwerter – ein gefährliches Dreieck, ein heftiger Zwist. Zwei mächtige Kräfte bedrohen Euch.« Als sie den Kopf hob, sah sie, dass seine Miene gelassen blieb. »Nehmt Euch in Acht«, erklärte sie ernst. »Eine Gefahr, die sich an dieser Stelle zeigt, ist echt, aber man kann sie überleben.«

»Bedrohungen, Zwistigkeiten... dies sind doch Alltäglichkeiten.« Er tat es mit einer Handbewegung ab. »Wenn Ihr so freundlich seid, die letzte Karte bitte.«

Mürrisch wandte sie sich nun der zweiten Figur auf dem Tisch zu, eine aus fünf Karten bestehende, vertikale Reihe. Sie drehte die oberste um, sah sich das Bild kurz an, zögerte und zeigte es ihm dann – ein handgemaltes Skelett, der Schädel auf dem Boden, die Zehenknochen in der Luft. »Wie kann das sein? Wenn die Todeskarte auf dem Kopf steht, bedeutet das eine bevorstehende Gefahr, aber eine, die überlebt wird. Hier, auf der Jenseitsposition, scheint das zu bedeuten, dass Ihr nach Eurem Tod weiterleben werdet...«

Verwirrt legte sie den Kopf schief und betrachtete sein Gesicht.

»Ich muss zugeben, das klingt wirklich merkwürdig«, sagte er. »Wobei einige mein Aussehen überirdisch nennen, vielleicht...«

Sie runzelte die Stirn und zeigte dann ein zahnloses Grinsen. »Ach, natürlich. Ich vergaß, was Ihr seid, ein Magier. Jetzt verstehe ich. Eure Magie ist es, die überleben wird. Noch lange nach Eurem letzten Atemzug.«

Der junge Mann senkte verschämt den Kopf. Grizel wusste es zwar nicht, aber sie unterhielt sich eben mit Londons bekanntestem Theaterdichter, einem Schriftsteller, dessen geschickte Feder die Bühnenwelt verzaubert hatte. Er staunte über ihren Scharfblick. Dann zuckte sein Kiefermuskel. *Zum Teufel damit!* Der verfluchte Gedanke hatte sich wieder in seinen Kopf geschlichen – ebenjener, den er seit Monaten zu vertreiben suchte. Würde er je wieder solche Magie erschaffen können? Natürlich würde er es. Wenn die Zeit dafür reif ist, sagte er sich.

Er hob den Kopf und schenkte ihr noch einmal sein schelmisches Lächeln. »Verehrte Dame, könntet Ihr mir nur eine Sache sagen, die ich noch nicht weiß?«

Grizel versuchte, die Stirn zu runzeln, doch das Funkeln in seinen Augen war ansteckend. Sie deckte die zweitoberste Karte in der Reihe zu ihrer Rechten auf, warf einen flüchtigen Blick darauf und ließ sie dann wieder auf den Tisch fallen, als hätte sie sich die Fingerspitzen verbrannt.

»Was ist es denn?«

Traurig legte sie die Hand auf seine. »Wenn kein Engel Euch zu Hilfe eilt, erlebt Ihr den nächsten Vollmond nicht.«

Leicht erschrocken steckte er die rechte Hand in die Tasche seines eng sitzenden, seidenen Wamses. »Es geht doch nichts über eine zweite Meinung, vor allem, wenn die erste darauf hindeutet, dass das Ende nahe ist. Versteht mich nicht falsch, Ihr habt mir großes Vergnügen bereitet, aber hier ist noch eine zweite Dame, an die ich mich immer wende, wenn es um Schicksalsdinge geht.« Er zog eine Silbermünze heraus. »Wenn ihr Gesicht mich begrüßt, so habe ich nichts zu befürchten.«

Er warf die Münze in die Luft. Blinkend drehte sie sich ein paarmal, bevor sie mit der Vorderseite nach oben auf seiner Hand landete. »Ah, macht Euch keine Sorgen, Grizel. Die Königin sagt, dass alles gut wird. Und es verlangt die Ehre, dass ich, als ihr getreuer Untertan, ihrem Wort den Vorzug vor Eurem gebe.«

Mit einem angedeuteten Kuss und einem Lächeln verließ der junge Mann die Tarot-Bude und eilte weiter auf seinem Weg zur London Bridge. Er hielt die Münze so, dass die untergehende Sonne sie mit ihrem gelbroten Schein bestrahlte, und betrachtete lange das Gesicht der Königin Elizabeth. Er zwinkerte ihr zu, und wie immer zwinkerte sie zurück; er hatte über ihrem linken Auge ein wenig Silber abgekratzt, so dass ein winziger Fleck des dunkleren Metalls darunter zum Vorschein kam. Die Trickmünze, die auf der einen Seite eine stärkere Silberschicht als auf der anderen hatte, war ein gefälschter englischer Shilling, den er zusammen mit einem Kumpan während einer geheimen Mission im vergangenen Jahr in den Niederlanden angefertigt hatte. *Das Schicksal ist launisch. Lieber das Glück selbst schmieden, als darauf hoffen.*

Glück jeder Art war für ihn ein kostbares Gut. Schließlich war er nicht nur ein Dichter auf der Suche nach seiner Muse. Der junge Christopher Marlowe war ein Spion im Geheimdienst Ihrer Majestät … ein Spion, der nicht die geringste Ahnung hatte, dass die alte Vettel Recht behalten sollte.

2

London – 20 Uhr 20, Gegenwart

Der silberfarbene Daimler hielt am Eaton Square in Belgravia, einer vornehmen Wohngegend in der Londoner Innenstadt. Ein junger Baron stieg aus, knöpfte sein Dinnerjackett zu und griff nach den langstieligen Rosen, die im Fond lagen. Er nickte seinem Chauffeur zu und schlenderte an den säulengeschmückten weißen Häusern am Rande des duftenden Parks entlang.

Es war ein kühler Abend, trotz des Frühlings, und sein Hut, der dünne Schal und die Handschuhe schienen völlig angemessen. Niemand würde auf den Gedanken kommen, dass er sie nicht der Wärme wegen trug. Die Accessoires sollten verhindern, dass jemand ihn später beschreiben konnte, falls überhaupt jemand sich an ihn erinnerte, was unwahrscheinlich war. In diesem Viertel war ein teuer gekleideter Mann unauffälliger als ein Soldat im Tarnanzug, der durch den Dschungel schlich.

Wenige Minuten später stand er vor der Tür eines fünfstöckigen Stadthauses an der Wilton Crescent, eine ihrem Namen entsprechende, sichelförmige Straße. Die von Laternen erhellte Fassade war ebenfalls geschwungen, von der Terrasse hing Efeu. Er tat so, also würde er mit der linken Hand an die Tür klopfen, und hantierte dabei heimlich mit einem kleinen, handgefertigten Dietrich in Form einer Pistole – wobei das ganze Manöver von dem in seiner rechten Armbeuge liegenden Blumenstrauß verdeckt wurde.

Nachdem er die aus der Mündung der Pistole herausragende Stahlnadel in das Schloss eingeführt hatte, benutzte er Zeige- und Mittelfinger, um den langen Abzug zu bewegen und die Arretierstifte des Zylinderschlosses zu manipulieren. Es war ihm schwer gefallen, sein Lieblingsset mit antiken Dietrichen zu Hause zu lassen, aber so im Freien wie hier hatte er einfach keine Zeit, ein Schloss, von dem er wusste, dass es mindestens fünf Arretierstifte hatte, manuell zu knacken. Ein Pistolendietrich reduzierte eine fünfzehnminütige Operation auf eine Sache von Sekunden. Und obwohl er alles, was für Neulinge im Diebesgewerbe ein Muss war, eher verachtete, hatte er in dieser Situation keine andere Wahl.

Das Schloss öffnete sich, und sobald er im Foyer stand, legte er die Blumen weg, steckte den Pistolendietrich in den Halfter an seinem linken Unterarm und ging dann leichtfüßig und mit erhobenen Armen herum. Anmutige Bewegungen, beinahe ein drolliges Tänzchen, doch der Schein trog. Ein leises Piepsen ertönte, und sein rechtes Handgelenk erstarrte in der Luft, denn das elektronische Gerät in seinem Platin-Manschettenknopf hatte die versteckte Schalttafel der Überwachungsanlage entdeckt. Mit einem schwachen elektromagnetischen Impuls legte er das System lahm.

Für einen Meisterdieb war es ein Kinderspiel, in ein gewöhnliches Privathaus einzubrechen, vor allem, wenn der Bewohner erst vor kurzem eingezogen war, so dass raffiniertere Sicherheitssysteme noch nicht installiert waren. Es war, als würde man einen Spitzenscharfschützen der SAS dafür einsetzen, einen sitzenden, dicken Mann aus kürzester Entfernung zu erschießen.

Der Baron hatte diesen Auftrag übernommen, um einem Freund einen Gefallen zu tun, dem einzigen Freund, der die Wahrheit kannte: dass er so eine Art moderner Robin Hood war. Allerdings nicht aus altruistischen Gründen – er hegte einfach eine starke Antipathie gegen die untätigen Reichen. Seine Schicht. Genau die Leute, mit denen er in exklusiven Clubs in London, Casinos in Monaco und Luxushotels in Portofino Umgang pflegte. Er war ein stiller Verräter seiner eigenen Klasse – er stahl ihre unbezahlbaren Schätze, verkaufte sie heimlich auf dem Schwarzmarkt und spendete dann den Erlös für genau solche wohltätige Zwecke, die die unfreiwilligen Spender am meisten ärgerten. Dank seines letzten Coups finanzierte ein konservativer Parlamentsabgeordneter – ein bekannter Fremdenhasser – unwissentlich eine Klinik für mittellose Immigranten. Der schwarz gekleidete Baron hatte sich eine Degas-Statue geschnappt, während der Abgeordnete und seine Frau nebenan in ihren Morgenmänteln Karten spielten.

Noch nie war er in ein Haus eingebrochen, in das man ihn zuvor nicht eingeladen hatte. Blind irgendwo hineinzugehen war nie eine gute Idee, aber sein Freund kannte den Besitzer gut und hatte genug Informationen gesammelt, um aus diesem Diebstahl heute Abend eine sichere Sache zu machen. Bis jetzt waren in den Böden noch keine Trittsensoren installiert. Keine Kameras, keine verdrahteten Fenster. Und der Safe war irgendwo im Arbeitszimmer, das sich im zweiten Stock befand.

Nachdem er die Treppe hinaufgegangen war, untersuchte er die Außenwand des Arbeitszimmers – die Wand zwischen ihm und der Straße –, weil sie als Einzige dick genug war, um einen Safe enthalten zu können. Zwei große Fenster, nichts hinter dem einzigen Gemälde. Er wandte sich dem Boden zu. Mit strategischem Klopfen und einem geübten Ohr entdeckte er schnell einen Hohlraum unter einer Ecke des raffiniert gemusterten Shiraz-Teppichs. Mit Hilfe eines Brieföffners vom Schreibtisch des Hausbesitzers stemmte er die quadratische Tafel von gut einem halben Meter Kantenlänge aus dem Hartholzboden und sah den Safe. Er war ein etwa zehn Jahre altes stählernes Behältnis und hatte ein Kombinationsschloss von Sargent & Greenleaf.

»Mr. Sargent? Mr. Greenleaf? Gentlemen, wollen wir doch mal sehen, was Sie diesmal für mich haben.« Der Baron setzte sich auf den Boden und zog die Handschuhe aus, legte dann ein Ohr an den Safe und eine Hand aufs Schloss. Während er die Wählscheibe drehte, strich er mit seiner freien Hand sanft über die Safetür und versuchte zu ertasten und möglicherweise auch zu hören, wann die Nockenwellen des Schlosses miteinander in Kontakt kamen, um so berechnen zu können, wo sich die Aussparungen des Schließmechanismus auf den einzelnen Zahnrädern befanden.

Er runzelte die Stirn. Unter seinen Fingerspitzen spürte er nur Chaos. Viel zu viele Impulse. Das Schloss war eindeutig ein manipulationsresistentes Modell. Eines mit Scheinaussparungen an den Rädern – flach genug, um den Schließmechanismus nicht zu stören, aber doch so tief, dass sie sich ähnlich anfühlten wie reale Kontaktpunkte, wenn ein Experte wie er die Wählscheibe drehte. Mit einem Nicken entledigte er sich seines Huts. Er fiel zu Boden.

»Hut ab, meine hohen Herren. Die erste Runde geht an Sie. Aber ich fürchte, Runde zwei ist meine.«

Er richtete sich auf, zog das rechte Hosenbein hoch, öffnete eine an der Innenseite der Wade befestigte Tasche mit Klettverschluss und zog mehrere Gegenstände heraus: ein Stück Plastiksprengstoff mit einer v-förmigen Metalleinfassung – eine geformte Sprengladung direkt aus einem Untergrundlabor in Bratislava –, einen digitalen Zünder, zwei Rollen Draht und eine kleine, mit einer Lithium-Batterie betriebene Stromquelle. Er brachte den Plastiksprengstoff behutsam am rechten Rand der Safetür an, so dass er genau die Stellen abdeckte, wo die Stahlbolzen der Tür in den Rahmen eindrangen. Dank seiner oft geübten Methode würde der Sprengstoff die Bolzen durchtrennen, ohne das Innere des Safes zu beschädigen. Seinen Inhalt zu verkokeln wäre äußerst kontraproduktiv – schließlich war das, worauf er es abgesehen hatte, äußerst leicht entflammbar.

Er steckte den Zünder hinein, verband ihn mit der Stromquelle und legte den Schalter um. Nun fing er an, fünfzehn Sekunden abzuzählen. In dieser Zeit zog er die Handschuhe wieder an, wischte den Safe mit seinem Taschentuch ab, legte dann sein Dinnerjackett über das quadratische Loch im Boden und schob ein fahrbares Aktenschränkchen darüber, um den Stoff an Ort und Stelle zu halten. *Drei, zwei…* Die Detonation war kaum zu hören, denn sie wurde von dem dünnen Kevlar-Futter des Sakkos gedämpft. Kleine Rauchfahnen stiegen in die Höhe, als er das Aktenschränkchen an seinen Platz zurückschob. Er kniete sich hin, spähte in das Loch, packte den Handgriff des Safes und zog die Tür behutsam auf.

Drinnen lag, nicht einmal angesengt, ein altes, in Leder gebundenes Manuskript. Man hatte ihm gesagt, es sei jahrhundertelang vergraben gewesen, zusammen mit einem Geheimnis, das die Familie seines Freundes verzweifelt zu bewahren suchte. Faszinierendes Material, das war klar. Er würde die ganze Geschichte hören wollen, bevor er seine Beute übergab.

Er hob den schlichten, schwarzen Band aus dem Safe. Er war ziemlich schwer, ungefähr vier Zentimeter dick, und das Leder war trotz seines Alters erstaunlich glatt. Auf dem Einband stand kein

Titel, wie ihm auffiel, und es gab auch kaum Verzierungen – nur einzelne dünne Streifen aus Blattgold, die an den Rändern der Vorder- und Rückseite und an den fünf erhöhten Wülsten auf dem Buchrücken schimmerten. Er wollte das Buch schon öffnen, besann sich aber dann eines Besseren. Dafür wäre später noch genug Zeit.

Der Baron verstaute das Manuskript in seinem schwarzen Rucksack und sah sich dann im Zimmer um. Das Funkeln von Kristallglas stach ihm ins Auge – ein Dutzend Karaffen auf einem Regal an der gegenüberliegenden Wand, aufgereiht mit der Präzision und Formvollendetheit eines Knabenchors. Nachdem er am Inhalt einer jeden geschnuppert und die Flaschen dann sorgfältig zurückgestellt hatte, goss er sich ein Glas ein. Nichts – nicht einmal die eigene Flucht – sollte zwischen einen Mann und einen alten Cognac kommen. Der Zeitvertreib dieses Abends mochte langweilig gewesen sein, aber die Erfrischungen waren außergewöhnlich. Er hob das Glas an die Lippen und genoss, was mehr ein Kuss als ein Schluck war.

Das Tête-à-Tête zwischen Connaisseur und Cognac wurde unterbrochen. Hartes rotes Licht pulsierte in seinem Glas. Mit einem schnellen Blick sah er draußen vor dem Fenster blinkendes Licht und hörte zufallende Autotüren, sich nähernde Schritte, leise Stimmen.

Er runzelte verwundert die Stirn. Sicherheitsleute schon jetzt vor Ort? Unmöglich. Das simple Überwachungssystem hatte er doch lahm gelegt. Offensichtlich gingen sie zu einem der Nachbarhäuser. Vielleicht hatten die Leute dort irgendeinen häuslichen Streit, oder ein Kind hatte aus Versehen den Alarm ausgelöst.

Eine Tür knarzte leise. Entsetzt erkannte der Baron, dass es die Hintertür des Hauses war, in dem er sich befand. Das Anwesen wurde umzingelt. *Dieses* Anwesen hier. Aber er würde einen Fluchtweg finden. Bis jetzt hatte er immer einen gefunden.

Ruhig, aber zügig ging er im Geiste seine Möglichkeiten durch. Vielleicht war das Unvermeidliche nun doch eingetroffen. Vielleicht war ihm die Polizei nach all den Jahren auf die Schliche gekommen. Hatte ihn ein Beamter von seinem Haus hierher verfolgt und dann Verstärkung gerufen? Er hatte schon immer gewusst, dass das irgendwann passieren würde, hatte seine Flucht und eine neue Identität schon lange präzise geplant.

Da er das Dach als beste Fluchtmöglichkeit ansah, ging er durchs Zimmer auf die Treppe zu, als er im Haus Schritte hörte. Vom Gang in der Etage über ihm. Sie kamen näher. Verdammt, dachte er, jetzt musste er sich durch eines dieser Fenster verdrücken und von dort aufs Dach klettern. Als er zur Straße hinunterspähte, sah er zwei bewaffnete Männer, die dort Wache hielten … und einer der beiden schaute zu ihm hoch. Er saß in der Falle.

Einen Augenblick stand der Baron stockstеif da, wie gebannt von den Geräuschen seines so unerwartet und so schnell über ihn hereinbrechenden Schicksals. Mit einem Kopfschütteln wurde ihm klar, dass er seinen Gegner massiv unterschätzt hatte.

Er setzte sich in einen Ledersessel neben dem Fenster und stellte sein Glas auf den Tisch davor. Dann zog er den linken Handschuh aus und brachte so einen Ring mit einem großen, quadratisch geschliffenen Rubin zum Vorschein. Mit Daumen und Zeigefinger klappte er den Edelstein hoch und starrte das Pulver in der darunter liegenden Vertiefung an – stark wirkende Kristalle, destilliert aus dem Speichel des australischen Blauring-Kraken. Das kleine, sandfarbene Tier, das seine Farbe bei Gefahr in Sekundenbruchteilen zu Gelb mit blauen Streifen wechselte, besaß ein Gift, das fünfhundert Mal toxischer war als Zyankali. Da er schon vor langer Zeit beschlossen hatte, dass er lieber sterben würde, als ins Gefängnis zu gehen, hob er nun seine Zunge an, positionierte den Ring direkt darunter und legte den Kopf in den Nacken. Die Kristalle schmolzen und drangen fast sofort in das dichte Gefäßnetz auf der Unterseite seiner Zunge ein. Sekunden später – schneller, als wenn er es sich in den Arm injiziert hätte – erreichte das Gift sein Herz.

Mit einer Grimasse wegen des bitteren Geschmacks trank er noch einen Schluck Cognac. Wie vollkommen angemessen, dachte er. Bittersüß. Der Geschmack seines ironischen Abgangs – Europas berüchtigtster Gentleman-Dieb, ertappt bei einem ganz gewöhnlichen Hauseinbruch. Auch wenn seine Hand bereits zitterte, hob er das Glas.

Sein letzter Toast. Akzentuiert von Schüssen.

3

New York City – 16 Uhr 08 am folgenden Tag

Kate Morgan stand, in ein Badetuch eingewickelt, in ihrem Schlafzimmer und betrachtete stirnrunzelnd den Inhalt ihres Kleiderschranks. Sie hatte ein Problem – in zwanzig Minuten musste sie bei einer geschäftlichen Besprechung sein und dabei auch vorzeigbar aussehen –, aber es war ein warmer Frühlingsnachmittag, und sie hatte an ihrem Hals einen unübersehbaren Fleck, den sie verdecken musste. Konnte man an einem solchen Tag ein Halstuch tragen, ohne auszusehen wie ein Teenager, der einen Knutschfleck versteckte, fragte sie sich. Wahrscheinlich nicht.

Aha! Damit sollte es gehen. Sie nahm einen schwarzen, ärmellosen Rollkragenpullover von einem der Stapel, legte ihn aufs Bett und rubbelte sich dann die Haare trocken.

Der heiße Lauf der abgefeuerten Pistole, den man ihr in der Nacht zuvor an den Hals gedrückt hatte, hatte eine üble Schwellung hinterlassen – zum Teil Quetschung, zum Teil Verbrennung. Kate wusste, dass sie Glück gehabt hatte. Der Kerl hatte ihr die Luftröhre abquetschen wollen. Sie war im richtigen Augenblick ausgewichen, und er hatte sein Ziel um ein paar Zentimeter verfehlt, was ihr die Chance für einen gezielten Schlag in sein Gesicht gab. Ein schmerzhafter, aber wirkungsvoller Abschluss eines Auftrags. Ihr Chef hatte darauf bestanden, dass sie den folgenden Tag frei nehme, aber dann hatte sich etwas Dringendes ergeben – mit einem Mandanten, den der Anblick lila verfärbten Fleisches vielleicht aus der Fassung bringen könnte.

Nachdem sie sich BH, Unterwäsche und das eng sitzende Top übergestreift hatte, zog sie den Reißverschluss des Rocks ihres Nadelstreifenkostüms hoch. Während sie mit dem Kamm durch ihre langen, zum Kräuseln neigenden Haare strich, suchte sie sich das passende Paar Ohrringe aus. Perlen. Hübsch, aber schlicht. Make-up? Vielleicht ein wenig Lippenstift. Sie wählte einen Stift aus, drehte sich zum Spiegel und trug eine dünne Schicht ihres Lieblingstons auf, Guerlains Brun Angora – ein rötliches Braun mit Goldakzenten. Die Farbe passte gut zu ihren dunklen Haaren, den grünen Augen und der olivfarbenen Haut.

Jetzt das Jackett. Sie schloss den mittleren Knopf und trat einen Schritt zurück, um ihre Erscheinung zu mustern. Sie schob die schwarzen Locken über die Schulter zurück, drehte den Kopf nach links und betrachtete die rechte Seite ihres Halses. Der Rollkragen erfüllte seinen Zweck. Gut, dachte sie; du bist offiziell vorzeigbar. Sie schaute auf die Uhr. *Du bist außerdem spät dran. Mach dich auf die Socken.*

Kate stieg in ihre Schuhe und griff nach der Schultertasche. Erst jetzt fiel ihr auf, wie ihr rechter Handrücken aussah. *Scheiße. Habe ich ganz vergessen. Aber viel kann ich da nicht dagegen tun.*

Wie immer an einem perfekten Frühlingstag in New York drängten sich auf den Bürgersteigen der Fifth Avenue Touristen mit Kameras und Eiscremetüten. Kate zwängte sich in Richtung Central Park durch die Gruppen. Das Blätterdach der Eichen und Platanen, das über die Parkmauern hing, war erst vor kurzem ausgetrieben – eine grüne Welle, die an der Granitküste der Metropole leckte.

Zusammen mit einer Gruppe anderer Fußgänger blieb sie vor einer roten Ampel an der Fifty-Ninth Street stehen. Das Klappern der Hufe aus dem Pferdekutschendepot links von ihr vermischte sich mit dem Gemurmel von nahen Gesprächen und dem unaufhörlichen Hupen von Taxis. Sie dachte sehnsüchtig an das T-Shirt, die Spandex-Shorts und die Turnschuhe, in denen sie in der vergangenen Stunde gelaufen war, und zog ihr Jackett aus.

»Ist das alles?«, rief anzüglich ein Fahrradkurier, der auf sie zugebraust kam.

»Im Augenblick schon, aber später heute Abend…«

Sie hauchte ihm einen Kuss in sein verwirrtes Gesicht, ging dann mit der Menge weiter und wählte die Nummer ihres Chefs.

»Slade«, sagte er.

»Kate hier. Ich bin jetzt präsentabel und auf dem Weg ins Pierre. Wen treffe ich dort?«

»Cidro Medina. Ein Oxford-Abbrecher, der Finanzzauberer wurde. Playboy um die dreißig, der aus Scheiße Geld machen kann. Er ist einer unserer Stammkunden in Europa – benutzt vorwiegend unser Londoner Büro für forensische Wirtschaftsprüfungsaufgaben. Auf jeden Fall kam der Typ gestern Abend vom Essen nach Hause und fand eine Leiche in seinem Arbeitszimmer und das Haus voller Polizisten. Der Möchtegern-Dieb hatte es auf ein in einer merkwürdigen Sprache verfasstes Manuskript aus dem sechzehnten Jahrhundert abgesehen, auf das Medinas Arbeiter bei Renovierungen vor ungefähr einer Woche gestoßen waren. Medina will jetzt wissen, was genau da gefunden wurde und warum man es stehlen wollte. Und hier kommst du ins Spiel. Das sind keine Fragen für Polizisten. Nicht dass sie großes Interesse daran hätten, schließlich haben sie den Täter bereits.«

»Warum hat er es nicht einfach einem Experten eines Museums vor Ort gezeigt? Oder eines Auktionshauses?«

»Das hatte er ursprünglich auch vor. Aber einer der Jungs in unserem Londoner Büro hat ihm von deinem Background erzählt. Und da meinte er, dass du die bessere Wahl wärst. Ein anderer Renaissance-Experte hat vielleicht größere Erfahrung, aber nicht den investigativen Background, um die historische Recherche mit der Polizeiarbeit zu koordinieren. Du bist am besten geeignet, um all die Einzelteile zusammenzusetzen. Er hatte noch was anderes in New York zu erledigen und ist deshalb heute Morgen herübergeflogen.«

»Verstanden. Ich bin jetzt da. Ich melde mich in Kürze.«

Leise Gespräche summten in dem intimen, kreisrunden Tearoom des Hotels Pierre. Kate bewunderte seine geschmackvolle Opulenz – Fresken, die klassische Szenen mit Gestalten der New Yorker Gesellschaft aus den Sechzigern kombinierten, reich verzierte goldene Wandleuchter, zwei ausladend geschwungene Treppen und eine riesige Vase mit einem Blumenstrauß, der hoch über ihr auf-

24

ragte. Entlang der Wand waren insgesamt nur neun Sitzgruppen arrangiert, die Sessel und Zweisitzer waren mit Tapisserie bezogen.

Sie merkte, dass diese elegante Umgebung der perfekte Ort war, um in ihr literarisches Rätsel einzusteigen, und außerdem eine willkommene Abwechslung im Vergleich zu ihrem letzten Auftrag. Nicht dass sie vor Gefahr zurückschreckte, aber manchmal vermisste sie ihr früheres Leben: ein stiller Winkel in einer gut bestückten Bibliothek, das wohltuende Eintauchen in eine andere Zeit an einem anderen Ort, das aufregende Abschälen von Schichten, unter denen ein Thema zum Vorschein kam, das sie von Seite zu Seite mehr faszinierte. Zumindest für Kate war das aufregend gewesen. Ihre Zimmergenossin im College hatte mit schockierender Regelmäßigkeit gedroht, ihr die Streberpatrouille auf den Hals zu hetzten, und sie mit norwegischer Trash-Musik zugedröhnt, wenn sie an einem Samstagabend zu Hause bleiben und arbeiten wollte.

Kate nannte dem Empfangschef ihren Namen und folgte dann seinem Blick zum Tisch ihres Klienten. Oh, Mann. Auf konventionelle Art war Medina alles andere als attraktiv. Seine Nase war zu groß – fast schon eine Hakennase –, und sein Kinn und seine Wangenknochen waren so scharf, dass man sich daran schneiden konnte. Die Lippen ein wenig zu voll. Aber es war ein faszinierendes Gesicht. Eingerahmt von zerzausten kurzen blonden Haaren, war es ein Gesicht, das einen innehalten, hinstarren und sich fragen ließ, was dahinter vorging.

Als Kate den Raum durchquerte, warf sie einen kurzen Blick auf das Fresko hinter ihm. Eine nackte Venus stand auf einer Muschelschale, und ein Wesen, halb Mann und halb Schlange, wand sich um ihre Füße. *Also, hier ist ein Mädchen, das cool mit ihrem ersten heißen Klienten umspringen würde – auch wenn der ein Versace-Model in den Schatten stellen konnte.*

Als sie sich wieder ihm zuwandte, sah sie den vertrauten Ausdruck, mit dem jeder neue männliche Klient sie betrachtete. Zuerst heben sich die Augenbrauen vor freudiger Überraschung, weil sie attraktiv ist, dann werden die Lippen zweifelnd leicht gespitzt, weil sie so unerwartet jung ist.

Er erhob sich und streckte die Hand aus. »Cidro Medina. Sehr erfreut, Sie kennen zu lernen.« Sein Akzent war Eliteschule-Englisch, gewürzt mit einer Prise Spanisch.

»Ich würde Ihnen ja gerne die Hand geben«, sagte Kate, »aber… ich hatte gestern einen kleinen Unfall.«

Medina schaute sie fragend an.

Du kommst nicht drum herum. Sie zeigte ihm den rechten Handrücken. Eine violette Schwellung von der Größe einer großen Weintraube bedeckte die untersten beiden Knöchel.

»Sieht für mich aus, als hätte Ihr Unfall mit dem Gesicht eines anderen zu tun gehabt«, bemerkte er überrascht. »Ich sehe vielleicht aus wie ein Chorknabe, aber…«

Ja, richtig.

»…aber ich weiß, was passiert, wenn man mit bloßer Faust zuschlägt.«

»Ach ja. Erzählen Sie mir mehr.«

Er lachte. »Beeindruckend. Meinem Ego schmeicheln und dabei von sich selber ablenken. Nun gut, ich werde nicht weiter fragen. Aber neugierig bin ich trotzdem. Ich wusste ja nicht, dass Nadelstreifen-Detektive wie Sie sich prügeln wie Fußballfans.«

»Tun wir auch nicht«, sagte Kate, und das stimmte auch. Die Privatdetektei, für die sie arbeitete – eine der besten der Welt –, war eigentlich gegründet worden als Fassade für eine inoffizielle Abteilung des amerikanischen Geheimdienstes. Ihr Chef, Jeremy Slade, ein ehemaliger Deputy Director für Operationen bei der CIA, hatte sich für das Betätigungsfeld der Tarnfirma das nächstliegende privatwirtschaftliche Äquivalent ausgesucht, weil er wusste, dass die effektivsten Lügen am besten mit möglichst viel Wahrheit ummantelt werden. Nur eine Hand voll seiner Ermittler kannte die Doppelfunktion der Firma – diejenigen nämlich, die neben ihrer regulären Arbeit auch an den verdeckten Regierungsoperationen beteiligt waren. Kate war eine von ihnen. Und es waren die Regierungsaufträge, die gelegentlich gefährlich wurden und körperlichen Einsatz erforderten. Im Verlauf ihrer Karriere hatte sie ziemlich schnell gemerkt, dass die Vorstellung, Privatdetektive würden immer in Schlägereien geraten, ein modernes Märchen war.

Aber das alles konnte sie Medina nicht erzählen, deshalb sagte sie nur: »Tatsache ist, dass wir nur selten handgreiflich werden. Aber hin und wieder, wenn ein Mandant wirklich sehr, sehr aufdringlich wird ...«

Medina grinste. »Das Londoner Büro hat mir gestern Abend Ihre Biografie gefaxt, aber man hat mir nicht gesagt, dass Sie auch eine so angenehme Gesellschaft sind.«

Mit einem Achselzucken setzte Kate sich in einen Sessel.

Medina nahm ebenfalls wieder Platz und fuhr fort: »Ich bin beeindruckt – zwei Harvard-Abschlüsse. Wissen Sie, ich habe nicht mal einen geschafft.«

»Das habe ich gehört. Schade. Aber Ihrer Karriere scheint es nicht geschadet zu haben.«

Geschmeichelt grinste er noch einmal. »Sie steckten mitten in einer Doktorarbeit über die englische Renaissance, als Sie die Uni verließen, nicht?«

Kate nickte.

»Und worüber genau haben Sie gearbeitet?«

»Über die Neugier ... das Streben nach Geheimnissen und verbotenem Wissen.«

»Oh?«

Sie fuhr fort. »Ich fand es interessant, dass die erste offizielle, staatlich finanzierte Spionageorganisation Englands ungefähr zur selben Zeit gegründet wurde, als die Engländer nach neuen Wegen suchten, um den kosmischen Geheimnissen auf die Spur zu kommen – Sie wissen schon, Gottes Geheimnissen –, indem sie die entlegensten Winkel der Welt erforschten und Teleskope in den Himmel richteten. Und das, obwohl in dieser Zeit Neugier noch nicht die Tugend war, die sie heute ist. Ich ...«

»Wie meinen Sie das?«

»Hm, die Theologen des Mittelalters neigten dazu, übertriebene Neugier als Laster zu verurteilen – wenn man sich mit himmlischen Geheimnissen beschäftigte, war das Ketzerei. Schwarze Magie. Diese Haltung existierte auch noch unter konservativen Kirchenmännern der elisabethanischen Zeit, das heißt, gewisse Forschungsrichtungen konnten einen in Schwierigkeiten mit der

Regierung bringen, etwa die Frage, ob die Hölle existiert oder ob die Erde wirklich der Mittelpunkt des Universums ist. Wie auch immer, ich wollte diese beiden Arten der Neugier vergleichen, und mir überlegen, welches Streben nach Wissen gefährlicher war – die Erforschung von Staatsgeheimnissen oder von Gottes Geheimnissen.«

»Brillant. Aber warum dann der Wechsel zur Slade Group?«, fragte er. »Scheint mir eine ungewöhnliche Wahl für eine aufstrebende Wissenschaftlerin zu sein.«

Kate wandte kurz den Blick ab. Es war tatsächlich eine ungewöhnliche Wahl gewesen, aber im zweiten Jahr ihrer Promotion war sie mit ungewöhnlichen persönlichen Umständen konfrontiert worden. Ein Vorfall, der ihr fast das Herz gebrochen hätte und ihr Leben völlig durcheinander geworfen hatte. Aber davon brauchte Medina nichts zu wissen.

»Es ist ganz einfach«, erwiderte sie. »Ich beschloss, dass ich in der realen Welt etwas bewirken wollte – dass ich Leuten helfen wollte, Antworten auf wichtige Fragen zu finden, ihnen aus Schwierigkeiten heraushelfen oder etwas aufspüren wollte, das sie verloren hatten. Slade übernimmt eine beträchtliche Menge an Firmenaufträgen, wie Sie ja wissen, aber das ist nicht mein Bereich. Ich kümmere mich vorwiegend um persönliche Probleme von Privatpersonen – Verbrechen, die die Polizei nie lösen konnte, solche Sachen.«

Sie lächelte. »Nun, ich weiß zwar, dass ich noch ein bisschen mehr Konversation pflegen sollte, aber was ist gestern Abend in Ihrem Haus passiert – die Leiche, das mysteriöse Manuskript? Ich möchte unbedingt mehr erfahren.«

»Ich lasse gerade ein neu gekauftes Anwesen renovieren. In der City, in der Nähe des Leadenhall Market«, entgegnete Medina und meinte damit Londons Finanzdistrikt.

»Neue Büroräume.«

Medina nickte, öffnete seinen Aktenkoffer und blätterte in einigen Unterlagen. »Bei Verstärkungsarbeiten an den Grundmauern stießen die Männer auf einen versteckten Hohlraum unter dem Fundament des Hauses.«

Er gab Kate einen rechteckigen Gegenstand in einem Beutel aus dickem Samt. »Dies wurde in einer luftdicht verschlossenen Metallkiste gefunden. Das ist wahrscheinlich der Grund, warum es so erstaunlich gut erhalten ist.« Er klappte den Aktenkoffer zu und stellte ihn auf den Boden.

Kate zog das Manuskript behutsam aus dem Beutel und betrachtete den schlichten schwarzen Buchdeckel mit Goldrand, wandte sich dann dem Wulstrücken zu und suchte nach einem Titel. Als sie keinen sah, legte sie das Manuskript auf den Tisch und fuhr sanft, als würde sie die Wange eines Neugeborenen streicheln, mit der Fingerspitze über den Deckel. »Das Leder zeigt kaum Risse«, bemerkte sie verwundert. »Kaum zu glauben, dass es aus dem sechzehnten Jahrhundert stammt.«

Sie hob den Deckel an, blätterte die erste, leere Seite um und starrte dann einige Augenblicke gebannt die merkwürdigen Geheimzeichen an, die Hieroglyphen ähnelten.

»Ich habe in Oxford einen Dozenten besucht, den ich noch von früher kenne«, sagte Medina. »Ein Historiker namens Andrew Rutherford. Habe ihm das Buch letzte Woche gezeigt. Er konnte zwar einige Papiere ungefähr datieren, sich aber auf die Bedeutung dieser Schriftzeichen keinen Reim machen. Er hat sogar einen Experten für alte Alphabete konsultiert, aber offensichtlich sind diese Symbole nichts Derartiges.«

»Könnten Nichtigkeiten sein«, sagte Kate leise und hob die Seite an.

»Wie bitte?«

»Kommen Sie näher.«

Er beugte sich über den kleinen Tisch zu ihr, und nach dem Bruchteil einer Sekunde bog sich sein rechter Mundwinkel ein wenig nach oben. Kein richtiges Lächeln, nur eine Andeutung davon.

»Näher ans Buch«, ermahnte sie ihn. »Was riechen Sie?«

Er setzte eine geknickte Miene auf und fragte: »Was soll ich denn riechen? Es ist Hunderte von Jahren alt.«

»Vertrauen Sie der luftdichten Verpackung, die Sie erwähnt haben. Sie werden schon was riechen.«

»Okay. Leder und, äh, eine Art altes Papier.«

»Richtig. Was sonst noch?«, fragte Kate und bewegte die Seite langsam hin und her.

»Tinte, nehme ich mal an?«

»Und?«

»Und ... noch etwas?«, murmelte er, während er einatmete. »Zitrone.«

Kate holte nun eine schlanke, aber lichtstarke Stablampe aus ihrer Tasche. Sie drehte das Manuskript ein wenig und richtete den Lampenstrahl auf die Seite, die sie untersucht hatten. Zwischen den Zeilen der mit Tinte geschriebenen Zeichen tauchten nun durchscheinende Buchstaben auf.

»Oh, Mann«, flüsterte Medina. Dann las er den durchscheinenden Text laut vor: »*Die Anatomie der Geheimnisse* von Thomas ... was soll das heißen? Philip ... Phel ...«

»Phelippes«, sagte Kate verblüfft. »Diese zwei Buchstaben am Ende – das spiegelverkehrte e und das spiegelverkehrte s mit der geschlossenen unteren Schleife? Das ist ein elisabethanischer Schreibstil.«

Die Augen rund vor Erstaunen, ließ sie die Seite sinken. »Wissen Sie, wer Phelippes war?«

Medina schüttelte den Kopf.

»Vielleicht haben Sie schon mal was von Francis Walsingham gehört, Königin Elizabeths legendärem Meisterspion? Er wird als der Gründer des ersten offiziellen Geheimdienstes Englands betrachtet, und Phelippes war seine rechte Hand, sein Direktor für verdeckte Operationen – er wurde ›der Entzifferer‹ genannt, wegen seiner Meisterschaft im Dechiffrieren von Geheimcodes. Heute erinnert man sich an Phelippes vorwiegend nur noch deshalb, weil er Walsingham dabei half, Mary Stuart, Königin der Schotten, in die Falle zu locken.«

»Sein Name sieht französisch aus.«

»Ja. Geboren wurde er als Phillips. Hat die Schreibweise wahrscheinlich geändert, um dem Namen ein bisschen mehr Flair zu geben«, sagte Kate schnell.

Dann deutete sie auf die hieroglyphenartigen Symbole. »Diese mit Tinte geschriebenen Zeichen waren in der Renaissance als Nichtigkeiten bekannt. Es sind nur Köder – bedeutungslose Symbole, die einen auf die falsche Fährte locken sollen. Codes und Chiffren waren ein wesentlicher Bestandteil der verdeckten Kommunikation in der damaligen Zeit, aber ebenso das Schreiben von Nachrichten mit Zitronensaft, Milch, Zwiebelsaft… mit irgendwas Organischem. Jemand, der in Phelippes Papieren wühlt, schaut sich so eine Seite an und gibt verwirrt auf. Aber wenn er das Blatt über eine Kerze halten würde…«

Kate blätterte zur zweiten Seite und hielt ihre Stablampe daran. Diesmal zeigten sich jedoch keine durchscheinenden Buchstaben. Sie sah sich die Seite genauer an. Sie war etwas kleiner als die Erste, dunkler vergilbt an den Rändern und zeigte quer verlaufende Knicke, als wäre sie mehrmals gefaltet worden, und außerdem schien es eine andere Handschrift zu sein. Als sie sich auf die Zeichen selbst konzentrierte, sah sie, dass sie einfacher waren als die Nichtigkeiten – die Ködersymbole – in Tinte auf der Titelseite. Es gab ein Zeichen, das an eine Kaulquappe erinnerte, ein anderes, das aussah wie der Planet Saturn umgeben von seinem Ring, eine Ziffer Drei mit einer zusätzlichen Schleife, und ein weiteres, das an eine Acht mit einem Ringelschwänzchen an der oberen Schlaufe erinnerte.

»Ich frage mich, ob…« Kate ließ den Satz unvollständig, während sie die nächsten Seiten untersuchte. Auch sie waren in schlechterem Zustand als die erste Seite, mit einfacheren Zeichen, verschiedenen Handschriften und ohne versteckten Zitronensaft-Text.

Beim Überfliegen der fünften Seite nickte sie. »Ja. Ich bin mir ziemlich sicher, dass das echte elisabethanische Chiffren sind. Einige der Zeichen sind mir vertraut. Von dem da«, sagte sie und deutete auf ein O, aus dem ein Kreuz herausragte, »weiß ich, dass es als Symbol für Frankreich benutzt wurde. Und das da für Spanien«, fuhr sie fort und zeigte auf etwas, das aussah wie eine Ziffer Vier, die auf einer kurzen Linie stand. »Und dieser nach oben weisende Pfeil steht für England.«

Als Kate den Kopf hob, bemerkte sie, dass zwei Teenager auf der anderen Seite des Raums über ihre Teetassen hinweg zu ihnen herüberstarrten, und die ältere Frau am Nebentisch warf ihnen zwischen zwei Bissen von ihrem Gebäck Blicke zu. Widerstrebend schloss sie das Manuskript und sagte leise: »Das sieht aus wie eine Sammlung von Geheimdienstberichten aus dem sechzehnten Jahrhundert.«

»Komisch, dass mein Dozent mir nichts davon...«

»Spionage ist nicht gerade ein beliebtes oder besonders prestigeträchtiges Spezialgebiet.«

»Hm. Dennoch verstehe ich nicht, warum irgendjemand versuchen sollte, dieses Ding zu stehlen, wo es doch in meinem Haus viele Dinge gibt, die bedeutend mehr wert sind. Meine Autoschlüssel lagen auf dem Tischchen in der Diele... neben ein paar diamantenen Manschettenknöpfen. Der Dieb hat sie überhaupt nicht angerührt. Mir kommt das ein bisschen blöd vor.«

Außer... Fest entschlossen, ihre Fassung zu wahren, atmete Kate einmal tief durch. »Vielleicht sind das nicht nur irgendwelche x-beliebigen Geheimdienstberichte. Nach Walsinghams Tod im Jahr 1590 verschwanden seine Geheimakten, und sowohl elisabethanische wie moderne Forscher betrachteten Phelippes als möglichen Verdächtigen. Die Akten waren mit Sicherheit wertvoll. Walsinghams Netz von Spitzeln hätte sogar J. Edgar Hoovers Handlanger in den Schatten gestellt. Geheimnisse, Skandale, alles nur irgendwie Verdächtige – er hat alles ausspioniert, was Sie sich nur vorstellen können. Jahrzehntelang. Und die Sache ist die, diese Akten wurden nie gefunden. Vielleicht...«

»Moment mal. Einen Schritt zurück, bitte. Warum wurde zu der Zeit so viel spioniert?«

»Wie gut wissen Sie über englische Geschichte Bescheid?«

»Verdammt schlecht«, gab Medina zu. »Ich bin zwar ein halber Engländer, aber in Spanien aufgewachsen... und war eigentlich nie so ein richtiger Bücherwurm.«

»Nun. Die protestantische Regierung von Elizabeth I. wurde von allen Seiten von intrigierenden Katholiken bedroht, auch von solchen aus dem Inland. Beständig gab es katholische Verschwörungen, an denen normalerweise sowohl einheimische wie ausländische Akteure beteiligt waren. Vor allem die Spanier. Auch der Papst – er erließ eine Bulle, in der er seinen Anhängern befahl, alles zu tun, um Elizabeth loszuwerden.«

»Es gab also eine Menge Leute, die ihr nach dem Leben trachteten.«

»Genau. Und in den Jahren um 1580 überredete Walsingham sie schließlich, Geld für Spionage auszugeben. So übernahm zum ersten Mal in der Geschichte die Royal Treasury, das Königliche Schatzamt, einen großen Teil der Geheimdienstkosten, und Walsingham war in der Lage, seine Organisation bedeutend zu vergrößern. Mit Phelippes an seiner Seite baute er ein riesiges Netz aus Informanten und Spionen auf – Kundschafter, wie man sie damals nannte. Manchmal setzten seine Leute Drohungen und Einschüchterungen bei der Rekrutierung ein, meistens aber nur Geldversprechen. Und in der Folge war Walsingham in der Lage, Verräter so umfassend aufzuspüren, dass es Joe McCarthy dabei schwindlig geworden wäre. Seine Leute wussten über so viele Leichen in so vielen Kellern Bescheid, dass sie fast jedem zu jeder Zeit damit drohen konnten, ihn in der Versenkung verschwinden zu lassen.«

»Klingt ja nach einem äußerst angenehmen Aufenthaltsort.«

»Ich weiß. Wenn's ums elisabethanische England geht, denken die meisten Leute an Shakespeare und königlichen Prunk. Aber unter dem Flitter war es ein hässlicher Polizeistaat. Das Konzept der Unschuldsvermutung vor Gericht war unbekannt. Wenn die Sicherheit der Königin in Gefahr war, zählte nur der Verdacht. Und so konnten die Worte der Spione – die Schacherer von Geheimnissen und Sünden – einen in die Folterkammer schicken … einfach so«, sagte Kate und schnippte mit den Fingern.

»Sie haben gesagt, Walsinghams Akten sind seit seinem Tod verschwunden?«

Kate nickte. »Mehr als vier Jahrhunderte lang.«

»Und Sie glauben …«

»Ich glaube, dieses Manuskript kann beweisen, dass es Phelippes war, der sie an sich nahm. Dass er die Dekaden umfangreicher Aufzeichnungen durchsah, die saftigsten Spionageberichte aussuchte, sie binden ließ und – *presto! – Die Anatomie der Geheimnisse*. Eine Sammlung von Informationen, die für die elisabethanische Aristokratie so gefährlich waren wie die Hoover-Akten für amerikanische Politiker. Und als historisches Artefakt war es vielleicht nicht das Wertvollste in Ihrem Haus, aber ich glaube, dass es dem Dieb nicht um den Verkaufspreis ging.«

»Was meinen Sie damit?«

»Nun ja, jeder Renaissance-Forscher würde dieses Manuskript liebend gern in die Finger bekommen. Ein explosives Essay veröffentlichen und berühmt werden – wobei die meisten Akademiker allerdings ziemlich gute Umgangsformen haben und nicht gerade notorische Einbrecher oder Anstifter zum Diebstahl…«

Kate schaute einen Augenblick ins Leere. »Vielleicht könnte irgendwas da drin auch heute noch für jemanden eine Bedrohung darstellen. Beweise, zum Beispiel, dass ein Vorfahr irgendeines Herzogs ein wirklicher Mistkerl gewesen war, und er deshalb den Familiensitz verlieren würde, wenn diese Informationen ans Tageslicht kämen.«

»Das wäre ein Knüller.«

»Allerdings. Und da kaum jemand weiß, dass Sie das Ding überhaupt gefunden haben, sollte es nicht zu schwer sein, den…«

In diesem Augenblick stellte der Kellner eine dreistöckige Silber-Etagere mit Gebäck und dreieckigen Sandwichs zusammen mit kleinen Teekannen und feinen Porzellantassen auf den Tisch.

Kate dankte ihm und wandte sich dann wieder Medina zu. »Können Sie mir noch mehr über diesen Einbruch am gestrigen Abend erzählen?«

»Es war am frühen Abend«, sagte er und griff nach einem mit Sahne gefüllten Schwan aus Brandteig. »Die Polizei glaubt, dass er durch ein rückwärtiges Fenster eingestiegen ist. Ich habe ein paar offen gelassen… in meinem neuen Haus in Belgravia.«

Kate kannte die Gegend gut – sie hatte dort eine Woche lang einen Überwachungsauftrag gehabt. Das Viertel lag nur einen Steinwurf vom Buckingham Palace entfernt und war im frühen neunzehnten Jahrhundert von Reichen für Reiche entworfen worden. Es war noch immer eine ultraschicke Gegend, wo altes und neues Geld sich mischten.

»Sind Sie erst vor kurzem eingezogen?« Sie goß sich Tee ein.

Medina nickte kauend. »Bis ein anständiges Sicherheitssystem installiert ist, patrouilliert ein Wachmann auf dem Grundstück, wenn ich weggehe. Als der Geräusche hörte, rief er sofort die Polizei. Es machte nichts, dass die Beamten sich Zeit ließen – nachdem der Dieb meinen Safe geknackt hatte, machte er es sich bequem. Goss sich einen Cognac ein, können Sie sich das vorstellen?«

»Wie kam er ums Leben?«

»Er war bewaffnet. Als mein Wachmann die Tür öffnete und eine auf ihn gerichtete Pistole sah, schoss er. Er wollte den Mann natürlich nur in den Schussarm treffen, aber bei dem Winkel...«

»Konnte die Polizei ihn schon identifizieren?«

»Noch nicht.«

»Wurde ein Abgleich der Fingerabdrücke gemacht?«

»Heute Morgen. Keine Übereinstimmung.« Medina nahm seinen Aktenkoffer zur Hand und holte einen Stapel Polaroids heraus. »Fotos vom Tatort, wenn Sie...«

Kate schaute sie sich an. Auf dem Ersten saß der Dieb zusammengesackt in einem Lehnsessel, den Kopf auf der Schulter, das Gesicht verdunkelt von Blut und Schatten. »Netter Anzug: Maßgeschneidert. Sieht englisch aus. Könnte eine Möglichkeit sein, ihn zu identifizieren.«

»Gute Idee.«

Kate sah sich die anderen Fotos an. »Ihr Safe... wow, dieser Kerl war gut. Er hat das alles in ein paar Minuten geschafft?«

»Wenn überhaupt.«

Als sie sah, dass die Hartholzdielen rechts von Medinas Safe kaum angesengt waren, fügte sie hinzu: »Er muss eine geformte Ladung benutzt haben. Nicht leicht, eine von denen in die Finger zu bekommen.«

»Eine von was?«

»Ein Stück Plastiksprengstoff mit einer Metalleinfassung – gestattet eine kontrollierte, zielgerichtete Explosion. Wie's aussieht, hat er eine benutzt, um die Bolzen zu durchtrennen, die die Tür verriegeln. Erinnern Sie sich noch an den Pan-Am-Flug 103? Die CIA konnte die Libyer, die sie sprengten, anhand einer ähnlich seltenen High-Tech-Vorrichtung aufspüren – dem Timer der Bombe, einem Modell, von dem ein Schweizer Experte nur zwölf Stück hergestellt hatte. Ja, den Kerl zu identifizieren dürfte nicht schwer sein.«

»Was ist mit dem Motiv? Den Detective schien das nicht sonderlich zu interessieren. Er wurde sogar ziemlich barsch.«

»Ich kann mir vorstellen, dass ich es hier drin finde«, sagte Kate und deutete auf *Die Anatomie der Geheimnisse.* »Ich sage das jetzt nur ungern, aber es ist so, dass etwas wie das hier – aus dem sechzehnten Jahrhundert, nur ein existierendes Exemplar – eigentlich in ein Museum gehört, mit angemessener Klimakontrolle und Ausleuchtung… Es kann auch sein, dass es in England ein Gesetz gibt, das die Weiterleitung eines solchen Fundstücks an eine spezielle kulturelle Einrichtung vorschreibt. Ich weiß nicht so recht, wie Sie…«

»Ich will jetzt nicht die Wissenschaftlerin in Ihnen beleidigen«, warf Medina dazwischen, »aber ich hatte gehofft, es würde Ihnen nichts ausmachen, die Bürokraten ein paar Tage warten zu lassen. Ich habe die luftdichte Kiste oben in meinem Zimmer, und da es dort drin vierhundert Jahre lang erhalten geblieben ist…«

»Schon überzeugt«, sagte Kate mit einem Auflachen. »Wenn ich heute Nacht alle Seiten einscanne und das Buch dann wieder in die Kiste einschließe, wird mein Gewissen es überleben. Aber sagen Sie mir, warum ist Ihnen das, äh…«

»So wichtig?«

»Ja. Nach dem, was Sie mir über Ihre Interessen gesagt haben…«

»Das ist das Aufregendste, was mir seit einer ganzen Weile passiert ist. Wobei das bei jemandem, der sonst nur mit Zahlen herumspielt, nicht viel heißt.« Er zögerte einen Moment und fuhr dann mit seinem schiefen Lächeln fort: »Außerdem, wer könnte widerstehen, wenn er mit so einer Klassefrau wie Ihnen Amateurdetektiv spielen dürfte?«

Um Medina bei Laune zu halten, zuckte Kate die Achseln und hob die Hände. Innerlich aber verdrehte sie die Augen. Als *Klasse-*

frau würde sie selbst sich nie bezeichnen. Ihrer Meinung nach sah sie gut genug aus, dass es manchmal hilfreich sein konnte, aber auch nicht so gut, dass es je zur Belastung wurde; wenn nötig, konnte sie problemlos in einer Menge untertauchen.

Um zum Geschäftlichen zurückzukehren, zog sie einen Notizblock aus der Tasche. »Ihr Professor, Dr. Andrew Rutherford – ich muss ihn anrufen.« Sie schaute auf die Uhr. In England war es jetzt nach zweiundzwanzig Uhr. »Ich schätze, gleich morgen früh. Ich möchte herausfinden, wem er das Manuskript zeigte – als Anfang für eine Aufstellung aller Leute, die von Ihrer Entdeckung wissen. Können Sie mir seine Nummer geben? Und kann ich diese behalten?«, fragte sie und hielt die Fotos in die Höhe.

»Ja und ja.« Während er die Nummer aus dem Verzeichnis seines Handys abschrieb, fügte er hinzu: »Wissen Sie, ich war schon beeindruckt von Ihnen, bevor ich Sie kannte. Und jetzt, na ja, bin ich es noch mehr. Es ist mir klar, dass Sie sehr tüchtig sind. Aber etwas bereitet mir Kopfzerbrechen, etwas sehr Ernstes.«

»Was?«

»Ich muß mich einfach fragen, ob ich Ihnen trauen kann. Seien wir doch ehrlich. Gerissene Spioninnen können gefährlich sein. Ich meine, wenn ich an einige Ihrer berühmten Vorgängerinnen denke – Delilah, Mata Hari...«

Kate nahm ihren Löffel zur Hand und tat so, als wäre es ein Mikrofon. »Memo für mich selbst: Mandant ist versiert in der Geschichte doppelzüngiger Schlampen. Hat mich auch prompt mit einer solchen verwechselt.«

Mit einem Zwinkern hob Medina seine Teetasse. »Auf die Hoffnung, dass Sie nicht ebenso schlimm enden.«

Delilah, das wusste Kate, war unter einem einstürzenden Tempel begraben worden, aber Mata Hari? *Ach ja, Erschießungskommando.*

Sie lehnte sich zurück und verschränkte die Arme vor der Brust. »Und das von einem Mann, der behauptet, sich in der Geschichte nicht auszukennen.«

»Ach, meine Schlampen kenne ich schon.«

»Cidro, das glaube ich Ihnen gern.«

Unten auf der Fifth Avenue, auf dem Weg zur Hochbahn, die sie zu einer befreundeten Antiquarin bringen sollte, versuchte Kate, ein Lächeln zu vertreiben, das einfach nicht aus ihrem Gesicht weichen wollte. Es schien ein Eigenleben angenommen zu haben, kaum dass sie sich von Medina verabschiedet hatte.

Wenn ihre Theorie stimmte, dann hatte Phelippes – ein Mann, den sie beinahe persönlich zu kennen glaubte – tatsächlich eine gebundene Version von Walsinghams köstlichsten Geheimnissen geschaffen. Und dieser Band könnte seit der Renaissance verschollen sein, dachte sie aufgeregt. Phelippes hatte in der Nähe des Leadenhall Market gelebt, in der Gegend also, in der Medinas neues Bürogebäude renoviert wurde. Geheimkammern waren in dieser Zeit keine Seltenheit. Einige, auch »Pfaffenlöcher« genannt, wurden extra konstruiert, um die illegalen Männer in den schwarzen Kutten zu verstecken, ohne die reiche Katholiken einfach nicht auskommen konnten. Als fast ganz London im Großen Feuer von 1666 niederbrannte, konnten Schutt und Asche die Kammer samt Inhalt verschüttet haben. Bis zum heutigen Tag.

Kate drückte ihre Tasche fester an sich. Sie kam sich vor wie eine Verschwörungstheoretikerin, die eben Lee Harvey Oswalds Tagebuch gefunden hatte. Die Schlüssel zu Dutzenden von Rätseln konnten in diesen chiffrierten Seiten versteckt sein: Hatte Königin Elizabeths erster Geliebter wirklich seine Frau die Treppe hinuntergestoßen? Hatte sie wirklich so viele Liebhaber gehabt, wie man glaubte? Steckte Mary, Königin Schottlands, hinter dem Mord an ihrem ersten Gatten und der Verschwörung zu Elizabeths Ermordung? Und wie wäre es mit Beweisen, dass Shakespeare tatsächlich all die Dramen verfasst hatte, die man ihm zuschrieb?

Als Studentin hätte Kate sich nie träumen lassen, dass sie einmal diejenige sein könnte, die etwas wie Phelippes *Anatomie der Geheimnisse* entzifferte, und dass so etwas überhaupt je entdeckt werden könnte. Und sie hätte auch auf keinen Fall erwartet, dass ihre Liebe für die Geschichte der Renaissance je eine Rolle in ihrem Beruf spielen würde. Begeisterter hätte sie nicht sein können. Warum hatte ihr dann eine unbestimmte Nervosität eben die Laune verdorben?

Ein kräftiger Schlag stieß ihre rechte Schulter nach vorne. Ihre Tasche mit beiden Händen an sich drückend, starrte sie die Person an, die sich an ihr vorbeischob, und entspannte sich dann. Es war eine typische Innenstadt-Blondine in Eile, mit makelloser Make-up, einer wichtigtuerischen Miene, die keine Schauspielerin nachmachen konnte, und verärgerten Gedanken, die so voraussagbar waren wie die Farbe ihrer Haarwurzeln. Einen Augenblick später wurde aus ihren schnellen Schritten ein ungeduldiges Trippeln – sie hing fest hinter zwei gebeugt gehenden, alten Damen, die Arm in Arm dahinschlenderten. Kate lauschte amüsiert den unterdrückten Flüchen der Blondine; zweifellos gehörte sie zu den vielen New Yorkern, die langsames Gehen in der Rush Hour für eine Todsünde hielten.

Aber Kates Herz raste noch immer, und das kam nicht von den Gedanken an das Manuskript. Sie blieb kurz stehen, um mit Blake zu reden, dem gut aussehenden jungen Wachmann, der vor den Türen von Harry Winston stand. Obwohl ansonsten immer umringt von schmachtenden Touristinnen, war er an diesem Tag allein.

»Hast du irgendjemanden gesehen, wegen dem ich mir Sorgen machen müsste?«

Er ließ kurz den Blick schweifen, schaute über ihre Schulter und sagte dann: »Hm, Mann mittleren Alter, grau melierte Haare – zumindest das, was davon noch übrig ist –, an einem Zeitungskasten auf der anderen Straßenseite. Er hat eben hochgesehen. Und, na ja, ein Kerl, der eben vorbeigegangen ist, hat dich von oben bis unten angeschaut, wie übrigens auch seine Freundin, aber ich glaube nicht, dass das was zu bedeuten hat. Ein paar Leute sind eben in Läden verschwunden.«

Kate selbst hatte niemanden bemerkt, wurde aber das Gefühl nicht los, dass sie verfolgt wurde. Sie hatte zwar gelernt, Beschatter zu entdecken, aber wenn sie gut waren, spürte sie sie meistens nur.

Während sie so tat, als würde sie die Winston-Auslage betrachten, hörte sie Blake weiter zu. »Ich tippe auf Mr. Graumeliert. Willst du durch den Laden gehen?« In einem von Harry Winstons Lagerräumen befand sich ein versteckter Ausgang, der zu einem aufgegebenen Netz von Bautunneln führte. In einem früheren Fall hatten Kate und einer ihrer Kollegen die Unterschlagungen eines Angestellten Winstons aufgedeckt, und der dankbare Geschäftsführer hat ihr daraufhin gestattet, diesen Schleichweg zu jeder Zeit zu benutzen. Für sie war das eine Art Geheimtür mitten in der Stadt.

»Danke, aber heute nicht. Ich möchte wissen, was er will.«

»Du strahlst ja richtig. Hast du jemanden kennen gelernt?«

»Nein, nur einen gut situierten Mandanten. Sieht ziemlich gut aus, ist aber nicht mein Typ, ein gelangweilter Reicher mit blasiertem Blick nach dem Motto: ›Ich weiß, dass alle scharf auf mich sind.‹«

»Bei diesem Blick werde ich immer schwach«, seufzte Blake. »Aber er ist von deinem Ufer, oder?«

»Ich glaube, ich habe sein Boot schon mal auf unserer Seite ankern sehen, aber ich halte dich auf dem Laufenden.«

Kate ging in südlicher Richtung weiter, blieb jedoch hin und wieder stehen, damit ihr Verfolger sie nicht aus den Augen verlor. Während sie hochschaute zu den mit Lichtergirlanden behängten Bäumen auf den Etagenabstufungen des Trump Tower, fragte sie sich, ob sie einfach nur an Verfolgungswahn litt. *Na, das ist leicht herauszufinden.* Ein blau-weißer Manhattan-Bus hielt eben neben ihr, und Kate machte einen Schritt darauf zu, als wollte sie einsteigen, und sah sich dabei schnell um. Der Mann, den Blake beschrieben hatte, winkte ein Taxi heran.

Er folgte ihr also. *Hm.* Kate schaute auf die Uhr und setzte sich wieder in Bewegung, so dass es so aussah, als hätte sie es sich anders überlegt. Einige Blocks weiter unten betrat sie das Banana Republic im Rockefeller Center. Ein schneller Blick in die reflektierende Ladenfront bestätigte ihr, dass ihr Schatten genau da war, wo sie ihn haben wollte.

In der Ankleidekabine zog Kate ihr Kostüm aus, rollte es zusammen und steckte es in ihre Tasche, zog dann eine Perücke und einen kurzen Lycra-Rock heraus. Ohne Verkleidungsutensilien verließ sie nur selten das Haus. Die kinnlange Perücke war glatt und blond. Ihr eigener Vater hatte sie nicht erkannt, als sie sie einmal trug. Sie versteckte ihre eigenen Haare darunter und schlüpfte

40

dann in das Röckchen – ein diametraler Gegensatz zu dem konservativen, knielangen Nadelstreifenkostüm, das sie eben noch getragen hatte.

Nachdem sie anstelle des dunklen Lippenstifts ein frostiges Pink aufgetragen hatte, ging Kate zu einem Kunden, der an der Kasse stand, und bot ihm zwanzig Dollar dafür, dass er sie hinausbegleite. Eng umschlungen verließen sie den Laden und verschwanden im Getümmel der Rush Hour. Das Geld nahm er nicht an.

Der Mann mit den grau melierten Haaren und dem Ansatz eines Bierbauchs stand auf der anderen Straßenseite, halb verdeckt von den Touristen, die sich vor der St. Patrick's Cathedral tummelten, und beobachtete den Eingang des Banana Republic. *Wenn dieses Mädchen auch nur annähernd so ist wie meine Frau, bleibt sie Stunden da drin.* Er schaute auf die Uhr. Erst zwanzig Minuten waren vergangen. Dennoch sollte er auf ihr Wiederauftauchen vorbereitet sein. Hier war der perfekte Ort für das, was er vorhatte – der am dichtesten bevölkerte Platz in der ganzen Umgebung.

Ohne den Blick vom Eingang des Bekleidungsgeschäfts zu nehmen, griff er in seine Jackentasche nach dem Rasiermesser und erschrak. Das Messer war verschwunden. Und seine Brieftasche ebenfalls. Er lebte seit fünfundzwanzig Jahren in New York, fünfzehn Jahre als Polizist, seit zehn Jahren als Privatdetektiv. Hatte Hunderte von Dieben gefangen, war aber selbst noch nie ausgeraubt worden. *Verdammt.*

Jemand klopfte ihm auf die Schulter. »Entschuldigen Sie, Sir«, sagte eine schüchterne Stimme. »Können Sie mir sagen, wo ist… die…?«

Was ist das für ein Akzent, italienisch? Er drehte sich um. Aha, 'ne heiße Touristin, die sich in der Stadt nicht auskennt – Stadtplan in der Hand, einen flehenden Ausdruck im Gesicht. Ja, er könnte ihr schon ein paar Sachen zeigen. Aber er hatte einen Auftrag zu erledigen. »Tut mir Leid, Miss. Aber im Augenblick kann ich Ihnen nicht helfen.«

»Doch, ich glaube, das können Sie schon.«

Verwirrt trat er einen Schritt zurück. Ihre Gesichtszüge waren plötzlich hart geworden, die Worte herrisch, und der Akzent war verschwunden. Trotz der neuen Haare, der veränderten Kleidung und des anderen Make-up erkannte er sie: seine Zielperson.

»Bill Mazur«, sagte Kate, nachdem sie Minuten zuvor einen Blick auf seinen Führerschein geworfen hatte. »Aus dem Polizeidienst entlassen, weil Ihr Umgang mit den örtlichen Dealern ein wenig zu freundschaftlich wurde.« Bevor sie ihn ansprach, hatte sie im Büro angerufen, seinen Namen durchgegeben und um ein paar schnelle Hintergrundinformationen gebeten. »Wer hat Sie engagiert?«

Er drehte sich um und wollte ein Taxi heranwinken, doch Kate trat einen Schritt vor, packte seinen Arm und verdrehte ihn so, dass der Mann sich ihr wieder zuwenden musste. »Sie haben meine Frage nicht beantwortet.«

Mazur macht ein finsteres Gesicht und versuchte, sich loszureißen.

»Ach, das hätte ich beinahe vergessen«, sagte Kate mit gespielter Ernsthaftigkeit und legte das Rasiermesser in die schlaffe Hand, die sie noch immer umklammert hielt. »Männer wie Sie brauchen ja so was, um ihre Arbeit zu erledigen.«

Verlegenheit huschte über sein Gesicht, als das Messer zu Boden fiel. Kate drückte ihm einen Nerv im Handgelenk ab, und seine Finger waren nicht zu gebrauchen.

»Beantworten Sie meine Frage, und Ihre Freunde in der Truppe werden nie erfahren, dass Sie von einem Mädchen überrumpelt wurden, das nur halb so alt ist wie Sie.«

Mit einer ruckartigen Bewegung riss Mazur sich los und trat wütend einen Schritt zurück. »He, Schlampe, ich habe keine Ahnung, wer du bist oder was du von mir willst …«

Aber Kate hatte noch einen letzten Trumpf im Ärmel – ein Detail, das ihr Kollegen ihr Augenblicke zuvor per Telefon übermittelt hatten. »Wie geht's Ihrem Sohn zu Hause in der Carroll Street? Ich könnte jemand vorbeischicken, der mal nachschaut, wenn Sie wollen.«

Mazur, der nicht wusste, dass sie nie einem Kind etwas tun

würde, kapitulierte. »Ich weiß nicht, wer das war. Der Kerl hat mir seinen Namen nicht genannt – hat mir den Auftrag vor ein paar Stunden per E-Mail geschickt. Ich sollte Ihnen die Tasche abknöpfen und an einen von ihm genannten Ort bringen. Er bezahlte bar und im Voraus. Als ich mein Büro verließ, lag ein unbeschrifteter Umschlag vor meiner Tür.«

»Hat er gesagt, was genau er wollte?«

»Irgendein Buch.«

»Seine E-Mail-Adresse?«, fragte Kate, und gab Mazur ihren Notizblock samt Bleistift.

Er schrieb sie auf, drehte sich dann wieder um und winkte einem Taxi.

»Ich sage Ihnen Bescheid, wenn ich noch mehr Fragen habe«, sagte Kate zu seinem Hinterkopf.

Als sie dann las, was er aufgeschrieben hatte, murmelte sie: »Der Kerl nennt sich Jade Dragon?«

Kate klappte ihr Handy auf und rief Medina an, um ihn wissen zu lassen, dass noch immer jemand hinter seinem Manuskript her sei und der tote Dieb offensichtlich angeheuert gewesen war. Außerdem riet sie ihm, vorsichtig zu sein, und bot ihm einen Leibwächter an; das sei wahrscheinlich eine unnötige Vorsichtsmaßnahme, aber trotzdem eine gute Idee.

Kate betrachtete ihren neuen Fall als Puzzle mit geringem Risiko. Natürlich hatte es bereits zwei Diebstahlsversuche gegeben, aber eine echte Gefahr dürfte ihr nicht drohen. Nicht wegen uraltem Klatsch und verstaubten Betrügereien.

Zwei Tage vergingen, bis sie merkte, dass sie sich geirrt hatte.

Oxford, England – 23 Uhr 02

Mit dem Rucksack über der Schulter verließ Vera Carstairs die beinahe leere Christchurch-Bibliothek. Gleich würden sich ihre Pforten schließen, und Vera gehörte wie immer zu den letzten Studenten, die den Lesesaal verließen. Sie lehnte sich an eine der massiven korinthischen Säulen, schloss kurz die müden Augen und genoss die warme Abendbrise.

Dann stöhnte sie erschrocken auf.

Zwei Jungs stürmten mit unidentifizierbaren pinkfarbenen Gegenständen in den Händen an ihr vorbei und rannten Staub aufwirbelnd über den Peckwater Quad. Als Vera sah, dass sie torkelten und taumelten, nahm sie an, dass sie nicht lange, frustrierende Stunden des Studierens hinter sich hatten. Sie verschwanden in der Killcanon-Passage, und Vera, die in dieselbe Richtung musste, hörte gelallte Schreie durch den Steinkorridor hallen. »Kommt schon, ihr Idioten. Auf eure Plätze.«

»O Gott, was ist es denn diesmal wieder?«

Als sie auf den Tom Quad trat, blieb sie wie angewurzelt stehen und starrte das bizarre Treiben an, das sich vor ihr abspielte. Je zwei Studenten standen sich gegenüber, hielten sich über den Köpfen an den Händen und bildeten einen Torbogen, durch den andere, braun gekleidete Studenten, Purzelbäume schlagen mussten, nachdem sie zuvor einen Klaps auf den Hintern bekommen hatten und zwar mit… *was sind das?* Vera setzte ihre Brille auf. *Plastikflamingos?*

Nun wurde Vera klar, dass sie hier die Inszenierung einer Szene aus *Alice im Wunderland* miterlebte. Das Krocket-Spiel der Königin. Im Buch waren die Bälle allerdings Igel, die Schläger lebendige Flamingos, und die Spieler die Herz-Königin und ihr Gefolge. Wo ist sie denn, fragte sie Vera. Wo ist die Königin? Die Antwort wurde schnell offensichtlich. Ein dicker Junge mit einem riesigen roten Lippenstiftherz auf der nackten Brust sprang auf und ab und schrie: »Schlagt ihm den Kopf ab! Schlagt ihm den Kopf ab!«, woraufhin der Übeltäter brav den Kopf in den Nacken legte und sich von einem anderen Akteur etwas aus einem Plastikbecher in den Mund gießen ließ.

Da Vera wusste, dass Lewis Carroll Mathematikdozent am Christ Church College gewesen war, interpretierte sie dieses Theater als eine Art Tribut an ihn. *Na ja, zumindest was die da darunter verstehen.*

Vera war erst knapp ein Jahr in Oxford, aber sie hatte ziemlich schnell mitgekriegt, dass ihre Kommilitonen sehr geschickt darin waren, scheinbar noble Anlässe dafür zu finden, sich besinnungslos zu besaufen und sich dann aufzuführen wie Volltrottel. Zwei Igel, das sah sie jetzt, knutschten in einer Ecke, und ein anderer war eben gegen ein improvisiertes Tor gekracht, das nun hin und her schwankte und schließlich zu einem Knäuel zappelnder Glieder zusammenstürzte.

In diesem Augenblick kam der König – ein großer, schlaksiger Junge namens Will, der eine Papierkrone trug – auf sie zu.

Vera bekam weiche Knie. Sie war schon das ganze Trimester verrückt nach ihm.

»Willste spielen?«, fragte er. »Ich brauche einen Ball.« Dann deutete er auf einen Jungen in Braun, der hinter einem Mädchen in einem weißen Badeanzug herjagte. »Mein Igel will den weißen Hasen vögeln.«

Vera nickte zu einem erleuchteten Fenster über dem steinernen Bogen auf der anderen Seite des Platzes. »Na ja, da er schon mal zu Hause ist, wollte ich eigentlich zu…«

»Dr. Rutherford. Das hätte ich mir denken können.« Will verdrehte die Augen. »Du weißt doch, immer nur Arbeit und kein Vergnügen…«

»Ach, ich habe noch immer nicht den richtigen Aufhänger für meinen Essay gefunden«, erklärte Vera, »aber dieses Wochenende vielleicht…« Sie hielt inne und hoffte, dass er sie zu irgendetwas auffordern würde.

»Hi, Will«, warf ein anderes Mädchen dazwischen. Sie trug ein schwarzes Trikot, hatte sich Schnurrhaare aufs Gesicht gemalt und Samtohren an ihr Stirnband geklebt. »Haste Lust, der Königin heute Nacht Hörner aufzusetzen?«

Vera gab sich Mühe, nicht verärgert dreinzuschauen. Isabel Conrad war toll, mit Wahnsinnsbrüsten; und egal, auf welchen Jungen man scharf war, Isabel versuchte immer, ihn dir auszuspannen oder zumindest so abzulenken, dass er das Interesse verlor. Aus irgendeinem Grund musste Isabel jeden Jungen im Christ Church College haben.

Will ignorierte Isabels Frage und wandte sich wieder an Vera.

»So wie es aussieht, gefällt es mir überhaupt nicht … aber egal, es kann mir die Hand küssen, wenn es will.«

Vera lachte laut auf. Der Satz war eines ihrer Lieblingszitate aus *Alice im Wunderland*. Doch dann verschwand ihr Grinsen. Im Buch lehnte die Edamer-Katze die Einladung des Königs ab, aber diese hier packte seine Hand, riss ihn zu Boden und setzte sich – zu seiner großer Freude – auf ihn.

Seufzend ging Vera weiter zum Büro ihres Tutors. Sie wollte diese Woche unbedingt einen Essay schreiben, der ihn wirklich beeindrucken würde. Ihn vielleicht sogar faszinieren, wenigstens ein bisschen. Er hatte ihr so viel beigebracht. Sie hoffte, dass er sie hereinbitten würde, wie beim letzten Mal, dass sie sich bei Portwein aus seinen beiden angeschlagenen schwarzen Kelchen bis spät in die Nacht unterhalten würden.

Als Vera die Wendeltreppe in den dritten Stock hinaufging, hörte sie von unten auf dem Platz: »Kein Wein mehr? Blödsinn! Leigh, Conrad, ihr seid die Nachhut. Zum Pub. Im Laufschritt, marsch!«

Das Gelächter und Geschrei der Krocket-Spieler verklang sehr schnell, als sie sich der Tür des Tutors näherte. Sie klopfte leise. Keine Antwort. *Telefoniert anscheinend gerade.*

Sie drehte sich um, doch dann stach ihr etwas in die Nase. Ein komischer Geruch. »Dr. Rutherford?«, rief sie schüchtern. »Dr. Rutherford?«

Noch immer keine Antwort. Er würde sie nicht ignorieren, das wusste Vera, nicht einmal, wenn er in die Arbeit an seinem neuen Buch vertieft wäre. Dazu war er zu freundlich. War er vielleicht doch schon nach Hause gegangen? *Vielleicht … aber er vergisst nie, das Licht auszumachen, wenn er geht.*

Die Tür war nicht verschlossen. Vorsichtig betrat sie das Zimmer und schaute zu seinem Schreibtisch. Für einige Augenblicke verschwamm ihr Blick, und die Szene wurde grau, wie verhüllt von Trockeneisrauch – die Art, wie er bei *Macbeth*-Inszenierungen über die Bühne weht.

Dann sah sie wieder klar. Erneut sah sie, dass Dr. Rutherford der Kopf auf den Schreibtisch gesunken war. Auf seinem Hinterkopf waren die zerzausten weißen Haare mit einer dunklen, bräunlichen Substanz verklebt, und dieselbe Substanz hatte auf dem Boden eine Lache gebildet und klebte in Spritzern auf der gegenüberliegenden Wand. Als Vera klar wurde, dass es Blut war, schrie sie auf.

4

Leider bin ich ein Gelehrter, wie soll da Gold ich haben?

RAMUS in Marlowes *Das Massaker von Paris*

Southwark – Abenddämmerung, Mai 1593

Marlowe schob sich durch die lärmende, geschäftige Menge am
Südufer der Themse und blieb bei der London Bridge stehen. Mehr
als ein Dutzend abgetrennte und aufgespießte Köpfe krönten den
Torbogen. Er erkannte die Gesichter, sah sie bereits seit Monaten
da oben. Einige schon fast ein Jahr. Mit Salzwasser überbrüht, hielten sie sich ziemlich gut.

»Guten Abend, meine Herren«, sagte er mit einer leichten Ver-
beugung. »Hat jemand Lust auf ein Würfelspiel?«

Eine junge Prostituierte mit entblößten Brüsten zupfte Marlowe
am Ärmel. Er wollte sich schon losreißen, bemerkte dann aber ein
rotes Tröpfchen auf ihrer nackten Schulter. Er hob ihre Haare an,
um nach einer Wunde zu suchen, doch sie schien unverletzt zu sein.

Da sie diese Geste als Musterung durch einen potenziellen Kunden missverstand, schloss sie die Augen und spitzte gekünstelt die
Lippen.

Marlowe berührte den Tropfen und hielt ihr den Finger an die
Nase.

»Eure Lippen riechen nach Kupfer«, sagte sie mit leiser Stimme,
die im Geschrei von Gemüseverkäufern, Fischhändlern und zwei
Bengeln, die ein fremdländisches Paar beschimpften, kaum zu
vernehmen war.

»Ich bin beeindruckt.«

»Mein Vater war ein Schmied«, verkündete sie und öffnete die
Augen. »Was war das?

»Blut.« Er zeigte ihr den roten Fleck auf seiner Fingerspitze.

Als er ihre Bestürzung sah, fügte er mit einem Lächeln hinzu: »Sorgt Euch nicht, Miss, es ist nicht das Eure. Entweder hat sich ein Engel im Himmel das Knie aufgeschürft, oder der Stadtverschönerer ist wieder am Werk.«

Sie folgte seinem Blick zur Spitze des Torbogens. Ein frisch abgetrennter Kopf wurde eben aufgesteckt. »Armer Mann«, sagte sie, allem Anschein nach ehrlich bestürzt. »Ich bete für Euch.«

Marlowe wurde klar, dass sie offensichtlich neu in der Stadt war. Den meisten Einwohnern machte der grausige Anblick nichts mehr aus. Im Davongehen fragte er sich, wie lange es dauern würde, bis die Straßen Londons ihre Fähigkeit zum Mitleid abgestumpft hatten.

Während er die verstohlen tastende Hand eines Taschendiebs wegschlug, wanderte sein Blick zu dem neuen Kopf, dem Einzigen, der noch Augen hatte. Einige verurteilte Verräter wurden einfach nur geköpft. Deren Gesichtsausdruck war meistens gelassen und resigniert. Andere hatten nicht so viel Glück. Dieser hier war vermutlich kastriert worden, bevor die Axt auf seinen Nacken niedersauste, dachte Marlowe. Die Gesichtszüge waren verzerrt vor Pein und füllten die Luft mit stummen Schreien.

»Habt Ihr einen Priester unter Euren Bodendielen versteckt, mein Freund?«, fragte er leise. »Ihr seht zu klug aus, um ein Komplott gegen die Königin geschmiedet zu haben.« Jemand stieß ihn an, und eine heisere Stimme fluchte. Marlowe warf einen flüchtigen Blick auf den Wasserverkäufer, der mit einem Fass auf dem Rücken an ihm vorbeitrottete, und schaute dann wieder hoch. »Aber wo seid Ihr jetzt?«

Dann ging er unter dem Torbogen hindurch auf die Brücke. Sie war zu beiden Seiten von den hohen Fachwerkhäusern wohlhabender Händler gesäumt, die unten ihre edlen Läden hatten und in den Stockwerken darüber ihre Wohnungen. Obwohl die tief stehende Sonne noch immer schien, war es in dem schmalen, furchigen Durchgang bereits düster; die oberen Stockwerke der Häuser ragten vor und schienen beinahe zusammenzuwachsen, und die zwischen ihnen aufgehängte Wäsche verdeckte den Himmel fast gänzlich.

In der Mitte der Brücke ging er eine Treppe hinunter, die zum Wasser führte, stieg in einen hölzernen Kahn und gab dem Fährmann drei Pennies. »Greenwich Palace«, sagte er und ließ sich auf ein Kissen sinken. Der Mann tauchte die Ruder in den braunen Schlamm auf der Oberfläche des Flusses und begann, in Richtung Osten zu rudern. Die Ellbogen aufs Dollbord gestützt, sah Marlowe zu, wie die Zinnen der Londoner Kirchtürme in der Ferne immer kleiner wurden.

Die hohen Gebäude, die sich an den Ufern drängten, machten vereinzelten Werften Platz und dann Bäumen und Wiesen, als sie die dreckige, seuchenverpestete Stadt hinter sich ließen. Ein neuer Auftrag, dachte er. Wieder einmal würde die Welt sein geheimes Theater werden – eine Bühne, auf der das Drama ein reales war, die Gefahr spürbar, die Schlussszene noch ungeschrieben. *Erster Akt. Erste Szene. Auftritt Marlowe.*

In Greenwich stand die schlanke Gestalt von Thomas Phelippes am Rand des Piers und beobachtete Marlowe durch eine kleine Drahtgestellbrille. Phelippes hatte die dunkelblonden Haare hinter die Ohren gesteckt, und sein dünner Bart konnte die tiefen Pockennarben auf seinem Gesicht kaum verbergen.

Der Fährmann schaute zuerst Phelippes, dann den Wachposten am Ufer fragend an. Beide nickten. Marlowe durfte also aussteigen, und er folgte Phelippes am Palast vorbei. Die Königin hatte mit ihrem wandernden Hofstaat hier ihre Zelte aufgeschlagen, und aus dem eleganten, mit Türmchen geschmückten Palast drangen Musik, Lachen und heiseres Geplapper. Nachdem sie einen weiteren Wachposten passiert hatten, wurden sie eine Weile von einem Berittenen beschattet, während sie tiefer in die wohlgepflegten Ländereien hineinmarschierten und der Lärm der abendlichen, höfischen Festlichkeiten allmählich verklang.

Marlowe ging schweigend hinter Phelippes her. Er wusste seit langem, dass der kleine Mann für Geplauder nichts übrig hatte. Sie hatten sich 1585 kennen gelernt, als Marlowe noch Student in Cambridge war und sein *Tamerlan der Große* schrieb, dieses so erfolgreiche Stück, das zwei Jahre später die Londoner Theatergemeinde entzückte. Phelippes hatte ihn eines Tages in diesem Winter angesprochen und ihn gefragt, ob er schon einmal von Sir Francis Walsingham, dem Staatssekretär, gehört habe. Marlowe nickte. An der Universität grassierten Gerüchte über den berüchtigten Meisterspion, einen Mann, dessen gerissene Machenschaften die Königin immer und immer wieder vor Mordanschlägen bewahrten.

Phelippes stellte sich nun als Walsinghams Stellvertreter vor und teilte Marlowe mit, dass er eine gute Stange Geld verdienen könne, wenn er bereit sei, für Walsinghams frisch gegründeten Geheimdienst zu spionieren. Ob er interessiert sei. *Oh, ja.*

Englands katholische Feinde hätten in Cambridge eine unsichtbare Präsenz, erklärte Phelippes. Eine unsichtbare Bedrohung, fügte er düster hinzu. Es gebe da einen Priester, der sich als wohlhabender, protestantischer Student ausgebe und der Kommilitonen dazu anstifte, ins katholische Seminar auf der anderen Seite des Kanals in Reims, Frankreich, überzulaufen. Und ebendort in Reims, dem Hauptquartier der englisch-katholischen Exilanten, schmiede der Herzog von Guise ein Komplott zur Ermordung Elizabeths, damit seine Nichte Mary, die Königin der Schotten, den englischen Thron besteigen könne. In dem Seminar in Reims gebe es bereits englische Spione, die versuchten, Einzelheiten der Pläne des Herzogs aufzudecken. Walsingham brauche einen Studenten, der das Netz der heimlichen Katholiken in Cambridge unterwandere und aufdecke. Ob Marlowe glaube, dass er das schaffe?

Stinkt London bei warmem Wetter? Marlowe konnte das nicht nur schaffen, er wusste auch, dass es überhaupt kein Problem sein würde. Er war in Canterbury aufgewachsen und hatte in einer Reihe von Stücken an der King's School mitgespielt, aber diese Aufgabe würde nur wenige der Fähigkeiten erfordern, die er auf der Bühne gelernt und perfektioniert hatte. Einen rebellischen Unzufriedenen und Katholikenfreund zu spielen war damals in Mode – es war, als würde Phelippes ihm Geld dafür anbieten, dass er seine eigenen Schuhe trug. Nachdenklich nickend erwiderte Marlowe, dass es eine spannende Aufgabe sei, bis auf eine winzige Kleinigkeit. »Meine wahre, reine und unermüdliche Hingabe an den Heiligen Vater in Rom.«

Woraufhin Phelippes, der vorgewarnt worden war, dass sein neuer Rekrut es liebe, in den unpassendsten Augenblicken Witze zu reißen, lächelte.

Marlowe lächelte nicht.

Ein Schweigen entstand, und Phelippes Gesicht verdunkelte sich. Doch nun grinste Marlowe und streckte ihm die Hand hin. Phelippes nahm sie, und so begann Marlowes geheimes Leben als Kundschafter.

Natürlich war das damit verbundene Geld ein kräftiger Anreiz, da Marlowe, als Sohn eines Schusters, ein armer, von Stipendien abhängiger Student war, der beruflich nichts anderes im Sinn hatte, als Poesie zu schreiben. Und obwohl er von seinem Talent überzeugt war, wusste er doch auch, dass ein Kopf voll wohlgesetzter Verse nicht unbedingt die Taschen füllte.

Daneben reizte ihn die Aussicht, sich als heimlichen Ritter betrachten zu dürfen, der galant seine königliche Herrin beschützte. Seit Jahren betrachtete er die Regierung eher mit Zynismus – er hatte ein halbes Dutzend unschuldige Männer hängen sehen, noch bevor er schreiben konnte –, doch von dieser idealistischen Vorstellung wollte er nicht lassen. Denn was war das Leben ohne romantische Träume, auch wenn sie noch so töricht waren?

Phelippes Investition erwies sich als lohnend. Marlowe gelang es problemlos, das universitäre Netz heimlicher Katholiken zu unterwandern, was einem Dutzend anderer Spione vor ihm nicht gelungen war. Die Nachricht seines Erfolgs kam sehr schnell Walsingham zu Ohren, und zu Marlowes unerwarteter Freude verlangte der alte Meisterspion ein Treffen mit seinem viel versprechenden neuen Rekruten. In seinem Londoner Haus an der Themse lobte Walsingham Marlowe für seine ausgezeichneten Dienste an Königin und Vaterland. Ob er weitermachen wolle, während er sein Studium abschließe?

Marlowe nickte.

»Eine kluge Entscheidung«, sagte Walsingham. »Bücher, wisst Ihr, sind nur tote Buchstaben. Reisen und Erfahrung sind es – das Aufdecken der Schurkereien von Männern hier und anderswo –, die *ihnen* Leben und *Euch* wahres Wissen schenken.«

»Wie gute Stücke«, erwiderte Marlowe. »Ich habe eben mein zweites begonnen.«

»Ach ja, ein Bankside-Poet…«, sinnierte Walsingham und goss ihnen beiden einen Becher edlen Madeira ein. »Das könnte sich als nützlich erweisen.«

Marlowe nippte mit Vergnügen. Es geschah nicht jeden Tag, dass einer von Englands mächtigsten Männern ihm schmeichelte und gut zuredete.

»Das Leben damit zu verbringen, verborgene Geheimnisse aufzudecken, ist eine höchst edle Betätigung«, schloss Walsingham. »Denn ein derart Suchender hat immer Macht.«

Angestachelt von diesen Worten, stürzte sich Marlowe noch eifriger in die Geheimdienstarbeit, und das hätte ihm letztendlich beinahe seinen Abschluss gekostet. Seine Rolle als heimlicher Katholik spielte er so überzeugend, dass die Universitätsverwaltung, die ihn des Verrats verdächtigte, seine Relegation vorbereitete. Der Kronrat erhob jedoch sehr schnell Einspruch, und so verließ er Cambridge 1587 mit seinem Diplom und dem beendeten *Tamerlan*.

Phelippes blieb bei einer Gruppe von Bänken stehen, die weit genug vom Palast entfernt waren, dass keine herumwankenden Betrunkenen oder Paare auf der Suche nach einem Fleckchen für ein schnelles Stelldichein hier vorbeikamen. Als Marlowe sich setzte, sah er, dass sie nur wenige Schritte von der so genannten Queen's Oak, der Eiche der Königin, entfernt waren, einem Baum mit einer tiefen Höhlung, in der Elizabeth sich angeblich als Kind versteckt hatte.

»Ich habe es so eingerichtet, dass Ihr für heute Nacht ein Bett in der Herberge direkt am Flussufer habt«, sagte Phelippes. »Und als kleiner Anreiz…« Er griff in einen Lederbeutel und holte mehrere Münzen heraus.

Marlowe steckte die angenehm schwere Hand voll Geld ein, von dem er wusste, dass es nicht mehr von Francis Walsingham kam. Walsingham war vor drei Jahren gestorben, und die Königin hatte den Posten des Staatssekretärs seitdem unbesetzt gelassen, eine Position, die bedeutete, dass man praktisch die Schlüssel des Königreichs in Händen hielt. Englands schlaue Monarchin liebte es, den Konkurrenzkampf zwischen ihren Höflingen anzustacheln, und das war eine sehr wirkungsvolle Strategie. Zwei Erzrivalen stritten erbittert um den begehrten Titel, und als Folge davon erhielt die sparsame Königin erstklassige Informationen von zwei konkurrierenden Geheimdiensten, ohne tief in den eigenen Säckel greifen zu müssen.

Einer dieser Höflinge – Phelippes neuer Arbeitgeber – war Robert Devereux, der blendend aussehende und überall beliebte Graf von Essex. Ein Mann, den das einfache Volk Londons ebenso verehrte wie die Damen des Hofes. Jedes Mal, wenn Marlowe Essex das Rose Theatre betreten sah, wurde er mit Jubel begrüßt. Königin Elizabeth war angeblich ebenso bezaubert von ihm. Mit siebenundzwanzig war er mehr als dreißig Jahre jünger, aber sie hatte ihm im Greenwich Palace Gemächer gegeben, die direkt neben den ihren lagen, und jeder wusste, was das bedeutete. Essex hatte erst vor kurzem die Bühne der Spionage betreten, nachdem er erfahren hatte, dass es das Beste war, die Königin mit Informationen zu beliefern, um sich ihre Gunst zu erhalten, vielleicht sogar noch besser, als ihr das Bett zu wärmen, ein Kunststück, das der sinnliche Graf, wie Marlowe überzeugt war, mit Meisterschaft vollführte. Die amourösen Abenteuer des jungen Edelmanns waren Stadtgespräch. Offensichtlich war er sehr großzügig mit seinen Liebesbeweisen – und sehr geschickt darin.

Essex' Rivale um den Posten des Staatssekretärs war Sir Robert Cecil, der Sohn des getreuesten Ratgebers der Königin. Als kleiner, mürrisch dreinblickender Buckliger mit jahrelanger Erfahrung in der Welt der Spionage war Cecil in jeder Hinsicht Essex' Gegenpol. Während Essex ungestüm war und den Mund nicht halten konnte, war Cecil gerissen, geduldig und still. Essex war gefühlsbetont und oft ziemlich warmherzig, aber Cecil war immer völlig skrupellos. Seit Walsinghams Tod spielte Marlowe auf beiden Seiten des Zauns und nahm Aufträge von beiden Organisationen an. Er wusste, dass das gefährlich war, aber andere Spione machten es ebenso, und was für ihn noch wichtiger war: Die erbitterten Rivalitäten der beiden Höflinge aus der ersten Reihe beobachten zu können, war einfach unwiderstehlich.

»Nun, was habt Ihr diesmal für mich... Tom?«, fragte Marlowe, der wusste, dass Phelippes es verabscheute, wenn Untergebene ihn mit dem Vornamen ansprachen.

Phelippes kniff die Lippen zusammen und schluckte den Tadel, der ihm offensichtlich auf der Zunge lag, hinunter.

Gut. Du brauchst mich also noch.

»Es geht um eine delikate Angelegenheit, und ich dachte mir, dass Ihr dafür besonders geeignet seid. Es gibt da Gerede über eine gewisse neue Veröffentlichung von Euch...«

Marlowe machte ein unschuldiges Gesicht. »Ich habe keine Ahnung, wovon Ihr sprecht.«

»Das wisst Ihr nur zu gut. Dieses Buch übelsten Unrats«, rief Phelippes voller Abscheu. Marlowe hatte die Sammlung erotischer Elegien eines römischen Dichters, Ovid, übersetzt. Da solche Erotika in England verboten waren, hatte er die Gedichte in einer geheimen Druckerei in den Niederlanden drucken lassen.

»Ich könnte Euch den entsprechenden Stellen melden...«, fuhr Phelippes fort.

»Wenn Ihr es mit mir in Verbindung bringen könnt.«

»... aber da Ihr dieses lüsterne Ding offensichtlich auf ungesetzliche Weise ins Land geschmuggelt habt, denke ich mir, dass Ihr die Art von anstößigen Beziehungen habt, die uns bei einer Angelegenheit von äußerster Bedeutung hilfreich sein könnten.«

»Und wenn ich mich entschließe, Euch zu helfen?«

»Wenn Ihr Erfolg habt, bezahle ich Euch mehr, als ich es je getan habe. Mindestens das Doppelte von dem, was Ihr für Eure lächerlichen kleinen Stücke erhaltet.«

Marlowe zog die Augenbrauen in die Höhe. Phelippes sprach von mehr als zwanzig Pfund. »Was ist mit meinen so genannten anstößigen Beziehungen? Wie kann ich sicher sein, dass Ihr mich nicht missbraucht, um diese Leute zur Strecke zu bringen?«

»Diese Angelegenheit ist sehr viel wichtiger, als ein paar Bücherschmuggler zu fangen.«

»Dennoch...«

»Es liegt mir nichts daran, Eure missratenen Freunde verhaften zu lassen – sie können mir bei dieser Sache nützlich sein und vielleicht auch bei künftigen. Da müsst Ihr schon meinem Wort vertrauen. Und noch einmal, Eure Belohnung wird beträchtlich sein. Sind wir im Geschäft?«

»Ja.« Für den Augenblick.

Phelippes beugte sich näher zu Marlowe und sagte leise: »Ihr habt schon von der Muscovy Company gehört?«

»Sehr wenig«, log Marlowe. Natürlich kannte er die berüchtigte Moskowiter Gesellschaft.

»Sie heißt so wegen ihres Monopols auf den Handel mit Russland und wurde vor vierzig Jahren von einer Gruppe wohlhabender Händler und königlicher Höflinge gegründet, die entschlossen waren, eine Nordostpassage in den Orient zu finden – einen Seeweg, den bis dahin noch kein Europäer gefunden hatte und der von uns Engländern kontrolliert werden könnte. Eine Route, die uns direkten Zugang zu den Reichtümern des Orients geben würde, ohne die Bedrohung durch die Barbaren-Piraten des Mittelmeers.«

Phelippes strich sich über den spärlichen Bart. »Offensichtlich hatten die Moskowiter Händler bei ihrer Suche keinen Erfolg, aber sie knüpften eine lukrative Beziehung mit dem Zaren und tauschten englische Waren gegen russische Pelze, Taue und Öl. Und gegen einen Anteil an den Profiten erlaubte der Zar ihnen, viele Male auf dem Landweg von Moskau nach Persien zu reisen – an der Wolga entlang nach Astrachan, über das Kaspische Meer und weiter nach Buchara –, um englische Wolle gegen kostbare Edelsteine, Seiden und Gewürze einzutauschen. Doch vor zwanzig Jahren machten türkische Eroberungen diese Route unpassierbar, und seitdem sind so exotische Waren nicht mehr durch Moskowiter Hände gegangen.«

Phelippes hielt inne, um sich noch einmal umzuschauen, und fügte dann leise hinzu: »Kürzlich jedoch sind bei zwei Gelegenheiten Edelsteine aus dem Fernen Osten in der Londoner Börse aufgetaucht, kurz nachdem ein Schiff der Moskowiter Gesellschaft ein Stückchen flussabwärts in Deptford andockte. Rubine, Diamanten, Perlen… allerdings tauchen sie nicht in den Büchern der Company auf, und die Anteilseigner, darunter auch unsere Königin, haben keine Profite gesehen.«

»Unter der Flagge der Königin Handel treiben und sie vor ihrer Nase bestehlen – wie unverfroren. Ich nehme an, der alte Handelsweg von Moskau nach Persien ist jetzt wieder offen? Dieser Landweg, von dem Ihr gesprochen habt?«

Phelippes schüttelte den Kopf. »Nein. Den versperren noch immer die Türken.«

Aber wie waren die Edelsteine dann in die Hände der Moskowiter Händler gelangt? War es nicht wahrscheinlicher, dass englische Freibeuter sie von portugiesischen Schiffen geraubt und dann vergessen hatten, sie beim englischen Zoll zu deklarieren? Oder dass die englische Levant Company, die Levantiner Gesellschaft – mit ihrem Monopol auf den Handel an den östlichen Küsten des Mittelmeers – dafür verantwortlich war?

Marlowe bemerkte ein ungewöhnliches Funkeln in Phelippes Augen. Der Mann sprach immer sehr leidenschaftlich über Spionagedinge, aber in diesem Augenblick war sein Blick das reinste Feuer. *Was könnte er… aha!* »Ihr vermutet, dass gewisse Moskowiter Händler die Nordostpassage nun doch endlich entdeckt haben, dass sie es aber geheim halten und stillschweigend Handel treiben?«

»Das ist eine von mehreren Möglichkeiten, aber eine, mit der man sich beschäftigen sollte, wie Ihr Euch vielleicht vorstellen könnt.«

Marlowe konnte es sich vorstellen. Eine solche Entdeckung hätte enorme Konsequenzen für England, sowohl was das internationale Ansehen, wie auch den finanziellen Gewinn betraf. Die Spanier und Portugiesen waren bei der Erkundung und Kolonisierung der Neuen Welt viel erfolgreicher gewesen, und Englands Nationalstolz war verletzt. Aber Marlowe wusste, dass das Wohl ihres Vaterlands nicht Phelippes erste Sorge war.

»Ist Essex ein Anteilseigner?«

»Ja.«

»Er würde also einen hübschen Gewinn einstreichen, sollte diese Schmugglerei aufgedeckt werden.«

»Natürlich«, erwiderte Phelippes seelenruhig.

»Und sollte er das Verdienst für sich in Anspruch nehmen können, die Schmuggler entlarvt und die Königin über das Vorhandensein eines geheimen Seewegs in den Orient in Kenntnis gesetzt zu haben...«

Phelippes grinste wie eine Katze mit einer Maus in den Pfoten.

Verstehe. Wenn Phelippes' Verdacht zutraf und die Mission erfolgreich war, würde Essex' Macht bei Hofe in die Höhe schnellen; vielleicht wäre ihm dann der Posten des Staatssekretärs endlich sicher. Und Phelippes wäre natürlich direkt an seiner Seite.

»Euer Kundschafter in der Londoner Börse, hat er gesehen, wer die Waren verkaufte?«

»Der Vertreter einer unbekannten holländischen Handelsgesellschaft. Eine Scheinfirma, wie ich vermute. Eine raffiniert ausgedachte Tarnung, um die wahre Quelle zu verschleiern, die Ihr für mich aufdecken sollt.«

Marlowe nickte.

»Aber, Kit«, sagte Phelippes ernst, »Diskretion.«

»Natürlich.«

Phelippes stand auf. »Ich hoffe, in Bälde von Euch zu hören.«

»Das werdet Ihr auch«, erwiderte Marlowe und rutschte auf der Bank noch etwas tiefer. Während er zusah, wie der kleine Mann zwischen den Bäumen verschwand, ergänzte er: »...hören, was ich Euch zu erzählen für angemessen halte.«

5

New York City – 18 Uhr 30, Gegenwart

Das taubengraue Stadthaus im Upper East End hatte eine schmale Steinfassade und ein anthrazitfarbenes Giebeldach. Es war ein gesetztes, altmodisches Äußeres. Die meisten Leute würden nie auf den Gedanken kommen, dass jedes Fenster mit elektronischen Störsignalen gesichert war, die verhinderten, dass die von Stimmen ausgelösten Vibrationen auf den Scheiben von Richtmikrofonen aufgefangen wurden.

Kate betrat die Eingangshalle und ging zu den Aufzügen in der hinteren linken Ecke. Der schüchterne, kräftig gebaute Wachmann schaute hoch und nickte ihr kurz zu, und las dann weiter in seinem Buch. Wie immer fehlte seinem Taschenbuch der Umschlag.

»*Herzen in Flammen? In den Armen des Ritters?* Was für eines ist es diesmal?«

Er errötete. »Sie können einen harmlosen alten Knaben wohl nie in Ruhe lassen, was?« Er hatte es geschafft, sein Faible für Liebesromane vor jedem zu verbergen außer vor Kate.

»Lassen Sie mich ein paar Scheine sehen, Jerry, sonst erfährt jeder im Haus von den hemdlosen Galanen auf diesen fehlenden Schutzumschlägen.«

Zwei goldgerahmte Porträts eines viktorianischen Paars, das früher in diesem Haus gewohnt hatte, hingen an den Innenwänden der ersten Aufzugskabine. Kates Büro befand sich im fünften Stock, aber dort wollte sie im Augenblick nicht hin. Ihr Chef hatte ihr eine Nachricht geschickt. Eine Besprechung war angesetzt.

Sie drückte auf den Knopf für den zweiten Stock, und der Aufzug setzte sich in Bewegung. Dann drückte sie, während sie der gemalten viktorianischen Frau in die Augen schaute, auf einen zweiten, in dem Goldrahmen versteckten Knopf. Aus dem rechten Auge der Dame kam nun ein blauer Laserstrahl, der das charakteristische Muster der feinen Blutgefäße in Kates Netzhaut abtastete, während eine Kamera im linken Auge der Frau ihr Gesicht mit einer kleinen Datei abgespeicherter Bilder verglich. Der Knopf, den Kate drückte, scannte ihren Fingerabdruck und übermittelte ihn an die Datenbank des Sicherheitssystems. Einen Augenblick später stoppte der Aufzug, aber die vordere Schiebetür blieb geschlossen. Stattdessen öffnete sich die verspiegelte Rückwand in einen schmalen Korridor.

Die Rückwand der Zentrale der Slade Group war eine Attrappe, hinter der sich auf jedem der fünf Stockwerke etwa sieben Meter verbargen, die auf keiner Blaupause der Stadt verzeichnet waren. Weil das Gebäude auf drei Seiten von Nachbarhäusern eingeschlossen war, war diese räumliche Inkongruenz von der Straße aus nicht zu erkennen. Jeremy Slade, Kates Chef, benutzte diese versteckte Enklave als Kommandozentrum für die Geheimoperationen, die er in aller Stille für die Regierung erledigte.

Als Kate auf dem Weg zum Konferenzzimmer an einer kleinen Küche vorbeikam, hörte sie ein verräterisches Zischen und sah Slade an der Cappuccino-Maschine stehen und Milch aufschäumen. Dieses spezielle kulinarische Kunststück hatte er erst vor kurzem gelernt. Inzwischen konnte er es so gut, dass Kate ein vertrauliches internes Memorandum in Umlauf gebracht hatte, in dem sie seine unverzügliche Degradierung vom Chefschnüffler zum Ober-Cafeterio empfahl.

Slade war auf seine Beschäftigung konzentriert, und seine tief liegenden Augen waren verschattet. Er war Mitte vierzig, knapp einen Meter achtzig groß und hatte dunkle Haare und braune Augen, die unter seinen wuchtigen Augenbrauen schwarz wirkten. Die Gene seiner Großmutter aus Indien und zehn Jahre in der Sonne des Mittleren Ostens hatten ihm eine dunkel glänzende Haut verliehen. Er war in ausgezeichneter körperlicher Verfassung; nur die zahlreichen Krähenfüße verrieten sein Alter.

Slade hatte zehn Jahre lang als CIA-Agentenführer gearbeitet und dabei Missionen in gefährlichen und oft vom Krieg zerrissenen Regionen auf der ganzen Welt geplant, aber erst vor kurzem hatte er es gewagt, eine Küche zu betreten. Seitdem aber war er zum besessenen Gourmetkoch geworden, was seine Angestellten entzückte, denn alles, was Slade machte, machte er perfekt. Als Princeton-Absolvent mit einem Abschluss in klassischer Philologie war er vor seinem Weggang zum Deputy Director für Operationen aufgestiegen, der höchsten Position, die man in der geheimen Struktur der Agentur erreichen konnte. Auch salopp, doch immer stilvoll gekleidet, besaß er eine humorvolle Nonchalance, die allerdings sehr schnell kalter Effektivität Platz machte, wenn die Situation es erforderte. Für Kate war der Anblick eines klassischen Gentleman-Spions, der mit einer Schürze vor dem Bauch in der Küche hantierte, unbezahlbar.

Kennen gelernt hatte sie ihn vor drei Jahren, als ihr Vater sie ihm widerwillig vorgestellt hatte. Es war das zweite Jahr ihrer Promotion, kurz nach dem unerwarteten Tod ihres Verlobten. Er war ein Kommilitone von ihr und zu der Zeit auf einer Expedition im Himalaja gewesen, und als er eines Abends am Lagerfeuer saß, wurde er in einem Granatenangriff pakistanischer Extremisten getötet. Die beiden deutschen Touristen neben ihm kamen ebenfalls ums Leben. Kate hatte die Nachricht zutiefst erschüttert, und sie fiel in eine Depression, die Monate andauerte. Langsam erkannte sie jedoch, dass nur ein Teil ihres Lebens vorüber war, der Teil, der mit dem Mann zu tun hatte, den sie liebte, und mit der Aussicht auf Ehe und Familie.

Sie sagte ihrem Vater, einem US-Senator, der im Geheimdienstausschuss saß, dass sie sich beim Operationsdirektorat des CIA bewerben wolle. Nicht etwa, weil sie Rache wollte – sie wollte einfach ihr Leben dem Versuch widmen, zu verhindern, dass das Leben anderer Menschen so wurde wie ihres. Ihr Vater fühlte zwar mit ihr, tat aber alles, um sie von diesem Vorhaben abzubringen. Da er einige Jahre zuvor Kates Mutter verloren hatte, konnte er den Gedanken nicht ertragen, dass seinem einzigen Kind etwas passieren könnte. Aber sie war fest entschlossen, und schließlich gab Senator Morgan nach und arrangierte ein Treffen mit Slade in

New York. Wenn Kate schon entschlossen war, die akademische Welt gegen die der Geheimdienste einzutauschen, hielt er es für besser, dass sie es an der Seite eines Mannes tat, den er kannte und dem er vertraute, als dass sie sich in einer weit verzweigten Bürokratie aufrieb, in der Fehler gemacht wurden und Lecks unvermeidlich waren.

Slade hatte die CIA verlassen, weil er es leid war, die Launen von Politikern zu bedienen, deren Motive für ihn oft fragwürdig waren. Sein kürzlicher Wechsel in die Privatwirtschaft war jedoch nur ein Trick. Er arbeitete noch immer für den Director of Central Intelligence (dem Chef aller amerikanischen Geheimdienste und Direktor des CIA), und das kleine und geheime Team von Agenten, das er führte, operierte ausschließlich unter ihrer beider Führung. Es war ein Arrangement, das beiden nutzte: Dem DCI war es so möglich, den Spießrutenlauf der Genehmigungen zu umgehen, die nötig waren, um gewisse verdeckte Operationen auf offiziellem Weg in Gang zu setzen, und Slade konnte sich, frei von politischem Druck, darauf konzentrieren, Leben zu retten.

Als Kate damals zum ersten Mal Slades Büro betrat, traf es sie wie ein Blitz. In ihrer Jugend hatte sie Spionageromane verschlungen, in denen es nur so wimmelte von finsteren Halunken und Superspionen à la James Bond, die die Popkultur permanent recycelt. Aber Slade war echt. Ein Mantel-und-Degen-Mann aus Fleisch und Blut. Jemand, den sie sich viele Male in ihrer Phantasie ausgemalt, aber noch nie persönlich getroffen hatte.

Sie verstanden sich auf Anhieb. Nach einem zweistündigen Bewerbungsgespräch und nach der Durchsicht ihrer Unterlagen bot Slade ihr einen Job als private Ermittlerin an und erläuterte, dass seine neue Firma Büros in verschiedenen Großstädten auf der ganzen Welt eröffne. Im New Yorker Büro gebe es bereits zehn Ermittler, erklärte er, von denen die meisten vom Journalismus oder aus dem Polizeidienst kämen. Als Einstieg könne sie mit einem von diesen Ermittlern an einem bereits laufenden Fall arbeiten. Slade fügte hinzu, dass er sie auch in der Geheimdienstarbeit schulen und ihr zu gegebener Zeit und abhängig von ihren Fortschritten auch ihren ersten Regierungsauftrag vermitteln werde. Er meinte, dass Kates Referenzen so gut, wenn nicht besser seien als die eines CIA-Trainees, und dass er außerdem in Bezug auf sie ein gutes Gefühl habe, was für ihn das Wichtigste sei.

Kate nahm das Angebot sofort an, denn sie war Slade dankbar, dass er ihr einen Grund gab, morgens aufzustehen, und sie so mit Arbeit eindeckte, dass sie kaum Zeit für Trauer hatte. Auch wenn die Hinterzimmer der Slade Group offiziell gar nicht existierten, waren sie, seit sie zum ersten Mal durch die Eingangstür marschiert war, zu Kates zweiter Heimat geworden.

Sie ging weiter den Korridor entlang und betrat das Konferenzzimmer im zweiten Stock. Von der Computerausstattung abgesehen, sah das Zimmer eher aus wie J. P. Morgans Bibliothek denn wie ein typisches Geheimdienst-Operationszentrum. Die Wände säumten handgeschnitzte Einbauregale, und zwei dahinter versteckte, schmiedeeiserne Wendeltreppen führten in die Stockwerke darüber. Ein antiker türkischer Teppich bedeckte den Boden, und mehrere schokoladenfarbene Ledersofas und -sessel standen vor den Wänden.

An einem runden Tisch in der Mitte des Zimmers saß Max Lewis, Slades Computerguru, vor einem Laptop. Von der gedämpften Farbgebung des Zimmers hob er sich scharf ab: Sein T-Shirt war leuchtend rot, kleine Goldreifen glitzerten in seinen Ohren, und seine kurzen Dreadlocks hatte er sich erst kürzlich grell blond gefärbt, eine Tönung, die in Kates Augen zu seiner mahagonifarbenen Haut äußerst cool aussah.

Max war ungefähr zur selben Zeit wie Kate zur Slade Group gestoßen. Damals noch Student an der NYU, hatte er beschlossen, sich für den Job seiner Wahl auf unorthodoxe Art zu bewerben. Nachdem er sich in die am besten gesicherte Datenbank des CIA gehackt hatte, kopierte er ein Dutzend Dateien und schickte sie als Anhänge zusammen mit seinem Lebenslauf direkt an die interne E-Mail-Adresse des DCI. Beeindruckt von seinem Mut und von seinen Fähigkeiten, vermittelte der Director ihn noch am selben Tag an Slade.

»Und, wie lief's mit Bill Mazur?«, fragte er. »Hast du herausgefunden, ob er hinter dem alten Buch her war?«

»Ja, war er. Noch mal danke für die schnellen Hintergrundinformationen.«

Max nickte.

»Wie's aussieht, hat jemand Mazur angeheuert, indem er ihm den Auftrag per E-Mail schickte und dabei den Tarnnamen Jade Dragon benutzte«, sagte Kate und griff in ihre Tasche nach dem Zettel mit der Adresse. »Könntest du mal nachprüfen, ob die zu irgendjemandem führt? Und kannst du die ein bisschen vergrößern?«, ergänzte sie und gab ihm Medinas Tatortfotos.

»Klar doch.« Max steckte sie sich in seine Hemdtasche. »Jetzt zu diesem Medina. Gemma nennt ihn ›appetitlich‹«, sagte er und meinte damit die Empfangsdame in ihrem Londoner Büro. »Sagt, er ist im Augenblick mit irgend so einer Bohnenstange von Model liiert.«

Kate lächelte. Max mochte kleine, dicke Frauen. Mehr als einmal hatte sie ihn dabei ertappt, wie er auf Pornoseiten mit kräftigeren Frauen surfte.

»Und?«, fragte er. »Du hast ihn gesehen – was hast du dir gedacht?«

»Gar nichts. Ich habe nur gebetet, dass ich nicht stolpere, während er mir zusah, wie ich den Raum durchquerte.«

Max lachte.

»Ich war eben unterwegs zu einer Buchhändlerin, die ich kenne und die mir bei der Authentifizierung des Manuskripts behilflich sein könnte, als Slade mich anpiepste. Was gibt's?«, fragte Kate und setzte sich neben ihn.

»Directorin Cruz hat angerufen. Der Auftrag hat mit der Kunstwelt zu tun.«

Alexis Cruz, die DCI, gab Aufträge an Slade weiter, wenn sie extrem dringend oder höchst geheim waren oder wenn Slade die Leute hatte, die für diese spezielle Aufgabe geeigneter waren als ihre eigenen Leute, wie es hier der Fall war.

»Nichts Ernstes«, erklärte Max. »Nur ein niedrigschwelliges Bedrohungsszenario in Europa, um das du dich kümmern müsstest.« Er packte die Rückenlehne von Kates Stuhl und zog ihn näher an seinen heran. »Zeit, dass du deinen neuen Freund kennen lernst.«

Er holte einen Videoclip auf seinen Monitor. Zwei Männer mittleren Alters aßen zusammen in einem Restaurant. Der eine stammte offensichtlich aus dem Mittleren Osten, der andere war ein Weißer mit westlichen Gesichtszügen.

»Ich glaube, den Kerl auf der linken Seite habe ich schon mal gesehen«, sagte Kate und schaute sich die vertrauten Gesichtszüge des schlanken Persers genauer an – kurze, zurückweichende Haare, ein glatt rasiertes, feinknochiges Gesicht und große, weit auseinander stehende braune Augen.

»Das ist Hamid Azadi. Ein ganz hohes Tier im VEVAK«, sagte Max und meinte damit das Iranische Ministerium für Geheimdienst und Sicherheit, das Vezarat-e Ettela'at va Amniat-e Keshvar. »Angeblich der dortige Spionageabwehrchef.«

Kate deutete auf den Monitor und fragte: »Material vom CIA?«

»Ja. Vor zwei Wochen in Dubai aufgenommen. Allerdings ohne Ton. Es war laut in dem Restaurant, und sie saßen zu weit vom Fenster entfernt.«

»Und der andere Typ?«

»Luca de Tolomei. Milliardenschwerer Kunsthändler. Schon mal was von ihm gehört?«

»Ja«, sagte Kate und starrte de Tolomeis Profil an – eine lange, gerade Nase, scharf geschnittenes Kinn und stahlgraue schulterlange Haare. »Angeblich handelt er hin und wieder auch auf dem Schwarzmarkt.«

»Richtig. Was uns angeht, wurde er als harmlos eingestuft.«

»Bis …«

»Heute Nachmittag, als eine Überweisung über elf Millionen Dollar von de Tolomei auf Azadis Liechtensteiner Konto verfolgt wurde. Da ging in der Agency die rote Fahne hoch.«

»Elf Millionen«, wiederholte Kate.

»Ich habe mir die Route mal selbst angeschaut«, sagte Max. »Ich habe noch nie gesehen, dass Geld so oft gewaschen wurde. Ist von einer Insel zur anderen gesprungen wie ein Kreuzfahrtschiff. Zypern, Antigua, die Isle of Man …«

»Die Frage ist also, was genau hat de Tolomei von Azadi gekauft und warum?«

»Genau. Wenn Azadi irgendwelchen Terroristen irgendwas Fieses zuschanzen wollte, wäre de Tolomei ein großartiger Strohmann. Ein reicher katholischer Kunsthändler. Perfekt.«

»Aber der Iran liefert die ganze Zeit Waffen an Hisbollah und Hamas, zusammen mit Hunderten Millionen Dollar pro Jahr – und das Regime stellt diesen Typen keine Rechnung.«

»Außer es ist irgendein Deal unter der Hand, und Azadi wirtschaftet in die eigene Tasche, indem er an eine Gruppe verkauft, die der Iran nicht unterstützt. Er hätte leicht ein wenig Nervengas beiseite schaffen können, und welcher Regierungsangestellte verschmäht ein bisschen Bargeld nebenbei?«

»Vielleicht, aber ich kann mir kaum vorstellen, dass der böse Bube der Sotheby's-Clique mit terroristischen Verbrechern gemeinsame Sache macht«, sagte Kate. »Ich würde eher vermuten, dass de Tolomei persische Antiquitäten auf dem Schwarzmarkt kauft. Die können sich auf zweistellige Millionenbeträge belaufen. Jemand hätte beinahe vierzig Millionen Dollar für die erste je gefundene, persische Mumie bezahlt.«

»Beinahe?«

»Es war eine Fälschung. Die Perser mumifizierten nicht. Vielleicht hatte Azadi Verbindungen zu einem Antiquitäten-Schmugglerring – oder noch besser, zu Fälschern. Du weißt schon, um Sammler aus dem Land des Großen Satans übers Ohr zu hauen.«

»Das könnte sein«, sagte Slade, der eben ins Konferenzzimmer kam. »Aber wir müssen sichergehen.«

Er stellte ein Tablett mit Cappuccinos auf den Tisch. Perfekte Schaumhäubchen – leicht mit Zimt bestäubt – erhoben sich eindrucksvoll aus jedem Becher.

Kate nahm einen und trank einen Schluck.

Slade zog eine Augenbraue hoch.

Sie griff sich kurz an den Magen, als würde ihr schlecht, dann grinste sie. »Chef, du hast dich selbst übertroffen.«

Slade setzte sich und lehnte sich mit einem grübchenreichen Grinsen zurück.

Kate wandte sich wieder Max' Monitor zu. »Was haben wir über de Tolomei, außer seiner Freundschaft mit Azadi?«

»Warum nennst du das so?«, fragte Slade. »Diese beiden wurden zuvor noch nie zusammen gesehen.«

Kate drückte eine Taste auf Max' Tastatur, und die Essensszene wurde wiederholt. Einen Augenblick später deutete sie auf die erste verräterische Geste. »Genau hier«, sagte sie. »De Tolomei schiebt den Aschenbecher Azadi hin, bevor der seine Zigaretten herausholt.« Sie hielt einen Augenblick inne und ließ das Video weiterlaufen. »Und schaut euch das an – de Tolomei hört auf zu essen, schaut sich um, und Azadi bittet den Kellner um etwas, bevor de Tolomei irgendwas sagt.« Noch eine Pause. »Seht ihr? Der Kellner hat eben Pfeffer gebracht. Azadi hat nicht um Salz gebeten – er wusste, was de Tolomei wollte. Die beiden kennen die Gewohnheiten des anderen zu gut, um Fremde zu sein.«

Slade wandte sich an Max. »Erzähl ihr, was du in der letzten Stunde gefunden hast.«

»Es ist nicht viel«, sagte Max, während auf dem Bildschirm Bilder von de Tolomei auftauchten. »Es geht langsamer als sonst – na ja, er ist irgendwie wie diese persische Mumie. Eine Fälschung. Ich hab ein bisschen gegraben, und ein Luca de Tolomei starb vor fast zwei Jahrzehnten in einer privaten Irrenanstalt. Seine Eltern gaben nie zu, dass er dort war – sie behaupteten, er sei außer Landes –, und jetzt sind sie auch tot. Wie's aussieht, hat unser Kerl diese Identität so um 1991 angenommen.«

Er schaute Kate an und fügte hinzu: »Gute Wahl für eine Legende.«

Sie nickte. Die besten falschen Identitäten, oder Legenden, übernahm man von Leuten, die in aller Stille gestorben oder von zu Hause verschwunden waren und kaum Spuren hinterlassen hatten.

Max fuhr fort. »Der Kerl hat einen Palazzo in Rom und eine restaurierte mittelalterliche Burg auf Capri.«

»Soll das ein Witz sein – ein Gauner, der auf Capri lebt?«, staunte Kate. »So viel zu Klischees.«

»Was meinst du damit?«, fragte Max.

Slade räusperte sich.

Kate kannte das Geräusch. Es bedeutete, dass ihr Chef in der

Stimmung war, etwas aus seinem klassischen Arsenal zum Besten zu geben.

»Tacitus«, setzte er an, und meinte damit den römischen Historiker aus dem zweiten Jahrhundert, »beschrieb Capri als den Ort, wo der Kaiser Tiberius geheime Orgien feierte oder sich müßigen, böswilligen Gedanken hingab. Angeblich wurden ganze Horden von Mädchen und jungen Männern, alle versiert in unnatürlichen Praktiken, aus allen Ecken des Reiches auf die Insel geschafft, damit sie auf Lichtungen und in Grotten vor ihm auftraten.«

»Wie Hefner«, sagte Max. »Ich bin beeindruckt.«

»Er tat auch kleinen Kindern Gewalt an. Sie mussten versuchen, ihn zu, ähm… pflegen.«

Max rümpfte die Nase. »Was ist denn das für eine üble Scheiße?«

»Und er ließ Verräter von einer Klippe werfen, und wenn sie nicht auf den Felsen darunter zerschmettert wurden, ließ er sie mit Bootshaken zu Tode prügeln.«

»Eindeutig Zeit für eine Tabellenänderung«, sagte Max nachdenklich. »Der steigt ein bei… Nummer vier.«

Er führte eine Liste der schlimmsten Menschen, die je gelebt hatten. Die Nummer eins, das wusste Kate, war seit Monaten unverändert. Eines Sonntags bei einem Bloody-Mary-Brunch hatte sie ihm erzählt, dass während der Regentschaft der Namensgeberin des Drinks – die Königin Englands vor Elizabeth I. – protestantische »Häretiker« wegen unfähiger Henkersknechte, die grünes Holz und feuchte Binsen verwendeten, manchmal so langsam auf dem Scheiterhaufen verbrannt wurden, dass eine Frau ein Kind gebar und es in den Flammen sterben sah, bevor sie selber ihr Leben aushauchte.

»Über Jahrhunderte hinweg«, fuhr Slade fort, »blieb diese liebliche Insel berüchtigt für Verhaltensweisen, die den Einwohnern von Sodom und Gomorrah die Schamesröte ins Gesicht getrieben hätten.«

»Nun gut«, sagte Kate, um wieder zur Sache zu kommen, »wir haben also einen Milliardär, der Schmuggelware von einem der größten Unruhestifter der Welt kauft, und wir haben keine Ahnung, wer er wirklich ist?«

»Keinen Schimmer«, erwiderte Slade. »Und das muss sich ändern. Max wird natürlich mal wieder in seine Trickkiste greifen und sich de Tolomeis Komplizen genauer anschauen, und da du sowieso in Europa bist…«

»Was ist mit unseren Leuten in Rom?«, warf Kate dazwischen. »Sie könnten doch in seinen Palazzo einbrechen, ein paar Wanzen verstecken…«

»Kate, ein Milliardär, der sich mit Leuten wie Azadi abgibt, hat mit Sicherheit das beste Überwachungssystem auf dem Planeten«, entgegnete Slade. »Ein solcher Einbruch würde Wochen der Überwachung und Planung erfordern. Wer weiß, ob wir so viel Zeit haben. Ganz zu schweigen von der Tatsache, dass die Methode der starken Hand hier vielleicht nicht den gewünschten Erfolg bringt. Das ist nicht der Typ, der seine Geheimnisse in kleinen Metallkästchen versteckt.«

»Ah ja, ich sehe schon, wohin das führt«, sagte sie ironisch.

Slade zeigte ihr sein berühmtes Sekundenbruchteil-Grinsen, dann wurde sein Gesicht wieder ernst. »Unterdessen werden unsere Leute in Rom ihn mit Richtmikrofonen überwachen und Nachforschungen anstellen, aber sie werden keinen direkten Kontakt mit ihm aufnehmen. Wie gut sie auch sein mögen, für einen Mann wie de Tolomei könnten sie ein wenig zu leicht zu durchschauen sein. Du dagegen…«

Teheran, Iran – 3 Uhr 05

Zu dieser Zeit war Hamid Azadi, Chef der Spionageabwehr des VEVAK, allein in seinem Haus im vornehmen Teheraner Gheitarieh-Distrikt und summte leise in seinem mit Kalbsleder bezogenen Bürosessel. Es war Azadis liebste Zeit in der Woche, diese wenigen Minuten, die er mit reiner, ungetrübter Zufriedenheit genoss. Nie am gleichen Tag, nie zur selben Stunde, aber einmal pro Woche gab er sich ausnahmslos diesem Vergnügen hin. Und in diesen kostbaren Minuten kam er sich vor wie Sisyphos, der sich, an seinen Felsen gelehnt, auf dem Gipfel des Hügels ausruhte und einen dreißigjährigen Glenmorangie Single Malt genoss.

Azadi schloss die unterste rechte Schublade seines schwarzen hölzernen Schreibtisches auf und zog sie heraus. Es war ein Aktenfach, etwa zu zwei Dritteln gefüllt. Er schob die Akten nach hinten und steckte seinen Brieföffner in den Schlitz, wo die Front der Schublade an den falschen Boden stieß. Der aus etwa einem Zentimeter starkem schwarzen Gummi bestehende Einsatz war flexibel, und Azadi bog eine Ecke hoch und schob die Hand in die Öffnung. Aus dem schmalen Hohlraum dieses Verstecks zog er ein Satellitentelefon. Einen Apparat, den er ausschließlich für sein spezielles Hobby benutzte.

Nachdem der Apparat eingeschaltet und das Verschlüsselungssystem in Betrieb war, wählte er.

Eine vertraute Stimme meldete sich, und Azadi leierte die dreizehn Ziffern herunter, die er so gut kannte wie seinen eigenen Namen. Die Stimme stellte ihm eine Reihe von Fragen, und Azadi lieferte die notwendigen Antworten, Antworten, die sich an jedem Tag der Woche änderten.

»Gut. Nun, wie kann ich Ihnen heute Abend helfen, Monsieur?«

»Ich würde gern meinen Kontostand wissen«, sagte Azadi leise.

»Dreizehn Millionen und zweihunderttausend US-Dollar. Wünschen Sie sonst noch etwas?«

»Heute nicht.«

Das Geld in der diskreten Privatbank in Liechtenstein war Azadis Sprungbrett ins Paradies, in ein neues Leben ohne die Einschränkungen und die beständige Angst seines alten. Vor Jahrzehnten, noch während seines letzten Jahrs an der Universität, hatte Azadi für sich eine Karriere in der Führungselite des iranischen Ministeriums für Geheimdienst und Sicherheit beschlossen, weil es für einen intellektuellen und ehrgeizigen Iraner kaum andere Möglichkeiten gab. Außerdem, das musste er zugeben, war er damals auf einer Woge des Nationalstolzes geritten, nachdem er zugesehen hatte, wie seine Landsleute dem Schah und seiner brutalen Geheimpolizei zusammen mit ihren Blut saugenden, imperialistischen Unterstützern den Teppich unter den Füßen weggezogen hatten. Damals wütete der Krieg mit dem Irak, und nachdem er Geschmack gefunden hatte an der Geheimdienstarbeit, an dem Sport, diesen Kamelarsch Saddam zu übertölpeln, war er sicher, seine Berufung gefunden zu haben.

Doch im Lauf der Jahre war in ihm ein Abscheu gegen die Mullahs gewachsen, die sein Land mit stahlbewehrten Peitschen regierten. Sie hatten sich als viel brutaler erwiesen, als der Schah es je gewesen war, mit ihren beständigen Folterungen und Mordanschlägen und ihren Plänen für Massenvernichtungen überall auf dem Planeten. Schließlich hatte Azadi beschlossen, das Land zu verlassen. Tatsächlich hatte er keine andere Wahl. Die Zeit lief ihm davon.

Geld war das, was er am dringendsten brauchte. Mengen davon. Als er deshalb vor Jahren Luca de Tolomei kennen lernte und den Vorschlag des Mannes hörte, ließ Azadi sich nicht lange bitten. Sehr schnell entstand zwischen den beiden eine höchst profitable Geschäftsbeziehung, und Azadis Geheimkonto wuchs beständig. Ihre letzte Transaktion war der wirkliche Coup gewesen. Eine reich sprudelnde und unerwartete Goldquelle. Er wusste, dass das Objekt wertvoll war, hatte aber nicht erwartet, dass de Tolomei gleich so viel bieten würde – elf Millionen Dollar. Allah sei Dank für diesen merkwürdigen Kunsthändler und seine unerschöpflichen Bankkonten.

Jetzt endlich hatte Azadi genug, um seinen Plan in die Tat umzusetzen, und passenderweise hatte de Tolomei – inzwischen ein Freund und Vertrauter – ihm das Geschäft mit zwei Extras versüßt: mehrere Sätze perfekt gefälschter Papiere mit verschiedenen Identitäten und ein Termin bei einem diskreten, aber erstklassigen plastischen Chirurgen, von dem er nicht nur ein neues Gesicht, sondern auch eine neue Rassenzugehörigkeit erhalten würde.

Azadi musste seine Flucht mit äußerster Vorsicht durchführen. Das Komitee für Geheime Operationen würde ein Eliteteam von Attentätern auf ihn ansetzen, und Azadi wollte nicht für den Rest seines Lebens beständig über die Schulter oder unter sein Auto schauen müssen.

Er hatte vor, sich auf einer kleinen Insel vor der amerikanischen

Küste mit dem Namen Key West niederzulassen, denn er hatte gehört, dass man dort Männer auf der Straße küssen konnte, ohne die Peitsche fürchten zu müssen. Und wenn man in Stimmung war, konnte man auch mit seinem Liebhaber nach Hause gehen, ohne den Tod durch Steinigung zu riskieren.

Im Mittelmeer – 1 Uhr 16

Es war ein russisches Schiff, hieß *Nadeschda* und war einer von zweihundertundvierzig mit Öl beladenen Kähnen, die in dieser Nacht durchs Mittelmeer pflügten. Die *Nadeschda* war jedoch kein gewöhnlicher Öltransporter. Der hundertachtunddreißig Meter lange Binnenfrachter und Seetanker gehörte der russischen Mafia, und ihr Öl war nur eine Tarnung für das Schmuggeln von Konterbande.

In den Neunzigern war Öl selbst Schmuggelware gewesen. Damals operierte das Schiff vorwiegend im Persischen Golf und transportierte, unter wiederholter Verletzung des nach der irakischen Invasion Kuwaits von den UN verhängten Embargos, Rohöl vom irakischen Hafen Umm Qasr in die Vereinigten Arabischen Emirate. Da die internationale Maritime Eingreiftruppe im Golf patrouillierte, um das Embargo durchzusetzen, hatte der Kapitän der *Nadeschda* getan, was alle cleveren Schmuggler iranischen Öls taten: die iranische Marine bestechen, um so falsche Herkunftspapiere für das Öl zu erhalten. Die ganze Sache war ungemein profitabel gewesen, weil Schiffe unter russischer Flagge fast nie angehalten wurden. Doch Anfang 2000 kam die Eingreiftruppe an Bord eines anderen russischen Schiffes, das genau dasselbe machte, nahm Proben des geladenen Öls und schickte sie an ein Speziallabor, wo Biomarker und Gaschromatographietests bewiesen, dass das Öl aus einer irakischen Quelle stammte. Als die Maritime Eingreiftruppe beschloss, nicht nur das Öl, sondern auch das Schiff zu beschlagnahmen, hatte der Besitzer der *Nadeschda* sich aus dem Geschäft zurückgezogen.

Jetzt transportierte sie wirklich iranisches Öl. Beinahe fünftausend Tonnen. Aber in zwei Spezialkammern im untersten Teil des Rumpfes – die nur Tauchern zugänglich waren – auch afghanisches Heroin und Stinger-Raketen für die Hisbollah.

Nachdem die *Nadeschda* den iranischen Hafen Bandar Abbas vor zehn Tagen verlassen hatte, passierte sie die Straße von Hormus und fuhr dann weiter in Richtung Norden durchs Rote Meer zum Suezkanal. Am vergangenen Abend hatte sie das Mittelmeer erreicht.

Auf dem Vordeck ging der junge Navigationsoffizier auf und ab, denn er konnte nicht schlafen. In seinem ganzen Leben war er noch nicht so nervös gewesen. Im Roten Meer hatte sie ein Sturm überrascht, und er hatte sich übergeben, bis der letzte Regentropfen gefallen war. Nachdem sie in Bandar Abbas die Fässer mit Rohöl geladen hatten, hatten er und zwei andere Mannschaftsmitglieder den Auftrag erhalten, eine mysteriöse Holzkiste in die Kapitänskajüte zu tragen. Der Kapitän schärfte ihnen ein, die Kiste mit extremer Vorsicht zu behandeln, als würde sie kostbarstes Porzellan enthalten – oder eine Atombombe. Dann hatte der Kapitän gezwinkert. Was hatte dieses Zwinkern zu bedeuten? Transportierten sie wirklich eine Bombe, oder machte es dem Kapitän einfach Spaß, seine Mannschaft zum Schwitzen zu bringen, vielleicht um seine neue Freundin zu beeindrucken?

Während er in den Nachthimmel starrte, sehnte der junge Navigationsoffizier den Augenblick herbei, da sie diese bedrohliche Kiste abladen würden. Es würde bald so weit sein, hatte man ihm gesagt, lange, bevor sie ihren Zielhafen erreichen würden. Es würde ein Transfer auf offener See ablaufen, und dann endlich würde er wieder Ruhe finden.

Der Navigationsoffizier hatte keine Ahnung, dass er, während er so die Sterne anschaute, direkt in die elektronischen Augen eines etwa fünfzehn Meter langen, Milliarden Dollar teuren Vogels schaute – ein amerikanischer Spionagesatellit, der in einer Höhe von hundertzwanzig Meilen seine Bahn zog. Mit der Bezeichnung KH-12 gehörte er zur Klasse der Keyhole-Satelliten, der Schlüsselloch-Satelliten, deren hoch auflösende, elektrooptische Kameras Bilder von einem mehrere hundert Meilen breiten Streifen Erdoberfläche sammelten und dabei Objekte entdeckten, die nicht mehr als zehn Zentimeter groß waren.

Auch wusste der Navigationsoffizier nicht, dass der KH-12 auf seiner sonnensynchronen Bahn in der folgenden Nacht genau dieselbe Stelle passieren und Bilder vom Abladen der mysteriösen Kiste von seinem Schiff schießen würde. Denn egal, wie schnell das Schiff im Verlauf des nächsten Tages fuhr, egal, unter welchen Wetterbedingungen oder zu welcher Uhrzeit der Transfer auf offener See stattfinden würde, den spähenden Augen des Satelliten würde sie nicht entgehen.

6

London – Eine Nacht im Mai 1593

Die zwanzig Fuß lange, mit einem Baldachin versehene Barke glitt lautlos die Themse entlang. Der Fluss war ruhig. Fast ganz London schlief.

Direkt vor der Barke lag der Tower. Dicke, mit Zinnen versehene Mauern, glatt bis auf die Aussparungen der Schießscharten. Wie viele Augen, fragte sich der Kapitän, spähten durch diese drohenden schwarzen Schlitze? Und konnte irgendeines davon sein Gesicht sehen? Er zog sich den Hut tiefer in die Stirn.

Nach einem abrupten Schwenk nach rechts glitt die Barke in einen schmalen Wasserweg in der Mitte der Tower Wharf und steuerte auf ein hölzernes Gittertor zu. Der gefürchtete Torbogen, den man weit und breit als Traitor's Gate kannte.

Der Gestank war überwältigend. Flussabwärts treibender Unrat und Abwässer sammelten sich in dem Graben und verrotteten dort. Der Kapitän hielt sich seine reich verzierte, silberne Parfümkugel an die Nase und atmete tief den üppigen Duft von Nelken ein.

In der nebligen Dunkelheit unter dem St. Thomas Tower hielt die Barke an einer Straße, die parallel zum Graben verlief. Ein stämmiger, weißhaariger Mann stand am Rand, und hinter ihm waren sechs große Holzkisten aufgestapelt. Der alte Mann nickte dem Kapitän zu, und der nickte zurück. Während zwei der Ruderer mit ihren Paddeln und diversen Seilen die Barke ruhig hielten, luden die anderen die schweren Kisten ächzend auf die Barke und stellten sie in einer Reihe unter dem Baldachin auf.

Der Kapitän schaute, die Arme vor der Brust verschränkt, zufrieden zu. Der ganze Ablauf wurde zwar vom Mondlicht sehr wirkungsvoll erhellt, blieb aber unter dem St. Thomas Tower verborgen. Auch wenn jemand die Ankunft und Abfahrt dieses Kahns melden wollte, hätte er ziemliche Schwierigkeiten damit; der Kahn hatte keinen Namen, und die Ruderer trugen keine charakteristische Livree.

Nach dem Beladen fing er an, jede Kiste zu untersuchen. Als er die Erste aufstemmte, sah er eine dreirohrige Kanone aus der Zeit Henry VIII. Ein Prachtstück. Er strich mit dem Finger über die glatte, kalte Bronze. Die zweite Kiste enthielt zwei Drehbassen wie sie auf Kriegsschiffen verwendet wurden, die dritte Schießpulver und die vierte Bleikugeln. Die beiden letzten enthielten schließlich seine Lieblingswaffen aus der Königlichen Waffenmeisterei im White Tower: Radschlosspistolen aus Walnuss, Messing und Hirschhorn. Die alten Waffen waren zweifellos vor Jahren aus Deutschland eingeführt worden; auf den Läufen konnte er die Punzen von Dresden und Nürnberg erkennen. Er nahm eine zur Hand, und mit einer schnellen Drehung richtete er sie direkt auf das Gesicht eines seiner Männer. Der arme Kerl hätte fast sein Abendessen wieder hergegeben.

Lachend legte der Kapitän die Waffe zurück und streckte den Arm in die Höhe, um dem Weißhaarigen die Hand zu geben. »Bis zum nächsten Mal.«

Auf ein Nicken ihres Herrn hin manövrierten die Ruderer die Barke rückwärts in den Fluss zurück, wendeten, und ruderten weiter in östlicher Richtung auf ihrem Weg nach Deptford.

Der Kapitän lehnte sich auf seinem gepolsterten Sitz zurück und spielte mit den Enden seines Schnurrbarts. Er hatte eben im Auftrag seines Arbeitgebers erfolgreich die Waffenkammer der Königin geplündert. Was bedeutete, dass sein Arbeitgeber, wie indirekt auch immer, die Königin bestahl. Nun, er würde seinen Arbeitgeber bestehlen. Wenn seine Männer die ersten Kisten ausluden, würde er ein Dutzend Pistolen unter seinem Sitz verstecken. Belüge die Lügner, betrüge die Betrüger. So lief das Spiel.

An der Tower Wharf stand der Weißhaarige am Wasserrand und sah zu, wie die Barke in der Nacht verschwand. Seine zu Fäusten geballten Hände zitterten. Er wusste nicht, wem diese namenlose Barke gehörte oder wohin sie mit ihrer tödlichen Fracht unterwegs war. Er wusste nur, dass er sie nicht aufhalten konnte, wie sehr er es auch wollte.

Ned Smyth war der Waffenmeister Ihrer Majestät, der Wächter über die Königliche Waffenkammer im White Tower. Der geheimnisvolle Kapitän hatte ihn vor sechs Monaten angesprochen und erklärt, er arbeite für einen der königlichen Feldkommandeure in den Niederlanden. Der Mann hatte ihm dann einen schriftlichen Antrag auf Waffenlieferungen vorgelegt. Der Brief schien rechtsgültig zu sein, und als Smyth merkte, dass man ihn übertölpelt hatte – dass der Brief gefälscht war und der Feldkommandeur, dessen Namen er trug, nicht existierte –, war die ungesetzliche Lieferung bereits unterwegs.

Smyth saß nun in der Falle. Seiner Königin konnte er nicht sagen, was passiert war, weil er nicht beweisen konnte, dass er in der lautersten Absicht gehandelt hatte: Der gerissene Bootsführer hatte den gefälschten Brief behalten. Um die Sache noch schlimmer zu machen, hatte der schurkische Hund gesagt, wenn Smyth sich weigere, mit ihm zusammenzuarbeiten und auf Anforderung weitere Waffen zu liefern, werde er direkt zur Königin gehen und Smyth beschuldigen, Dinge aus der Königlichen Waffenkammer zur eigenen Bereicherung zu verkaufen, und wie wolle Smyth das Gegenteil beweisen? Die Bestandsliste fehlte.

Wütend ging Smyth am Kai entlang. Ein Teil von ihm wollte unbedingt gestehen und um Vergebung bitten, aber er wusste, dass es zu spät war. Er hatte eben zum dritten Mal einen Verrat begangen. Außerdem hatte er zwar Angst, dass seine Untreue ans Licht kommen könnte, doch seine Angst vor dem Kapitän war viel größer. Zweifellos würde der Mann jeden umbringen, der sich ihm in den Weg stellte.

Mit diesen unerfreulichen Gedanken durchschritt der getreue Diener der Königin das Westtor des Turms und machte sich auf den Weg nach Hause. Niemand hielt ihn an. Niemand verlangte seine Papiere. Die Wachen kannten Smyth seit Jahren, und da sie ihn für einen integren Mann hielten, kontrollierten sie ihn nie. Nicht einmal mitten in der Nacht.

Der Kapitän hatte sich seinen widerwilligen Komplizen gut ausgesucht.

Greenwich – Nacht

Nachdem Thomas Phelippes verschwunden war, saß Marlowe noch lange auf der Holzbank in der Nähe des Greenwich Palace. Wenn Phelippes Verdacht zutraf und gewisse Händler der Moskowiter Gesellschaft tatsächlich den geheimen Seeweg in den Orient gefunden hatten, was lieferten sie dann im Austausch für die Juwelen? Englisches Silber auf keinen Fall. Dafür hatte man im Fernen Osten wenig Verwendung. Vielleicht unterschlagen sie die Ausfuhren der Gesellschaft, dachte er. Höchstwahrscheinlich Kleidung aus Wolle. Vielleicht aber auch nicht – vielleicht handelten sie mit einer ganz anderen Ware, aus einer ganz anderen Quelle.

Unsere Waffen sind noch immer viel fortschrittlicher als das, was es im Orient gibt, überlegte Marlowe. Unterstützten Moskowiter Männer wieder einmal Massaker in entfernten Weltgegenden?

Marlowe war einer der wenigen in London, die wussten, dass mehrere Direktoren der Gesellschaft schon vor Jahren den Schmuggel von überzähligen Waffen an Bord ihrer Schiffe ermöglicht hatten. Was Phelippes nicht wusste, war, dass Marlowes entfernter Cousin Anthony der Aufseher des Lagerhauses der Gesellschaft war – und zwar seit fast zwei Jahrzehnten. Ein treuer Angestellter, der gutes Geld erhielt, damit er seinen Mund hielt. Anthony hatte einmal den Fehler begangen, sich damit zu brüsten, er kenne ein schockierendes Geheimnis der Gesellschaft, ein Geheimnis, das nie zu enthüllen er geschworen hatte. Dieser Fehler Anthonys war schwer wiegend, denn Marlowe brachte es einfach nicht übers Herz, einen solchen Stein nicht umzudrehen, auch wenn kein Geld im Spiel war. Nach Anthonys unbedachter Prahlerei war das Geheimnis etwa so sicher wie ein von einem hungrigen Hund in die Ecke getriebener Hase.

Da Marlowe wollte, dass sein Cousin ihre Unterhaltung wieder vergaß, hatte er mehr als einen Monat gewartet, bis er seinen Sturmangriff auf Anthonys standhaftes, entschlossenes Schweigen führte. Dann dauerte es, dank eines einfachen aber eleganten Plans, nur eine Nacht, eine gerissene Hure und eine kleine Armada von Bechern mit Ale, um seinem selbstgefälligen Cousin die Lippen zu lösen.

Diese Nacht lag bereits sieben Jahre zurück, Marlowe war damals noch Student in Cambridge gewesen. Er war für ein Wochenende nach London gefahren, hatte sich mit Anthony in einer beliebten Taverne in Southwark getroffen und ihn nach allem außer der Moskowiter Gesellschaft gefragt. Bei diesem Thema spielte er den Desinteressierten. Als Anthony dann so betrunken war, dass er bereits lallte, tat Marlowe so, als würde er aufbrechen, versteckte sich aber stattdessen hinter einem dicken hölzernen Balken. Er hatte einer schönen und aufgeweckten Dirne Geld gegeben, damit sie sich neben seinen Cousin setze, ihm ein paar sorgfältig formulierte und auswendig gelernte Sätze ins Ohr flüstere und dann anfange, ihn auszufragen.

»Ich habe gehört, du machst sehr wichtige Arbeit«, hub sie mit großem Augenaufschlag an.

»Ach, ich darf eigentlich nicht...«, stammelte Anthony errötend.

»Es heißt, du arbeitest für mächtige Männer. Männer, die das Ohr der Königin haben. Ist das wahr?«

»Nun ja, ich, äh...«

Sie legte ihm die Hand aufs Knie.

»Ja... es stimmt.«

»Ach, wie das meine Phantasie beflügelt! Ist es gefährlich?«, fragte sie und ließ ihre Hand Anthonys Bein hinaufgleiten.

»Und wie. Du würdest nicht... o Gott.«

Sie streichelte die Innenseite seines Schenkels. »Hm?«

»Du würdest nicht glauben, womit ich zu tun habe.«

»Ach, wie gerne ich das wissen würde.« Während die Hure sich zu Anthony beugte und an seinem Ohrläppchen saugte, schaute sie zu Marlowe, der zufrieden nickte.

Auch Anthony – der nun mit einer Hand sein Beinkleid öffnete – schien zufrieden. »Man könnte sagen, dass, nun, dass ...« Er hielt inne und suchte nach den richtigen Worten. Als er nach unten schaute, fielen sie ihm ein. »Man könnte sagen, ich halte das Schicksal ganzer Städte in *meinen* Händen.«

Die Hure öffnete überrascht den Mund und flüsterte dann: »Ich frage mich, ob du mit deinen so geschickt bist wie ich mit meinen.« Sie zog an seinem schlaff herabhängenden Arm und legte seine Hand auf ihren Busen.

Er grapschte ungeschickt und versuchte, sie zu kneifen.

»Hm ... erzähl's mir«, seufzte sie in gespielter Ekstase. »Erzähl mir alles.«

Anthony schüttelte rülpsend den Kopf. »Ich würde gerne, aber ich kann nicht. Weißt du, ich ...«

»Ach, aber du musst es! Mächtige Männer, Männer, die der Gefahr ins Auge sehen – ach, wie bringen die mein Herz zum Rasen! Meine Knie zittern!« Schnurrend stieg sie Anthony auf den Schoß, schlang die Beine um seine Mitte und zeigte ihm, wie sehr sie zitterte.

»Verzeih mir, aber ...«

»Wenn ich glaubte, du wärst ein solcher Mann, ein furchtloser, gefährlicher Mann, nun, dann würde ich keinen Penny verlangen ...«

Ah, der Gnadenstoß. Denn Anthony hielt nicht nur seine Lippen fest geschlossen, sondern auch seine Geldbörse. *Das wird ihm den Mund öffnen.*

Marlowe hatte richtig vermutet. In dieser Nacht erzählte Anthony der Hure alles, was er über die Geheimoperationen der Moskowiter Gesellschaft wusste, und sie, die sich freute, endlich einmal angezogen Silber verdienen zu können, berichtete Marlowe alles, kaum dass Anthony eingeschlafen war.

Seit Jahrzehnten, so erzählte sie, hatte die Gesellschaft heimlich an Iwan, den Zar Russlands, die Waffen geliefert, mit denen er seine schrecklichen Massaker verübt hatte.

»Wer war alles darin verwickelt?«

Sie nannte den Namen eines wohlhabenden Händlers und den eines bekannten Regierungsbeamten, die beide zu der Zeit schon seit Jahren tot waren. Marlowe zuckte mit keiner Wimper. Aber als sie den dritten Mann nannte, einen Mann, der noch am Leben war, klappte ihm der Mund auf. Es war Francis Walsingham, sein bewunderter Förderer. Da Marlowe Augenzeugenberichte über Iwans Scheußlichkeiten, die in Umfang und Brutalität angeblich unerreicht waren, gelesen hatte, schüttelte er angewidert den Kopf.

Nach Anthonys betrunkenem Gerede waren die Waffenlieferungen an Iwan der einzige Weg, der Gesellschaft das Monopol auf den Handel mit Russland zu sichern, ein Monopol, das man für zu wertvoll erachtete, um es zu verlieren. Und da England einen riesigen Vorrat an überzähligen Waffen hatte, warum also nicht? Verständlicherweise waren die Führer der baltischen Staaten wütend auf Königin Elizabeth, weil sie ihren blutrünstigen Nachbarn mit Waffen ausstattete. Sie leugnete die Anschuldigungen, um ihre Verbündeten zu besänftigen, und veröffentlichte einen Erlass, der diesen Handel verbot. Doch die Lieferungen gingen ohne Unterbrechung weiter, und trotz einiger wohl platzierter Fragen hatte Anthony nie herausfinden können, ob die Königin sie insgeheim guthieß oder nicht.

Marlowe hatte laut geflucht, als er in dieser Nacht in seine Herberge zurückkehrte. Hinterhältige Morde und das massenhafte Abschlachten von Unschuldigen mochten Schaulustige ins Theater locken, aber im wirklichen Leben wollte er daran nicht beteiligt sein. Enttäuscht hatte er sich damals überlegt, Walsingham den Dienst aufzukündigen. Letztendlich entschloss er sich jedoch, zu bleiben, und plante, Aufträge auf seine Art auszuführen und nur zu tun, was er für richtig hielt. Das war eine schwierige Gratwanderung – seine Auftraggeber befriedigen und gleichzeitig nur nach den eigenen Prinzipien handeln –, aber irgendwie gelang es ihm. Alles für eine Königin und ein Land, die er bewusst romantisch verklärte. Es war sinnlos, das wusste er, und gefährlich. Ein unerfreuliches Ende war gewiss. Aber so war das Leben.

Und jetzt konnte es sein, dass gewisse Moskowiter Männer wieder ein ungesetzliches Geschäft betrieben. Aber wer? Es gab Dutzende von Möglichkeiten, das war Marlowe klar. Es war wahrscheinlich, dass die meisten der wohlhabendsten und einflussreichsten Männer Londons, wenn nicht alle, mit der Moskowiter Gesellschaft zu tun hatten, entweder als Anteilseigner oder als Direktoren. Wenn tatsächlich einige von ihnen den ungesetzlichen Waffenhandel wiederbelebt hatten, um an orientalische Waren zu kommen, wie sollte er sie aufspüren? Alle an der alten Intrige Beteiligten waren tot.

Marlowe wusste, dass er nicht darauf hoffen konnte, seinem Cousin noch einmal Informationen zu entlocken. Sieben Jahre waren vergangen, aber Anthony machte noch immer ein finsteres Gesicht, wenn er Marlowe sah, und griff manchmal sogar nach seinem Schwert. *Vielleicht, wenn ich ihn am nächsten Morgen nicht verspottet und ihm in allen Einzelheiten erzählt hätte, wie sehr man ihn zum Narren gehalten hatte…*

Nun fiel Marlowe ein, dass Essex, ein Anteilseigner der Gesellschaft, verwickelt sein könnte. Dass Phelippes ihn vielleicht angeheuert hatte, um zu sehen, wie wirkungsvoll Essex und seine Mitverschwörer ihre Mauscheleien verhüllten.

Er dachte eben über diese Möglichkeit nach, als mehrere schwache Schreie die nächtliche Stille zerrissen. Neugierig stand er auf und ging auf die Quelle des Lärms zu, wobei er sich schnell aber leise durch den dichten Wald bewegte.

Der Lärm kam aus dem obersten Stockwerk der Südseite des Palastes. Vom Dach der Pferdeställe hätte er einen perfekten Blick in das fragliche Zimmer, aber wie sollte er die glatten Wände hochklettern? Er entdeckte ein kleines Fenster knapp unterhalb des Stalldachs. Nachdem er das Gebäude betreten hatte, schlich er an dem schlafenden Stallburschen vorbei und stellte eine Leiter unter das Fenster. Dann stieg er hinauf, kletterte durch das Fenster und stemmte sich aufs Dach.

Sofort hob er den Blick und erkannte zwei Silhouetten in einem Fenster eines Türmchens an der Spitze der Südmauer, einen Mann und eine Frau. Beide wirkten recht groß – der Mann breit und beeindruckend gebaut, die Frau dünn und gebeugt, ihre Röcke bauschig. Ihre dicken, schlangengleichen Löckchen flogen, als sie dem Mann ins Gesicht schlug und auf die Brust trommelte. Er stürmte hinaus. »Robert! Robert! Kommt auf der Stelle zurück!«, schrie sie.

Überrascht erkannte Marlowe, wer die beiden waren. Elizabeth und Essex. Die Königin und ihr gut aussehender, junger Liebhaber. Sie verschwand kurz aus Marlowes Blickfeld, aber er ließ das Fenster nicht aus den Augen. Plötzlich blitzte etwas Silbriges auf, dann noch einmal. Der Musselinvorhang segelte in Fetzen zu Boden, und Marlowe sah die Königin mit einem Schwert in der Hand am Fenster stehen. Ihr juwelenbesetzter Kragen funkelte im Mondlicht.

Elizabeths blasses Gesicht war vor Wut verzerrt. Ihre dunkelrote Perücke war leicht verrutscht und zeigte ein wenig von den grauen Haaren darunter. Marlowe zog zum zweiten Mal an diesem Tag seine Zaubermünze hervor und hielt ihre Vorderseite ins Licht. »Auf Eurem Geld seht Ihr würdevoller aus als in Eurem Schlafgemach, nicht wahr, meine Königin?«

Als er den Blick dann wieder dem Fenster zuwandte, sah er, dass ihre Miene sich besänftigt hatte. Die Königin wirkte jetzt wieder ruhig. Nur die dunklen Schlieren in ihrer dicken Alabasterschminke verrieten den Schmerz der letzten Sekunden. Sie verschwand wieder, und Augenblicke später drangen süße musikalische Klänge aus ihren Gemächern.

Anscheinend steht eine Gruppe Musiker direkt außerhalb meines Blickfelds, dachte Marlowe und sah einer Gestalt zu, die zu der zarten Lautenmusik tanzte. Die Bewegungen wechselten zwischen einer angenehmen Harmonie und einer fast gewalttätigen Abruptheit. Das Gesicht der Gestalt huschte am Fenster vorbei. Es war die Königin, und sie tanzte allein.

Marlowe schaute auf seine Füße hinunter und betrachtete das sanft abfallende Dach der Stallungen. Er stand auf dem First. Die Arme ausgestreckt, die Brust vorgeschoben und den Kopf leicht schief gelegt, setzte er sich in Bewegung. Auf dem gefährlichen Grat geschickt balancierend, gelang ihm eine riskante aber anmutige Pavane im Gleichtakt mit seiner Königin.

Plötzlich platzte Essex wieder ins Zimmer, packte die Königin an der Schulter und küsste sie derb.

»Entschuldigt, aber Ihr dürft nicht unterbrechen«, sagte Marlowe leise und mit gespielter Strenge.

Elizabeth schob Essex weg und deutete mit dem Finger zur Tür. Nachdem ihr geknickter Höfling hinausgeschlichen war, stand sie stocksteif da. Die Musiker hatten aufgehört zu spielen.

Unten auf dem Stalldach streckte Marlowe den Arm aus und verbeugte sich. »Erweist Ihr mir die Ehre?«, fragte er.

Oben setzte die Königin forsch ihren Tanz fort, kaum dass die Musik wieder eingesetzt hatte, und schloss sich dabei unwissend Marlowe in einer lebendigen Gaillarde an.

Robert Devereux, der zweite Graf von Essex, stieß das schwere Portal des Greenwich Palace auf, stürmte die Ufertreppe zu seiner Barke hinunter und schüttelte seine Männer wach.

Da sie das aufbrausende Naturell ihres Herren und seine wechselhafte Beziehung zur Königin nur allzu gut kannten, hatten sie vorausschauenderweise beschlossen, im Boot zu schlafen und nicht im Palast. Sie rappelten sich benommen hoch, nahmen ihre Plätze ein und begannen zu rudern.

Essex, der zum Sitzen viel zu erregt war, ging in seiner Barke auf und ab. »Ich pfeife auf ihre falschen Versprechungen!«, murmelte er. »Zum Teufel mit Cecil, zum Teufel mit dieser armseligen Kreatur.«

Als sie an der schlafenden Stadt Deptford vorbeikamen, sah Essex eine zweite Barke – etwa so groß wie die seine –, die an einem kleinen, verlassenen Dock festmachte. Eine Reihe großer Holzkisten stand an Bord. Ist es ein wohlhabender Londoner, der vor dem jüngsten Ausbruch der Pest aus London flieht?, fragte sich Essex. Der seinen wertvollsten Besitz für den Sommer in sein Landhaus bringt? Ihm fiel auf, dass die Barke keinen Namen hatte, und er sah auch, dass die Ruderer keine Livree trugen, die er kannte. Genau genommen trugen sie überhaupt keine Livree. Ihre Kleidung war gewöhnlich und uneinheitlich. Essex kniff die Augen zusammen. Wollte denn nicht jeder, der sich ein solches Gefährt leisten konnte, dies die Welt auch wissen lassen? *Wie äußerst merkwürdig.*

Als Deptford dann hinter ihm lag, kehrte Essex in Gedanken zur Königin zurück und zu dem Lob, mit dem sie an diesem Abend seinen Feind bedacht hatte. Wieder einmal hatte sie sich geweigert, ihn zum Staatssekretär zu ernennen, mit der Begründung, er müsse erst noch beweisen, dass er fähiger sei als Robert Cecil. Warum wollte sie nicht einsehen, dass ein Mann der Tat – ein Mann, der auf dem Schlachtfeld gegen den Feind gekämpft hatte – für diesen Posten viel geeigneter war als ein hasenherziger Schreiberling?

Essex ging weiter fluchend auf und ab.

Zwanzig Minuten später stand er in der großen Halle seines Londoner Palastes vor einer Holztafel mit einem darauf befestigten Porträt. Er packte ein Messer an der Spitze, hob den Arm und warf. Der Griff krachte gegen das zerfledderte Bildnis und klapperte zu Boden.

Buckeliger Hurensohn. Möge seine Seele in der Hölle verrotten!

Er atmete tief durch und warf noch einmal. Das zweite Messer streifte Robert Cecils Ohr und blieb zitternd in dem Brett stecken.

Nicht gut genug. Einige Minuten starrte Essex diese hasserfüllten Augen und die dunklen Halbmonde darunter an.

Dann warf er das dritte Messer. Perfekt. *Bald.*

7

New York City – 20 Uhr 33, Gegenwart

Kate hatte es auf seinen Kopf abgesehen. Er sprang sie an. Sie blockte seine zwei schnellen Geraden ab, drehte sich auf dem Ballen ihres linken Fußes, und ließ, das rechte Knie hochgezogen, den Fuß vorschnellen.

Kurz bevor sie ihn traf, packte Slade ihren Knöchel und hielt ihn, obwohl er glitschig war vor Schweiß, fest. »Die Augen, Kate. Was bläue ich dir immer ein?«

»Aus den Augenwinkeln schauen, die Absicht verstecken. Das weiß ich, Chef, es ist nur so, dass ich fast am Zusammenbrechen bin.«

»Solche Ausreden retten dir nicht das Leben.«

»Stimmt. Kann ich bitte meinen Fuß zurückhaben.«

»Bis zum nächsten Mal.«

Als sie dann wieder auf beiden Beinen stand, zog Kate ihre Handschuhe aus, strich sich die Haare zurück und fasste sie zu einem Pferdeschwanz zusammen. »Weißt du, wenn du nicht mein hoch verehrter Senior wärst, eine Legende in der Schnüfflerwelt, und, ja, mein persönlicher Held…« Sie machte einen Schritt auf ihn zu. »Na, wenn das nicht der Fall wäre, würde ich dir eines Tages in den Arsch treten, das kann ich dir sagen.«

Slade grinste sie an. »Ich warte darauf.« Er drehte sich um, ging in seine Ecke des Sparringrings, schlüpfte in seine Nike-Flip-Flops, bückte sich nach seiner Sporttasche und fügte hinzu: »Ich warte schon eine ganze Weile.«

Kate machte seit ihrer Teenagerzeit Kampfsport und hatte während des Studiums jahrelang Unterricht im Kickboxen gegeben, um sich ein wenig Geld nebenher zu verdienen, aber mit Slade konnte sie sich dennoch nicht messen. Sie betrachtete den muskulösen, V-förmigen Rücken, der sich in dem eng sitzenden, blauen T-Shirt deutlich abzeichnete, und sagte: »Na ja, um ehrlich zu sein, ich habe mich zurückgehalten, um dein Ego zu schonen, aber ...«

»Wie nett du bist.« Slade griff in seine Sporttasche, holte eine Wasserflasche heraus und gab sie ihr. Kate trank einen Schluck, nahm ihre Tasche, und gemeinsam traten sie aus dem Fitnesscenter in die kühle Abendluft.

»Wann fliegst du wegen des Medina-Falls nach London ... morgen?«

»Ja. Wahrscheinlich mit der letzten Maschine«, sagte Kate. »Am Vormittag bin ich mit meiner Quelle verabredet, um das Treffen mit de Tolomei zu planen, und dann ...«

»Der Typ von Sotheby's?«

»Genau. Am Nachmittag unterrichte ich Medina über das, was ich bis dahin erreicht habe.«

»Ist dieses Jonglieren für dich okay? Wenn du nicht so ideal für beide Aufträge wärst ...«

»He, das ist doch kein Jonglieren, wenn man nur zwei Bälle in der Luft hat.«

Slade lächelte und schaute dann ernst auf die Schwellung an Kates Hals. »Halt diesmal engeren Kontakt, okay? Du hättest da gestern Abend nicht allein reingehen sollen. Wenn ich gewusst hätte ...«

»Ja, Sir. Wird gemacht, Sir«, erwiderte sie schnippisch.

Slade blieb stehen und schaute sie an. »Ich meine es ernst, Kate. Du wärst beinahe umgebracht worden.«

»Ich weiß. Ich passe schon auf.«

»Das sagst du jedes Mal.«

»Wenn es nicht stimmen würde, würde es kein jedes Mal geben«, neckte Kate.

Slade seufzte.

»Ach, komm. Du weißt doch, dass ich alles tue, was du sagst. Du redest mit jemandem, der dir blind durch dick und dünn gefolgt ist ...«

»Stimmt allerdings.«

Mit einem leichten Hieb gegen seine Schulter fügte sie hinzu:

»Und ich werde es wieder tun, wann immer du es von mir verlangst.«

»Das wird in nächster Zeit nicht nötig sein«, sagte Slade sanft. »Aber ich habe einen Haufen Schmutzwäsche so groß wie Texas und ein paar Schuhe, die geputzt werden ...«

»Bis morgen, Chef.«

Vierzig Minuten und eine schnelle Dusche später saß Kate im Greenwich Village in dem staubigen, schlecht beleuchteten Kellerladen einer Antiquarin, mit der sie seit Jahren befreundet war. Die alte Buchhändlerin, Hannah Rosenberg, trug einen unordentlichen grauen Haarknoten und verzwirbelte eine lose Strähne, während sie Medinas Manuskript durch eine goldgefasste Brille betrachtete.

»Oh, das wurde aber wunderschön vernäht ... schwarzes Saffianleder, zu der Zeit sehr teuer. Diese Art der Goldfassung war im England der Tudorzeit eine neue und sehr modische Technik ...«

Kate vergaß beinahe das Atmen. »Was hältst du von dem Papier?«

Hannah schlug den Band auf, blätterte darin und hielt hin und wieder inne, um bestimmte Seiten im Licht einer schwachen Lampe zu untersuchen. »Hm.« Sie griff nach ihrem Fiberoptik-Leuchtstift, setzte eine gefärbte Brille auf und fuhr dann mit der Untersuchung fort.

Da Kate wusste, dass dies eine Weile dauern würde, stand sie auf und betrachtete die antiquarischen Bücher in den verglasten Regalen, die alle Wände des Ladens säumten.

»Hättest du was dagegen, mir ein Glas Wein zu holen?«, fragte Hannah. Sie wohnte über dem Laden.

»Ganz und gar nicht«, sagte Kate und schlüpfte mit pochendem Herzen zur Tür hinaus.

»Gute Nachrichten, meine Liebe«, sagte Hannah, als Kate mit zwei Gläsern Merlot zurückkehrte. »Ich würde sagen, deine Theorie stimmt.«

»Was meinst du damit?«

»Nun, zunächst einmal die Bindung, das Papier, die Tinte – alle drei entsprechen dieser Zeit. Das ist eindeutig eine Sammlung von

Texten, geschrieben auf verschiedenen Papiersorten aus dem sechzehnten Jahrhundert, allem Anschein nach von vielen unterschiedlichen Leuten. Das Papier selbst stammt aus ganz Europa. Kaum eine dieser Seiten stammt aus demselben Stapel wie die folgende, und das ist äußerst ungewöhnlich für ein gebundenes Manuskript, sogar für eine Sammlung persönlicher Briefe. Die Titelseite ist dickes, poröses Florentiner Leinen, mit einem Wasserzeichen, das ab 1590 benutzt wurde. Die nächste Seite ist viel billigeres, englisches Hadernpapier, und ich würde sagen, sie ist viel älter, vielleicht sogar ein paar Jahrzehnte. Die dritte ist venezianisches Pergament. Scheint auch älter als die Titelseite zu sein.«

Kate setzte sich Hannah gegenüber auf einen Hocker und beugte sich neugierig zu ihr. »Sie werden immer neuer, nicht?«

Hannah nickte. »Meiner sehr groben Einschätzung nach scheint die Anordnung chronologisch zu sein. Ich bräuchte ein paar Tage, um die einzelnen Seiten genauer zu datieren.«

»Hm, ich muss das Buch wieder mitnehmen, aber …«

»Ich glaube, es ist sowieso sinnvoller, zuerst den Inhalt zu entziffern. Wenn du nicht nur einen Haufen Suppenrezepte hast …«

Kate lächelte. »Stimmt auch wieder.«

»Was ich aber jetzt schon ziemlich sicher ausschließen kann, ist eine moderne Fälschung. Die Leute fälschen um des Profits willen, und etwas wie das hier, mit so vielen verschiedenen Verfassern und so vielen verschiedenen Papiersorten … na ja, jeder Versuch, so was zu fälschen, wäre ein unglaublich teurer, zeitaufwendiger Albtraum. Würde Monate dauern.«

Hannah griff in eine Tasche ihres zerknitterten schwarzen Leinenkleids, zog ein Päckchen Nikotinkaugummi heraus und schob sich ein Stück in den Mund. »Wenn du einen Käufer davon überzeugen könntest, dass das wirklich eine Sammlung von Walsinghams verschwundenen Spionageberichten ist«, fuhr sie fort, »würde es sich dennoch lohnen, denke ich. Ein handgeschriebenes Unikat von großer historischer Bedeutung? Hm … das würde wahrscheinlich ein paar Millionen bringen. Aber wenn dein Mandant hinter Geld her wäre, hätte er es zu einem Auktionshaus oder zu jemandem wie mir gebracht. Nicht zu dir.«

Kate nickte. »Er braucht das Geld sowieso nicht. Er ist nur neugierig, warum jemand so scharf darauf ist. Weil wir gerade dabei sind, mal sehen, ob diese erste Seite wirklich Phelippes geschrieben hat.«

Kate holte einen Ordner aus ihrem Rucksack und entnahm ihm mehrere Blätter Papier. Während des Studiums hatte sie ein Stipendium erhalten, um über elisabethanische Spionage in Großbritannien zu forschen, und hatte Dutzende von Dokumenten aus verschiedenen Archiven und Bibliotheken auf Mikrofilm fotografiert. Einige dieser Dokumente stammten aus der Feder von Thomas Phelippes. Sie gab diese Blätter nun Hannah und sagte: »Kannst du die Handschrift vergleichen?«

»Bist du sicher, dass Phelippes sich nicht eines Schreibers bediente?«

»Hundertprozentig«, sagte Kate. »Wenn diese Berichte wirklich das sind, was ich glaube, wäre diese Sammlung ein für ihn sehr kostbarer Besitz gewesen, etwas, das er eifersüchtig gehütet und keinem Menschen gezeigt hätte.«

Hannah breitete die vier Seiten um das Manuskript herum aus, das sie auf der Titelseite aufschlug. Mit einem Vergrößerungsglas wechselte sie zwischen den Schriftstücken hin und her. »Sie stimmen völlig überein. Und du weißt ja, dass eine elisabethanische Ministerialhandschrift so gut wie nicht zu fälschen ist.«

Sie hob den Kopf und fuhr fort: »Ich kann es natürlich nicht mit hundertprozentiger Sicherheit sagen – das kann kein Mensch in diesem Gewerbe –, aber ich glaube, dass Phelippes das hier geschrieben hat. Dass er diese Sammlung von kodierten, ähm, Dingern zusammengetragen hat und sie irgendwo in London binden ließ. Aber feststellen, ob die übrigen Seiten aus Walsinghams verschwundenen Akten stammen? Das ist deine Aufgabe.«

Hannah klappte das Manuskript zu und gab es ihr zurück.

Kate wollte es schon wieder in seinen Zinnkasten stecken, doch Hannah sagte schnell: »Moment mal. Lass es mich noch mal sehen.«

Kate gab es ihr, und während Hannah den Rücken des Buches musterte, breitete sich ein Lächeln auf ihrem Gesicht aus.

»Was ist denn?«

»Es sieht aus, als wäre die Arbeit des Binders unterbrochen worden«, sagte Hannah und stellte das Manuskript mit dem Rücken nach oben zwischen sie. Dann brachte sie direkt darüber eine Lampe in Stellung. »Siehst du diese feinen Vertiefungen?«, fragte sie und deutete auf die unteren Ecken. »Drei in einer Ecke, zwei in der anderen.«

»O ja, wie konnte ich die nur übersehen?«, murmelte Kate. Fünf kleine Rosetten, die Profilen blühender Rosen ähnelten, waren mit leichtem Druck auf das schwarze Leder gestempelt worden, wo sie flache, kaum sichtbare Vertiefungen bildeten.

»In dieser Zeit brachte ein geschickter Binder, ein Künstler wie dieser, viel üppigere Verzierungen an. Ich schätze, er hatte mit einem komplizierten Muster angefangen – drei Rosetten in jeder Ecke, wahrscheinlich ein größeres Muster in der Mitte, mehr feine Streifen, die alle mit Blattgold ausgelegt werden sollten... aber er hat es nie fertig gestellt.«

»Weil Phelippes es eilig hatte, das Buch zu verstecken!«, rief Kate. »Sobald bekannt war, dass Walsinghams Akten fehlten, wäre Phelippes ein Hauptverdächtiger gewesen. Ich wette, er stellte diese Sammlung zusammen und versteckte sie sofort, weil er wusste, dass man sein Haus durchsuchen würde. Oder vielleicht...«

Kate biss sich auf die Lippe und ging schnell alle Möglichkeiten durch. »Vielleicht ließ er sie auch gar nicht sofort binden. Vielleicht behielt er die ganze Aktensammlung bei sich, um gewisse Leute bedrohen oder erpressen zu können, bekam aber irgendwann Angst, dass irgendjemand sich der Beweise bemächtigen wollte, die er gegen denjenigen in der Hand hatte, und rannte deshalb zum Binder.«

»Klingt beides plausibel«, sagte Hannah mit einem Nicken.

»Weißt du, ich frage mich, ob... nein, das kann nicht sein.«

»Was?«

»Ach, die Fantasie ist mit mir durchgegangen. Ich habe mich gefragt, ob der Grund, warum Phelippes das so hastig verstecken wollte, irgendwas mit *dem* Grund zu tun haben könnte, warum heute jemand so scharf darauf ist. Aber das ist unmöglich... oder?«

Drei Blocks von ihrer U-Bahn-Station im östlichen Midtown entfernt, bog Kate in ihre Straße ein und ging mit schnellen Schritten zu ihrem Wohnhaus, einem efeuüberwachsenen Backsteingebäude eine Querstraße vom East River entfernt. Sie wollte unbedingt noch an diesem Abend so viel wie möglich von der *Anatomie der Geheimnisse* entziffern. Als sie die Marmortreppe hochstieg, klingelte ihr Handy. Es war Max.

»Ich habe mir die E-Mail-Adresse dieses Jade Dragon vorgenommen, die du mir gegeben hast«, sagte er. »Zu einer konkreten Person konnte ich sie bis jetzt noch nicht zurückverfolgen – es wurden eine ganze Reihe von anonymen Remailers benutzt –, aber ich habe mich in Bill Mazurs System gehackt und mir Jade Dragons E-Mails angeschaut. Die Erste schickte er heute Morgen und bot Mazur darin zweitausend Dollar, wenn er sich den ganzen Tag für einen noch unspezifizierten Auftrag freihalte. Mazur antwortete, er sei bereit dazu. Dann schickte Jade Dragon, während du mit Medina im Pierre warst, Mazur eine zweite E-Mail, in der er ihm den Ort und die Aufgabe nannte. Mazur sollte deine Tasche stehlen und sie in einem Schließfach in der Penn Station hinterlegen.«

»Dann muss er also jemanden gehabt haben, der Medina beschattete, um den besten Zeitpunkt für den Diebstahl zu bestimmen, und als wir uns im Pierre trafen und offensichtlich über das Manuskript sprachen, sind er und sein Kumpan davon ausgegangen, dass ich mit dem Ding auch wieder herauskommen würde«, überlegte Kate. »Die haben mich offensichtlich als leichte Beute betrachtet.«

»Ja, und Mazur benutzten sie als Strohmann für den Fall, dass irgendwas schief ging. Hast du eine Ahnung, wer dieser Jade Dragon sein könnte?«

»Derselbe Kerl, der einen Dieb in Medinas Haus schickte«, sagte Kate. »Darüber hinaus bin ich mir zwar nicht ganz sicher, aber ich schätze, er ist ein wohlhabender Brite, der etwas zu verstecken… oder zu verlieren hat.«

»Was, zum Beispiel? Einen Titel?«

»Vielleicht. Wenn ein großes Vermögen dazugehört. Titel allein verlieren da drüben rapide an Wert. Aber da fällt mir ein, vor einer

Weile habe ich von einem schottischen Landbesitzer gelesen, der einen Höhenzug auf der Isle of Skye für über fünfzehn Millionen Dollar verkauft hat. Es gab damals vor Ort einen Aufstand, weil er etwas verkaufen wollte, das die meisten Schotten als nationales Erbe betrachteten, aber das Gericht entschied, ausgehend von Dokumenten aus dem fünfzehnten und siebzehnten Jahrhundert, dass er der rechtmäßige Besitzer sei. Wenn dieses Manuskript etwas enthält, das Besitzansprüche in dieser Größenordnung belegen kann, dann würde sich jemand mit Sicherheit die Mühe machen und versuchen, es zu stehlen.«

»Nicht schlecht. He, wie wär's mit etwas, das mit der Regierung oder der Kirche zu tun hat?«

»Alles, was direkt mit Elizabeth in Verbindung steht, wäre irrelevant, weil die Tudor-Linie mit ihr ausstarb«, erwiderte Kate. »Aber etwas Religiöses – das ist ein interessanter Gedanke.«

Max' Stimme bekam nun eine dunkle, verschwörerische Färbung. »Vielleicht gibt's ja einen Bericht über einen Heiligen, der auf kleine Jungs stand, und irgendein Dunkelmann des Vatikans versucht, das Ganze unter Verschluss zu halten.«

»Als ob das heute noch irgendjemanden interessieren würde«, entgegnete Kate sarkastisch. »Aber ich sag dir Bescheid.«

»Hast du schon einen Bericht geknackt?«

»Ich will gerade anfangen«, sagte sie und schloss ihre Wohnungstür auf.

»Cool. Bis morgen dann. Und pass auf dich auf, Kate. Wer auch immer hinter diesem Manuskript her ist, ich glaube nicht, dass er schon bereit ist aufzugeben.«

Nachdem sie Max gute Nacht gesagt hatte, holte Kate eine kleine Flasche Diet Dr. Pepper aus dem Kühlschrank und ging ins Wohnzimmer. Von den beiden Wänden mit eingebauten Bücherregalen abgesehen, wirkte das Zimmer fast wie ein maurischer Harem oder eine Opiumhöhle. Die Wände und die Decke waren rot, vor den Fenstern hingen goldfarbene Schleiervorhänge, bunt zusammengewürfelte, türkische Sitzkissen umrahmten einen dunklen Kaffeetisch, und der Teppich war ein alter Kelim aus dem Haus ihrer Großmutter. Die Beistelltische waren afrikanisch und hatten geschnitzte Kobra-Beine, und die Lampen darauf hatten Schirme, die ein alter florentinischer Kunsthandwerker aus mittelalterlichen Karten gebastelt hatte, an deren Rändern ungewöhnliche Kreaturen – Drachen mit hübschen menschlichen Gesichtern und blonden Haaren – lauerten. Es war eine eklektische Mischung, die Kate auf ihren Reisen zusammengetragen hatte, aber sie funktionierte. Zumindest für sie – ein Gast hatte sie einmal gefragt, ob ihr Innenausstatter ein Junkie sei.

Kate setzte sich auf eines ihrer Sofas und zog den Reißverschluss ihres schwarzen Rucksacks auf. Er sah ganz gewöhnlich aus, war aber in Wirklichkeit eine verstärkte Computertasche mit eingebauter Alarmanlage. Sie zog Phelippes Kästchen heraus, öffnete es und schlug das Manuskript auf der fünften Seite auf, derjenigen mit den Chiffren, die sie bereits am Vormittag im Pierre identifiziert hatte.

Nach heutigen High-Tech-Standards waren die elisabethanischen Chiffren und Codes relativ simpel. Meistens ging es dabei um die Verwendung von erfundenen Zeichen, Zahlen oder Wörtern für verschiedene Buchstaben und Eigennamen. Robert Cecils Vater, zum Beispiel, benutzte die Tierkreiszeichen, um die verschiedenen europäischen Monarchen und andere führende politische Gestalten darzustellen. Ein anderer Höfling bevorzugte die Wochentage.

Der Text, den Kate nun untersuchte, bestand ausschließlich aus erfundenen Symbolen. Wie sie Medina im Pierre gesagt hatte, konnte sie drei davon identifizieren, Zeichen, die England, Frankreich und Spanien darstellten. Aber woher kannte sie die? Nachdem sie sich eine Weile den Kopf zerbrochen hatte, fiel ihr plötzlich die Antwort ein – aus einem Chiffrenschlüssel, den sie sich im Public Reading Office in London angeschaut hatte.

Sie ging zu einem ihrer Aktenschränke, suchte sich den entsprechenden Ordner heraus, und als sie ihre Mikrofilm-Version durchsah, fand sie die Bedeutungen für zwei weitere Zeichen auf der Seite – ein silberner Mond mit einer kreuzenden Linie bedeutete König Philip II. von Spanien, und zwei mit den Rücken aneinander stoßende c mit einer Linie dazwischen bedeuteten den Papst.

Die fünf Symbole, die sie nun kannte, standen alleine, wie Kate bemerkte. Die anderen waren in Gruppen zusammen. Als sie sich die Zeichen jeder Gruppe ansah, wurde ihr klar, dass sie Buchstaben darstellen mussten, dass die Gruppen also Wörter waren, wobei jedes Symbol einen englischen Buchstaben darstellte. In ihrem Computer hatte sie eine Entschlüsselungssoftware, die ihr bei der Übersetzung der Botschaft helfen konnte, und deshalb scannte sie die Seite in ihren Laptop ein.

Die Entzifferung der nächsten zwölf Seiten des Manuskripts war nicht so einfach. Im Gegenteil, es war eine langsame und mühselige Arbeit. Aber Kate machte das nichts aus. Nach wenigen Stunden steckte sie knietief in saftigen Berichten über Schurkereien und Morde der Renaissance. Sie war im siebten Himmel.

Ihr Vater dagegen war in der Hölle.

Washington, D.C. – 1 Uhr 24

Im oberen Georgetown beleuchtete Mondlicht ein schlichtes, aber stattliches Haus. Im vierten Stock saß Senator Donovan Morgan allein und im Dunkeln in seinem Arbeitszimmer. Er starrte gebannt auf das schlechte Schwarzweiß-Video, das nun schon zum siebten Mal auf seinem Laptop lief. Vor fünfzehn Minuten hatte er es per E-Mail erhalten.

Der zerschundene, ausgemergelte junge Mann auf dem Monitor saß mit auf die Brust gesunkenem Kopf auf dem Boden einer dreckigen Gefängniszelle. Seine Fußsohlen waren mit Blut verkrustet, und triefende Striemen liefen kreuz und quer darüber. Einstiche und entzündete Adern auf seinen Armen deuteten darauf hin, dass man ihm immer und immer wieder Natriumpentothal oder eine ähnliche Substanz gespritzt hatte. Ein Wächter kam ins Blickfeld, öffnete die Zellentür und schrie etwas. Der Gefangene hob den Kopf. Ein Auge war offen aber glasig, das andere zusammengedrückt von dunklem, geschwollenem Fleisch. Mit zitternder Hand bewegte Morgan seine Maus. Er drückte auf STOP und die Szene wurde zum Standbild.

Es ist eindeutig sein Gesicht, dachte Morgan, als er die Züge des Spions betrachtete, den er ziemlich gut kannte. Aber war das Video echt, fragte er sich, oder war das Gesicht aus einem alten Foto hineinkopiert worden? Es hatte geheißen, er wäre bei dem Einsatz gestorben – stimmte das etwa nicht?

Der Spion war auf eine Mission geschickt worden, über die Morgan, damals Vorsitzender des Geheimdienstausschusses, Bescheid wusste. Irgendwie war die Mission verraten worden, ihr Mann war verschwunden, und sein Schicksal blieb unbekannt, bis die Nachricht seines Todes eintraf. Konnte er noch am Leben sein?

Morgans kurz aufkeimende Hoffnung verwelkte sehr schnell. Auch wenn ihr Spion die Gefangennahme überlebt hatte, wäre er doch sicher hingerichtet worden – nachdem er Folterungen hatte durchleiden müssen, die schlimmer waren als der Tod. Morgan fühlte sich verantwortlich; sein Schuldbewusstsein war überwältigend. Er klickte wieder auf PLAY und sah zu, wie der Wächter den jungen Mann an seinem knochigen Arm packte, ihn in die Höhe zerrte und aus der Zelle schleifte.

Danach lehnte Morgan sich in seinem Sessel zurück und starrte zum Fenster hinaus. Der Mond war ungewöhnlich hell und schimmerte auf den Tautropfen an den Blättern seiner Ulme. Die verstörenden Bilder, die ihm durch den Kopf zogen, hatten ihm kurzfristig die Sicht genommen. Als trockener Alkoholiker hatte er seit mehr als fünf Jahren keinen Schnaps mehr angerührt, aber verdammt, jetzt könnte er einen gebrauchen.

Er griff zum Telefon und wählte Jeremy Slades Nummer. »Wir müssen uns treffen. Es geht um Acheron.«

8

Euer Machiavell'scher Händler ruiniert den Staat,
Euer Wucher ist noch unser aller Tod,
Euer Werker ist unsres Schicksals Schmied,
Und Juden gleich esset ihr uns wie Brot.

Da Worte nicht noch Drohungen noch anderes
Euch dazu bringen, dies zu unterlassen,
Schlitzen wir die Kehlen euch, so ihr in euren Tempeln betet,
Im Massaker von Paris ist nicht so reichlich Blut geflossen.

gezeichnet »Tamerlan«, Autor unbekannt

London – Nacht, Mai 1593

Einen Augenblick lang blieb der Spion im Schatten stehen und
suchte die Straße ab. Kein Mensch zu sehen. Gut. Er setzte sich in
Bewegung.

Sein Ziel kam bald in Sicht – eine kleine Kirche, die von den hol-
ländischen Immigranten in diesem Viertel besucht wurde, dem
Diebesgesindel, das anständigen Engländern die Arbeit wegnahm.
Er lugte um die Ecke des angrenzenden Hauses und musterte den
Kirchhof. Er war leer. Der Spion betrat den Platz.

Aus seinem Wams zog er ein Pergament, das sich so schwer
anfühlte, als wäre es aus Eisen. Würde man ihn damit ertappen,
würde sein Auftraggeber nichts davon wissen wollen, und ihn
würde man in Ketten legen. Mit zitternden Fingern entrollte er
das dreiundfünfzig Zeilen lange Gedicht und nagelte es an die Kir-
chenwand.

Seine geistreichen Reime, die die Londoner Immigranten mit
Mord bedrohten, würden große Angst in holländische Herzen
pflanzen. Sie würden außerdem, das wusste der Spion, Kit Marlowe

97

in große Schwierigkeiten bringen. Denn das hasserfüllte Gedicht, unterzeichnet mit »Tamerlan«, enthielt auch noch andere Anspielungen auf Marlowes Stücke, und die Behörden würden zweifellos zu dem Schluss kommen, dass der Dramatiker einen schädlichen Einfluss auf die Gesellschaft habe und ein Schurke sei, der die Massen zu Gewalt und Mord aufstachelte.

Sofort sprang sein Blick zu seinen Lieblingszeilen. Da er nicht widerstehen konnte, sie noch einmal zu lesen, flüsterte er leise. »Schlitzen wir die Kehlen euch, so ihr in euren Tempeln betet; im Massaker von Paris ist nicht so reichlich Blut geflossen.« Hervorragend, dachte er voller Stolz. Marlowes jüngstes Stück, *Das Massaker in Paris* – über das Gemetzel unter den französischen Protestanten in der Bartholomäusnacht des Jahres 1572 –, war im letzten Winter im Rose Theatre uraufgeführt worden, kurz bevor ein Ausbruch der Pest die Theater gezwungen hatte, ihre Pforten zu schließen. Diese Anspielung auf Marlowes Titel konnte niemandem entgehen. Das *Massaker* war das bestbesuchte Stück des Jahres gewesen. Und es war, das musste der Spion zugeben, wirklich großartig – eine Aneinanderreihung mörderischer Spektakel, bei denen einem das Blut in Wallung geriet.

Der Spion wusste nicht, warum sein Auftraggeber so versessen darauf war, Marlowe ins Verderben zu stürzen, aber dieses Gedicht würde mit Sicherheit dazu beitragen. Ähnliche Schmähschriften gegen Immigranten tauchten seit mehr als einem Monat in der Stadt auf – alle anonym –, und der Geheime Kronrat hatte einen speziellen fünfköpfigen Ausschuss ernannt, der die Schuldigen aufspüren sollte. Noch mehr Aufruhr auf den Londoner Straßen war das Letzte, was die Regierung wollte. Darüber hinaus hieß es, die Königin sei persönlich empört, da sie die Immigranten – Protestanten wie sie, die aus ihren von Kriegen zerrissenen Heimatländern geflohen waren – als ihre Freunde betrachtete. Und so würde man, um jene auszurotten, die sie beleidigt hatten, Hände in Ketten legen, Gelenke brechen und Knochen zerschmettern.

Als er sich vom Kirchhof schlich, musste er sich beherrschen, um nicht zu rennen. Er durfte auf keinen Fall Aufmerksamkeit erregen, aber er wollte unbedingt noch vor Sonnenaufgang zu Hause, weit weg von diesem Viertel, in seinem Bett liegen.

Greenwich – Morgen

Die wolkenverhangenen Türme des Greenwich Palace blieben zurück, als Marlowe westwärts an der Themse entlang nach Deptford ging, der Hafenstadt, in der Soldaten, Händler, Entdeckungsreisende und Piraten zusammentrafen. Ein kurzer, aber heftiger Regenschauer war vorüber, und Tropfen glitzerten auf den jungen, grünen Trieben des Frühlings. Gelegentliche Böen ließen die schlanken Stämme erzittern. Marlowe sah zu, wie die hängenden Tropfen sich lösten und in die Pfützen in den Fahrrinnen der Straße fielen.

Er überquerte die Holzbrücke über den Deptford Creek und ging am Dorfanger vorbei zu einer gern besuchten Taverne. Die normalerweise schon lärmende, geschäftige Stadt war bis zum Bersten gefüllt. Alle, die in Greenwich keinen Platz mehr gefunden haben, dachte Marlowe, zusammen mit den Londonern, die vor dem heftigen Frühlingsausbruch der Pest geflohen waren. Als er um eine Ecke bog, sah er das grell bemalte Wirtshausschild des *Cardinal's Hat*. Auf dem Weg nach drinnen drangen Marlowe ein paar französische und italienische Satzfetzen an die Ohren – wahrscheinlich die Stimmen der fremdländischen Tänzer und Musiker, die tagsüber die Straßen von Deptford bevölkerten und abends in Greenwich vor der Königin auftraten.

Im hintersten Winkel der Taverne entdeckte Marlowe den Freund, den er suchte, an seinem gewohnten Tisch. Wobei er das Gesicht seines Freundes nicht erkennen konnte. Im Gegenteil, der Kopf des Mannes war verdeckt von einer kurvenreichen Frau mit flammenfarbenen Haaren und einem tief ausgeschnittenen Mieder. Was Marlowe erkannte, war die fleischige Hand, die der Frau in den Hintern kniff.

Der sechzigjährige Oliver Fitzwilliam war seinen Freunden als *Fitz Fat*, Fitz Fett, bekannt, weil auch sein Vater William ungeheuer dick gewesen war. Der Spitzname bedeutete wörtlich »Sohn des Fetts«. Er war einer der Zollbeamten ihrer Majestät, allerdings nicht ihr getreuester; er ließ sich häufiger bestechen, als sein Gedärm sich rührte, und nebenbei betrieb er noch Bücherschmuggel.

Die Frau schlug ihm die Hand weg, knallte einen Humpen vor ihm auf den Tisch – so fest, dass die bernsteinfarbene Flüssigkeit herausspritzte – und stürmte mit einem Fluch davon.

»Kit! Komm, setz dich zu mir«, rief Fitzwilliam, bevor er sich umdrehte, um der drallen Serviererin noch einen Blick nachzuwerfen. »Sie ist neu. Nennt sich Ambrosia. Und das zu Recht – bei Gott. Für eine Nacht mit ihr würde ich dem Teufel meine Seele verkaufen.«

»Ich glaube, ein paar Münzen würden auch genügen«, sagte Marlowe und setzte sich auf die Bank gegenüber.

Mit bekümmertem Blick seufzte Fitzwilliam: »Sie meinte, diesen riesigen Fleischberg würde sie nicht für alles Silber Englands besteigen.«

Marlowe musste sich anstrengen, um ernst zu bleiben. »Könnte ein Anfall von Irrsinn sein. Vielleicht hat der Mond von ihrem Verstand Besitz ergriffen.«

Fitzwilliam nickte langsam, offensichtlich noch immer betrübt. Doch Augenblicke später grinste er und bestellte lauthals noch ein zweites Ale.

Marlowe überraschte das nicht. Die Stimmung seines Freundes änderte sich schneller als das englische Wetter im Frühling.

»Ein großer Sack voll übler Scheußlichkeit, der da«, verkündete Ambrosia, als sie Marlowe sein Getränk brachte.

Ungerührt nahm Fitzwilliam seinen Humpen zur Hand und senkte die Stimme zu einem aufgeregten Flüstern. »Auf deine schmutzigen kleinen Liedchen und ihren enormen Erfolg!«

»Auf Ovid«, erwiderte Marlowe und hob den seinen ebenfalls. »Gott preise seine zotige Phantasie. Und dich, für die sichere Reise.« Fitzwilliam hatte sich um die Verschiffung von Marlowes frisch gedruckter Übersetzung von Ovids *Amores* gekümmert und dafür gesorgt, dass sie ohne Schwierigkeiten durch den Zoll kamen.

»›Welch' Arme und Schultern sah und berührt' ich/Wie drückte ich ihre Brüste gar lieblich/Wie glatt einen Bauch sah ich unter ihrer Mitten/Wie groß ein Bein und wie … wie …‹, äh, ›hübsch fett der Schenkel?‹ Nein, wie hieß das gleich wieder, Kit? ›Hübsch draller Schenkel‹?«?

»Na ja, es heißt ›wie lüstern der Schenkel‹, aber wenn dir ›hübsch drall‹ lieber ist, von mir aus …«

»Nein, lüstern. Das gefällt mir. Ich würde dir raten, lass es so.«

»In Ordnung. Aber jetzt erzähl«, sagte Marlowe und beugte sich zu ihm. »Was gibt's Neues? Bist du in diesen letzten beiden Wochen auf irgendwelche Schmuggler gestoßen?«

Fitzwilliam strich sich mit dem Finger über das weiche Fleisch seines zweiten Kinns. »Mal sehen … ein Spion mit Botschaften vom spanischen Hof, die er sich in die Knöpfe seines Wamses eingenäht hatte.«

»Wie hast du ihn ertappt?«

»Er war als Lautenspieler verkleidet und behauptete, die Holländer hätten ihn als Geschenk zur Unterhaltung der Königin geschickt, aber der Halunke wirkte irgendwie gehetzt, deshalb bat ich ihn, mir etwas vorzuspielen, und …« Fitzwilliam legte sich die Hände auf die Ohren und verzog das Gesicht.

Marlowe lachte.

»Sonst nichts Ungewöhnliches. Natürlich haben ein paar Priester versucht, sich ins Land zu schleichen, mit lateinischen Bibeln unter ihren Kutten.«

»Bibeln draußen halten und erotische Verse ins Land bringen … Fitz, du bist ein nationaler Schatz.«

Der Dicke errötete. »Nun, Kit, ist das nur reine Neugier, oder bist du wegen irgendeiner deiner speziellen Beschäftigungen hier?«

Fitzwilliam war einer der wenigen, die über Marlowes geheime Arbeit für die Regierung und die ungewöhnliche Art, wie er seine Aufträge ausführte, Bescheid wusste. Kennen gelernt hatten die beiden sich Jahre zuvor, als Walsingham – der den Verdacht hegte, Deptford sei das Hauptquartier eines Netzes von Bücherschmugglern – Marlowe dort hinschickte, um es zu knacken. Marlowe ermittelte sehr schnell Fitzwilliam als den Rädelsführer dieses Netzes, aber anstatt Walsingham davon zu berichten, traf er mit ihm eine private Übereinkunft. Marlowe würde ihn nicht verraten, im Gegenteil, er würde Walsingham besänftigen, indem er mehrere Kisten verbotener Bücher beschlagnahmte und behauptete, der Hauptschmuggler sei aus England geflohen, um fürderhin der Piraterie nachzugehen. Fitzwilliam dagegen würde Marlowe erlauben, sein Schmuggelnetz zu benutzen, wann immer er wollte, obwohl es natürlich von da an noch viel verschwiegener betrieben werden musste.

»In der Tat«, sagte Marlowe, »habe ich ein paar Fragen an dich.«

»Lass die Dirne mir einen Becher Kanarienwein bringen, und ich spucke aus, was immer du wissen willst.«

»Ich hoffe doch, nur bildlich gesprochen?«

Nachdem Marlowe bestellt hatte, wonach Fitzwilliam verlangte, begann er. »Du hast einmal erzählt, dein Vater habe früher Anteile an der Moskowiter Gesellschaft besessen. Was kannst du mir über die sagen?«

»Des Teufels Spießgesellen, der ganze Haufen«, sagte der Dicke, als schmeckten die Worte wie Flussschlamm. »Sollte man alle aufhängen.«

»Bloße Händler?«

»Sie haben meinen Vater um sein Vermögen betrogen. Und seinen Ruf zerstört.«

»Wie das?«

»Er war einer der ersten Geldanleger, half vor so vielen Jahren mit, diese erste, zum Untergang verurteilte Reise nach Moskau zu finanzieren. Drei Schiffe brachen auf, aber nur eines erreichte den russischen Hof. Die anderen blieben im Eis stecken. Alle an Bord erfroren.« Fitzwilliam schauderte. »Die nördliche Route war zu schwierig für wirkliche Profite, aber mein Vater schoss weiter Geld zu. Dann geschah ein Unglück nach dem anderen – Feuer in den Lagerhäusern, noch mehr verlorene Schiffe, die verdammten Türken, die den Landweg nach Persien abschnitten –, aber die Händler hatten einen gemeinsamen Traum.«

»Von der Nordost-Passage?«

»Von was denn sonst? Stell dir das mal vor, eine geheime Route in den Orient! Aber vor ein paar Jahren beschlossen die Direktoren, sie wollten mit den Schulden nichts mehr zu tun haben und lieber neue Anteilsscheine ausgeben; wodurch sie die ursprünglichen Anteilseigner jeder Möglichkeit beraubten, ihr Silber zurückzugewinnen. Mein Vater brachte die Angelegenheit vor Gericht, aber der Staatsanwalt war selbst ein Moskowiter, und so…« Er schlug mit der Faust auf den Tisch. »Dann beschuldigten sie ihn der Unterschlagung.«

»Mistkerle.«

»Kein Loch in der Hölle ist heiß genug für sie. Nur gut, dass ich zu der Zeit die Familie schon selbst ernähren konnte. Ich fing damit an, dass ich kistenweise englische Bibeln ins Land schmuggelte, als die Bloody Mary noch auf dem Thron saß. Ihre Leute verbrannten sie ja dauernd, und so…« Fitzwilliam schüttelte traurig den Kopf. »Mein Vater konnte sich mit meinen Geschäften jedoch nie anfreunden. Wollte immer alles streng nach dem Gesetz machen. Als Betrüger abgestempelt zu werden, brach ihm das Herz. Er war so traurig wie Orpheus' Laute, bis zu dem Tag, als er starb.«

Sie schwiegen einen Augenblick, dann fragte Marlowe: »Was ist mit den Gerüchten, dass Moskowiter Händler oder sonst jemand Waren aus dem Orient ins Land schmuggeln?«

»Nichts von Bedeutung. Aber wenn diese Halunken was hereinschaffen, ohne mich am Gewinn zu beteiligen…«

»Wann verlassen die nächsten Moskowiter Schiffe Deptford?«

»Am Monatsende segeln ein paar nach Russland.«

»Könntest du sie kurz zuvor nach etwas Verdächtigem durchsuchen, Waffen vielleicht…«

»Sehr gern. Noch etwas, Kit, ich weiß zwar nicht, ob dir das weiterhilft, aber gestern kam ein junger Moskowiter Matrose durch den Zoll. Verließ eines ihrer Schiffe, das eben aus Rouen eingetroffen war. Sagte, er gehe an Land, um seine Familie zu besuchen…«

»Rouen?«

»Die Gesellschaft tauscht englisches Tuch in Frankreich gegen Papier und verschifft das Papier dann nach Russland.«

»Kannst du dich noch an seinen Namen erinnern? Sein Aussehen?«

»Lee Anderson. Einer, den man nicht so leicht vergisst. Hatte ein Engelsgesicht und sah viel zu jung aus für einen Matrosen. Kurze, ringelblumengelbe Haare, dünner Schnurrbart, Lederwams, ich glaube... schwarze, nein tabakfarbene Hose und... einen kleinen Goldring in jedem Ohr.

Ich konnte nichts Gesetzeswidriges bei ihm finden«, fuhr Fitzwilliam fort, »aber irgendwas an diesem Matrosen schien mir nicht so recht zu stimmen. Nicht, dass er zappelig gewesen wäre – und genau genommen war dies das Problem. Er war zu ruhig.«

»Und...«

»Er hatte ein halbes Dutzend Goldstücke. Ich habe ihn durchgelassen und nur dafür gesorgt, dass er nicht sehr weit kommt.« Aus Fitzwilliams bislang ausdrucksloser Miene wurde ein wölfisches Grinsen. »Weißt du, ich habe seine Papiere einbehalten. Ja, Sir, dieser kleine Kerl sitzt hier fest wie eine Maus in der Falle.«

Einige Minuten später ging Marlowe über den Dorfanger zum Deptford Strand zurück, dem Flussufer, an dem sich Lagerhäuser, Schiffswerften und Docks drängten. Die geschäftige Drehscheibe von Erkundungsreisen, Handel, Piraterie und Krieg. Auf der anderen Seite des Flusses lag das Sammelbecken der elisabethanischen Unterwelt, die düstere Isle of Dogs, eine sumpfige, bewaldete Insel, in deren Schatten Verbrecher lauerten und an deren Ufer träge das Londoner Abwasser schwappte. Die heimtückische Insel bildete einen starken Gegensatz zum königlichen Luxus des Greenwich Palace, der kaum eine Meile flussabwärts zu Marlowes Rechter funkelte.

Er stand am unteren Ende des Frachtdocks und sah zu, wie Matrosen in mit Quasten geschmückten Monmouth-Kappen Ballen glänzenden Tuchs – Satin, Samt, Gold- und Silberspitze – entluden und zu den Lagerhäusern trugen. Andere bewegten sich mit Kisten, die nach Kohle und Wolle rochen, in Gegenrichtung.

Und dann eine plötzliche, heftige Bewegung. Zwei junge Matrosen, die miteinander stritten.

Sonst achtete niemand in der Umgebung auf diesen alltäglichen Anblick, aber für Marlowe war es genau das, worauf er gehofft hatte. Er näherte sich den beiden. In ein paar Schritt Entfernung blieb er stehen und räusperte sich laut.

Sie hielten überrascht inne.

»Jungs, ich habe euch einen Vorschlag zu machen.«

Sie schauten ihn verwirrt an.

»Ich nehme an, ihr zankt euch um Geld, und ich werde euch beiden den umstrittenen Betrag geben, wenn ihr mir ein paar Minuten eurer Zeit schenkt.«

Sie kniffen argwöhnisch die Augen zusammen.

»Ihr müsstet nur zehn, vielleicht zwanzig Worte mit einem Mann ein Stückchen weiter oben an der Straße wechseln und könnt dann weiter eures Wegs gehen.«

»Im Ernst?«

»Sind wir uns einig?«

Sie nickten.

»Nun, dann sagt mir, habt ihr von der *Madre de Dios* gehört?«

Beide schüttelten den Kopf.

»Vor ungefähr einem Jahr kaperten englische Piraten eine portugiesische Galeone, die *Madre de Dios,* auf ihrer Rückfahrt aus Ostindien. Beladen mit Reichtümern, die angeblich dreihunderttausend Pfund wert waren. Als das Schiff anlegte, eilte jeder, der Wind davon bekommen hatte, in den Hafen von Dartmouth und schnappte sich, was er in die Finger bekam. Wolken von Pfeffer, Nelken, Muskatnuss und Java-Zimt wehten durch die Straße und parfümierten wochenlang die Haare der Leute. Und das, meine Freunde, hat mich auf einen Gedanken gebracht.«

Dreißig Minuten und ein Dutzend Proben später liefen die eben noch streitlustigen Matrosen zum Lagerhaus der Moskowiter Gesellschaft und klopften laut an die Tür. Keine Antwort.

Sie klopften noch einmal. Ein kräftiger Mann tauchte auf, die Lippen zu einer mürrischen Grimasse verzogen.

Ein verschlafener Wachmann, dachte Marlowe. *Ausgezeichnet – scheint der Einzige drinnen zu sein.* Marlowe stand knapp außer Sicht und überwachte seine Laienspieler.

»Freund, habt Ihr einen übrigen Sack, eine leere Kiste oder…«

»Ihr verdammten Quälgeister. Macht euch davon!«, blaffte der Wachmann.

Marlowe biss sich auf die Unterlippe, als der Wachmann Anstalten machte, die Tür zu schließen. *Bleibt hart, Jungs, bleibt hart.*

Einer der Matrosen packte die Tür und hielt sie offen. »Wisst Ihr denn nichts davon? Mein Gott, eine halbe Meile flussabwärts – es ist wie eine zweite *Madre de Dios!* Nur von zwei Männern bewacht! Wenn wir uns nicht beeilen, sind alle Schätze verschwunden!«

Der Wachmann bekam ein Funkeln in den Augen, aber noch rührte er sich nicht.

Das war Marlowes Einsatz. Mit einem Hauch von Verkleidung – ein wenig Pfeffer in den Haaren – kam er gelaufen und fragte drängend: »Habt ihr die Kisten?«

Die Matrosen wirkten verzweifelt. »Sir, wir wollten…«

In diesem Augenblick rümpfte der Wachmann die Nase. Dann nieste er und grinste. Er riss die Tür auf und rannte nach drinnen. »Wir sind zwar randvoll mit Waren, aber…«

Schwer atmend tauchte der Wachmann einen Augenblick später wieder auf. Mit einem gerissenen Grinsen zog er die Tür zu, rannte mit einem einzigen Leinensack davon und ließ Marlowe und die Matrosen mit zwei schweren Kisten allein.

Dachte er zumindest. Marlowe hatte anderes im Sinn.

Während die Matrosen mit ihren Münzen davongingen, schloss er die Tür mit einem hölzernen Dietrich auf. Zwanzig Minuten, bis der Trottel von einem Wachmann zurückkommt, dachte er. Er betrat das kleine Büro, kniete sich vor ein Bücherregal und blätterte in einigen Dutzend Kladden. Nichts.

Beim Durchsuchen der Schreibtischschubladen fand er mehrere Schriftrollen, alle versiegelt. Nachdem er die einzige Kerze im Büro angezündet hatte, zog er ein Stück Draht aus der Tasche, hielt es in die Flamme, schob den Draht unter jedes Siegel und durchtrennte es.

Verdammt. Schlampig geschriebene Briefe von irgendjemandem – dem Wachmann, nahm er an – an eine Frau namens Moll.

Er erwärmte beide Teile jedes Siegels an der Flamme und drückte sie wieder zusammen. Nur keine Spuren hinterlassen.

Draußen im Warenlager konnte Marlowe die meisten der für Russland bestimmten Waren riechen – Wolltuch, Wein und Rosinen –, die anderen konnte er sehen. Salz- und Zuckerkörnchen lagen auf dem Boden verstreut, und ein paar Blätter französischen Papiers lagen zerknüllt in den Ecken. Er erinnerte sich an Fitz Fats Aussage, ein Moskowiter Schiff mit einer Fracht aus Papier sei erst kürzlich in Deptford eingelaufen, und fing an, die Verschnürungen der Kisten aufzuknoten. Jede enthielt zwei Stöße glatten Papiers, säuberlich nebeneinander aufgestapelt. Marlowe wurde bei diesem Anblick der Mund wässrig. Papier von solcher Qualität hatte er noch nie benutzt.

Obwohl er bereits die Hälfte der Kisten geöffnet hatte, hatte er noch nichts Ungewöhnliches gefunden. Vielleicht noch eine. Wieder nur Papier. Doch da er den Vormittag nicht ohne Erfolg abschließen wollte, nahm er ein paar Blätter heraus und starrte überrascht an, was er gefunden hatte. Ein rechteckiges Loch, ungefähr sieben Zoll tief, lang und breit wie zwei Männerfüße, war in den Stapel geschnitten worden. Es war leer, aber … *gerade groß genug*.

Marlowe verließ das Lagerhaus und eilte zu den nahen Stallungen, um sich ein Pferd zu mieten. Er wollte zum Scadbury House, dem Landsitz seines engsten Freundes, etwa zehn Meilen entfernt in der lieblichen Landschaft Kents.

Westminster, England – später Vormittag

An einem Tisch in einem stickigen, fensterlosen Zimmer neben der Sternkammer saßen fünf mürrische Männer und lasen die jüngste gegen die Immigranten gerichtete Drohung. Es war die sechste, die man ihnen in diesem Monat geschickt hatte, und die bei weitem böswilligste. Der Geheime Kronrat hatte ihnen den Befehl gegeben, die unbekannten Verfasser zu verhaften. Und zwar schnell.

»Jeder Händler und jeder Lehrling in der Stadt ist ein Verdächtiger«, murmelte ein Mitglied des Ausschusses. »Sie alle verachten die Ausländer.«

»Ich würde sagen, wir setzen eine Belohnung für Hinweise aus. Einhundert Kronen«, sagte ein anderer.

Seine Kollegen nickten.

»Vielleicht wäre es klug, die mögliche Verbindung zu Marlowe genauer zu untersuchen«, meinte ein dritter. »Seine Unterkunft durchsuchen, die seiner Kumpane …«

Ein anderer stimmte ihm zu. »Wir sollten Wachtmeister ausschicken, die ihn ausfindig machen und sofort zum Verhör zu uns bringen.«

In diesem Augenblick kam ein junger Bote mit einem offiziell aussehenden Dokument herein. Er gab es dem Vorsitzenden des Ausschusses.

»Meine Herren«, sagte der Mann und hob den Kopf. »Dies wird einfacher werden, als wir dachten. Sollte irgendein Verdächtiger sich weigern, uns zu sagen, was er weiß, hat der Geheime Kronrat uns ermächtigt, alle Mittel zu benutzen, die wir für angebracht halten, um seine Meinung zu ändern.«

9

Kate stand knapp hinter dem Eingang des Doma im West Village und suchte das Café nach einem bekannten Gesicht ab. Ein extravagant gekleideter Mann mit silbergrauen Haaren saß allein mit einem Espresso und einem gezuckerten Brioche in der hintersten Ecke und starrte den Hintern eines Teenagerjungen an, der eben zur Tür hinausging.

Als er Kate bemerkte, lächelte er ohne jede Verlegenheit. »Wie hast du mich denn gefunden, Darling?«

»Ich habe dir letzten Monat einen Minisender in die Brieftasche geschmuggelt«, sagte Kate und setzte sich auf den Stuhl ihm gegenüber. Sie bestellte sich einen Mochaccino und fügte dann hinzu: »Na ja, eigentlich nicht. Du bist ein bisschen, äh…«

»Berechenbar geworden? Ach, wie langweilig«, jammerte er in trägem Georgia-Singsang. »Andererseits hat es mir eine bezaubernde Überraschung eingebracht.«

Edward Cherry, ein Topmanager bei Sotheby's und eine selbst ernannte Southern Belle, war ein Charmeur. Außerdem verschlagen und unmoralisch, aber Kate fand ihn hin und wieder hilfreich, und deshalb hatte sie eine Beziehung zu ihm aufgebaut. Sein Vertrauen hatte sie mit Schmeicheleien, Freundlichkeit und dem falschen Eindruck gewonnen, ihre Moral sei so dehnbar wie seine.

»Und, welchem Umstand verdanke ich dieses Vergnügen?«, fragte er und tupfte sich mit der Serviette die Mundwinkel.

»Du könntest mir einen Gefallen tun, wenn du die Zeit dazu hast.« Kate beugte sich vor und senkte die Stimme. »Ein Mandant von mir hat ein paar Stücke in seiner Sammlung, die er gern verkaufen würde, aber diskret, wenn du weißt, was ich meine. Die Objekte sind nicht gerade passend für eine öffentliche Auktion.«

»Verstehe«, sagte Edward, und ein verschwörerisches Lächeln erhellte sein Gesicht.

Während Kate mit ihrer erfundenen Geschichte fortfuhr, warf sie Blicke nach links und rechts. »Mein Mandant möchte mit einem in Rom ansässigen Händler namens Luca de Tolomei Kontakt aufnehmen und hat mich gebeten, ihn zu überprüfen. De Tolomei ist angeblich ein Spezialist für derartige Situationen. Mein Mandant möchte sich dessen ganz sicher sein und außerdem herausfinden, was für einen Geschmack der Mann hat. Was kannst du mir über ihn erzählen?«

»Nicht viel, was über die Gerüchte hinausgeht, aber ich werde mich für dich umhören. Ich kann in unseren Verkaufsbüchern in Europa nachsehen, um herauszufinden, was ihm gefällt. Vielleicht rufe ich sogar einen von diesen gerissenen kleinen Mistkerlen bei Christie's an.«

»Mein Mandant will vor allem wissen, ob er mit antiken Artefakten aus dem Mittleren Osten handelt. Persischen vor allem.«

»Mal sehen, was ich tun kann.«

»Noch eins. Geht er diese Woche zu einer von euren Auktionen?«, fragte Kate. Es war die Auktionssaison, die Woche im Mai, in der Sotheby's und Christie's Versteigerungen von Impressionisten und moderner Kunst veranstalteten, in die man nur mit einer Einladung hineinkam. »Ich würde ihn gern kennen lernen.«

»Hm, nicht hier in New York, aber ich glaube, er ist Stammgast bei der Londoner Auktion, die morgen Abend stattfindet. Ist das ...«

»Perfekt! Ich habe sowieso geschäftlich dort zu tun.«

»Ich schaue auf der Liste nach, um ganz sicherzugehen, und sage dir heute Nachmittag Bescheid.«

Kate klimperte mit den Wimpern.

Edward lachte. »Ja, meine Teure, ich werde auch dafür sorgen, dass du auf der Liste stehst.«

»Danke. Und, hast du irgendjemanden, über den du ein paar Schmuddelgeschichten brauchst?«

»Im Augenblick nicht«, sagte er leise und nahm ihre Hand, »aber, Darling, lass uns trotzdem unsere Unterhaltung in die Gosse lenken. Wer hat was vor? Wer fickt wen? Gibt's irgendwas, das ich wissen sollte?«

»Ach, ich habe da schon was Gutes, was wirklich Erstklassiges. Aber es könnte sein, dass es nicht ganz deine Liga ist.« Sie schaute neckisch in die Luft. »Hm, mal sehen, was könnte ich dir denn sonst noch…«

»Rede, oder ich schreie.«

Rom – 14 Uhr 34

Eine halbe Welt entfernt ging in einer gepflasterten Gasse hinter einem Restaurant, einem Familienbetrieb am Rand der Altstadt, ein langhaariger pakistanischer Geschäftsmann mit wachsendem Unmut auf und ab. Zwei Mitarbeiter drückten sich in der Nähe herum und warteten auf Anweisungen.

»Das reicht jetzt«, blaffte Khadar Khan und blieb abrupt stehen, um seine Faust durch das Fenster einer der Garagen, die die Gasse säumten, zu jagen.

Die blutige Hand schüttelnd, sah er jedem seiner Mitarbeiter in die Augen. »Geht rein und setzt Mr. de Tolomei höflich davon in Kenntnis, dass ich es mir anders überlegt habe. Das Geschäft ist abgeblasen. Und dann, bitte, schießt ihm ein Loch in den Schädel.«

Die beiden Killer verschwanden in der rustikalen Trattoria mit Balkendecke und schlichen sich zu dem privaten Hinterzimmer, in dem Augenblicke zuvor ihr Chef gegrillten Oktopus und eine Karaffe Tafelwein zusammen mit dem Mann verzehrt hatte, dessen Leben sie nun beenden sollten. Als sie sich dem schmalen Durchgang näherten, der zu dem Zimmer mit den nackten Steinwänden führte, hörten sie das Klappern von Besteck.

Sie gingen links und rechts des Torbogens in Stellung, schauten einander an, nickten und stürzten dann, die Berettas gezückt und schussbereit, in das fensterlose Zimmer.

Allerdings schossen sie nicht. Es war niemand da. Aber auf dem antiken, mit Damast gedeckten Tisch standen zu einem Dreieck angeordnet drei Glasteller, jeder mit einer äußerst appetitlichen Schokoladenkreation.

Eine plötzliche Stimme von hinten ließ die beiden Männer aufschrecken. Ein eleganter Kellner in Frack und weißer Fliege hielt einen dritten Stuhl in der Hand. »Der Gentleman dachte, Sie und Ihr Arbeitgeber möchten vielleicht noch eine Nachspeise.«

Während die verwirrten Killer sich nervös in dem leeren Zimmer umsahen, eilte, zehn Meter entfernt und fünf Meter unter ihnen, in einem vergessenen Teilstück der christlichen Katakomben, eine einzelne Gestalt pfeifend in die Dunkelheit davon.

New York City – 9 Uhr 37

»Unser Knabe de Tolomei gibt sich mit einigen sehr, sehr zwielichtigen Gestalten ab«, sagte Max, als Kate ins Büro kam.

Sie gab ihm Kaffee und ein wenig Gebäck aus dem Doma und setzte sich dann neben ihn an den großen Mitteltisch.

»Verdammt, du verdirbst mir schon wieder meine Diät«, stöhnte Max und klopfte sich seinen weichen Buddha-Bauch.

»'tschuldigung, wusste ja nicht, dass du mal wieder eine machst.«

»Na ja, dank dir jetzt nicht mehr«, sagte Max, im Mund ein Stück Croissant. »Ich habe nach de Tolomeis Gesicht gesucht. Keine Behörde ermittelt im Augenblick dezidiert gegen ihn persönlich, aber dank seiner bösen Freunde taucht seine Visage überall auf. Ein paarmal sieht man ihn zusammen mit Hamid Azadi, wie du schon vermutet hast, aber er wurde auch zusammen mit Drogendealern, Waffenhändlern, Mafiabonzen und korrupten Politikern gesehen – keine bekannten Terroristen, aber trotzdem ein verdammt dreckiger Haufen.«

»Zeigst du mir ein paar?«

Max klickte ein paarmal auf seine Maus, und das Bild von de Tolomei mit einem kräftig gebauten Mann mit schütteren Haaren erschien auf dem Monitor. Kate kannte den Ort. Sie saßen in einem Café in Positano, an der Amalfiküste.

»Taddeo Croce. Ziemlich weit oben bei der Camorra, der neapolitanischen Mafia. Hauptgeschäft sind Drogen«, sagte Max. Dann zeigte er ihr zwei weitere Bilder. »Diese zwei sind Waffenhändler. Links Jean-Paul Bruyère, rechts Wolfgang Kessler. Angeblich haben sie in den neunziger Jahren an den Irak Sachen verkauft, die sie nicht durften. Und dieser charmante Herr«, fuhr er fort und vergrößerte ein weiteres Bild, »gehört zur russischen Mafia.«

»Mann. Wer ist das denn?«, fragte Kate und schaute auf das Foto eines bestürzend attraktiven, südasiatischen Mannes mit langen schwarzen Haaren.

»Khadar Khan. Hat in Pakistan eine Textilfirma. Anscheinend kontrolliert er fast die Hälfte der afghanischen Heroinproduktion. Die DEA versucht seit Jahren, ihn festzunageln.«

Mit der Kaffeetasse in der Hand drehte Max sich zu Kate um. »Ich habe mir mögliche finanzielle Verbindungen zwischen Dutzenden dieser Kerle und de Tolomei angeschaut, und weißt du, was? Im Verlauf der letzten dreizehn Jahre hat er mit ihnen allen Geschäfte gemacht.«

»Na ja, ein durchschnittlicher Kunsthändler ist er eindeutig nicht.«

»Darauf kannst du wetten.«

»Was denkst du?«

»Dass der Kunsthandel nur eine Fassade ist für den Schmuggel mit allem, was tödlich ist.«

»Glaubst du noch immer, er könnte der Mittelsmann in einem MVW-Deal sein?«, fragte sie und benutzte dabei das Kürzel für Massenvernichtungswaffen.

»Wir können es nicht ausschließen. Und solange wir das nicht können...«

»Ich weiß. Ich bin dran. Es ist nur so, dass ich heute Vormittag einiges an Pressematerial über ihn gelesen habe, und er scheint jemand zu sein, der die Welt wirklich genießt, zumindest einen großen Teil davon. Er ist kultiviert, sehr gebildet, und soweit ich das nach meinen Informationen beurteilen kann, ist sein Kunstgeschmack außerordentlich. Das Bewaffnen von Terroristen erfordert mehr als nur eine gewisse Gefühlskälte, weißt du. Da muss man schon einen ziemlichen Hass auf die Menschheit haben. So ein Typ scheint mir de Tolomei nicht zu sein.«

»Kate, nur weil er schöne Bilder mag, heißt das noch nicht, dass seine Seele nicht verdorben ist.« Max' Tonfall klang nicht herablassend, sondern verwundert. Kate war alles andere als naiv, aber hin und wieder bemerkte Max an ihr einen merkwürdigen Idealismus in einem völlig unerwarteten Augenblick – eine bedauerliche Delle in ihrer Rüstung, in seinen Augen.

»Was Neues von unseren Leuten in Rom?«

»Sie kontrollieren jede seiner Bewegungen.«

»Haben Sie schon was Interessantes mitgehört?«

»Noch nicht. Seine Fenster sind gegen Richtmikrofone geschützt, und seine Festnetzleitungen anzuzapfen dürfte auch nicht einfacher sein – er verwendet vergrabene Glasfaserkabel.«

»Na ja, ich glaube, ich treffe ihn morgen.«

»Das ging aber schnell.«

»Wie es aussieht, ist de Tolomei Stammgast bei Sotheby's, und morgen Abend gibt's in ihrem Londoner Haus eine Auktion, in die man nur mit Einladung hineinkommt. Eddy Cherry ist ziemlich sicher, dass de Tolomei hingeht, und er will mir eine Einladung beschaffen.«

»Okay, dann will ich dir dieses Zeug mal schleunigst ausdrucken«, sagte Max. »Slade bringe ich dann auf den neuesten Stand, wenn sich eine Gelegenheit ergibt.«

»Ist er nicht da?«

»Er ist oben und tut etwas, von dem wir nichts wissen dürfen, und er geht nicht ans Telefon.«

»Was da wohl los ist?«

Max zuckte die Achseln. »Keine Ahnung. Als er heute Morgen reinkam, sah er aus, als hätte er ein ›Nicht stören‹-Schild auf der Stirn. Er ist in der Stimmung, bei der sich seine Gesichtsmuskeln kaum bewegen, wenn er redet. Die Grübchen flach wie...« Er senkte den Blick auf ihren nicht allzu üppigen Busen.

»So flach wie dein Gesicht gleich sein wird?«

Max grinste kurz, dann wurde seine Miene wieder ernst. »Ich habe ihn schon öfter wütend gesehen. Aber so noch nie. Es ist anders. Du weißt doch, wenn was Schlimmes passiert, kommt dieser Ausdruck kalter Kontrolle über ihn, und man spürt, er wird es richten, was immer es ist?«

Kate nickte. »Ich mag diesen Blick.«

»Ich weiß, ich auch. Aber den hat er im Augenblick nicht. Es macht mich irgendwie nervös.«

»Im Ernst?«, sagte Kate. Dann schaute sie auf ihre Uhr und fügte hinzu: »Ich schätze, ich muss los. Ich treffe mich heute Nachmittag mit Medina, um ihn auf den neuesten Stand zu bringen, aber ich rufe dich an, bevor ich abfliege.«

»Ich habe eine bessere Idee. Wie wär's, wenn ich dich zum Flughafen bringe?«

»Der Hubschrauber ist frei?«

»Für dich tue ich alles.«

Kate lachte. »Was ist der Haken bei der Sache?«

Max wedelte mit einem Blatt Papier. »Duty-free-Bestellung, Baby. Ich habe eine Liste.«

»Abgemacht.« Kate stand auf. »Ich bin auf einen der letzten Flüge ab JFK gebucht.«

»Ich ruf dich später an wegen des genauen Termins.«

»Wunderbar. Ciao.«

Max hörte ein leises Knarzen. Eines der Bücherregale des Konferenzzimmers schwang auf. Slade trat heraus und ging zum Aufzug. In Anbetracht der Stimmung, die sein Chef ausstrahlte, beschloss Max, ihn in Ruhe zu lassen.

Doch dann dachte er an Kates bevorstehende Reise und änderte seine Meinung. »Übrigens, Kate trifft sich morgen Abend wahrscheinlich mit de Tolomei.«

»Gut«, sagte Slade und schaute ihn kaum an. »Weitermachen.«

Was? Slade, der sich nicht um die Details einer Operation kümmerte? Das hatte es noch nie gegeben. Max versuchte es noch einmal. »Also, er macht Geschäfte mit einigen der gefährlichsten Gaunern der Welt, Waffenhändler, Drogendealer ... Ich glaube, er ist ...«

Slade blieb stehen und drehte sich zu Max um. »Gib mir die Details heute Nachmittag, okay? Im Augenblick habe ich etwas ganz anderes im Kopf.«

»Klar doch, Chef.«

Als Slade in den Korridor verschwand, rief Max ihm nach: »He, es regnet draußen. Willst du nicht 'nen Regenschirm?«

Aber Slade – der ein solches Utensil einmal in einem Jahrzehnt vergaß – reagierte überhaupt nicht darauf.

Verdammt, dachte Max. Was ist denn los mit ihm?

Der Wolkenbruch, der sich auf Kates Nachhauseweg auf ihren Regenschirm ergoss, prasselte auf Jeremy Slades Kopf, als er sich dem viktorianischen Milchgeschäft im Central Park näherte. Er setzte sich auf eine Bank unter dem überhängenden neugotischen Dach des Ladens und starrte die Mauer vor sich an.

»Was denkst du?«, fragte Donovan Morgan, als er neben Slade Platz genommen hatte.

»Dass ich jetzt endlich weiß, warum er verstummte und warum keine meiner Quellen – vor Ort oder geflüchtete Überläufer – je etwas von seiner Verhaftung gehört hatte.«

»Jetzt weißt du es endlich? Vor drei Jahren hast du behauptet, er sei tot und dass ein Informant gesehen hätte, wie er sechs Kugeln in die Brust abbekam. Wie…«

Slades Gesicht sagte alles.

»Du hast mich die ganze Zeit angelogen?« Morgan war bestürzt. »Um Himmels willen, warum?«

»Um dich zu schonen. Die Wahrheit war zum Verrücktwerden. Einfach gesagt, er verschwand einen Monat nach der Operation. Ich sammelte damals Informationen über jedes einzelne irakische Gefängnis. Rein gar nichts über ihn. Keine Verhaftung wegen eines kleineren Vergehens, bei der seine Tarnung intakt blieb, keine Verhaftung wegen Spionage. Kein Wort, kein Flüstern, keine Zuckung.«

»Also hast du angenommen, dass er getötet wurde.«

»Ja, und nach einiger Zeit – in der Überläufer aus dem Irak herausquollen wie Ratten aus einem sinkenden Schiff und kein Einziger auch nur ein Wort über ihn verlor – war ich mir sicher. Und du darfst nicht vergessen, in diesem ganzen Jahrzehnt haben Saddams Leute uns jedes Mal verhöhnt, wenn sie einen unserer Coups vereitelten. Erinnerst du dich noch an das Paket von Sechsundneunzig? Die Hand des Mannes der Republikanischen Garde, der für uns arbeitete? Die höhnischen Anrufe, die wir erhielten, von den Handys, die wir unseren Leuten gegeben hatten? Ich *wusste,* dass die Iraker ihn nicht hatten. Aber ich wusste auch, wenn er noch am Leben und nicht in Haft wäre, hätte er mir eine Nachricht zukommen lassen ... irgendwann.«

Ohne den Schmerz in seinen Augen zu verbergen, drehte Slade sich Morgan zu. »Don, du weißt ganz genau, dass ich alles für ihn getan hätte. Er war wie ein kleiner Bruder für mich.«

Morgan nickte. »Und jetzt ...«

»Die Parameter haben sich verändert. Ich weiß jetzt, wie falsch – und wie beschränkt – meine Analyse war. Das Video? Es ist authentisch. Es ist nur so, es wurde nicht im Irak aufgenommen. Der Wachmann trug eine iranische Gefängnisuniform. Sein Name ist Reza Mansour Nassari, und er arbeitet im Evin, der Bastille Teherans.«

Morgan blieb die Luft weg. Evin war ein berüchtigter Kerker für Dissidenten, eine Festung, in der seit jeher Irans brutalste Folterknechte herrschten. »Irgendwie bekam damals also Teheran Wind von der Operation und schickte ein Team über die Grenze, um ... ihn zu entführen?«

»Weit mussten sie dafür nicht fahren. Er benutzte eine archäologische Ausgrabungsstätte in der Nähe von Basra als toten Briefkasten«, sagte Slade und meinte damit eine Region im südöstlichen Irak – dicht an der iranischen Grenze –, wo Euphrat und Tigris zusammenfließen und sich der Bibel nach der Garten Eden befunden haben sollte.

Morgan runzelte verwirrt die Stirn. »Aber das würde bedeuten, dass Teheran mit voller Absicht Saddams Sturz hinauszögerte, ihn quasi rettete, und das scheint mir ...«

»In gewisser Weise ein brillanter Schachzug«, warf Slade dazwischen. »Es ist möglich, dass Teheran ganz einfach Informationen über uns wollte, aber ich vermute, sie setzten darauf, dass, falls es dem CIA nicht gelingen sollte, Saddam in einer verdeckten Operation zu stürzen, irgendwann unser Militär einmarschieren und so ihr langjähriger Rivale einen viel härteren Schlag abbekommen würde – das ganze Land wäre dann geschwächt und viel anfälliger für die Errichtung einer schiitischen Theokratie. Verdammt, wer weiß, vielleicht haben sie – vor allem, wenn Teheran eine Quelle im CIA sitzen hat – unsere Bemühungen im Irak die ganze Zeit schon unterlaufen.«

Morgan starrte nachdenklich zu Boden. »Die Theorie klingt plausibel. Scheint mir sogar wahrscheinlich zu sein. Aber wenn er am Leben ist, warum dann dieser Hinweis mit dem Video?«

Slade machte ein freudloses Gesicht. »Schwer zu sagen. Es könnte Teherans Art sein, uns zu sagen, dass er seinen Zweck erfüllt hat … dass sie alles aus ihm herausgeholt haben, was herauszuholen war, und dass sie jetzt fertig mit ihm sind. Diese Injektionsspuren in Großaufnahme? Und dann zeigen, wie er aus der Zelle geführt wurde? Sie wollen uns damit sagen, dass er woanders hingebracht wurde. Um ihn zu foltern? Das wissen wir bereits. Ich glaube, sie wollen andeuten, dass er zu seiner Hinrichtung geführt wurde.«

»Nun ja«, sagte Morgan, »entweder er ist bereits tot, und das war nur ein Mittel, um uns zu verhöhnen – oder vielleicht einen zum Scheitern verurteilten Rettungsversuch zu provozieren –, oder es ist ein Eröffnungszug für irgendeine Forderung.«

Slade nickte.

»Mein Gott«, fuhr Morgan fort »jahrelang in den Händen dieser sadistischen Bastarde zu sein …« Die Stimme versagte ihm, und er brach ab.

»Wenn er noch am Leben ist, Don, dann holen wir ihn zurück. Was es auch kosten mag.«

»Na, das war aber ein sadistischer Bastard«, sagte Kate zu sich.

Sie saß in ihrem Wohnzimmer und entschlüsselte eben einen Eintrag in *Die Anatomie der Geheimnisse* über einen Mann namens Richard Topcliffe, der im Tower, im Marshalsea und im Bridewell arbeitete, den größten Gefängnissen des elisabethanischen England für Katholiken und andere Dissidenten. Zu der Zeit hielt man ihn allgemein für verrückt, weil es ihm so viel Freude und Vergnügen bereitete, anderen Schmerzen zuzufügen.

Ihr Handy klingelte und störte sie in ihrer Konzentration.

»Meine Teure.«

»Edward, hab ich's doch gewusst, dass du was für mich erreichen würdest. Was hast du?«

»Du stehst in meiner Schuld, meine Liebe. Und zwar tief.«

»Ich halte schon den Atem an.«

»Ich habe mit einem hübschen jungen Knaben in unserem Londoner Haus gesprochen. Er hat einiges über de Tolomei gehört.«

»Tatsächlich?«, fragte Kate, während Edward an einer Zigarette zog.

»Wie du hat er Gerüchte gehört, dass de Tolomei auf dem Schwarzmarkt handelt, dass einige sehr bedeutende, gestohlene Objekte durch seine Hände gegangen sind. Aber dein Mandant wollte ja was über de Tolomeis Geschmack wissen. Er handelt mit Gemälden und Skulpturen aus allen Perioden. Vorwiegend Sachen allererster Güte. Er sammelt auch, scheint aber keine bevorzugte Region oder Periode zu haben. Das einzige Muster, das ich erkennen kann, ist, dass er ein Fan von Artemisia Gentileschi ist – er hat mehrere Gemälde von ihr für seine private Sammlung erworben und verhandelt gegenwärtig mit einem Händler, den ich kenne, über eine ihrer Skizzen.«

»Was für ein Thema?«

»Judith. Es ist eine der detaillierteren Skizzen zu Artemisias *Judith tötet Holofernes.*«

Kate rief sich das grausige Ölbild ins Gedächtnis. Zahlreiche

119

Künstler der Renaissance und des Barock hatten Szenen aus der biblischen Geschichte über Judith gemalt, einer wunderschönen Jüdin, die einen assyrischen General ermordete, der über ihre Stadt herfallen wollte. Aber Artemisias Darstellung war vermutlich die blutigste und grausamste, was gewisse Historiker aus der Tatsache herleiteten, dass sie es malte, kurz nachdem sie vergewaltigt worden war. Sie meinten, sie drückte damit ihre aufgestaute Wut und die Sehnsucht nach Rache aus.

»Interessante Wahl«, sagte Kate.

»Mein Therapeut würde suggerieren, dass de Tolomei wegen irgendetwas wütend ist.«

Kate nickte. Sie hatte dasselbe gedacht.

»Aber jetzt wegen der morgigen Ausstellung«, fuhr Edward fort. »Rate mal, welcher Name auf der Liste steht?«

»De Tolomei, oder?«

»Nein. Er hat abgesagt. Aber ein anderer Name steht darauf, der dich vielleicht interessieren könnte.«

»Jetzt zier dich nicht so. Wessen?«

»Deiner.«

»Was?«

»Bedanke dich bei Miss Adriana Vandis. Du bist als ihr Gast aufgeführt. Und sie ist?«

»Meine Zimmergenossin im College«, antwortete Kate und erinnerte sich, dass sie Adriana eine Nachricht auf ihrem Anrufbeantworter hinterlassen und sie gefragt hatte, ob sie sich am kommenden Abend treffen könnten. »Das ist ja großartig, aber wie soll ich dann an…«

»Geduld, Darling. Du zweifelst doch nicht etwa an mir, oder?«

»Nie.«

»Gut. In ein paar Tagen findet in Rom eine private Veranstaltung statt, und ich habe erfahren, dass de Tolomei teilnehmen wird.«

»Was ist das?«

»Na ja, es ist sehr exklusiv…«

»Ein Galerieeröffnung?«

»Nein. Wie gesagt, sehr exklusiv.«

»Eine Wohltätigkeitsveranstaltung mit großem Staraufgebot?«

»Ex-klu-siv.«

Kate stöhnte resigniert und murmelte sarkastisch: »Prolo-Besäufnis in der örtlichen Disco?«

»Sehr lustig.« Dann fragte er langsam und theatralisch: »Sag mir, was ist die einzige Einladung in der Ewigen Stadt, die kein Mensch ausschlagen würde, nicht einmal ein viel beschäftigter Milliardär?«

»Eine Einladung vom Papst.«

»Genau. Und dank mir hast du jetzt so eine.«

»Du bist ein Gottesgeschenk. Wie schaffst du das nur immer?«

»Bitte. Du solltest es besser wissen. Eine Dame verrät nie ihre intimsten Geheimnisse.«

Mittelmeer – 20 Uhr 45

Zwanzig Kilometer östlich von Malta dümpelte die *Nadeschda* gemächlich vor sich hin, nachdem sie ihre Reisegeschwindigkeit von dreizehn auf sieben Knoten gedrosselt hatte. Trotz der abendlichen Dunkelheit stand das Umladen der mysteriösen Fracht kurz bevor.

Die schlichte Vier-Kubikmeter-Holzkiste lagerte auf Gummikissen auf dem Vorderdeck. Der Navigationsoffizier des Schiffes näherte sich ihr langsam. Der Witz seines Kapitäns über den empfindlichen Inhalt der Kiste – sie könnte von Porzellan bis zu einer Atombombe alles enthalten – steckte ihm noch immer in den Knochen. In seinem Kopf hatte sich die unheimliche Möglichkeit schon längst zu einer schrecklichen Gewissheit verfestigt.

Der Ausleger des Schiffskrans war direkt über der Kiste in Stellung gebracht worden, und der Navigationsoffizier griff nach dem herabbaumelnden Stahlseil. Er nahm den schweren Stahlkarabiner am Ende des Kabels in die Hand und verfluchte still seinen Kapitän, weil er ihm diesen entsetzlichen Befehl erteilt hatte.

Seine Hände versagten ihm beinahe den Dienst. Sie waren schweißfeucht und zitterten. *Konzentrier dich. Du hast es schon fast geschafft.* Den Karabiner des Krans fest in der linken Hand, fasste er mit der rechten Hand die vier kleineren Karabiner zusammen, die die Endstücke von zwei mehrfach um die Kiste gewickelten Seilen bildeten, und klinkte sie behutsam, um nur ja nicht an die Kiste zu stoßen, zusammen.

Er trat ein paar Schritte zurück und hob den Kopf. An der Steuerbordseite der *Nadeschda* sah er eine schnittige Jacht längsseits kommen. Die Jacht fuhr dunkel, alle Decklampen waren ausgeschaltet. Nur die fluoreszierenden blauen Lämpchen, die knapp über der Wasseroberfläche um den Rumpf liefen, stachen durch die Dunkelheit.

Binnen Minuten fuhren die beiden Schiffe mit derselben Geschwindigkeit Seite an Seite, nur ein paar Meter voneinander entfernt. Der Navigationsoffizier wandte sich nun wieder der Kiste zu. Der Schiffsingenieur bediente den Kran, er drehte einen Hebel, um das Seil einzuziehen und die Kiste in die Luft zu hieven. Sie stieg langsam in die Höhe.

Ein metallisches Knirschen zerriss die nächtliche Stille. Das Kabel des Krans hatte sich irgendwo verhakt, und die Kiste kam mit einem Ruck zum Stillstand.

Dem Navigationsoffizier blieb die Luft weg. Ihm wurde schwindelig. Aber nichts passierte. Kein donnerndes Krachen, kein Feuerball. Sie waren sicher.

Der Ingenieur arbeitete weiter, und der Navigationsoffizier atmete erleichtert aus, als die Kiste, die er so hasste, von ihm weg und zum Bug der Jacht wanderte. Vier Matrosen warteten dort, um die Kiste behutsam auf dem Vorderdeck abzustellen. Während der Navigationsoffizier zusah, wie sie das Kabel des Krans enthakten, musterte er ihre Gesichter. Sie schienen nicht nervös zu sein. Offensichtlich hatte sie niemand vor dem gefährlichen Inhalt der Fracht gewarnt, dachte er, und wusste nicht so recht, ob er sie wegen ihrer Unwissenheit bedauern oder beneiden sollte.

Die Jacht drehte ab und verschwand in der Nacht. Überwältigt vor Erleichterung, atmete der Navigationsoffizier tief durch und schloss für einen Moment die Augen.

Andere Augen dagegen blieben weit offen. Augen, die sich nie schlossen. Der amerikanische Spionagesatellit, der auf dem Weg in den Persischen Golf hoch über ihnen hinwegflog, hatte Dutzende von Digitalfotos vom Transfer der Kiste geschossen. Unmittelbar danach waren die Fotos in verschlüsselte elektronische Impulse umgewandelt und zu einem Relais-Satelliten hoch geschickt worden, der weiter oben seine Bahn zog. Binnen Sekunden hatte der Relais-Satellit sie weitergeschickt zu einem unauffälligen Gebäudekomplex im Südosten von Washington, D.C., einem Backstein- und Betonbau mit getönten Scheiben und einem Stacheldrahtzaun, der in Geheimdienstkreisen als Teil der NIMA bekannt war, der National Imagery and Mapping Agency, also der Nationalen Agentur für Bilddarstellung und Kartografie. Und dort, im Hauptquartier des Direktorats für Analyse und Produktion der NIMA, gesellten sich die verschlüsselten Bilder der Kiste zu der riesigen Sammlung geospatialer Daten dieses Tages – eine Sammlung, die so riesig war, dass nur ein Bruchteil davon von den Tausenden von Angestellten des Direktorats je würde ausgewertet werden können.

Ohne zu wissen, was gut hundert Meilen über seinem Kopf passiert war, stieg der Navigationsoffizier der *Nadeschda* die Achterntreppe hinunter und ging in seine Kabine. Zufrieden seufzend kletterte er in seine Koje, und zum ersten Mal seit fast zwei Wochen fiel er in einen tiefen, ungestörten Schlaf.

Rom – 21 Uhr 12

Luca de Tolomei stand unter einem riesigen Baum am Ufer des Tibers und starrte in das träge vorbeiziehende, schlammig grüne Wasser. Er genoss eine Zigarre und den Augenblick.

Eben hatte der Kapitän seiner Yacht auf seinem Handy angerufen. »Die Ladung wurde erfolgreich transferiert, Sir«, hatte ihm der Mann gesagt. »Ich kann Ihnen versichern, dass sie mit äußerster Sorgfalt behandelt wird.«

»Gut«, erwiderte de Tolomei und stieß eine Rauchwolke aus.

»Sie wird planmäßig in Capri eintreffen.«

»Durch die südliche Einfahrt?«, fragte de Tolomei und meinte damit eine Grotte in den Klippen unter seinem Haus auf Capri. Da er sich in geschlossenen Räumen, die keine heimlichen Fluchtwege besaßen, unwohl fühlte, hatte er einen Aufzugsschacht bohren lassen, der seinen Keller mit der darunter liegenden Grotte verband.

»Ja, Sir. Natürlich«, sagte der Kapitän.

»Dann Ihnen eine gute Nacht.«

»Ihnen auch, Sir.«

Ja, die werde ich haben. Mit Sicherheit.

New York City – 15 Uhr 15

Kate stand in ihrer Küche, steckte sich knackige blaue Trauben in den Mund und wartete, bis das Wasser im Kessel kochte. Sie drückte etwas Honig aus einem Plastikbär in ihre riesige Lieblingstasse und warf dann einen Earl-Grey-Teebeutel hinein.

Vor wenigen Minuten war sie voller Begeisterung auf die ersten beiden Spionageberichte gestoßen, die von Robert Poley verfasst worden waren, dem berüchtigtsten *Agent provocateur* in Elizabeths Geheimdienst. Als Studentin hatte Kate fast alles verfügbare Material über ihn gelesen, aber die historische Faktenlage war dünn. So vieles über diesen faszinierenden Spion blieb ein Geheimnis, und jetzt entschlüsselte sie Botschaften von ihm, die seit Jahrhunderten kein Mensch mehr gesehen hatte. Es kam ihr sehr unwirklich vor.

Als sie Sojamilch in ihren Tee rührte, klingelte es an der Tür. Sie nahm eine Fernbedienung zur Hand und schaltete den Fernseher in ihrem Wohnzimmer an. Anstelle einer nachmittäglichen Seifenoper zeigte der Bildschirm nun einen Lieferanten, der im Foyer des Gebäudes stand. Ohne dass der Vermieter etwas mitbekam, hatte Max eines Tages am Sicherheitssystem des Hauses herumgespielt, so dass Kate Zugriff auf die Bilder der Überwachungskameras hatte.

Der übergewichtige Lieferant trug ein enges T-Shirt und eine ähnlich figurbetonende, knielange Jeans. Unter *den* Klamotten lässt sich keine Waffe verstecken, dachte Kate und drückte auf den Knopf der Gegensprechanlage.

»He, Miss K«, sagte der Portier. »Hier sind Blumen. Soll ich sie hochschicken?«

»Ja, danke.«

Nachdem Kate den Empfang bestätigt und dem Lieferanten ein Trinkgeld gegeben hatte, gab der ihr eine zylindrische Vase voller duftender Casablanca-Lilien. »Was ist der Anlass?«

»Weiß ich nicht«, sagte sie und kam sich vor, als wäre sie in einem Aufzug eben mehrere Stockwerke zu schnell hinuntergesaust. »Aber danke. Sie sind toll.«

Kate schloss die Tür, und während sie zur Küche ging, zog sie die Karte aus dem Strauß.

Allerdings kam sie nicht bis zur Küche.

Im Flur blieb sie wie angewurzelt stehen und starrte die Botschaft auf der Karte ungläubig an. Sie hörte kaum, wie die Vase auf den Boden krachte.

10

... Ich stehe hier wie Jovis' ries'ger Baum
Im Vergleich zu mir sind andre Büsche kaum
Alle erzittern bei meinem Namen, und ich fürchte keinen...

MORTIMER in Marlowes *Edward II.*

London – Nachmittag, Mai 1593

Während die städtischen Wachtmeister Kit Marlowes Unterkunft und die seines früheren Zimmergenossen durchwühlten, ging Robert Poley mit schnellen Schritten nach Whitehall, um sich mit seinem Arbeitgeber, Sir Robert Cecil, zu treffen.

Der vierzigjährige Spion war groß und geschmeidig, trotz seines ausschweifenden Lebens. Poley hatte dichte, kurze schwarze Haare und Schlangenaugen, denen nichts entging und die hypnotisierten, wen immer er in den Bann schlagen wollte. Es hieß, er könne einen Mann um sein Weib oder sein Leben bringen. Und das stimmte auch.

Poley war eben aus Flushing zurückgekehrt, einem holländischen Hafen, der gegenwärtig von England besetzt war. Vor acht Jahren hatte Spanien die Niederlande besetzt, und englische Truppen unterstützten ihre protestantischen Verbündeten bei der Vertreibung der Spanier von holländischem Boden. Poley hatte Regierungsbeamten und militärischen Befehlshabern die Botschaften der Königin überbracht, deren Antworten an sich genommen und sich mit Spionen vor Ort getroffen, die auf dem Schlachtfeld und außerhalb davon operierten.

Als er in eine schmale Straße einbog, hüstelte er angewidert. *Was, in Gottes Namen, ist das für ein übler Gestank?* Dann sah er die an mehrere Türen genagelten roten Kreuze. *Ach, Pesthäuser.*

Die Nachbarn verbrannten alte Schuhe und legten verfaulende Zwiebeln aus, um die Krankheit abzuwehren. Die Seuche machte zwar das Atmen schwerer, aber wenigstens geschah somit etwas gegen das Problem der Überbevölkerung, dachte Poley. Er drückte sich den Ärmel an die Nase und beschleunigte seine Schritte.

In Charing Cross zog rechts eine lärmende Gruppe Lehrlinge an ihm vorbei, alle in ihren typischen dunkelblauen Wämsern. Poley musterte sie neugierig. Die Knaben in Blau waren die Hauptverursacher der gegenwärtigen Unruhen. Eben aus einem Land im Kriegszustand zurückgekehrt, hatte Poley entsetzt feststellen müssen, dass London während seiner kurzen Abwesenheit selbst zu einer Art Schlachtfeld geworden war. Wegen der grassierenden Arbeitslosigkeit und des Hereindrängens von protestantischen Flüchtlingen aus den Niederlanden, Frankreich und Belgien murrten die Londoner Arbeiter schon länger, zu Ausbrüchen von Gewalt kam es aber erst in jüngster Zeit. Viele Einheimische – vor allem die Lehrlinge – kochten vor Wut, dass die Regierung den Flüchtlingen ein Bleiberecht bewilligte.

Die Stadt geht vor die Hunde, dachte Poley. Der Gedanke beschwingte seine Schritte. Chaos war immer gut fürs Geschäft.

Poley leitete seit ein paar Jahren Robert Cecils Spionageoperationen in den Niederlanden. Ihm gefiel die Macht, die ihm seine Stellung gab, doch er vermisste auch seine frühere Zeit als Ränkeschmied. Getarnt als Katholik, hatte er Mitte der Achtziger mehrere gegen die Regierung gerichtete Verschwörungen unterwandert, sich in Geheimgesellschaften eingeschlichen und heimlich sogar eine katholische Frau geheiratet, um seine Tarnung zu vervollkommnen. Als Walsingham Verhaftungen vornehmen wollte, drängte er die Rädelsführer dazu, schnell und entschlossen zu handeln, und sammelte dabei Beweise gegen sie.

Einer dieser Rädelsführer war Anthony Babington, der Poley noch als vertrauenswürdigen Freund betrachtete, als der Henker ihm schon die Schlinge um den Hals legte. Babington hatte Poley ein Geschenk gemacht, einen Diamanten, der jetzt an Poleys linkem Ohr baumelte. Die funkelnde Träne war eine dauerhafte Erinnerung an seinen spektakulärsten Verrat.

Poley hatte es weit gebracht seit den Tagen, als er für andere Studenten die Böden wischte und die Betten machte. Wie hatte er es gehasst, diese niederen Arbeiten verrichten zu müssen, während die reichen, modisch gekleideten Kommilitonen die Tage vertrödelten. Aber jetzt war er nicht nur der am meisten gefürchtete und bewunderte Mann im Dienst Ihrer Majestät, sondern konnte auch ein Leben führen, wie er es immer gewollt hatte: neue Kleidung, üppige Diners und viele Mätressen. Von denen natürlich alle verheiratet waren. Er liebte es, die Frauen anderer Männer zu verführen.

Als Poley das Büro seines Arbeitgebers betrat, sah er Robert Cecil an seinem Schreibtisch sitzen, und ein weißer Papagei krächzte in einem silbernen Käfig neben seinem Kopf. Der exotische Vogel aus dem Orient war viel mehr als ein geliebtes Haustier, das wusste Poley. Der Besitz einer solchen Kreatur bewies, dass der Eigentümer sehr gute Verbindungen und eine Menge Geld besaß. Es war eine subtile, aber sehr wirkungsvolle Machtdemonstration.

Eine schwere Krankheit in der Kindheit hatte den dreißigjährigen Cecil zu einem kleinwüchsigen Buckligen gemacht. Er war beinahe farblos, und sein sauber gestutzter Bart konnte sein schwaches, verweichlichtes Kinn kaum verbergen. Die Königin nannte ihn »Kobold«, manchmal auch »Pygmäe«.

Obwohl er unbedeutend wirkte, hatte Cecil eine unglaubliche Macht. Als Sohn des Schatzmeisters und obersten Ratgebers der Königin war er vor zwei Jahren zum Ritter geschlagen worden und hatte einen Sitz im Geheimen Kronrat erhalten. Man erwartete auch, dass Cecil in nächster Zeit zum Staatssekretär ernannt werden würde, das wusste Poley, doch offensichtlich zog die Königin noch immer ihren jungen Günstling, den Grafen von Essex, für diesen Posten in Erwägung.

»Habt Ihr von dem jüngsten Drohplakat gehört?«, fragte Cecil.

Poley setzte sich und schüttelte den Kopf.

»Seit einem Monat tauchen in der Stadt anonyme Briefe und Gedichte auf, die alle fremden Arbeiter, welche die Stadt nicht sofort verlassen, mit dem Tod bedrohen. Letzte Nacht wurde das bis jetzt blutrünstigste Gedicht an die Mauer der holländischen Kirche in der Bond Street genagelt. Es drohte damit, ihnen während des Gebets die Kehlen durchzuschneiden.«

»Und die Königin ist...«

»Erbost«, warf Cecil ungeduldig dazwischen. »Was mir Sorgen macht, ist die Tatsache, dass diese Drohung der letzten Nacht mit ›Tamerlan‹ unterzeichnet ist.«

»Ach, der arme Schäfer, der zum Weltenherrscher wurde und gegen Gott im Himmel marschieren wollte. Der hat mir immer gefallen«, sagte Poley.

Cecil ging nicht auf diese Bemerkung ein. »Diese elenden Knittelverse spielen auf Marlowes Stücke an. Ihr kennt ihn besser als ich. Glaubt Ihr, dass er sie geschrieben hat?«

»Soweit ich gehört habe, ist er seit Wochen auf dem Land und arbeitet an einem neuen Stück oder etwas Ähnlichem«, erwiderte Poley. »Ich würde sagen, er hat einen Bewunderer, der Immigranten hasst, oder einen Feind, der ihn in Schwierigkeiten bringen will. Marlowe mag es genießen, die Leute zu entsetzen, aber er würde nie so etwas Offenkundiges und Dummes tun.«

»Der Kronrat hat einen Ausschuss ernannt, der diese Drohungen untersuchen soll, und nannte sie gefährliche Anstachelung zur Anarchie. Ich bin mir sicher, dass sie ihn suchen.«

Poley lehnte sich zurück und betrachtete seinen Arbeitgeber. »Es passt gar nicht zu Euch, dass Ihr Euch Sorgen um einen anderen macht, auch wenn es ein Unschuldiger ist. Ein Mann, der Euch im Lauf der Jahre gute Dienste geleistet hat, wenn Ihr mir die Bemerkung gestattet.«

»Marlowe weiß etwas«, sagte Cecil verkniffen. »Etwas... Kompromittierendes.«

Ein Funkeln trat in Poleys Augen. »Aha, und wenn er gefoltert wird, könnte er es verraten. Nun, worum geht es?«

Cecil blieb stumm.

Die Knochen in Cecils Hand traten deutlich hervor, bemerkte Poley, und genoss die seltene Gelegenheit, seinen Arbeitgeber um Fassung ringen zu sehen. *Das ist eine ziemliche Zwickmühle für Euch, nicht? Ich bin der fähigste Mann in Eurem Netz – genau ge-*

nommen im gesamten Geheimdienst –, aber Ihr traut mir nicht völlig.

Poley versuchte es noch einmal. »Sir, ich kann Euch nicht helfen, wenn Ihr mir das Problem nicht erklärt.«

Cecil zupfte an seinem kleinen, spitzen Bart und schaute einen Moment lang seinem Körner pickenden Papagei zu. »Erinnert Ihr Euch an diese Münzgeschichte vom letzten Jahr?«

Poley nickte. Sie hatten Marlowe in die Niederlande geschickt, damit er dort eine Gruppe katholischer Exilengländer unterwanderte, die gegen Königin Elizabeth Ränke schmiedeten. Marlowe und ein höchst geschickter Goldschmied hatten angefangen, Münzen zu fälschen. Münzfälschung wurde nach englischem Recht als Hochverrat betrachtet, und dass Marlowe dieses Verbrechen beging, machte seine Tarnung noch glaubwürdiger. Darüber hinaus sollte Marlowe den Verschwörern eine Sammlung gefälschter Shillinge als Beweis seiner Loyalität anbieten. Das wäre eine große Versuchung für sie gewesen; die Verschwörer waren immer knapp an Geld.

Der Plan hätte mit Sicherheit funktioniert, hätte nicht ein übereifriger Spion aus Essex' Netz, ein Mann namens Richard Baines, die Münzfälschung aufgedeckt und Marlowe verhaften lassen.

Marlowe hatte, so diskret wie immer, dem örtlichen Kommandanten erklärt, er habe die Münzen nur aus Neugier gefälscht, weil er sehen wollte, zu was der Goldschmied in der Lage sei, nicht mehr. Zum Glück beschloss der Kommandant, Marlowe und seinen Kumpan deportieren zu lassen, anstatt sie in den Kerker zu werfen, und so gelangten sie direkt in die Obhut des englischen Schatzmeisters, der Robert Cecils Vater war. Marlowe wurde stillschweigend freigelassen, ohne dass seine Deckung aufflog, und die verpatzte Operation gelangte nie an die Öffentlichkeit.

Poley verstand deshalb nicht, warum Cecil sich Sorgen machte. »Er könnte gestehen, dass diese Münzfälschung Teil einer Operation war, die wir geplant hatten, eine Operation, die elend schief ging – das wäre zwar peinlich, aber kaum ein Grund zur Sorge.«

Cecil kniff die Lippen zusammen. »Da steckt mehr dahinter, als

Ihr glaubt. Ich hatte damals nur sehr beschränkte Mittel, und …«
Er beendete den Satz nicht.

»Oh, gut gemacht, Sir!«, rief Poley. »Ihr habt Marlowe beauftragt, insgeheim Münzen für Euch selbst zu prägen. Nun, das nenne ich einen Seitenwechsel. Englands künftiger Staatsminister versucht sich als Hochverräter. Wie aufregend. Ich bin beeindruckt.«

»Ihr seid Euch doch bewusst, dass uns das in eine kniffelige Lage bringt.«

»*Uns?*« Poley liebte es, den kleinen Buckligen zu reizen, seine legendäre Selbstbeherrschung mit verbalen Pfeilen zu bewerfen.

»Natürlich uns«, zischte Cecil.

Poley lag noch eine spitze Bemerkung auf der Zunge, doch er verkniff sie sich. Es gab keinen Grund, seinen Arbeitgeber zu sehr zu verärgern. Wobei allerdings Poley, sollte Cecils Stern bei Hofe sinken, der Erste wäre, der das Boot verließe.

»Sir, unser charmanter Stückeschreiber wird Euer Geheimnis nie verraten«, sagte Poley mit übertriebenem Gleichmut. »Er hätte dieses Wissen für ein Vermögen an Essex verkaufen können, wenn ihm der Sinn danach gestanden wäre. Aber das würde er nie tun. Wisst Ihr, Marlowe hat etwas, was Ihr nie erkennen würdet. Er mag zwar ein wenig verdreht sein, aber der Mann hat Ehrgefühl.«

»Das und ein Penny können mich an die London Bridge bringen«, sagte Cecil, nun wieder mit der gewohnten Ruhe. »Aber glaubt Ihr wirklich, das Ehrgefühl eines gemeinen Spions lässt mich nachts ruhig schlafen?«

»Was wollt Ihr, dass ich tue?«

Cecil räusperte sich und kniff die Augen zusammen.

»Ihr wollt doch nicht, dass ich ihn töte?« Poley schüttelte den Kopf. »Ich verabscheue das Töten. Da komme ich mir vor wie ein Betrüger, als müsste ich einen Trumpf aus dem Ärmel ziehen, um zu gewinnen.«

»Mord ist eine unsaubere Angelegenheit. Könnte auf uns zurückfallen. Nein, ich will im Gegenteil, dass Ihr ein Auge auf ihn habt. Wollen wir hoffen, dass der Ausschuss ein wenig Vernunft zeigt und Marlowe in Frieden lässt, falls aber nicht, werdet Ihr ihn beschützen, was es auch kosten mag. Wenn er auf der Folterbank landet, sind wir – und ich meine wir – in Schwierigkeiten.«

»Als Schutzengel habe ich mich bis jetzt noch nie gesehen«, sagte Poley und zuckte dann die Achseln. »Ist sonst noch etwas?«

»Ja.« Cecils Tonfall bekam etwas Hartes, Herrisches. »Wenn Ihr versagt, werde ich Euch alles nehmen, was Euch am Herzen liegt.«

Poleys Miene blieb gelassen.

Cecil war noch nicht fertig. »Und wenn Ihr mich anfleht, es noch einmal zu überdenken, werfe ich Euch in den Tower und erzähle Topcliffe, Ihr hättet seine Frau verführt.«

Richmond, England – Abenddämmerung

Zwei glänzend schwarze Wallache trabten über eine Landstraße und zogen eine elegante lavendelfarbene Kutsche. Drinnen saß allein auf einem dicken Samtkissen Richard Topcliffe, der Foltermeister Ihrer Majestät, und trank seinen besten Scotch aus einer silbernen Taschenflasche.

Vierzig Minuten zuvor war ein Bote an der Tür seines Landhauses mit einem Brief des Geheimen Kronrats aufgetaucht, der ihn nach London zurückrief. Umfangreiche Ermittlungen seien im Gange. Die ersten Verhaftungen seien bereits erfolgt.

Topcliffe befahl seinem Kutscher, schneller zu fahren.

11

Kate griff nach ihrem steifen Martini.

Medina schaute bestürzt auf ihre Hand. »Stimmt etwas nicht? Sie zittern ja.«

»Ich habe zuvor im Studio zu viel Eisen gestemmt«, log Katie. Dann setzte sie ein Lächeln auf und fügte hinzu: »Sie wissen ja offensichtlich, wie das ist.«

»Freut mich, dass Sie es bemerkt haben.«

Nur gut, dass du so leicht abzulenken bist. Kate schob unauffällig ihre zitternde Hand unter den Schenkel. Die beängstigende Botschaft, die sie vor einigen Stunden erhalten hatte, und die wirren, fragmentarischen Gedanken, die sie ausgelöst hatten, wirbelten ihr durchs Hirn und prallten gegeneinander wie Autoskooter.

Sie und Medina saßen in weichen Lehnsesseln im Wohnzimmer seiner Suite im Pierre und hatten eine kurze Besprechung bei Cocktails, bevor er die Stadt verließ und nach London zurückflog. Während Medina die Horsd'œuvres auf dem Kaffeetisch zwischen ihnen musterte, zog Kate ihre rechte Hand unter ihrem Bein hervor. Gut, dachte sie. Das Zittern hatte aufgehört.

»Wie war Ihr Tag?«, fragte Medina und schaute sie wieder an. »Ist irgendwas Interessantes passiert?«

Kate nahm ein dünnes, mit geräucherter Forelle und Kaviar gefülltes Gebäckteilchen in Form einer Muschelschale, steckte es sich in den Mund und kaute nachdenklich. »Mm. Ja, das ist wirklich sehr, sehr gut.«

»Schon gut, Miss Heimlichtuerei«, entgegnete Medina neckisch. »Ich habe verstanden. Wenn Sie mir erzählen würden, was Sie getan haben, müssten Sie mich töten, aber wenn wir diesen Austausch von Höflichkeiten damit füllen, dass ich über meinen Tag rede, müsste ich Sie zwar nicht töten, es könnte aber gut sein, dass Sie vor Langeweile sterben.«

»Versuchen Sie es doch einmal.« *Langeweile klingt im Augenblick für mich ziemlich gut.*

»Nur ein paar Besprechungen. Ich verwalte einen Hedge-Fond, mache ziemlich viele Fixgeschäfte, ein bisschen Risikokapital hier und dort...«

»Was war Ihr bis jetzt größter Coup?«

»Die Entdeckung, dass die Spitzenkonzerne Ihres Landes nicht so gut dastanden, wie sie vorgaben. Enron und WorldCom habe ich genau zur richtigen Zeit abgestoßen. Aber genug von mir...«

Aha, hast also keine Lust, über dich zu reden. »Sie haben Recht«, warf Kate dazwischen. »Ich habe wichtige Neuigkeiten für Sie.«

Medina zog die Augenbrauen hoch.

»Ich war bei einer Spezialistin für alte Bücher, habe gestern Abend noch mit der Entschlüsselung angefangen, und ich bin mir so gut wie sicher, dass Ihr Manuskript genau das ist, was die Titelseite behauptet – eine Sammlung von Geheiminformationen, zusammengetragen von Thomas Phelippes.«

»Mit Seiten aus Walsinghams Akten?«

Kate nickte. »Viele waren an Walsingham gerichtet, und die grobe Datierung des Papiers stimmt mit den Zeitspannen der Ereignisse überein, die in den Berichten erwähnt werden, die ich bis jetzt entziffert habe. Außerdem habe ich, wo es möglich war, die Handschriften mit Proben verglichen, die ich von mehreren elisabethanischen Spionen habe. Sie stimmten alle überein.«

»Ach du meine Güte.«

»Warten Sie. Es kommt noch besser. Wie's aussieht, hat Phelippes nur wirklich pikante Sachen aufgenommen. Auf Geheimdienstgeschwafel bin ich bisher noch nicht gestoßen. Keine langweiligen Berichte über den Zustand der spanischen Kriegsflotte, zum Beispiel. Nichts in der Richtung.«

Kate trank einen Schluck. »Bis jetzt habe ich nichts gefunden, das ernsthafte Auswirkungen auf jemanden von heute haben könnte, aber ich möchte wetten, dass ich das noch tue.«

»Ich setze auf Sie.«

Kate lächelte, und zum ersten Mal, seit sie seine Suite betreten hatte, war es ein aufrichtiges Lächeln. »Übrigens«, sagte sie, »ich habe Ihren Professor angerufen, bekam aber nur den Anrufbeantworter dran. Bis jetzt hat er noch nicht zurückgerufen.«

»Ich habe ihn auch nicht erreicht«, sagte Medina nachdenklich. »Ich versuche es morgen noch einmal. Doch jetzt würde ich gern mehr darüber hören, was Sie gestern Nacht gelesen haben.«

Kates Augen leuchteten auf. »Nun, ich war nicht überrascht, Dinge über das wilde Liebesleben der so genannten jungfräulichen Königin zu lesen – wer, wann wo –, solche Sachen. Wirklich cool war aber, dass ich auf Hinweise gestoßen bin, dass ihr erster Liebhaber seine Frau möglicherweise doch nicht die Treppe hinuntergestoßen hat, wie fast jeder dachte.«

»Wurde er verhaftet?«

»Nein. Er versank nur in einem Sumpf aus Verdächtigungen. Die Leute glaubten die Gerüchte, weil er unbedingt Elizabeth heiraten und König werden wollte. Der Bericht war verfasst von einer jungen Dienstmagd, die behauptete, gesehen zu haben, wie seine Frau stolperte und unglücklich die Treppe hinunterfiel. Es gibt keine historischen Aufzeichnungen über diese Zeugenaussage, deshalb nehme ich an, dass Walsingham sie unterdrückt hat.«

»Warum?«

»Elizabeth unverheiratet und als Ehekandidatin für Europas viele Prinzen zu haben, das war besser für die Außenpolitik.«

»Klingt einleuchtend. Was haben Sie sonst noch gefunden?«

»Nachrichten von einem klassischen Schläfer.«

»Oh?«

»Sein Name war Richard Baines. Er war einer von Walsinghams ersten Spionen in Reims, dem Seminar für englische Katholiken auf der anderen Seite des Kanals in Frankreich. Baines schrieb sich 1578 als ganz gewöhnlicher Priesteranwärter ein. Sein Auftrag lautete, Informationen über die katholische Militärstrategie zu sammeln und die Namen von heimlichen Katholiken in England herauszufinden, was er auch tat und in diesem Bericht niederschrieb. Er war außerdem in Reims, um Aufruhr unter den Pries-

135

tern in spe zu schüren, deshalb sang er Loblieder auf Sex und fettes Essen vor jedem, der es hören wollte.«

»Gute Strategie.«

»Ja. Letztendlich vermasselte er es jedoch. Erzählte einem Kommilitonen, er wolle den Brunnen des Seminars vergiften, und dieser Student verriet ihn. Er landete im Stadtgefängnis und musste dort ein Jahr absitzen.«

»Was ist mit den Codes? Wie knacken Sie die?«

»Betriebsgeheimnis, mein Freund. Tut mir Leid.« Aus Kates strengem Blick wurde ein Lächeln, und sie zog ein Notizbuch aus ihrer Tasche, blätterte eine bestimmte Seite auf und zeigte sie Medina. »Das war ursprünglich chiffriert. Es war einer der leichter zu übersetzenden Berichte, aber es ist nur sinnloses Blabla, nicht?«

»Sieht so aus.«

Kate gab ihm nun ein Blatt Papier, in das sie Löcher geschnitten hatte. »Das habe ich für Sie gemacht.«

»Ähm… danke.«

»Es ist ein cardanisches Gitter. Erfunden 1550 von dem Mailänder Naturphilosophen Girolamo Cardano. Die meisten waren dicker als das da, sie bestanden aus steifem Karton. Der Sender und der Empfänger hatten je ein identisches.«

Sie beugte sich zu Medina und legte das Gitter auf die Seite des Notizbuchs. Ungefähr zwanzig Wörter und fünfzig einzelne Buchstaben waren in den Löchern zu sehen. »Kommt Ihnen das bekannt vor?«

»Der Graf von Northumberland«, las Medina, »hat in Pentworth eine geheime Kammer gebaut, in der ein Priester die Messe liest… an Pfingsten traf er sich mit einem gewissen Francis Throckmorton, um über Briefe von ihren französischen und spanischen Verbindungsleuten zu sprechen…«

Medina schaute sie an. »Das ist der Bericht, den Sie eben beschrieben haben… über heimliche Katholiken, die in England Umsturzpläne schmieden.«

Kate nickte, nahm ihr Notizbuch und blätterte zu einer Seite, die mit Buchstaben- und Symbolreihen bedeckt war. »Das ist der

Schlüssel zu einem anderen Bericht«, sagte sie und gab ihm das Buch.

Jeder Vokal hatte fünf verschiedene Chiffren, jeder Konsonant zwei. Der Buchstabe *b,* zum Beispiel, konnte entweder durch ein aus zwei Schlangenlinien bestehendes Kreuz oder durch ein schräg stehendes z dargestellt werden. Der Buchstabe *m* konnte durch ein Flügelpaar oder durch ein Symbol wiedergegeben werden, das aussah wie eine auf dem Kopf stehende Kaulquappe.

»Mein Computer hat mir bei dem da geholfen«, sagte Kate, die zusah, wie Medina die chiffrierten Buchstaben studierte. »Es war damals auch üblich, versteckte Bedeutung in einem scheinbar belanglosen Brief unterzubringen«, fügte sie hinzu. »Zum Beispiel Informationen über Truppenbewegungen als den Bericht eines Händlers über einen Warentransport zu tarnen. Sie wissen schon: ›Der Wein wird Lissabon in zwei Wochen erreichen.‹ Solche Sachen.«

»Hm.«

»Wollen Sie jetzt etwas über den berüchtigtsten Sadisten dieser Zeit hören?«

»Wer wollte das nicht?«

»Richard Topcliffe. Der oberste Folterknecht des Staates. Er hatte außerdem eine Passion für die Königin. Einer von Walsinghams Gefängnisinformanten berichtete, er habe Topcliffe ihren Namen schreien gehört, während er eine Gefangene in der Nachbarzelle vergewaltigte.«

»Klingt ungefähr so angenehm wie die heutigen Gefängnisse.«

»Ja. Glauben Sie mir, mit dem Gesetz sollten Sie besser nicht in Konflikt kommen.«

»Wenn Sie mir das nur schon früher gesagt hätten«, entgegnete Medina und schlug sich mit der Hand an die Stirn. »Gerade heute Vormittag habe ich…«

Kate lachte. »Übrigens, der Spion, der diesen Bericht über Topcliffe schrieb, war auch eine interessante Figur. Robert Poley. Fing an als katholischer Knastbruder und Zuträger für Walsingham. Kein besonders glamouröser Start, möchte man meinen, aber angeblich hatte er drinnen eine tolle Zeit. Nutzte ausführlich das Recht auf ehelichen Besuch… mit den Frauen anderer Männer.

Letztendlich wurde er der erfolgreichste Spion im Geheimdienst. Man nannte ihn das Genie der elisabethanischen Unterwelt. Sein Chef vertraute ihm zwar nie ganz, aber Poley war zu gut, um nicht eingesetzt zu werden.«

»Was war sein größter Coup?«

»Er spielte eine entscheidende Rolle beim Sturz von Walsinghams Nemesis, Mary, die Königin der Schotten. Poley infiltrierte einen Kreis von Verschwörern, die ihre Rettung planten, stachelte sie an ...«

»Moment mal«, sagte Medina. »Poley, der Spion der Regierung, *förderte* eine Verschwörung gegen Elizabeth?«

»Bis Walsingham genug Beweise hatte, um alle, Mary eingeschlossen, hinrichten zu lassen. Heutzutage erinnert man sich auch noch an ihn wegen seiner Rolle beim ...«

Ein Klopfen war zu hören. Jemand war an Medinas Tür.

Medina schaute auf seine Uhr und sagte: »Gut. Ich warte auf etwas sehr Wichtiges. Etwas absolut Wesentliches.«

»Unser Essen ist da, der Hotelboy hat Ihr Gepäck bereits abgeholt – was ist denn noch?«, fragte Kate. Dann bemerkte sie, dass er ein Grinsen unterdrückte. Er hatte etwas vor.

Medina stand auf und ging in den Vorraum der Suite. »Wenn Sie mich entschuldigen ...«

Verwirrt, aber auch neugierig verrenkte Kate den Hals und schaute ihm nach.

Er drehte sich um. »Bitte. Kann ich einen Augenblick ungestört sein.«

Medina kehrte mit einer in glänzend rotes Papier eingewickelten Schachtel zurück und gab sie Kate. Ein Geschenk? Nein, das wäre merkwürdig – auch wenn er ein großer Charmeur war. Pralinen? Wusste er, dass sie eine Schwäche für Schokolade hatte? Nein, die Schachtel war zu groß und klapperte. Es konnte nicht sein, aber es klang wie ...

Noch immer nicht überzeugt, wickelte sie die Schachtel schnell aus, und nun sah sie es: ein Brettspiel. *Clue.* Sie lachte lauthals auf.

»Ich weiß, dass Ihre Referenzen makellos sind, und ich würde sehr gerne weiter mit Ihnen arbeiten, aber ich habe sehr strenge

Maßstäbe«, erklärte er. »Sehen Sie, wenn Sie mich in diesem Spiel nicht schlagen können...«

»Ziehen Sie mir mit dem Kerzenständer eins über?«

»Nein, ich lasse es den Colonel tun«, erwiderte Medina, und seine Augen funkelten hinterhältig. »Er ist in diesem Augenblick im Wintergarten und plant den perfekten Mord.«

Rom – 00 Uhr 09

Im Herzen des alten Roms schneidet dicht am Tiber eine breite, gerade Straße durch ein Gewirr krummer mittelalterlicher Gassen. Die gepflasterte Via Guilia, entworfen von Donato Bramante für Papst Julius II., ist gesäumt von Renaissance-Palazzi, von denen einer – ein rostbraunes Gebäude mit üppiger Fassadenverzierung – Luca de Tolomei gehörte.

In seinem Schlafzimmer im obersten Stock saß de Tolomei in einem Ledersessel und telefonierte. »Schon irgendwas von der Wanze bei Kate Morgan?«, fragte er seinen Assistenten.

»Ein Anruf, Sir. Ungefähr vor einer Stunde sprach sie mit einer Freundin, einer jungen Frau in London, über einen Besuch bei der dortigen Sotheby's-Auktion morgen Abend.«

»Ist das alles?«

»Ah, ja, Sir, das ist alles.« De Tolomeis Assistent zögerte und fügte dann hinzu: »Wie es aussieht, benutzt sie vorwiegend ihr Handy.«

»Was Sie nicht sagen«, murmelte de Tolomei mit unüberhörbarer Verärgerung. »Schon irgendwelche Fortschritte in dieser Hinsicht?«

»Eigentlich nicht. Das Verschlüsselungssystem des Handys ist anders als alles, was wir kennen. Die Logarithmen sind...«

»Sagen Sie mir einfach Bescheid, wenn Sie was Neues hören.«

»In Ordnung, Sir. Wünschen Sie sonst noch etwas?«

»Machen Sie die Gulfstream startklar für einen kurzen Flug morgen früh.«

»Natürlich. Gute Nacht.«

De Tolomei legte auf, erhob sich und holte einen kleinen, schwarzen Koffer aus dem Wandschrank. Er legte ihn aufs Bett und suchte sich die wenigen Sachen zusammen, die er für einen Abstecher nach London brauchte.

New York City – 19 Uhr 34

Kates Maschine ging in wenigen Stunden. Mit einem offenen Toilettenbeutel in der Hand suchte sie die Regale in ihrem Bad nach Dingen ab, die sie vielleicht vergessen hatte. »Du fliegst ja nicht gerade in den Dschungel«, murmelte sie. »Das Zeug kann man auch da drüben kaufen.«

Sie zog den Reißverschluss des Beutels zu und eilte ins Schlafzimmer, um den Inhalt ihres Koffers auf dem Bett noch einmal zu kontrollieren. In weniger als einer Stunde sollte sie sich mit Max am Heliport der Upper East Side treffen, und zuvor musste sie unbedingt noch jemanden sehen. Sie griff zum Telefon neben ihrem Bett und wählte eine sehr vertraute Nummer.

Nach fünfmal Klingeln meldete sich ihr bester Freund, Jack O'Mara, mit einem heiseren Krächzen. »Ja?«

»He, tut mir Leid«, sagte Kate, als sie merkte, dass er geschlafen hatte. Er war Schriftsteller und hatte einen etwas aus der Reihe fallenden Tagesrhythmus. »Schlaf weiter, Süßer.«

Seine Antwort lag irgendwo zwischen Ächzen und Schnurren.

»Tschüss, Jack. Ich rufe dich später an.«

»Nein, nein«, erwiderte er, inzwischen etwas klarer. »Du klingst so komisch – da stimmt doch irgendwas nicht. Willste vorbeikommen?«

»Hm, ja. Wenn das okay ist.«

»Ich hol dich an der Haltestelle ab. Muss sowieso aufstehen. Aber bring mir doch einen doppelten Latte mit, okay?«

»Klar ... danke, Jack.«

Seit der Grundschule war Jack für sie wie ein Familienmitglied –

der Bruder, den sie nie gehabt hatte, die einzige Person, auf die sie sich emotional stützte. Wie Kate war er ein Einzelkind, das schon in jungen Jahren ein Elternteil verloren hatte, und wuchs still und ernst heran, mit einem unbestimmten Gefühl der Schuld und der Traurigkeit, das immer knapp unter der Oberfläche lauerte. Auch Angst – Jacks Vater, ein Polizist, war bei der Arbeit getötet worden, und da Kates Vater Karriere im Büro des Generalstaatsanwalts machte, wo er gegen immer gefährlichere Ganoven ermittelte, waren Todesdrohungen und Leibwächter nichts Ungewöhnliches. Sowohl sie wie auch Jack hatten sich als Kinder in Gesellschaft anderer nie besonders wohl gefühlt, und sie fühlten sich zueinander hingezogen, kaum dass sie sich kennen gelernt hatten.

Zehn Minuten später ging sie, mit Jacks Kaffee in der einen Hand und ihren Koffer mit der anderen hinter sich herziehend, die Second Avenue hoch. Es blies ein kräftiger Wind. Die Äste der Bäume schwankten heftig, und Kate wehten die Haare ins Gesicht, so dass sie kaum etwas sah. Der Himmel zeigte ein merkwürdiges Graulila mit einem orangefarbenen Schimmer, und dunkle Wolken lauerten in den Startlöchern. Ein weiterer Frühlingsschauer stand bevor.

Links von ihr ging eine malerische Backsteinzeile aus Restaurants – vor dem Hintergrund nackenversteifender Wolkenkratzer – in eine Reihe von Bars über, die unter der Woche bei den im Zentrum arbeitenden Angestellten sehr beliebt waren. Schwarz gekleidete Yuppies hingen vor den Türen an ihren Handys und lösten mit äußerster Konzentration die Probleme der Welt.

»Sie trug was?«, schrie eine stark geschminkte Prada-Tussi in ihren Apparat.

Kate versuchte, nicht die Augen zu verdrehen, als sie an ihr vorbeiging.

Sie überquerte die Fifty-Ninth Street und stieg die mit einer Markise überdachte Treppe zur Seilbahn nach Roosevelt Island hoch, ging durch das Drehkreuz und betrat die kleine rote Kabine. Dann schaute sie zum Fenster hinaus zur Queensboro Bridge, die parallel zum Kabelsystem der Bahn verlief, und starrte den sich von ihr entfernenden, roten Hecklichtern nach. Es fing an zu regnen. Große Tropfen prasselten aufs Dach. Die letzten Passagiere eilten an Bord, und kurz darauf schlurfte der Fahrer herein, und die kurze Überfahrt begann.

Auf dem Weg zum Fluss schwebte die Bahn über die First, Second und York Avenue hinweg. Kate hielt sich am Geländer fest und starrte gebannt auf die Lichter der Stadt, die durch den Wolkenbruch glänzten.

Die hell erleuchtete Schwertfischschnauze des Chrysler Building verschwand aus ihrem Blickfeld, und dann waren sie über dem Fluss. Kate drehte sich um und schaute auf der anderen Seite hinaus, auf der Suche nach Jack, der an der Nordspitze der Insel wohnte. Die Strandpromenade am Westufer war leer, aber der von Bäumen gesäumte Fußweg, der sie mit der Hochbahn-Haltestelle verband, war es nicht; sie sah eine einzelne Gestalt, die ihn entlangging. Die Kabine schwebte an ihrem Seil nach unten zur Haltestelle, und Kate wartete ungeduldig darauf, dass die Türen sich öffneten.

Jacks abgetragener marineblauer Pullover und die Jeans klebten an ihm, und Regen tropfte ihm von der Nase. Mit durchschnittlichen Zügen in einem kantigen, blassen Gesicht, dunklen Haaren, die so kurz gestutzt waren wie die Stoppeln an seinem Kinn, und dem kompakten Körper eines Triathleten sah er eher unauffällig aus, aber seine blauen Augen leuchteten strahlend – wunderschön – vor dem Hintergrund des tristen Abends. Er drückte sie fest an sich, und als sie den Trost seiner vertrauten, wenn auch nicht sanften Umarmung spürte, traten ihr Tränen in die Augen.

In einem gut gepflegten Park gingen sie Hand in Hand zur Strandpromenade und standen am Geländer, von wo man zur Upper East Side hinüberschaute. Vor ihnen funkelte der schnell fließende Fluss, der Regen durchnässte sie, und Kate, in Jacks Arm, legte den Kopf an seine Schulter.

»Was ist denn passiert?«, fragte er leise. »So habe ich dich seit Ewigkeiten nicht mehr gesehen.«

Sie zog ein Kärtchen aus der Tasche. »Das ist heute gekommen. Mit einem Strauß Lilien. Casablanca-Lilien, wie Rhys sie mir immer schickte.«

Jack hielt die Karte ins Licht einer Straßenlaterne und las leise: »Ticktack, Ticktack, bumm. Glieder fliegen, Liebe stirbt, dumm. Sag mir, wie fühlt es sich an, eine verkohlte Hand zu halten?«

Er drehte sich bestürzt zu ihr um. »Ach, du Scheiße.«

Die Erinnerung an das, was Kate in Rhys' Sarg gefunden hatte, ein Bild, das sie inzwischen aus ihrem Bewusstsein hatte verdrängen können, hatte sie nach seinem Tod mehr als ein Jahr lang jede Nacht heimgesucht. Nach der Totenfeier, einer Zeremonie mit geschlossenem Sarg, war Kate allein in dem Raum zurückgeblieben. Entgegen der Warnung von Rhys' Bruder – der bei der Explosion der Granate, die Rhys getötet hatte, in der Nähe gewesen war –, hatte sie den Sarg geöffnet, weil sie sich unbedingt verabschieden wollte, gleichgültig, in welchem Zustand er war. Das war ein Fehler. Es war nichts mehr da außer einem verbrannten Arm, mit freigelegtem Knochen, wo die Schulter sein sollte. Der blaue Stoff seines Hemdsärmels war mit dem aufgeplatzten, geschwärzten Fleisch verschmolzen, und der Goldring, den sie für ihn entworfen hatte, hing an den Knochen eines verschrumpelten Fingers.

Jack legte ihr die Hände auf die Schulter. »Wer, zum Teufel…«

»Ich habe keine Ahnung, wer mich so hassen könnte und alle diese… Details kennt.«

»Deine Firma konnte ihn nicht aufspüren?«

Kate schüttelte den Kopf.

»Könnte es mit etwas zu tun haben, woran du gerade arbeitest, jemand, der dich aus dem Gleichgewicht bringen, von irgendwas abhalten möchte?«

»Ich habe zwei neue Fälle, aber die eine Zielperson weiß noch gar nicht, dass ich existiere«, sagte Kate und dachte dabei an de Tolomei. »Und im anderen Fall geht es um einen Kerl, der etwas will, was ich habe – ein altes Manuskript –, aber ich kann mir nicht vorstellen, dass er mir persönlich schaden will. Hat mir einen Schnüffler auf den Hals gehetzt, damit der mich auf der Straße überfällt und mir die Tasche klaut, das schon, aber Psychospielchen? Ich bin für ihn nur ein x-beliebiges Hindernis, das er überwinden muss. Diese Botschaft wirkt viel zu rachsüchtig, zu persönlich für jemanden wie ihn.« Kate schüttelte verwirrt den Kopf.

»Du musst dir in den letzten Jahren ein paar Feinde gemacht haben«, sagte Jack, »irgendjemanden, der mit dir eine alte Rechnung begleichen will.«

»Wahrscheinlich, ich…« Kates Handy klingelte, und sie hielt inne, um die Nummer abzulesen. »Es ist mein Vater. Hast du was dagegen?«

»Natürlich nicht«, sagte Jack und strich ihr die Haare aus dem Gesicht, während sie den Anruf entgegennahm.

»Hallo, Dad.«

»Ich bin in der Stadt. Hatte zuvor eine überraschende Besprechung, und ich dachte, wenn du Zeit hast, könnten wir uns vielleicht treffen.«

»Na ja, eigentlich muss ich mich gleich auf den Weg zum Flughafen machen.«

»Wohin?«

»London. Ich habe zwei neue Fälle.«

»Oh, das klingt ja großartig. Triffst du dich mit, äh…«

»Adriana, meiner alten Zimmergenossin? Ja. Ist bei dir alles in Ordnung?«

»Natürlich. Ich… na ja, wir haben uns nur eine Weile nicht gesehen, mein Engel. Das ist alles.«

»Ich ruf dich bald an, okay?«

»Toll. Und, Kate?«

»Hm-hm?«

»Pass auf dich auf. Ich…« Ihrem Vater versagte die Stimme, und er räusperte sich. »Na ja, es ist nur so, dass ich dich vermisse.«

»Ich dich auch, Dad.«

Nachdem Kate abgeschaltet hatte, biss sie sich auf die Unterlippe und fragte sich, warum ihr Vater so untypisch emotional klang, und vor allem, warum er so erleichtert zu sein schien, dass sie die Stadt verließ. Sie schaute auf ihre Uhr und dann zu Jack hoch. »Ich muss los. Aber danke, dass du gekommen bist.«

»Aber immer gerne«, sagte er mit einem Lächeln. »Sag mal, wenn du mit diesen Fällen fertig bist, wie wär's dann, wenn wir miteinander verreisen? Mal was ganz anderes – eine Expedition zu Inka-Ruinen oder so was.«

»Ja, das wäre schön.«

Kate küsste ihn auf die Wange, dankte ihm noch einmal und ging dann zur Haltestelle zurück.

Jack blieb auf der Strandpromenade stehen und sah zu, wie die Seilbahn nach Manhattan zurückschwebte. Die Kabine war hell erleuchtet, und er konnte Kate am Fenster stehen sehen. Er machte sich Sorgen um sie. Während er den Kaffee trank, den sie ihm mitgebracht hatte, fragte er sich, wer ihr diese hinterhältige Botschaft geschickt hatte, welche Rachegelüste dieser Mensch wohl hegte, und ob er oder sie seine Munition bereits verschossen oder noch etwas anderes für sie in petto hatte.

Und während Kate zum gegenüberliegenden Ufer hin verschwand, fragte er sich auch, wie sie wohl reagieren würde, wenn er ihr sagte, dass er sie liebte, solange er zurückdenken konnte.

Auf dem Heliport, der, nur wenige Straßen von der Sixtieth Street entfernt, über den East River und Roosevelt Island hinausragte, ging Kate auf den Hubschrauber der Slade Group zu. Sie sah Max im Pilotensitz, wie sie es erwartet hatte, war aber überrascht, hinten noch zwei andere Männer zu erblicken.

Beim Einsteigen merkte sie sofort, dass es sich um Agenten von Slades früherer Spezialeinheit oder um CIA-Paramilitärs handelte. Sie waren gekleidet wie gewöhnliche Zivilisten, aber die Art, wie sie saßen und wie ihre Augen sich bewegten, was Kate von ihren Körpern unter der Kleidung erahnen konnte, die absolute Selbstsicherheit, die sie ausstrahlen – das alles war unmissverständlich.

»Hi«, sagte sie und fragte sich, welches Ziel sie wohl hatten, welche Art von Operation Slade in Übersee auf die Beine stellte.

»Setz dich«, sagte Max und gab ihr einen Kopfhörer. »Wir sind spät dran.«

Sie wandte sich an die Männer auf dem Rücksitz. »Ich dachte schon, ich müsste mich die ganze Zeit mit diesem Kerl da unterhalten«, scherzte sie und nickte in Max' Richtung. »Was für eine angenehme Überraschung.«

»Allerdings«, sagte einer der beiden und grinste, als Max sie an den Haaren zog. »Ich bin Jason und das ist…«

»Connor«, sagte der Größere. »Und Sie sind…«

»Kate«, entgegnete sie, und die drei gaben sich die Hände.

Max legte einige Schalter um und startete den Hubschrauber. Der Motor brummte, die Lichter sprangen an, und die Rotorblätter setzten sich in Bewegung und wurden mit jeder Sekunde lauter und schneller.

Während sie abhoben, schaute Kate in den Nachthimmel hoch und war froh darüber, dass sie daran gedacht hatte, die Seiten der *Anatomie der Geheimnisse* in ihren Laptop zu scannen. Sie wusste, sobald sie allein war, brauchte sie Ablenkung. Ein friedlicher Schlaf stand in dieser Nacht für sie nicht in den Karten.

12

Was mich angeht, so wandle ich des Nachts
Und töte Kranke, die an Mauern wimmern.
Manchmal schütt' ich auch Gift in Brunnen…
Doch sagt mir jetzt, wie habt Ihr Euch die Zeit vertrieben?

BARABAS in Marlowes *Der Jude von Malta*

…Tausend Gräuel hab ich ausgeübt,
So leichten Sinns, als einer Fliegen fängt:
Und nichts, in Wahrheit, geht mir so zu Herzen,
Als dass mir nicht zehntausend noch gelingen.

AARON in Shakespeares *Titus Andronicus*

(Zit. n. Schlegel/Tieck)

Chislehurst, Kent – früher Morgen im Mai 1593

»Kit.«

Keine Antwort.

Thomas Walsingham, der dreißigjährige Cousin des verstorbenen Meisterspions Sir Francis, ging zu dem Himmelbett in seinem Gästezimmer und zog die Vorhänge zurück.

»Kit.«

Die große Gestalt unter der Decke rührte sich nicht.

Tom bückte sich und stieß etwas an, das aussah wie eine Schulter. Die Schulter gab nach und kehrte dann langsam in ihre Ausgangsposition zurück. »Die Königin ist in Wahrheit ein verkleideter Mann.«

Von zwei Händen fest gepackt, flog die Decke weg.

Marlowe starrte seinen alten Freund entsetzt an, denn während er noch die letzten Meter aus dem Traumland zurücklegte, glaubte er, was er gehört hatte. Als er dann Toms gerissenes Grinsen sah, kniff Marlowe die Augen zusammen. »Verdammt, das wäre doch was.«

»Leistest du mir beim Frühstück Gesellschaft?«

»Ja, Sir«, sagte Marlowe entschlossen und sprang aus dem Bett wie ein eifriger Schuljunge. Die beiden Freunde hatten sich in Cambridge kennen gelernt, waren während Toms kurzer Militärzeit in engem Kontakt geblieben, und jetzt war Tom einer von Marlowes literarischen Förderern. Marlowe redete ihn oft mit gespielter Unterwürfigkeit an, denn seiner Ansicht nach hatte der Witz noch keinen Bart.

Als Marlowe seinem Freund aus dem Holz- und Steinhaus hinaus ins Freie folgte, atmete er tief ein und genoss den angenehmen Geruch – saubere Landluft mit dem Duft von Primeln. Ein erfrischender Kontrast zu den fauligen Gerüchen Londons. Sie überquerten die Zugbrücke, die einen Burggraben voller Schwäne überspannte, und gingen zu einem Tisch unter einer alten Weide neben einem Birnenhain.

Mit einer Geste zu dem Zinnkrug und den -bechern auf dem Tisch sagte Tom: »Birnenmost aus der Ernte des letzten Jahres… wirklich ganz hervorragend. Vielleicht bringt er dich in Stimmung.«

»Bei Gottes Nachtgewand, ich habe es wirklich versucht«, murmelte Marlowe und trank einen Schluck von dem Most.

»Wie wär's, wenn du Barabas auferstehen ließest? Er hat einen zweiten Versuch verdient.«

»Ich weiß. Eine Schande, dass das schon ein anderer für mich getan hat.«

»Ein anderer? Ach, du meinst… wie heißt er gleich wieder? Dieser bäuerliche Emporkömmling, der dem Grafen von Southampton zuckersüße Sonette schreibt?«

»Hm-hm. Will Shakespeare. Wenn du mich fragst, sein *Richard III.* sollte *Barabas II.* genannt werden.«

»Taugt er was?«, fragte Tom. »Vielleicht sollte ich ihn kennen lernen.«

Marlowe runzelte die Stirn.

»Das war ein Witz, Kit. Du kennst ihn also?«

»Will schrieb letztes Jahr ebenfalls für die Truppe *Lord Strange's Men*. Ich habe ihm ein paar Ratschläge für seine *Henry-IV.*-Stücke gegeben.« Mit einem sarkastischen Lächeln fügte Marlowe hinzu: »Ich hatte ja keine Ahnung, dass er sich meiner Hilfe bedienen würde, lange nachdem ich aufgehört hatte, sie ihm zu geben.«

»Stört es dich?«

Marlowe zuckte die Achseln. »Nicht sehr. Kein Mensch vergisst ein Original. Aber Nachahmungen?«

»Schneller vergessen als eine betrunkene Liebschaft im Heu«, stimmte Tom ihm zu.

»Soweit ich weiß, hat er jetzt noch ein neues Stück zum selben Thema. *Titus Andronicus.* Behauptet, es hat einen Bösewicht, der noch viel schlimmer ist als Barabas, und dass das Publikum atemlos und wie besoffen sein wird vor Entzücken.«

Tom zog die Augenbrauen hoch. »Hör dir das an. Beim Prahlen übertrifft er die schlaueste Feder der Stadt.«

»Beeindruckt muss man allerdings schon sein. Ich kann einen Mann nur bewundern, der sich einer Herausforderung dieser Größenordnung stellt.«

Tom grinste.

»Zufällig möchte ich diesmal ein Gedicht schreiben.«

»Schon irgendwelche Einfälle?«

Marlowe ließ sich in seinen Stuhl sinken. »Noch nichts.« Dann schaute er zum Himmel hoch und klagte: »Wo bist du, wenn ich dich brauche?«

»Vielleicht hält sie ein Nickerchen.«

»Meine Muse?«

Tom nickte.

Marlowe nahm ihre beiden leeren Metallbecher zur Hand und stieß sie dreimal gegeneinander. Dann stellte er sie wieder auf den Tisch und bedeckte die Augen mit den Händen.

Nach einigen Augenblicken fragte Tom: »Glück gehabt?«

»Nein. Sie scheint einen gesunden Schlaf zu haben.«

Deptford – Vormittag

Schon seit Stunden steckte Marlowe seine Nase in die Gasthöfe und Tavernen am Deptford Strand. Er suchte nach Lee Anderson, dem Moskowiter Matrosen, den Fitz Fat tags zuvor erwähnt hatte. Ohne Papiere konnte er jederzeit wegen Vagabundierens verhaftet und in den Kerker geworfen werden. Aber Marlowe war genau der Richtige, um ihm zu helfen… für einen gewissen Preis.

Nach der sechzehnten Kneipe verlor er die Geduld und kehrte zurück in den *Cardinal's Hat*. Ambrosia kam zu ihm und nahm seine Bestellung auf.

Als er Augenblicke später Schritte hörte, hob er den Kopf, weil er Ambrosia mit seinem Getränk erwartete. Stattdessen aber sah er das vertraute Gesicht von Nicholas Skeres, ein Schnüfflerkollege aus Francis Walsinghams altem Netz, der gegenwärtig ebenfalls für den Grafen von Essex arbeitete. Skeres war dünn und blond und etwa so alt wie Marlowe, hatte aber den zurückweichenden Haaransatz eines doppelt so alten Mannes.

»Was führt dich flussabwärts, Nick?«, fragte Marlowe. Skeres, ein Londoner, hatte ein teures Haus in Blackfriars in der Nähe der London Bridge.

»Geschäfte. Was Großes.«

Marlowe verdrehte die Augen. Er wusste, dass Skeres irgendetwas Anrüchiges meinte. Der Mann war ein berüchtigter Betrüger. Er zog den Naiven Dutzende von Pfund aus der Tasche, wann immer sich ihm eine Gelegenheit bot. »Was ist es diesmal?«

»Warengeschäfte.«

»Das hätte ich mir denken können.« Nach dem Gesetz konnten Geldverleiher nicht mehr als zehn Prozent Zinsen verlangen, deshalb waren Warengeschäfte bei Schwindlern sehr beliebt, um ihr Geld zu verdoppeln. Ein solcher Warenmakler suchte sich jemanden, der einen Kredit brauchte, versprach Geld und entlockte ihm eine unterschriebene Schuldverschreibung über den fraglichen Betrag. Dann behauptete der Makler, er habe kein Geld, und bot stattdessen Waren an, Waren, die viel weniger wert waren als der Betrag auf der Schuldverschreibung, die er in der Tasche hatte.

»Ich treffe mich in Kürze mit meinem Geschäftspartner«, sagte Skeres und setzte sich. »Aber vielleicht hast du Zeit für ein Spiel?«

»Immer«, erwiderte Marlowe. Er holte zwei Würfel aus seiner Tasche, schüttelte sie und warf sie auf den Tisch. Eine Drei und eine Fünf. Er warf noch einmal. Zwei Sechsen. »Und, Nick?«

Die meisten Leute würfelten um Geld, aber bei Marlowe und Skeres gewann derjenige, der innerhalb von drei Versuchen einen Pasch würfelte, Klatsch anstelle von Münzen.

»Ich war gestern im Essex House, und der Graf hatte mal wieder eine seiner Launen. Du weißt schon, mürrisch, verdrossen, schlich herum, schaute die Leute böse an. Ich weiß nicht, was ihn geritten hat, aber ...«

»Er hatte einen üblen Streit mit der Königin.«

»Woher weißt du das?«

»Sie flüsterte es mir ins Ohr, als wir gestern Abend tanzten.«

»Was?« Skeres Überraschung wich sehr schnell Skepsis. Offensichtlich dämmerte ihm, dass ein Gemeiner wie Marlowe mit ihrer Monarchin nie auf so vertrautem Fuße verkehren würde.

Marlowe tat die Frage mit einer Handbewegung ab. »Bitte. Du weißt doch, dass du warten musst, bis du an der Reihe bist. Erzähle weiter.«

Missmutig fuhr Skeres fort. »Ein Bediensteter ging zu ihm, flüsterte ihm etwas ins Ohr, und aus Essex' stillem Schmollen wurde ein Zornesausbruch, wie ich ihn noch nie erlebt habe. Er jagte die Faust durch ein Fenster und schickte mich aus dem Zimmer.«

Marlowe zog die Augenbrauen hoch. Glas kostete ein Vermögen.

Skeres lächelte listig. »Nachdem ich das Haus verlassen hatte, stellte ich mich unter das kaputte Fenster.«

»Und?«

»Wie es aussieht, betrank Lopez sich eines Abends und wurde redselig.«

»Das klingt viel versprechend«, sagte Marlowe. Rodrigo Lopez war der königliche Arzt.

»Er erzählte dem gesamten Hof von Essex' jüngstem Tripper.«

Marlowe beugte sich begeistert vor. »Hat die Königin es auch gehört?«

»Noch nicht, aber Gott helfe Essex, wenn sie es hört. Und Gott helfe dem Mann, der es ihr sagt. Ich schätze, er wird eins auf die Ohren bekommen.«

Skeres trank einen Schluck aus Marlowes Humpen und fügte dann hinzu: »Ich habe den Auftrag, dem vorlauten Lopez zu folgen und zu versuchen, ihn bei geheimen jüdischen Zeremonien zu ertappen. Wenn Essex beweisen kann, dass seine Konvertierung nur vorgetäuscht war, dann weiß er, dass die Königin den guten Arzt des Landes verweisen wird.«

Skeres griff nach den Würfeln und sagte zum Abschluss: »Ich würde sagen, das reicht für diese Runde. Mal sehen, was ich aus dir herausholen kann.« Er würfelte. Eine Zwei und eine Fünf. Er warf noch einmal. Eine Zwei und eine Vier. Dann kam sein letzter Versuch. Eine Drei und eine Sechs. »Verdammt!«

Marlowe grinste. Er hatte schon wieder gewonnen, mit Würfeln, die nicht präpariert waren. *Na, so was.*

»Hm.« Skeres starrte einen Augenblick an die Wand und kratzte sich den Kopf. »Ach, ich habe noch was«, sagte er. »Walter Raleigh ist in der Stadt.«

Marlowe trank einen Schluck, um sein Lächeln zu verbergen. Raleigh war ein enger Freund, den er seit Monaten nicht gesehen hatte.

»Er ist in jüngster Zeit zu Geld gekommen«, sagte Skeres. »Fünfzigtausend Pfund. Woher? Das weiß kein Mensch.«

»Aber …« Fünfzigtausend Pfund waren eine enorme Summe, und Raleigh war seit Jahren tief verschuldet. Er hatte bei dem Versuch, Virginia zu kolonisieren, Zehntausende verloren, seine irischen Ländereien warfen keinen Gewinn ab, und seine Kaperschiffe hatten seit der *Madre de Dios* keine wertvolle Fracht mehr gekapert. Und auch bei diesem Schiff hatte die Königin den Löwenanteil des Profits für sich beansprucht. War Raleigh derjenige, welcher?, fragte sich Marlowe. War es ihm so zuwider geworden, die Früchte seiner Freibeuterei dem königlichen Schatzamt zu überlassen, dass er zum Schmuggler geworden war?

Skeres redete weiter. »Anscheinend benutzt Raleigh das Geld für einen neuen hirnrissigen Plan. Der verdammte Narr hat mit seinen Kolonien in der Neuen Welt nur Schiffbruch erlitten, aber wie es aussieht, plant er dennoch eine neue Reise. Glaubt, Gold zu finden.«

Etwas verärgert verteidigte Marlowe seinen Freund. »Wenigstens sucht er das, was er sucht, wie ein Mann. Er trotzt stürmischer See und wagt sich in unbekannte Länder.«

»Wenigstens kriege ich das Gold, das ich suche.«

Als Marlowe den Kopf hob, sah er, dass Ambrosia sie angrinste. »Noch einen Humpen?«

Skeres schüttelte den Kopf. »Ich wollte eben aufbrechen.«

»Ich nehme noch einen«, sagte Marlowe. Und als er dann Skeres nachsah, bemerkte er auf der anderen Seite des Raums ein Gesicht. Es war außergewöhnlich. Er würde sogar großartig sagen, aber da war noch etwas anderes, das seine Aufmerksamkeit erregte. Kannte er den Knaben?

Dann fiel es ihm wie Schuppen von den Augen. Die kurzen Haare des Burschen hatten die Farbe von Ringelblumen, er hatte Goldreifen in den Ohren, einen dünnen Schnurrbart, eine tabakfarbene Hose und ein Lederwams. Lee Anderson. Endlich.

»Vielleicht fünfzig«, verkündete Ambrosia, als sie ihm sein Getränk hinstellte.

Marlowe schaute sie verwirrt an. Seine Rechnung sollte eigentlich weniger als vier Pence betragen.

»Was?«

»Fünfzig Schiffe, denke ich. Und kein Ruderboot mehr.«

»Wovon redest du denn?«

»Dieses Gesicht. Es könnte fünfzig Schiffe ausschicken.«

Marlowe grinste, als ihm dämmerte, was sie meinte. Sie bezog sich auf eine Szene in seinem *Doctor Faustus*, in der der Magier sich beim Anblick des Gespenstes der Helena von Troja fragte, ob er wirklich das Gesicht vor Augen habe, das tausend Schiffe ausschicken konnte. »Warum so wenige?«

»Fünfzig sind mehr, als nötig waren, um die spanische Armada zu vernichten«, antwortete Ambrosia mit herablassendem Grinsen. »Habt Ihr das nicht gewusst?«

153

Nun war Marlowe ausnahmsweise sprachlos und hocherfreut darüber, dass eine Tavernendirne ihn aus der Fassung gebracht hatte, indem sie mit seinen berühmtesten Zeilen spielte, und ihm dann noch eine Lehrstunde in Geschichte erteilte.

»Du gehst also ins Theater, was?«

»Das ist ausgezeichnet fürs Geschäft. Wenn die Pest nicht wäre, wäre ich jetzt im Augenblick im Rose.«

»Dann hat dir mein, ähm, Marlowes *Faustus* also gefallen?«

Ambrosia nieste laut. »Um ehrlich zu sein, ich achte nie so sonderlich auf die Stücke. Normalerweise habe ich alle Hände voll zu tun, wenn Ihr wisst, was ich meine. Aber ich habe gehört, der Stückeschreiber ist ein recht erfreulicher Anblick.«

»Wirklich?« Marlowe drehte den Kopf, um ihr eine andere Ansicht zu geben.

»Aber anscheinend hat er seine beste Zeit schon hinter sich.«

»Was?«

»Ich habe gehört, dass ein anderer sich anschickt, sich mit seinen Federn zu schmücken.«

Marlowe machte ein langes Gesicht. »Will Shakespeare?«

»O ja.«

»Man schwärmt von *seinen* Bösewichtern?«

»Für ein paar Pennies erzähle ich Euch was wirklich Interessantes.«

Bestürzt gab Marlowe ihr eine Münze. Ambrosia warf einen flüchtigen Blick in die Richtung des Moskowiter Matrosen. »Ihr habt Glück, mein Herr. Dieser hübsche Junge? Er ist eine Sie.«

Trotz seiner kurz aufblitzenden Enttäuschung blieb Marlowe neugierig. Ein Mädchen in Matrosenkleidung war äußerst ungewöhnlich. Und auch gefährlich.

»Das Geschäft ging schlecht. Ich dachte, ich helfe mit einem gut platzierten Griff ein wenig nach, aber meine Hand blieb leer.«

Marlowe lächelte.

»Dachte ich mir, dass Euch das freuen würde.«

Und das tat es auch, allerdings aus anderen Gründen, als sie ahnte. Je mehr Nachteiliges er über den Moskowiter Matrosen wusste, desto leichter konnte er ihn oder sie zum Reden bringen.

Er verkniff es sich, Ambrosia auf die Stirn zu küssen – eine Frau in ihrem Gewerbe mochte so etwas nicht sonderlich. Auf der Suche nach einem guten Kompliment berührte er ihre Wange und rief mit übertriebener Inbrunst: »Wer liebte je, der nicht beim ersten Anblick liebte?«

Ambrosia verdrehte die Augen, aber das merkte Marlowe nicht, so gefesselt war er von seiner Formulierung. »Oh, das ist gut«, murmelte er und suchte in dem Beutel an seinem Gürtel nach Tinte und Federkiel. Er schrieb die Zeile auf eine Stoffserviette und gab sie ihr. Ein Andenken, das sie in Ehren halten konnte, vielleicht sogar auf ein Kissen nähte.

»Vielen Dank!«

Marlowe neigte den Kopf.

Doch sie nieste einmal kräftig und benutzte das Tuch, um sich zu schnäuzen. »Warum starrt Ihr mich so an?«

»Ihr seid herzlos, Madam.«

Dann ging er durch den Raum und stellte sich an den Tisch des jungen Matrosen. »Habt Ihr etwas dagegen, wenn ich mich zu Euch setze?«

Sie schluckte einen Mund voll Meeresfrüchteeintopf und zuckte die Achseln.

»Ihr seid also ein Matrose?«

»So was in der Richtung.«

»Ein Pirat, der spanische Schiffe plündert, die beladen sind mit Reichtümern aus der Neuen Welt?«

»Was geht das Euch an?«

»Ich bin auf der Suche nach einer neuen Betätigung. Sagt mir…«

»Wenn Ihr versucht, mich abzulenken, um mich zu bestehlen, dann könnt Ihr es vergessen. Ich schneide Euch die Hand ab, bevor Ihr nur mit einer Wimper zucken könnt.«

»Vielleicht arbeitet Ihr für eine der berühmten Handelsgesellscha…«

»Wie wär's, wenn ich Euch einen Humpen bezahle, damit Euer Mund etwas anderes zu tun hat«, warf sie dazwischen. »An einem anderen Tisch.«

»Ich bin nicht durstig.«

Sie schob sich ein großes Stück Kabeljau in den Mund und kaute langsam und mit abgewandtem Blick.

»Ihr arbeitet für die Moskowiter Gesellschaft«, fuhr Marlowe fort. »Ihr seid eben an Bord eines ihrer Schiffe aus Frankreich gekommen.«

»Und Ihr habt eben Boden betreten, den Ihr nicht hättet betreten sollen.«

Marlowe blieb stur und improvisierte. »Ich habe einen Freund, der Anteilseigner ist, und er befürchtet, dass irgendetwas nicht mit rechten Dingen zugeht. Ich möchte Euch nur ein paar Fragen stellen.«

»Tut mir Leid. Ich kann Euch nicht helfen.«

»Ich glaube, das könnt Ihr durchaus.«

»Da irrt Ihr Euch.«

Marlowe wusste, dass sie log. Fitz Fat täuschte sich nie, wenn es um solche Details ging. »Nein, ich irre mich nicht. Ihr nennt Euch Lee Anderson, aber in Wahrheit seid Ihr ein verkleidetes Fräulein.«

»Und was wollt Ihr nun tun? Mich anschwärzen? Seid Ihr 'ein Regierungsspitzel?« Sie rümpfte angewidert die Nase.

»Ganz im Gegenteil, Miss. Ich will Euch helfen.«

»Weil Ihr etwas von mir wollt.«

»Natürlich.« Er grinste schamlos.

»Wenigstens seid Ihr ehrlich.«

Zufrieden, weil er glaubte, sie zum Reden gebracht zu haben, lehnte Marlowe sich zurück und wartete.

Aber es lief ganz anders als geplant. Sie glitt von der Bank, drehte sich um und rannte davon.

Das Mädchen war bei der Tür draußen, bevor Marlowe diese unerwartete Wendung begriffen hatte.

Als Marlowe den überfüllten *Cardinal's Hat* verließ, streifte er einen sehr blassen, gut gekleideten Mann mit einem perlenbesetzten Schwert. Er brauchte einen Augenblick, bis er erkannte, dass es Ingram Frizer war, den er verabscheute. Frizer, dachte sich Marlowe, war offensichtlich Skeres' Geschäftspartner bei dem Warengeschäft. Wie Skeres war Frizer ein Wucherer, aber einer mit noch viel weniger Skrupeln. Frizer würde eine hungernde Waise um ihr Essen betrügen.

Er machte außerdem kein Hehl daraus, dass er das Theater gering schätzte. Mehr als einmal hatte er Marlowe gesagt, dass solche Hochburgen des Müßiggangs und des sündhaften, verbrecherischen Verhaltens die Pest überhaupt erst über sie gebracht hätten. Hin und wieder tätigte Frizer Geschäfte für Tom Walsingham, und wenn er und Marlowe sich im Scadbury House über den Weg liefen, murmelte er eine diesbezügliche Bemerkung.

Als Marlowe sich umdrehte, sah er, dass Frizer sich Skeres gegenüber auf eine Bank setzte. Sie schauten nicht in seine Richtung, er warf ihnen aber trotzdem einen finsteren Blick zu.

»Ich habe getan, was Ihr verlangtet«, sagte Nick Skeres mit leiser Stimme. »Ich habe den perfekten Gimpel gefunden... ein junger Edelmann vom Lande. In verzweifelten Geldnöten. Er hat mich heute Morgen um Hilfe gebeten.«

»Dann sind wir bereit«, erwiderte Frizer. »Denn unsere Ware lagert nur einen Steinwurf von hier entfernt.«

»Was ist es?«

»Ein Dutzend deutsche Radschlosspistolen.«

Skeres war beeindruckt. »Wie seid Ihr...?«

»Um genau zu sein, sie wurden mir überlassen.«

Marlowe stand am Absatz einer Treppe am Südufer der Themse und sah zu, wie eine Fähre Lee Anderson zur Isle of Dogs brachte. Sie war in das einzig verfügbare Boot gesprungen, und er saß nun hier fest. Er schaute auf sein teures Wams hinunter – schwarze Seide mit Silberknöpfen vorne und an den Ärmeln – und verzog das Gesicht, rannte aber dann die Treppe hinunter und sprang in den Fluss. Er konnte nur unbeholfen schwimmen, da er mit einem Arm seinen Beutel über Wasser hielt.

Nachdem er das andere Ufer erreicht und sich das faulige Wasser aus dem Gesicht gewischt hatte, lief er hinter dem Mädchen her in den Wald. Sekunden später packte er sie am Arm.

»Verfault in der Hölle! Lasst mich los!«

Das tat er unvermittelt und murmelte: »Lee Anderson… Leander…«

Lee kniff die Augen zusammen, als sie sein verblüfftes Lächeln sah.

»Sie ist erwacht«, rief er verwundert aus. »Wie kann ich Euch je danken?«

»Wer?«

»Meine Muse.« Sätze über das klassische Liebespaar Hero und Leander taumelten durch seinen Kopf.

»Was?«

»Kommt irgendetwas, das eben passiert ist, Euch merkwürdig bekannt vor?«

»Ein triefender Narr, der nach Themse stinkt?«

»Nein, meine Liebe. Ein wagemutiger Galan, der sich in trügerische Gewässer stürzt, um eine feurige Schönheit zu erreichen.«

Sie nahm den Faden auf und schaute sich um, als suche sie jemanden. »Ein wagemutiger Galan?«

Marlowe lachte. »Die Rollen sind hier allerdings vertauscht«, sagte er. »Wisst Ihr, Leander ist in dieser Geschichte der Mann, während Ihr…«

Er drückte sich die Hand an die Stirn, schaute zu Boden und murmelte: »Eine Maid in Männerkleidern… in Männerkleidung… nein, im Männergewand…«

Dann schaute er wieder hoch und sagte langsam und voller Stolz: »Manche schworen, er sei eine Maid im Männergewand, war er in seiner Erscheinung doch alles, was Männer bannt.«

Lee nickte. »Nicht schlecht.«

Marlowe wühlte in seinem Beutel, wollte er die Zeilen doch sofort zu Papier bringen. Aber bevor er seinen Federkiel fand, stockte ihm der Atem. Er spürte etwas Kaltes an seiner Kehle, etwas Scharfes.

»Wenn Ihr Euch jetzt umdreht und sofort verschwindet«, zischte sie ihm ins Ohr, »dann lasse ich Euch vielleicht am Leben.«

Marlowes Tonfall blieb unbefangen. »Aber wenn ich jetzt verschwinde, wie bekommt Ihr dann, was Ihr braucht?«

»Was?« Sie drückte ihm das Messer tiefer in die Haut.

»Ihr versteckt Euch in diesem Refugium der Elenden, weil Ihr keine Papiere habt, habe ich Recht?« Die Isle of Dogs war ein berüchtigtes Versteck für Flüchtlinge.

»Ein fetter Bastard mit drei Kinnen hat sie mir abgenommen.«

Vielen Dank, Fitz Fat. »Habe ich vergessen zu erwähnen, dass ich einen Freund habe, der Fälscher ist?«

»Sprecht weiter.«

»Ich weiß nicht, wer Ihr seid oder wovor Ihr Angst habt, aber ich weiß, dass wir einander helfen können.«

Sie ließ das Messer sinken.

Marlowe wandte sich ihr zu und legte ihr sanft die Hände auf die Schultern. »Mein Name ist Kit. Ich werde Euch jetzt in die Stadt bringen und Euch Papiere besorgen. Wenn Ihr mir nicht trauen wollt, dann vertraut der Tatsache, dass ich Informationen von Euch will.«

Ihre gespielte Tapferkeit verschwand, und sie nickte widerwillig. Sie steckte ihr Messer wieder in den Stiefel und holte ihr Bündel aus seinem Versteck in einem hohlen Baum. Marlowe fasste sie bei der Hand und führte sie zum Fluss.

Augenblicke später setzten sie sich in ein Boot mit dem Ziel London.

13

West London – 9 Uhr 37, Gegenwart

Kate verließ die Linienmaschine der British Airways und betrat den Heathrow Airport, durchquerte die Passkontrolle und ging zur Gepäckausgabe. Das Transportband lief noch nicht. Sie kontrollierte die Voice Mail ihres Handys und hörte eine Nachricht von Jack, der sie bat, ihn anzurufen, sobald sie gelandet sei.

»Wie geht's dir?«, fragte er.

»Müde.«

»Konntest nicht schlafen, was?«

»Nein.«

»Ich mache mir Sorgen um dich.«

»Eigentlich ist dieser Fall genau das, was ich brauche. Interessant, aber unproblematisch.«

»Kann ich irgendwas für dich tun?«

»Ich komme schon klar. Ich arbeite den ganzen Tag, und heute Abend treffe ich mich mit Adriana.«

»Na, wenn es irgendjemanden gibt, der dich von deinen Sorgen ablenken kann, dann ist es sie«, sagte Jack sarkastisch. Aber es stimmte. Adriana war das genaue Gegenteil von Kate – ein oberflächliches Party-Girl, zumindest in Jacks Augen –, aber er konnte nicht leugnen, dass ihre ansteckende Energie und ihre exzessive Theatralik beste Voraussetzungen für einen vergnüglichen Abend waren.

»Ich lass dich jetzt wieder schlafen«, sagte Kate und packte ihren Koffer. »Aber danke für deinen Anruf.«

Sie ging durch das Tor mit der Aufschrift »International Arrivals« und suchte die Reihe der Fahrer nach einem Schild mit ihrem Namen ab. Medina hatte gesagt, er würde ihr einen Wagen schicken.

»Kate.«

Als sie Medinas Stimme erkannte, drehte sie sich zu ihm um und wollte ihn schon necken, weil er es offensichtlich gar nicht erwarten könne, sie wieder zu sehen. Doch seine besorgte Miene überraschte sie.

»Der Professor, von dem wir gesprochen haben...«, sagte Medina. »Er ist tot.«

Einen Augenblick lang dachte Kate, er treibe nur ein Spielchen, habe ihre Runde *Clue* ohne sie zu Ende gespielt, aber seine Miene sagte etwas ganz anderes. So sehr sie sich das auch gewünscht hätte, bezog Medina sich nicht auf eine imaginäre Schraubenschlüsselattacke im Ballsaal.

Oxford – 10 Uhr 40

»In den Kopf geschossen, während er über seinen Schreibtisch gebeugt saß«, sagte der stämmige grauhaarige Polizist grimmig. »Hat wahrscheinlich gar nichts mitbekommen.«

Kate schaute Medina an. Er hatte die Lippen aufeinander gepresst, und an seiner Schläfe zuckte ein Muskel. Sie standen im Büro des verstorbenen Andrew Rutherford, eine gemütliche L-förmige Studierstube, die überquoll vor Büchern. Der Polizist, Hugh Synclair, hatte angerufen, weil er ihre Nachrichten auf Rutherfords Anrufbeantworter abgehört hatte.

Obwohl alle drei Fenster weit geöffnet waren, hing noch der Geruch des Todes im Raum. Kate folgte Medinas Blick hinaus zu den Christ-Church-Wiesen – kurz geschnittener Rasen, der sich bis zu dunklen Baumgruppen am Ufer des Isis River erstreckte. Dieser Ort dürfte viele Erinnerungen in ihm wecken, dachte sie, und betrachtete die geflickte grüne Samtcouch an der Stirnseite des L-Fußes. Da sie selbst kurz in Oxford studiert hatte, wusste sie, wie das System funktionierte. Mit Sicherheit hatte Medina einmal pro Woche auf dieser Couch gesessen und, als Einleitung für eine Diskussion mit seinem Tutor, seinen Essay laut vorgelesen.

»Niemand hat Schüsse gehört«, fuhr Inspector Synclair fort. »Der Mörder hat also offensichtlich einen Schalldämpfer benutzt.«

»Wer hat ihn gefunden?«

»Eine Studentin. Vorgestern Abend.«

»Hat irgendjemand ihn als vermisst gemeldet?«

Synclair schüttelte den Kopf.

»Er ist Witwer«, erklärte Medina. »Auch keine Kinder... seine Tochter starb als Teenager an einer Überdosis Heroin.«

Gott, wie traurig, dachte Kate. »Was ist mit der Todeszeit, Inspector?«

»Der Leichenbeschauer meinte, vor drei Tagen.«

Kate schaute Medina an. »Wenn es eine Verbindung gibt – zwischen diesem Mord und dem Einbruch bei Ihnen –, dann könnte beides am selben Tag stattgefunden haben.«

Medina nickte.

»Nach Ihrem Besuch bei Rutherford«, fuhr sie fort, »wusste derjenige, der von Ihrer Entdeckung erfahren und beschlossen hatte, das Manuskript zu stehlen, wahrscheinlich nicht, ob Sie es wieder mitgenommen oder hier gelassen hatten. Vielleicht schickte er den Dieb in Ihr Haus und gleichzeitig einen Mann hierher, um zu vermeiden, dass Sie oder der Professor gewarnt waren, bevor er hatte, was er wollte.«

»Klingt einleuchtend«, sagte Medina.

»Vielleicht war es auch dieselbe Person. Vielleicht kam der Dieb zuerst hierher, merkte aber, dass Rutherford es nicht hatte, und fuhr dann zu Ihrem Haus.«

Während Kate das sagte, kam ihr irgendetwas auf Rutherfords Schreibtisch merkwürdig vor. Von einem Laptop in der hinteren linken Ecke abgesehen, war die hölzerne Tischplatte völlig leer. Beinahe makellos, um genau zu sein, aber... »Wurde dieses Zimmer gereinigt?«, fragte sie, während ihr Blick zu den Einschusslöchern und den Blutspritzern an der Wand wanderte.

Synclair schüttelte den Kopf.

»Also muss der Mörder die Bücher oder Papiere mitgenommen haben, mit denen Rutherford arbeitete, als er erschossen wurde.«

Als sie Medinas verwunderten Blick sah, erklärte sie: »Die Blutspritzer an der Wand sind größtenteils tiefer als Rutherfords Kopf gewesen sein muss, der Schuss müsste also in einem nach unten gerichteten Winkel abgefeuert worden sein. Wenigstens ein bisschen Blut müsste auf dem Tisch sein, aber da ist kaum etwas zu sehen.«

Synclair wühlte in seiner Tasche, zog ein Blatt Papier heraus und gab es ihnen. »Einer von der Spurensicherung hat eine Skizze mit dem vermutlichen Blutspritzermuster gezeichnet, ausgehend vom Patronentyp und so weiter. Sollte eigentlich 'ne ziemliche Menge Blut sein.«

Auf den Fußballen wippend, fügte er hinzu: »Den ganzen gestrigen Tag habe ich mich gefragt, woran ein Dozent wohl arbeiten könnte, das irgendjemand stehlen würde – vom ungenügenden Zeugnis eines verzogenen kleinen Scheißers mal abgesehen.«

Kate lächelte grimmig.

»Glauben Sie, dass er seine Notizen über das Manuskript, das Sie erwähnten, auf dem Tisch liegen hatte?«, fragte Synclair. »Kopien der Seiten?«

»Ja«, sagte sie langsam, »das Timing passt… zu gut, als dass es ein Zufall wäre, aber ihn deswegen umbringen? Einen alten Mann? Es wäre doch genauso einfach gewesen, ihm eins über den Kopf zu ziehen und dann zu nehmen, was man will.«

»Ziemlich herzlos«, stimmte Synclair ihr zu. »Den Kerl ließ das ziemlich kalt.«

»Schon irgendwelche Hinweise aus der Ballistik?«, fragte Kate.

»Ich glaube, wir haben die Waffe. Ich erwarte eine Übereinstimmung. In dieser Stadt tauchen nicht so viele Pistolen mit Schalldämpfer auf. Nur leider ist sie nicht registriert.«

»Wie haben Sie sie…?«

»Ein paar besoffene Studenten ruderten gestern auf dem Cherwell«, erklärte Synclair, »in einem flachen Stück in der Nähe der Magdalen Bridge. Sie kippten um, und ein Mädchen trat mit nacktem Fuß darauf.« Er verdrehte die Augen, offensichtlich war er kein Fan von betrunkenen Oxford-Frischlingen.

»Eine nicht registrierte Hämmerli zweihundertachtzig«, fuhr er fort. »Offensichtlich 'ne ganze Stange wert.«

»Mehr als tausend Pfund«, entgegnete Kate nickend. Die in der Schweiz hergestellte Pistole mit handgefertigtem Walnussgriff und einstellbarem Abzug – ein Modell, das nicht mehr hergestellt wurde – war eine Waffe, mit der sie schon ein paarmal trainiert hatte. »Haben Ihre Befragungen irgendwelche Erkenntnisse ergeben, Inspector? Hat irgendjemand einen Fremden hier in der Umgebung gesehen, irgendwas Ungewöhnliches gehört?«

»Nicht viel. Ein paar Studenten erinnerten sich daran, dass vor drei Abenden sein Licht ziemlich lang brannte, sahen aber niemand das Haus betreten. Vera Carstairs, die Studentin, die seine Leiche fand – anscheinend standen die beiden sich ziemlich nahe, aber auch sie hatte ihn seit Tagen nicht gesehen.«

»Kann ich mit ihr sprechen?«

»Ich rufe sie sofort an«, sagte Synclair und blätterte in seinem Notizblock nach der Nummer. Nach dem Anruf sagte er: »Sie wird bald hier sein.«

»Haben Sie was dagegen, wenn ich mich in der Zwischenzeit ein bisschen umschaue?«

»Ganz und gar nicht. Würde mich sehr interessieren, was Sie finden.«

»Vielen Dank.« Sie lächelte erleichtert. Polizisten waren, wenn ihre Arbeitsbereiche sich überschnitten, im Allgemeinen nicht sonderlich aufnahmebereit für ihre, Kates, Erkenntnisse. Synclairs Kooperationsbereitschaft war erfrischend.

»Ich bringe Sie auch in seine Wohnung, wenn Sie wollen.«

»Das wäre sehr hilfreich«, sagte Kate. »Übrigens, haben Sie ein Rolodex gefunden? Ein Adressbuch?«

»Einen Terminkalender, in seinem Schlafzimmer. Allerdings in der vergangenen Woche ziemlich leer. Nur ein paar Tutorenstunden.«

»Haben Sie was dagegen, wenn ich mir sein Universitätsverzeichnis ausleihe?«

»Nehmen Sie nur, aber was wollen Sie…«

»Kurz bevor Rutherford ermordet wurde, erzählte er Cidro Medina, dass er das Manuskript einem Spezialisten für alte Sprachen gezeigt habe. Ich möchte alle in der Umgebung identifizieren und dann sehen, ob meine Firma einen Anruf von Rutherford in der letzten Woche zu einem von ihnen zurückverfolgen kann. Dieser Wissenschaftler ist der einzige Mensch, von dem wir wissen, dass Rutherford mit ihm über das Manuskript gesprochen hat.«

Synclair nickte. »Rufen Sie mich einfach, wenn Sie hier fertig sind.«

Medina wandte sich ebenfalls zum Gehen. »Ich muss ein paar Anrufe erledigen, Kate. Ich warte draußen auf Sie.«

»Okay. Bis später.«

Als Kate allein war, schaute sie sich im Zimmer um. Wo sollte sie anfangen? Vielleicht hatte Rutherford seine Kontaktdaten in seinem Laptop. Sie klappte den Bildschirm auf und fuhr den Rechner hoch. Als sie sein Adressprogramm öffnete, musste sie enttäuscht feststellen, dass er es offensichtlich nicht benutzt hatte, außer der Mörder hatte alle Daten gelöscht. Kate überprüfte, ob es irgendwann in der letzten Woche verändert worden war.

War es nicht.

Sie biss sich auf die Unterlippe und überflog Hunderte von Dokumenten auf der Suche nach irgendwelchen persönlichen Notizen – irgendetwas, das mit dem Manuskript zu tun haben könnte. Nichts.

In der Nähe des Schreibtischs lagen keine losen Blätter herum, bemerkte sie, als sie den Computer ausschaltete. Unter dem Schreibtisch stapelten sich wissenschaftliche Journale. Sie kniete sich auf den Boden und blätterte sie durch auf der Suche nach irgendwelchen losen Zetteln, die der Mörder vielleicht übersehen hatte – ein Name, eine Telefonnummer, eine Terminnotiz für ein Treffen. Wieder nichts.

»Schätze, ich muss mich an die Telefondaten halten«, murmelte sie, als sie wieder aufstand. Beim Umdrehen sah sie Rutherfords Aktenschrank und dachte sich, dass es nicht schaden könnte, auch den zu untersuchen. Die meisten Leute bewahrten ihre Termin- und Kontaktdaten zwar an einfacher zugänglichen Orten auf, aber vielleicht war Rutherford ja nicht normal. Die beiden oberen Schubladen enthielten Fotokopien von Zeitschriftenartikeln und anderen Materialien, die mit seinen Buchprojekten zu tun hatten. Nichts Relevantes.

Als sie die dritte und vierte Schublade aufzog, sah sie, dass auf jeder Mappe ein Name stand. Beim Durchblättern erkannte sie, dass sämtliche Namen zu Studenten gehörten. In den Mappen steckten Formulare mit den persönlichen Daten, Studienplänen und Kopien ihrer Essays.

Doch als sie die unterste Schublade zuschob, sprang ihr ein Name ins Auge: Moor. *Das ist wahrscheinlich nur ein Zufall, aber…* Kate zog die Mappe heraus und öffnete sie. »Moor« war Elizabeths Spitzname für Francis Walsingham gewesen.

»O mein Gott«, murmelte sie erschrocken und starrte auf die Übersetzungen der ersten Berichte der *Anatomie* sowie die Mikrofilmversionen der entsprechenden Originale. Also hat Rutherford erkannt, dass sie aus Walsinghams Akten stammten, dachte sie. Aber hatte er es sofort gesehen – und Medina angelogen –, oder hatte er die Kopien ein paar Tage lang studiert und war erst dann zu der Erkenntnis gekommen? War er ein Mensch, der einen professionellen Dieb angeheuert hätte, um einem ehemaligen Studenten etwas zu stehlen? Er war auf jeden Fall nicht der Mann, der sich Jade Dragon nannte, denn Jade Dragon hatte erst zwei Tage nach Rutherfords Tod Bill Mazur angeheuert, damit der ihr die Handtasche stehle. Hatte Rutherford vielleicht mit Jade Dragon zusammengearbeitet, um den Einbruch in Medinas Haus zu organisieren, und war dann übers Ohr gehauen worden?

Als Kate Schritte hörte, steckte sie die Mappe zurück und drehte sich um. Ein kleines, blasses Mädchen mit kurzen Strubbelhaaren und großen geröteten Augen stand mit feierlich ernster Miene in der Tür.

»Vera?«

Das Mädchen nickte. »Inspector Synclair hat gesagt, Sie sind Privatdetektivin? Und dass Sie… ihm helfen?«

»Ja. Vielen Dank, dass Sie gekommen sind. Ich bin Kate.«

»Dr. Rutherford hatte mich erst vor ein paar Tagen gefragt, ob ich seine neue Forschungsassistentin werden will. Wir wollten heute darüber sprechen… während meiner Tutorenstunde«, sagte Vera betrübt. »Ich war so aufgeregt, ich… ich kann noch immer nicht glauben, dass irgendjemand ihm etwas antun könnte.«

»Es muss schrecklich gewesen sein, ihn so zu finden. Es tut mir Leid, dass Sie das durchmachen mussten.«

»Wissen Sie, warum es passiert ist?«

»Ich glaube, derjenige, der ihn getötet hat, hat auch die Papiere gestohlen, an denen er an diesem Abend arbeitete …«

»Aber er schrieb doch nur ein neues Geschichtsbuch«, unterbrach Vera sie verwirrt. »Warum sollte … ich meine, mich hätte das natürlich sehr interessiert – und ein paar hundert andere auch –, aber er hatte doch erst vor einem Monat angefangen. Da konnte noch nicht viel zu klauen gewesen sein – ein erster Abriss vielleicht –, und so was bringt kein Geld, wenn man es verkauft. Die meisten Leute finden Geschichte langweilig, das wissen Sie doch, oder?«

»Ja«, sagte Kate. »Aber ich glaube nicht, dass er an diesem Abend an seinem Buch arbeitete, Vera. Er hat in der letzten Woche mit einem neuen Projekt angefangen. Hat er Ihnen bei Ihrer letzten Sitzung nichts gesagt? Irgendwas, das vielleicht ungewöhnlich klang? Von einer Entdeckung, die er gemacht, einer Überraschung, die er bekommen hatte?«

»Ich glaube nicht. Mal sehen … Ich habe ihm meinen Essay vorgelesen, dann haben wir eine Weile darüber gesprochen – genau genommen ein paar Stunden. Und dann, als ich schon am Gehen war, erwähnte er die Assistentinnenstelle. Ich glaube, das war alles.«

»Wissen Sie, wer seine Freunde waren? Mit welchen anderen Dozenten hatte er engeren Kontakt?«

»Ein paarmal habe ich ihn mit dem Präsidenten des Christ Church gesehen … mit einer Physikdozentin namens Mildred Archer … sonst fällt mir im Augenblick niemand ein«, sagte Vera.

»Aber alle Studenten finden ihn großartig«, fügte sie mit zitternder Unterlippe und feuchten Augen hinzu. »Er hätte einen nie abgewiesen, wenn man Fragen hatte oder einfach über etwas reden musste. Er gab einem das Gefühl, als wäre das, was man sagte, wirklich von Bedeutung.«

»Das klingt nach einem wunderbaren Mann.«

Vera wischte sich die Tränen weg und nickte. »Glauben Sie, Sie können, ähm …«

Kate griff in ihre Tasche nach einem Papiertaschentuch. »Ja. Ich finde denjenigen, der das getan hat.«

Oxford – 12 Uhr 37

Medina fuhr vom Besucherparkplatz des Christ Church College auf die Straße.

»Das war es also, was Andrew mir sagen wollte«, sagte er, nachdem er sich Kates Beschreibung der Mappe mit der Aufschrift »Moor« angehört hatte. »Er hat mir vor ein paar Tagen eine Nachricht auf die Maschine gesprochen, und ich habe dann versucht, ihn zu erreichen, aber ...«

»Ein Kollege von mir beschafft sich gerade seine E-Mails und die Telefondaten der letzten Zeit. Vielleicht zeigen sie uns, mit wem er über die Sache gesprochen hat, und wer für seinen Tod verantwortlich ist.« Nach dem Gespräch mit Vera hatte Kate den Gedanken verworfen, Rutherford könnte Medina gegenüber unaufrichtig gewesen sein. Jemand, der von seinen Studenten so verehrt wurde, war in Kates Augen nicht zu dem fähig, wessen sie ihn ursprünglich verdächtigt hatte.

»Es macht mich ganz krank, dass ich ihn da überhaupt mit hineingezogen habe«, sagte Medina leise und mit unsicherer Stimme. »Als ich letzte Woche hier war, aßen wir zusammen zu Abend und unterhielten uns zwanglos. Ich habe ihm nicht gesagt, er dürfe niemandem etwas von dem Manuskript erzählen oder sonst was. Ich ...«

»Sie konnten es doch nicht wissen, Cidro«, sagte Kate und berührte seinen Arm.

»Glauben Sie wirklich, dass Sie den Typen finden? Diesen Jade Dragon?«

»Ja. Es können nicht viele Leute von Ihrer Entdeckung erfahren haben. Und wenn ich ihm nicht über Ihren Tutor auf die Schliche komme, dann ist da immer noch der Dieb. Sobald ich weiß, wer er ist, kann ich ermitteln, mit wem er in der letzten Woche Kontakt hatte. Und dann ist da natürlich noch das Manuskript. Wenn uns Tatort- und Verbrechensdetails nicht zuerst ans Ziel bringen, dann glaube ich, dass einer von Phelippes Berichten es tun wird.«

»Haben Sie seit gestern etwas Neues entdeckt?«

»Ja, aber eindeutig nichts, wofür jemand töten würde«, antwortete Kate.

»Erzählen Sie es mir?«

»Ich habe Beweise gefunden, dass hinter Mary Stuarts Verurteilung viel mehr steckte als nur eine raffinierte List. Sie war inszeniert.«

»Ach, diese schottische Königin. Walsinghams Schreckgespenst, richtig?«

»Ja«, sagte Kate, zog ihren Laptop aus dem Rucksack und schaltete ihn ein. »Als Katholikin und Urenkelin von Henry VII. war sie in den Augen des katholischen Europa die legitime Königin von England. Eine ernsthafte Bedrohung. Dennoch weigerte sich Elizabeth, ihre Cousine hinrichten zu lassen, trotz Walsinghams Drängen. Sie dachte, es würde reichen, Mary ins Gefängnis zu stecken.«

»Und was tat er?«

»Er schmiedete ein Komplott, um Marys Post abfangen zu können, ohne dass sie es bemerkte. Benutzte Doppelagenten, um sie zu überzeugen, dass ein angeblich geheimer Postbehälter – ein wasserdichter Beutel in ihren Bierfasslieferungen – wirklich sicher sei. Dadurch war er in der Lage, all ihre Briefe zu lesen, während die Pläne für ihre Befreiung Form annahmen. Schließlich beschlossen die Verschwörer, nach reichlichen Sticheleien durch Walsinghams Doppelagenten, einen Anschlag auf Elizabeth zu verüben. Phelippes wartete begierig darauf, dass Mary den Plan genehmigte, aber das tat sie nie. Also schrieb er diesen belastenden Brief selbst. Was seit langem vermutet wird, aber nie bewiesen werden konnte.«

»Und was ist der Beweis?«, fragte Medina.

»Marys echter Brief an einen der Verschwörer«, sagte Kate und klickte eine Datei auf. »Der Brief, den Phelippes und Walsingham unterdrückten. Bis jetzt hatten wir nur eine Kopie, und so konnte sich niemand sicher sein, ob die nur abgeschrieben oder auch stark korrigiert worden war.«

Kate griff in ihre Tasche und holte eine dunkelrote Katzenaugenbrille hervor. Sie setzte sie auf und berichtete Medina. »Mit dem Datum siebzehnter Juli 1586 schreibt Mary an Anthony Babington, einem jungen Katholiken, der vor Jahren als Page im Haushalt ihres ersten englischen Häschers diente. Er war ihr eindeutig verfallen – angeblich soll sie bezaubernd schön gewesen sein –, und verzehrte sich danach, sie zu retten. Wie auch immer, er hatte Mary von dem Plan berichtet, zu dem auch dieser Mordanschlag gehörte, und sie um ihren Segen gebeten. In ihrer Antwort – in dem Brief, den Phelippes in seine *Anatomie* mit aufnahm – ermächtigte sie Babington zu ihrer Befreiung, bat ihn aber, ihre Cousine nicht zu ermorden.«

Kate schob sich die Brille hoch und las: »Mag Elizabeth mich auch schon so viele Jahre als Gefangene halten, so kann ich ihr doch nicht das Leben nehmen. Sie ist von meinem Blut, meinem königlichen Blut. Ich kann es nicht tun. Ich fürchte mich vor der Hölle.«

»Also überzeugten Phelippes und Walsingham Gott und die Welt, dass sie eine Möchtegern-Mörderin sei?«, fragte Medina.

»Nicht nur eine Möchtegern. Sie unterdrückten auch Beweise, dass sie nicht hinter dem Mord an ihrem ersten Gatten steckte«, erläuterte Kate.

»Arme Frau.«

»Ich weiß. Viele Historiker würden diese Seiten liebend gern in ihre Finger kriegen. Ihre Nachfahren könnten auch Interesse daran haben, ihre königliche Urahnin zu rehabilitieren. Einer von ihnen ist ein hohes Tier im Malteserorden – Sie wissen schon, eine dieser katholischen Geheimgesellschaften, aber ...«

»Bin ganz Ihrer Meinung«, warf Medina dazwischen. »Ist auch meiner Meinung nach kein Motiv für einen Mord.«

Kate überflog die Dateinamen der anderen Berichte, die sie auf ihrem Flug in der letzten Nacht entziffert hatte. »Da gab es noch einen anderen guten Skandal«, sagte sie. »Wegen eines englischen Spions namens Anthony Bacon.«

»Ein Verwandter von Francis?«

»Sein Bruder. Beide versuchten sich als Spione. Letztendlich stieg Anthony im Geheimdienstnetz des Grafen von Essex ziemlich weit auf. Aber lange davor kam er mit dem französischen Gesetz in Konflikt.«

»Beim Spionieren erwischt?«

»Nein. In seinem Berufsleben war er ziemlich diskret.«

»Ein Techtelmechtel mit einem engelsgesichtigen Franzosenjungen?«, riet Medina.

»Richtig, eine illegitime Affäre. Im Wortsinn. Der französische König teilte zwar Anthonys Vorliebe für junge Knaben, aber das französische Gesetz war nicht so mitfühlend. Sex zwischen Männern wurde zu der Zeit als Kapitalverbrechen betrachtet und mit Verbrennung auf dem Scheiterhaufen bestraft.«

»Was passierte?«

»Ach, Anthony hatte gute Verbindungen. Konnte es ziemlich gut vertuschen. Die Nachrichten über den Vorfall erreichten nur sehr wenige englische Ohren. Offensichtlich gehörte Phelippes zu denen, die ihn schützten.«

Kate schloss die Datei, hob den Kopf und sah, dass sie Oxford bereits verlassen hatten. Medina fuhr eben auf die Autobahn, die nach London zurückführte. Sie wandte sich um, um Oxfords berühmte »träumende Zinnen« in der Ferne verschwinden zu sehen.

»Ich wollte mir diese Fotos, die Sie mir gegeben haben, genauer ansehen«, sagte sie und öffnete ein Verzeichnis mit Bildern, das Max ihr am Tag zuvor gefaxt hatte. »Sie wissen schon, von dem Dieb. Mein Kollege hat sie digitalisiert.«

Die ersten Fotos zeigten den aufgesprengten Safe. Während sie nach Dingen suchte, die sie im Pierre vielleicht übersehen hatte, nahm sie sich vor, den Beamten von Scotland Yard nach Details über den verwendeten Sprengstoff zu fragen.

Auf den nächsten Bildern sah sie den toten Dieb in einem Sessel am Fenster sitzen, und Blut quoll aus seiner Stirn. Er trug nur einen Handschuh, an der rechten Hand, und ein kleines Loch im Stoff – wie auch eine beträchtliche Menge Blut – deuteten darauf hin, dass ihm durchs Handgelenk geschossen worden war. Diese

Hand war, zusammen mit seiner Pistole, auf den kleinen runden Tisch vor ihm gesunken. Seine linke Hand ruhte auf dem linken Schenkel. Glassplitter lagen herum, einige auf dem Tisch, die meisten auf dem Boden um seine Füße.

Sieht aus, als hätte eine der Kugeln seinen Cognacschwenker zertrümmert, dachte Kate. Dann erregte der Ring des Diebs ihre Aufmerksamkeit. Sie klickte ihn an, und dank Max' Programmierkunst erschien dieser Teil der Diebeshand in dreifacher Vergrößerung.

»Das ist aber eigenartig«, murmelte sie laut.

»Was?«

»Ich glaube, der Edelstein auf seinem Ring ist verrutscht.«

»Vielleicht hat er ihn beim Safeknacken beschädigt.«

Nach einem Augenblick erwiderte Kate: »Wissen Sie, ich glaube, ich kenne diesen Ring.« Sie klappte ihr Handy auf und sagte zu Medina: »Entschuldigen Sie mich einen Augenblick.«

»Sicher.«

Sie wählte Max' Privatnummer. »Bist du wach?«

»Ich trinke Kaffee und blättere in der Website der Times.«

»Oh, gut. Ich bin jetzt noch eine Stunde in einem Auto – hättest du was dagegen, für mich eine schnelle Recherche zu machen?«

»Kein Problem.«

»Okay, als Suchbegriffe nimm *Portofino, Katze, Kokain* und *Rubinring.*«

»Da haben wir's schon. Hör zu: Katze schlägt wieder zu. Katze schleicht durch Portofino. Ein Rubin in den Pfoten der Katze…«

»Findest du irgendwo ein Foto des gestohlenen Rings?«, fragte Kate. »Oder kannst du die Artikel nach einer Beschreibung durchsuchen?«

»Ähm, mal sehen… nein, nein, nein… okay, ich habe ein Foto. Ziemlich dicker Goldreifen mit eingraviertem Muster. Der Rubin ist verdammt groß…«

»Rechteckig geschliffen?«

»Ja. Moment mal… okay, vor neun Jahren gab es einen Diebstahl im Splendido…«

Kate kannte das Hotel. Es war das teuerste in Portofino.

»Der Dieb brach in die Suite von Lady Peregrine James, der Marquise von Halifax, ein«, fuhr Max fort. »Er stahl einen Rubinring mit einer geheimen Vertiefung unter dem Stein, in der, einer ungenannten Quelle zufolge, die Dame ihre Notration Kokain aufbewahrte.«

»Danke, Max.«

»Ist doch klar.«

Kate schaltete ab und wandte sich wieder Medina zu. »Nun, ich glaube, ich weiß, wer Ihr Dieb war. Zumindest kenne ich seinen Spitznamen.«

Medina warf ihr einen Blick zu. »Warum klingen Sie dann so enttäuscht?«

»Es gibt einen Mann, den die Presse ›die Katze‹ nennt. Er ist Europas berüchtigtster Einbrecher seit Cary Grant in dem Film *Über den Dächern von Nizza*.«

»Guter Film. Und es gibt da wirklich ein reales Pendant?«

»Ja, und ich glaube, er ist es. Sie haben doch den Ring gesehen, den Ihr Dieb trug, nicht?«

Den Blick wieder auf die Straße gerichtet, nickte Medina. »Wenn der echt ist, ist es ein verdammt großer Rubin.«

»Ich bin mir ziemlich sicher, dass es genau der Ring ist, der angeblich vor ein paar Jahren von der Katze gestohlen wurde. Außerdem kenne ich seine Vorgehensweise, und alles passt. Ihr Safe, zum Beispiel. Wenn die Katze das Schloss nicht manipulieren kann, benutzt sie immer eine geformte Ladung, wie Ihr Dieb es getan hat. Platziert sie mit der Präzision eines Experten. Er ist nicht einer, der den Lärm eines Bohrers oder das blendende Licht eines Schweißbrenners riskiert. Er arbeitet sauber und leise. Elegant, könnte man sagen. Von seiner Sorte gibt's nicht viele.«

»Das alles haben Sie in einem dreiminütigen Telefongespräch herausgefunden?«

»Nein, ich lese seit Jahren Berichte über ihn. Ich war schon immer ein Krimi- und Spionagefan, lange bevor ich selbst Detektivin wurde, und er ist besonders interessant. Bestiehlt nur die Superreichen und spendet, so geht das Gerücht, den Großteil seiner Beute für wohltätige Zwecke.«

Kate sagte nicht, dass sie ihn bewunderte und wünschte, sie würde sich irren, was seinen Tod betraf. In ihrem Schlafzimmer hatte sie einen Ordner, randvoll mit Zeitungsausschnitten über ihn, und sie wartete begierig auf die nächste Fortsetzung.

Kate wandte sich nun wieder ihrem Computer zu und betrachtete die Glassplitter. Wenn der Schwenker auf Medinas Tisch gestanden hätte, wäre er mindestens dreißig Zentimeter unterhalb des erhobenen Waffenarms des Diebs gewesen, erkannte sie. *Das ist eigenartig. Die anderen Schüsse waren viel genauer gezielt – die Kugel ins Handgelenk war ein Volltreffer, die beiden in Richtung Kopf und Brust gingen nur wenige Zentimeter daneben.*

Sie klickte auf die Pistole des Diebs, um sie sich in der Vergrößerung besser ansehen zu können. So weit sie das erkennen konnte – die Pistole war teilweise von seiner rechten Hand verdeckt –, bestand sie aus Holz, Stahl und Perlmutt und war ungewöhnlich klein mit einem sehr schlanken Lauf. Dennoch ziemlich schwer, was bedeutete, dass sie wahrscheinlich… »Haben Sie irgendwelche Beschädigungen auf dieser Tischplatte entdeckt?«, fragte sie Medina.

»Äh, ich glaube nicht. Wieso?

»Wenn diese Pistole auf den Tisch gekracht wäre, als der Dieb erschossen wurde, dann hätte sie die Platte beschädigt – Kerben im Holz oder etwas Ähnliches. Ich frage mich, ob er das Cognacglas erhoben hatte und nicht die Pistole, als ihr Wachmann ihn entdeckte, denn das würde erklären, warum das Glas getroffen wurde. Wissen Sie, in einem dunklen Zimmer kann man leicht das eine mit dem anderen verwechseln.«

»Klingt plausibel«, sagte Medina langsam. »Ich hoffe nur, es war nicht so.«

Aber führte er das Glas an die Lippen, oder hob er es zu einer Art Toast?, fragte sich Kate. Ein Toast wäre einleuchtender. Die Armhaltung würde eher der beim Heben einer Waffe ähneln, und wenn das der Fall gewesen wäre… »Um ehrlich zu sein, er könnte bereits tot gewesen sein, als die Kugeln ihn trafen.«

»Was?«

»Na ja, wenn dieser Ring derjenige war, den die Katze damals stahl, hatte er eine geheime Vertiefung, und da der Edelstein verrutscht war, würde ich annehmen...«

»Sie wollen doch nicht darauf hinaus, dass er Gift in seinem Ring hatte.«

»Doch. Für den Fall, dass man ihn je ertappen sollte. Sie wissen schon, um der Schande des Versagens, des Gefängnisses zu entgehen.«

»Aber das ist so... altmodisch.«

»Genau«, sagte Kate. »Wie es sich für einen Gentleman-Dieb gehört.«

Medina wirkte fasziniert, war aber noch immer skeptisch. »Der Detective hat von alledem nichts gesagt.«

»Na ja, er kannte ja auch den enormen Wert Ihres Manuskripts nicht. Für ihn war dieser Einbruch nur ein ganz normaler Raubversuch. Kein Grund, ihn mit der Katze in Verbindung zu bringen.«

Medina blieb skeptisch.

»Warum bitten Sie ihn nicht, den Ring zu überprüfen und die Leiche auf Gift untersuchen zu lassen?«, fragte Kate. »Und Sie könnten ihn auch nach der Zusammensetzung des Plastiksprengstoffs fragen. Dann können wir ihn mit der Art vergleichen, die die Katze immer benutzt.«

»Okay«, sagte er und griff nach seinem Telefon.

»Ach, und wenn Sie gerade dabei sind, könnten Sie ihn auch um ein paar Fotos der Leiche bitten? Können wir einen Boten hinschicken, der sie zu meinem Hotel bringen soll? Und das Etikett im Jackett des Diebs. Ich würde auch gern wissen, was da draufsteht.«

Während Medina nach Detective Sergeant Colin Davis fragte, schloss Kate die Augen.

»Ich werde durchgestellt«, sagte er ihr.

»Tut mir Leid, aber ich konnte im Flugzeug nicht schlafen. Ich glaube, ich mache jetzt gleich schlapp«, seufzte sie und tastete nach einem Hebel, um den Sitz nach hinten zu klappen.

»Zum ersten Mal in einem Ferrari, was?«

»Wie kommen Sie darauf?«

»Die Sitze lassen sich nicht kippen.«

»Nutzloser Blechhaufen«, grummelte Kate. »Schade um das viele Geld, das Sie dafür zum Fenster hinausgeworfen haben.«

»Ich weiß. Er scheint Sie nicht sehr zu beeindrucken.«

Mayfair, London – 13 Uhr 55

Das Connaught Hotel liegt an einer ruhigen, spitz zulaufenden Kreuzung im Herzen von Mayfair, einem vornehmen Viertel im Zentrum Londons mit eleganten Geschäften, Luxushotels, teuren Büros und Wohnhäusern. Das georgianische Backsteingebäude mit hellen Steinverzierungen besitzt ein säulengestütztes Vordach über dem Eingang und darüber einen schmiedeeisernen Balkon, von dem Zwergefeu hängt. Derselbe Efeu schmückt zusammen mit gelben Stiefmütterchen die Blumenkästen auf der etwa einen Meter hohen Gartenmauer.

»Wir sind da«, hörte Kate Medina sagen, kurz nachdem sie gespürt hatte, dass das Auto zum Stillstand kam. Sie öffnete die Augen, drehte den Kopf nach rechts und sah einen Empfangsportier in grauem Jackett und schwarzem Zylinder, der sich zu Medinas offenem Fenster hinunterbeugte.

»Die Dame checkt ein«, sagte Medina.

Als der Page ihr Gepäck aus dem Kofferraum holte, sagte Kate überrascht. »Nicht gerade ein Holiday Inn, was?«

Medina zuckte die Achseln. »Da es Ihrem Büro genau gegenüber liegt, erschien mir das passender.«

Kate stieg aus, hängte sich ihren Rucksack um und folgte ihm nach drinnen. Unter einem Steinbogen hindurch, den gemeißelte griechische Frauen schmückten, gingen sie zur Rezeption. Medina half ihr beim Einchecken und wandte sich dann zum Gehen.

»Cidro?«, fragte Kate. »Sind Sie heute Nachmittag erreichbar?«

Er nickte. »In den nächsten paar Stunden bin ich in der City, aber danach zu Hause. So gegen fünf, würde ich sagen. Dann habe ich um sieben noch eine Besprechung, aber wenn Sie wollen, können Sie anrufen und mich herausholen.«

»O nein, ich rufe Sie an oder komme vorbei, wenn Sie frei sind. Ich glaube, ich habe dann interessante Neuigkeiten für Sie.«

Kate ging zu der mit Mahagoni verkleideten Treppe und stieg auf rotem Teppich in den ersten Stock hinauf. Müde betrat sie ihre Suite, wandte sich nach rechts und sah sich das Wohnzimmer an. Sie riss erstaunt die Augen auf. Es war ein luxuriös großer Raum mit elfenbeinfarbenen Damasttapeten, goldenen Wandleuchten, einem reich verzierten, vergoldeten Spiegel über einem großen offenen Kamin, einem Kristalllüster und einer üppigen, mit türkiser und gelber Seide bespannten Sitzgarnitur.

Auf dem Schreibtisch am anderen Ende des Zimmers lag ein brauner Umschlag, und Kate ging hin und setzte sich. Der Schreibtisch stand vor einem Fenster und bot einen Ausblick auf die Türmchen und Kamine der Häuser gegenüber. Als sie auf die Straße hinunterschaute, sah sie einen Mann in einer schwarzroten Lederkombi auf eine farblich passende Ducati steigen und davonbrausen.

Sie griff in eine der Außentaschen ihres Rucksacks, zog einen kleinen Sender heraus und schaltete ihn ein. Er blieb stumm – zumindest für ihre Ohren. Das Gerät diente dazu, einen Raum gegen elektronische Überwachung abzuschirmen, und sendete ein hochfrequentes Rauschen aus, das für menschliche Ohren unhörbar war. Da Kate nun überzeugt war, dass sie ein sicheres Telefongespräch führen konnte, auch wenn das Zimmer verwanzt sein sollte, griff sie zu ihrem Handy und rief Max im Büro an.

»Hi, ich bin zwar schon wieder auf dem Sprung, aber da ich Slade auf dem Laufenden halten sollte und ich bis eben mit Medina zusammen war ...«

»Ja, was hast du?«

»Na ja, um Medinas Dieb zu finden, wollte ich die Fotos des Leichenbeschauers seinem Schneider zeigen«, sagte Kate und öffnete den Umschlag vor ihr, der von Scotland Yard stammte. »Leider weiß ich nicht, wer sein Schneider ist. Sein Jackett hatte kein Etikett. Aber da ich überzeugt bin, dass es die Katze ist, habe ich eine andere Idee. Eigentlich sogar eine bessere. Dazu muss ich niemanden mit Fotos von einer Leiche erschrecken«, ergänzte sie und starrte das blasse, leicht blau angelaufene Gesicht des toten Diebs an.

Dann schob sie die Fotos wieder in den Umschlag und fuhr fort: »Außerdem, der Professor, dem Medina das Manuskript zeigte – er wurde vor ein paar Tagen ermordet, wie's aussieht von einem Profi… mit einer schallgedämpften Hämmerli.«

»Die Katze? Bevor er bei Medina einbrach?«

»Nein. Das muss jemand anders gewesen sein. Die Katze bringt niemanden um.«

»Also hat Jade Dragon den besten Dieb Europas und einen Profikiller angeheuert? Scheiße, das ist ernster, als wir dachten. Was trägst du bei dir?«

»Das Übliche«, sagte Kate und meinte damit ein Röhrchen mit rotem Lippenstift, das sie immer dabei hatte und in dessen Inneren sich eine einzelne 45-mm-Patrone verbarg. Es war eine winzige Pistole mit dem Spitznamen *Kuss des Todes*, deren Prototyp in den Sechzigern vom KGB entwickelt worden war. Sie hatte auch noch einen anderen Lippenstift mit zwei Betäubungspfeilen anstelle der Patrone, den der technische Dienst des CIA auf ihre Bitte hin angefertigt hatte. Diesen Stift nannte sie ihren Gutenachtkuss. Kate mochte diese Waffen, weil jeder, der ihre Sachen durchsuchte, glaubte, sie sei unbewaffnet.

»Okay, aber es würde auch nicht schaden, wenn du dir in unserem Büro eine normale Waffe geben lässt.«

»Vielleicht. Weißt du, ich wohne gleich gegenüber. Medina hat mich in einer Suite im Connaught untergebracht.«

»Mann. Und ich hatte schon Mitleid mit dir – weil du in der Fremde dein Leben riskierst und so.«

»Es hat auch seine angenehmen Seiten«, sagte Kate. »He, das hätte ich fast vergessen. Wie war dein Rendezvous gestern Abend?«

»Hm, nicht viel los im Oberstübchen.«

»Wie, war sie still? Kam sie bei deinen Witzen nicht mit?«

»Süße, ich rede nicht vom Schlafzimmer.«

Kate lachte laut auf.

»Du triffst dich noch immer morgen Abend mit de Tolomei, nicht?«

»Ja, diese Sache im Vatikan ist um acht. Ich nehme die Nach-
mittagsmaschine. Hast du was Neues über ihn?«

»Hm, ich könnte da an etwas dran sein. Ich lasse es dich wissen.«

»Bis bald.«

Vier Straßen entfernt brauste ein schwarzer Stretch-Mercedes, der
von einem Privatflugplatz im Westen kam, auf seinem Weg zum
Ritz nach Süden. Im Fond schaute Luca de Tolomei aus dem Fenster und dachte mit einem Lächeln an den vor ihm liegenden Abend.

New York City – 9 Uhr 28

Max, der allein im Konferenzzimmer der Slade Group saß, studierte weiter seine neuesten Rechercheergebnisse über Luca de
Tolomeis finanzielle Transaktionen. Seit dem vergangenen Abend
hatte er das unbestimmte Gefühl, dass in diesem Durcheinander
von Leuten, Daten und Ziffern auf seinem Ausdruck ein gewisses
System steckte, aber was es auch sein mochte, noch erschloss es
sich ihm nicht.

Ach, vielleicht kann Slade helfen, dachte Max, als er die vertrauten Schritte seines Chefs hörte. »Morgen, Slade. Kann ich dir
mal was zeigen? Ich glaube, dass...«

»Hat das noch ein paar Minuten Zeit? Ich muss erst einen dringenden Anruf erledigen.«

In der Ungestörtheit seines Büros drei Etagen darüber wählte
Jeremy Slade Donovan Morgans Nummer.

»Don, kannst du reden?«

»Natürlich. Was hast du herausgefunden?«

»Er ist am Leben«, sagte Slade. »Ich habe einen Tipp bekommen. Wir finden ihn bald.«

Nach dem Auflegen stützte Slade die Ellbogen auf den Schreibtisch und legte den Kopf in die Hände. Er ärgerte sich so sehr über

sich selbst, weil er drei Jahre lang so vernagelt gewesen war – weil er ganz einfach die Möglichkeit nicht in Betracht gezogen hatte, dass ihr Spion ja auch in einem Gefängnis außerhalb des Irak eingesperrt sein konnte –, dass er nicht wusste, wie er damit leben sollte. Von einer Atomexplosion abgesehen, war dies – jemanden so im Stich zu lassen, es nicht zu schaffen, einen seiner eigenen Leute zu beschützen – sein schlimmster Albtraum.

Während Berichte über Folterungen in iranischen Gefängnissen sein Hirn überschwemmten, drückte er sich die Handballen auf die Augen, bis ein Kaleidoskop dunkler Farben die entsetzlichen Bilder verdrängte, zumindest für kurze Zeit.

14

Vögel der Luft erzählen von vergangnen Morden?
Es beschämt mich, solch Narretei zu hören.
Man spricht vom Anspruch auf die Krone:
Doch hatte Caesar Anrecht auf das Reich?
Die Macht zuvörderst machte Könige,
und das Gesetz war dann am sichersten,
Wenn es, wie Dracos, geschrieben ward in Blut.

MACHIAVELLI in Marlowes
Der Jude von Malta

London – Nachmittag, Mai 1593

»Leugnet er die Göttlichkeit Christi?«

Keine Antwort.

»Hat er vor, eine Revolte anzuzetteln?«

Keine Antwort.

»Ihr habt doch mit ihm zusammengewohnt, nicht?«

Wie zuvor durchbrach nur das entfernte Rasseln von Ketten die Stille.

Richard Topcliffe wandte sich an die Männer, die zu beiden Seiten der Folterbank standen. »Straff, und dann noch ein bisschen mehr.«

Sehr langsam drückten sie die Eichenhebel nach unten, immer nur um Haaresbreite. Die Seile, die um seine Hand- und Fußgelenke gebunden waren, streckten den Gefangenen, und die Steine unter seinem Rücken gruben sich tiefer ins Fleisch. Holz knarrte stetig. Und dann gab es noch ein anderes Geräusch, das nur wenige kannten – das leise Aufplatzen von Haut.

»Sollen wir uns unterhalten?«

Als Blut seine Fesseln tränkte, nickte der Gefangene.

»Nun?«

Der Gefangene hustete und räusperte sich. »Ihr liebt das Theater, nicht?«

Topcliffe befeuchtete sich die Lippen. Dann gab er leise den Befehl: »Bis zum Boden.«

Ein knackendes Geräusch. Dann noch eins. Und schließlich Schreie.

Ein Schreiber betrat mit Papier und Tinte die Kammer.

Besiegt spuckte der gebrochene Mann alles aus, was seine Peiniger interessieren könnte. Immer und immer wieder. Er verleumdete Kit Marlowe, bis seine Tränendrüsen trocken und seine Stimme heiser war. Und dann hatte der Dramatiker Thomas Kyd, ein begabter und beliebter Verseschmied, keine Worte mehr übrig.

»Darf ich Euren wirklichen Namen erfahren?«, fragte Marlowe, während er den jungen Matrosen auf der Gracechurch Street nach Norden führte.

»Warum, zum Teufel…«

»Ich könnte Euch garantieren, dass Ihr nie wieder vom Zoll belästigt werdet.«

Die junge Frau blieb wie angewurzelt stehen und machte einen umständlichen Knicks. »Helen, Sir. Sehr erfreut, Eure Bekanntschaft zu machen.«

»Das hätte ich mir denken können«, erwiderte Marlowe mit einem schiefen Grinsen, denn er dachte an Helena von Troja. Trotz des falschen Schnurrbarts war Helens Schönheit unverkennbar. »Warum hast du England verlassen, Helen?«

»Ich wurde der Hexerei beschuldigt. In meinem Dorf wurden zwei Kinder krank.«

»Die übliche Geschichte«, erwiderte Marlowe mit einem Nicken. »Sogar Monarchen haben gern einen Sündenbock für ihre Unglücksfälle. Als James von Schottland auf See war, um seine Braut aus Dänemark nach Hause zu holen, kam ein Sturm auf. Er beschuldigte Dutzende seiner Landsleute, ihn herbeigezaubert zu haben, und ließ sie auf dem Scheiterhaufen verbrennen.«

Sie bogen in die Lombard Street ein. »Ihr seid auf den Kontinent geflohen?«

Sie schüttelte den Kopf. »Ich habe mich in ein Bordell geschlichen, dort einem Matrosen die Kleider stibitzt und dann Arbeit auf einem Freibeuterschiff mit dem Ziel Mittelmeer gefunden. Ein paar Tage später wurde unser Schiff von Piraten aufgebracht. Dessen alter Kapitän nahm mich beiseite und riss mir den Schnurrbart ab. Ich dachte schon, es wäre um mich geschehen. Aber meine Verkleidung belustigte und beeindruckte ihn. Seitdem gehöre ich zu seiner Mannschaft.«

»Aber die goldenen Haare…«

»Viele Christen segeln unter Barbarenflaggen. Wir arbeiten nur für uns selbst, ganz anders als unsere englischen Gegenspieler.«

»Warum bist du zurückgekommen?«

»Ich wollte meiner Familie Geld bringen, aber dieser verdammte dicke Mann hat mir alles genommen.«

»Also war die Geschichte mit der Moskowiter Gesellschaft… eine List, um durch den Zoll zu kommen?«

»Genau.«

»Nun, dann habe ich wohl mit dir meine Zeit vergeudet.«

»Im Gegenteil…«

Marlowe zog die Augenbrauen hoch.

Helen schüttelte den Kopf. »Zuerst die Papiere.«

»Das ist nur gerecht.«

Er blieb vor dem Torbogen eines riesigen Backsteingebäudes stehen. Sein einzelner Turm ragte hinter ihm in die Höhe, ein metallener Grashüpfer zierte seine Spitze. »Willkommen in der Königlichen Warenbörse. Heimat von so ziemlich allem, was man für Geld kaufen kann.«

»Du gehst mit mir zum Einkaufen? Weißt du denn nicht, dass ich jeden Augenblick verhaftet, vielleicht sogar an den Pier gefesselt werden könnte?«, sagte sie. Piraten und Schmuggler wurden bei Ebbe an den Henkerspier gefesselt, wo sie bei Flut ertranken.

»Wo bleibt deine Vorstellungskraft, Miss Helen? Schwarzmarktwaren werden nicht nur in dunklen Gassen verkauft.«

Auf dem geschäftigen Innenhof des Gebäudes, der mit den Statuen früherer Könige von England geschmückt war, wimmelte es von Händlern und Käufern. Vorbei an Glasverkäufern, Kerzenziehern und Goldschmieden bewegten sie sich langsam durch die dichte Menge auf die andere Seite des Hofs zu. Bei einer Gruppe Bücherverkäufer blieb Marlowe vor einem sommersprossigen Rothaarigen stehen. Der Mann war ein Fälscher namens Kit Miller.

»Ach, mein *anderer* Lieblings-Kit«, sagte der Rothaarige grinsend. »Eure Elegien habe ich binnen zehn Minuten bis auf das letzte Exemplar verkauft. Auch nachdem ich den Preis verdoppelt hatte. Was immer Ihr braucht, ich bin Euer Mann.«

»Ausweispapiere für die Dame.«

»Dame?«

Helen hob verstohlen das Ende ihres Schnurrbarts an.

»Verstehe«, sagte Miller und führte sie in sein Zelt. »Hier seid Ihr richtig.« Dann griff er in eine Kiste unter seinem Tisch und holte einen Satz Pergamente und andere Utensilien hervor. »Wollt Ihr irgendeinen besonderen Namen?«

»Lee Anderson«, sagte Helen. »Ich habe mich an ihn gewöhnt.«

Mit drei verschiedenen Tinten füllte Miller die entsprechenden Leerstellen aus und drückte die notwendigen Siegel auf. »Nun gut«, sagte er voller Stolz, »nun sind wir bereit für einen Hauch von Magie.« Damit legte er die Seiten auf den Boden, trampelte darauf herum und gab sie Marlowe.

Nachdem sie das Gebäude verlassen hatten, griff Helen nach ihren neuen Papieren, doch Marlowe hielt sie sich über den Kopf.

»Kauf mir was Gutes zu essen«, sagte sie, »und ich erzähle dir alles, was ich weiß.«

Westminster – Abenddämmerung

Bewaffnet mit scharfen Sporen, umkreisten zwei Hähne mit grell roten Kämmen einander und starrten sich wütend an. Sekunden später waren sie mit flatternden Flügeln in der Luft, die krallenbewehrten Klauen kratzten, Erde und Federn wirbelten auf.

An einen nahen Baum gelehnt, sah Robert Poley zu, wie Hunderte von Münzen die Besitzer wechselten. Sein Blick huschte über die von Fackeln beleuchteten Gesichter derjenigen, die sich am Holzzaun des Rings drängten. Schreiend und mit erhobenen Fäusten feuerten die Zuschauer ihren Favoriten an.

Als er sich umdrehte, sah er seinen Arbeitgeber kommen. Das bewaldete Gebiet südlich des St. James Palace, der Schauplatz täglicher Hahnenkämpfe, war einer von Cecils Lieblingstreffpunkten. Anonym und von seinem Büro in Whitehall leicht zu erreichen.

»Habt Ihr mit ihm gesprochen? Ihm gesagt, er soll England verlassen?«

»Noch nicht. Als ich heute zum Scadbury House kam, war er bereits verschwunden. Auch Walsingham war nicht anwesend.«

»Der Ausschuss hat vier Wachtmeister ausgeschickt. Ihr müsst ihn zuerst finden.«

»Folter?«

Cecil nickte. »Topcliffe ist wieder da. Gestern Nachmittag fing er mit Thomas Kyd an.«

»Kyd?«, wiederholte Poley überrascht. »Dieser stille, ängstliche Stückeschreiber? Er ist doch keiner, der zu Gewalt aufruft.«

»Die Wachtmeister haben seine Unterkunft durchsucht. Anscheinend fanden sie ein Dokument, das ketzerische Aussagen enthielt. Kyd leugnete, es je gesehen zu haben, und behauptete, es müsse Marlowe gehören – die beiden wohnten vor nicht allzu langer Zeit zusammen. Er machte auch Andeutungen in Bezug auf Marlowes ungeheuerliche Ansichten, behauptete, Marlowe neige dazu, die Heilige Schrift zu verspotten und heilige Männer zu verleumden. So soll er zum Beispiel behauptet haben, dass Christus und der Heilige Johannes …«

»Ja?«

»In einer ungewöhnlichen Form der Liebe verbunden gewesen seien.«

Poley grinste über Cecils Verlegenheit.

»Ein anderer Informant berichtete, Marlowe unterstütze den Atheismus. Behauptete, Marlowe könne mehr Gründe dafür anbringen als jeder Priester Englands für die Existenz Gottes. Der Informant sagte, er selbst sei durch Marlowes Worte zum Atheismus bekehrt worden.« Cecil hielt kurz inne. »Ist da was Wahres dran?«

Poley runzelte die Stirn. »Vielleicht. Marlowe hatte schon immer einen Hang zur Respektlosigkeit.«

»Auf jeden Fall glaube ich, dass dieses spezielle Dokument Kyd untergeschoben wurde, dass jemand gegen Marlowe intrigiert – auf seine Vernichtung hinarbeitet«, sagte Cecil grimmig. »Warnt ihn. Sorgt dafür, dass er wenigstens für einige Monate verschwindet.«

»Schade um Kyd«, sagte Poley und starrte ins Leere. »Ein unschuldiges Bauernopfer – und ebenfalls ein guter Schriftsteller. Seine *Spanische Tragödie* hat mir sehr gefallen.« Er hielt kurz inne und wandte sich dann wieder an Cecil. »Wenn ich ein anderer Mensch wäre, hätte ich Mitleid mit ihm.«

London – Abenddämmerung

Helen schluckte den letzten Bissen ihres Wildeintopfs. »Mein Kapitän hat eine Allianz mit einem Engländer der Moskowiter Gesellschaft.«

Marlowe hätte sich beinahe an seinem Wein verschluckt.

»Seit sechs Monaten beliefert er den Engländer mit Reichtümern aus dem Osten, Waren, die mein Kapitän auf portugiesischen Handelsschiffen beschlagnahmt hat. Im Gegenzug hat der Engländer uns Waffen angeboten.«

Also keine Nordost-Passage, erkannte Marlowe. Irgendjemand benutzte ganz einfach Moskowiter Schiffe für seine persönlichen Schmuggelgeschäfte und war damit verantwortlich für den Tod vieler seiner Landsleute. Es würde nicht lange dauern, und diese Waffen würden an Bord von Piratenschiffen auf englische Seeleute gerichtet werden. Wahrscheinlich war das bereits geschehen. »Der Schmuggler gehörte eindeutig zur Moskowiter Gesellschaft?«

Helen nickte. »Behauptete er zumindest. Als Gefallen für meinen Kapitän befahl er einem der Kapitäne der Gesellschaft, mich als Teil seiner Mannschaft hierher zu bringen.«

»Sein Name?«

Helen schüttelte den Kopf.

»Hast du ihn gesehen?«

»Wenn er auf unser Schiff kam, bestand er darauf, dass die Mannschaft unter Deck blieb.«

»Verdammt.«

»Aber ich habe seine Stimme gehört. Ich kenne sie gut.«

»Das könnte ausreichen. Übermorgen gibt es im Greenwich Palace einen Maskenball. Willst du mich begleiten?«

»Für ein paar Shilling«, sagte Helen und runzelte die Stirn. »Aber warum willst du unbedingt wissen, wer dieser Mann ist? Ich verstehe nicht, was für eine Auswirkung das für deinen Freund, den Anteilseigner, haben könnte.«

»Ach, weißt du…«

»Bei Gottes Zähnen, du bist ein Spion.«

Ungerührt leerte Marlowe seinen Wein und schwieg.

Als er dann sah, dass sie ihr Messer aus dem Stiefel zog und mit atemberaubender Geschwindigkeit zu einem Stich ausholte, sagte er: »Wer der Schmuggler auch sein mag, ich habe dir versprochen, dass ich dich nicht verraten werde, und ich werde es auch nicht tun. Außerdem könnte es für dich ein Vorteil…«

»Ein Spion, der sein Versprechen hält?«, unterbrach ihn Helen. »Das hätte ich nie für möglich gehalten.«

Marlowe zuckte die Achseln. »Ich kenne die erstaunlichsten Leute.«

Helen ließ ihr Messer sinken, »Ich weiß nicht, warum, aber irgendwie glaube ich dir. Vielleicht töte ich dich jetzt noch nicht.«

»Natürlich wirst du das nicht.«

»Wie bitte?«

»Du magst mich zu sehr.«

Helen tauchte zwei Finger in ihren Wein und schnippte ihn Marlowe ins Gesicht.

»Willst du Streit?«, fragte Marlowe und zielte mit einem Löffel voll Eintopf auf sie.

»Wenn ich es will, wirst du es schon merken. Aber, Kit, noch etwas. Dieser Engländer? Er war besonders erfreut über einen ganz speziellen Gegenstand, den mein Kapitän ihm gab. Erklärte es zu seinem neuen Lieblingsstück.«

»Was war das?«

»Eine kleine Figur mit Rubinen als Augen.«

»Eine menschliche Figur?«

»Nein. Es war ein Drachen, aus Jade geschnitzt.«

15

Belgravia, London – 17 Uhr 16, Gegenwart

»Was gefunden?«, fragte Kate Max. Sie war auf dem Weg zu
Medina und verließ eben die U-Bahn-Station Victoria. Nachdem
sie eine halbe Stunde zuvor den toten Dieb hatte identifizieren
können, hatte sie Max gebeten, nach kürzlichen Überweisungen
auf seine Konten zu suchen, denn es konnte ja sein, dass er im Voraus bezahlt worden war.

»Im letzten Monat ist kein Geld hereingekommen, auf keines
seiner Offshore-Konten«, sagte Max. »Ich habe auch seine E-Mails
kontrolliert. Keine Nachrichten von dieser Jade-Dragon-Adresse.«

»Vielleicht benutzt er eine Art Mittelsmann. Kannst du mir die
Namen aller Leute schicken, die ihm seit der Entdeckung des Manuskripts gemailt oder ihn angerufen haben?«

»Klar doch.«

Auf dem Belgravia Square blieb Kate kurz stehen, um sich das
ein Jahr alte Foto, das sie von Medinas Dieb gefunden hatte, noch
einmal anzusehen. Da sie vermutet hatte, dass er die Katze sei, und
die Katze zur besseren Gesellschaft gehörte – denn Experten gingen davon aus, dass er die luxuriösen Häuser, die er ausraubte,
schon vor seinen Taten gekannt haben musste –, war Kate in eine
öffentliche Bibliothek gegangen und hatte sich durch Stapel alter
Gesellschaftsmagazine geblättert. Nach einer Weile hatte sie eine
Aufnahme von Medinas Dieb in Monaco gefunden, wo er mit
Freunden Urlaub machte.

Der Dieb war der fünfunddreißigjährige Simon Trevor-Jones,
eigentlich ein globetrottender Aristokrat. Ein Baron. Doch was
sein Aussehen anging, erwies sich Kates vorgefasste Meinung als
falsch. Sie hatte ihn sich als markant und gut aussehend vorgestellt
– ein bisschen wie James Bond –, was die blutigen, verschatteten

Tatortfotos und die aufgeblähten, verzerrten Bilder aus dem Leichenschauhaus weder be- noch widerlegen konnten. Trevor-Jones, das sah sie jetzt, ähnelte James Bond nicht im Geringsten. Er hatte das Schlimmste geerbt, was das englische adlige Blut zu bieten hatte – die teigig blassen, nach Inzucht riechenden Gesichtszüge und die dünne, aber schlaffe Statur. Trotzdem war er auf eine gewisse Art ungemein sexy, dachte Kate. Sein Lächeln verströmte eine draufgängerische Blasiertheit und eine spürbare, fast raubtierhafte Sexualität.

Er war eine Legende, und Kate fand es traurig, dass sein Mythos mit ihm sterben sollte. Sie hatte sich überlegt, der Polizei nichts von ihrer Theorie zu sagen – in der Hoffnung, dass sie Trevor-Jones nie mit der Katze in Verbindung bringen würden –, aber sie wusste auch, dass sie damit wenig erreichen würde. Irgendwann würde man die Leiche identifizieren, und sobald einer der Oberen von Scotland Yard die Wörter *Baron* und *Dieb* im selben Atemzug genannt hörte, würde er zwei und zwei zusammenzählen.

Kate steckte das Foto wieder in ihre Schultertasche und überquerte den Platz. Medinas Viertel war erfrischend sauber – weiße Häuser und hübsche, umzäunte Gärten –, aber die breiten Straßen und der üppige Säulenschmuck kamen ihr steril und auf verklemmte Art protzig vor.

Besseres Viertel, dachte sie, als sie in die Wilton Crescent einbog. Die halbmondförmige Reihe kleinerer, aneinander gebauter Steinhäuser hatte weder Säulen noch üppigen Fassadenschmuck. Medinas Auto war noch nirgends zu sehen, sie vermutete, dass er sich verspätete.

Als sie sich seiner Haustür näherte, war sie sehr froh, zwei Kameralinsen zu entdecken. Nach ihrer ersten Begegnung mit Medina hatte sie ihre Kollegen in Slades Londoner Büro gebeten, sein neues Sicherheitssystem auf Vordermann zu bringen. Sie hatte ebenfalls versucht, Medina zu überreden, sich einen Bodyguard zu nehmen, doch er schien der Meinung zu sein, er könne auf sich selbst aufpassen, und hatte ihren Vorschlag als Overkill abgetan.

Nachdem sie geklopft und ihren Namen über die Gegensprechanlage genannt hatte, kam eine Frau mittleren Alters mit einem

Engelsgesicht zur Tür. »Ich bin Charlotte«, sagte sie mit einem breiten Lächeln. »Kommen Sie herein. Mr. Medina wird bald hier sein.«

Kate folgte Charlotte ins Wohnzimmer. Es war minimalistisch eingerichtet, mit viel Chrom und weißen Oberflächen – formell, aber komfortabel. Sie setzte sich auf ein weißes, weiches Sofa, holte ihren Laptop aus dem Rucksack und machte auf der Seite des Manuskripts weiter, bei der sie kurz vor der Landung des Flugzeugs an diesem Morgen die Arbeit abgebrochen hatte.

Detective Sergeant Colin Davies war wütend. In der Nacht zuvor hatte es in seinem Viertel einen Doppelmord gegeben, aber sein Chef hatte sich geweigert, ihm den Fall zu geben. Mit der Begründung, er habe noch nicht genug Erfahrung. Stattdessen war er jetzt im pompösesten Viertel von ganz London und musste sich mit einem Einbruchsversuch im Haus eines reichen Typen herumschlagen, der, um dem Ganzen die Krone aufzusetzen, auch noch gut aussah. Scheiße.

Davies hegte einen Argwohn gegen gut aussehende Menschen. Seiner Meinung nach hatten sie es zu einfach, sie glitten auf dem Rücken anderer Leute durchs Leben. Ihr gutes Aussehen lenkte einen ab, das glaubte er, und wenn man nicht sehr auf der Hut war, übersah man die eigentlichen Gaunereien, die sie unweigerlich im Schilde führten. Sogar hübsche Mädchen waren schlimm – sie hielten sich für zu gut für so ziemlich jeden –, aber attraktive Männer, reiche Männer, vergiss es. Diese blasierten Mistkerle sollte man alle erschießen, seiner bescheidenen Meinung nach.

Davies hatte Cidro Medina schon beim ersten Anblick verabscheut, aber er hatte versucht, es sich nicht anmerken zu lassen. Sein Chef wäre nicht sehr glücklich, wenn er den Mann verärgern würde. Aber was sein Chef auch sagen mochte, einer Sache war sich Davies sicher – das war der letzte unnötige Hausbesuch, den er bei Medina oder sonst jemandem in diesem Viertel machen würde. Eine Sonderbehandlung für die Reichen, das war absolut nicht sein Fall.

Ein Mädchen öffnete die Tür. Sie war nicht gekleidet wie eine

Hausangestellte, das fiel Davies auf, aber sie war auch auf keinen Fall seine Freundin. Er stellte sich diesen Medina mit irgendeiner hochnäsigen, herausgeputzten Tussi vor. Nicht so eine wie die, mit Brille, einem T-Shirt und – er schaute nach unten – blau-weißen Nike-Turnschuhen.

Sie streckte die Hand aus. »Hi, Sergeant Davis. Ich bin Kate Morgan, Cidros Privatdetektivin.«

Soll das ein Witz sein? Davies hatte nicht so recht gewusst, was er erwarten sollte, als er Medina von seinem Privatdetektiv erzählen hörte. Wahrscheinlich eher einen Mann mittleren Alters mit einem Schlapphut. Jedenfalls kein freches Mädchen, das mit einem unschuldigen Lächeln Polizistin spielte.

»Hat Ihr Leichenbeschauer die Leiche inzwischen untersuchen können?«

Davies nickte. »Der vorläufige Bericht nennt ein schnell wirkendes Nervengift als wahrscheinliche Todesursache. Keine der Schusswunden war tödlich.« Widerwillig fügte er dann hinzu: »Sie hatten auch Recht wegen des Rings – er wurde vor neun Jahren aus einer Hotelsuite in Portofino gestohlen, ein Verbrechen, das man seit langem einem Dieb mit dem Spitznamen die Katze zuschreibt.«

»Was ist mit dem Plastiksprengstoff?«

»Äh, Tests haben das Vorhandensein von …« Davies zog einen Notizblock aus der Tasche. Er blätterte ihn durch und schüttelte dann langsam den Kopf. *Scheiße!* »Die Techniker haben etwas erwähnt, aber …«

»Kommt Ihnen vielleicht PETN bekannt vor?«, fragte das Mädchen. »Penta-Erythritol-Tetranitrat? Spuren davon wurden auf jedem Safe gefunden, den die Katze aufgesprengt hat.«

Ach, leck mich, Miss Besserwisserin! Mit kaum verhüllter Verärgerung nickte Davies.

»Wenn Sie mich einen Augenblick entschuldigen …«, murmelte sie.

Davies sah zu, wie sie in ihrer Handtasche wühlte. *Was, muss sie sich jetzt die Nase pudern?* Dann schien das Mädchen gefunden zu haben, was sie suchte, zog ein Blatt Papier heraus und gab es ihm. Davies runzelte die Stirn. Es war eine fotokopierte Seite aus einem Gesellschaftsmagazin. Er hasste diesen Blödsinn.

»Schauen Sie sich die untere rechte Ecke an«, sagte sie. »Den Mann auf der linken Seite.«

Verdammte Scheiße, das ist er. »Lord Trevor-Jones«, las er die Bildunterschrift. »Der Dieb war ein Baron?«

Das Mädchen nickte mit ... was ist das? *Mit einer gewissen Wehmut?*

»Wenn Sie Trevor-Jones Offshore-Konten überprüfen, werden Sie feststellen, dass direkt nach den bekannten Brüchen der Katze große Beträge hereinkommen und kurz darauf anonyme Spenden an wohltätige Organisationen abgehen. Das dürfte das Solideste an Beweis sein, das wir finden werden.«

»Ich schaue es mir an«, sagte Davies mit mürrischer Miene.

»Es tut mir Leid, wenn Sie glauben, dass ich Ihnen auf die Zehen trete«, sagte das Mädchen. »Aber wegen des Manuskripts, hinter dem der Dieb her war, wurde ein Mann ermordet. Und ich versuche herauszufinden, warum, und dafür zu sorgen, dass sonst niemand mehr ums Leben kommt.«

»Ermordet?«, fragte er skeptisch.

»In Oxford«, sagte sie. »Vor ein paar Tagen.«

Nun bemerkte Davies, dass Medina angekommen war. Natürlich in einem Ferrari.

»Guten Tag, Sergeant.«

Leck mich doch.

»Was zu trinken?«, fragte Medina und führte Davies ins Foyer.

»Nein danke.«

»Habe ich was verpasst?«

»Ihr Dieb war ein Baron namens Simon Trevor-Jones«, sagte das Mädchen, »und wir können schon beinahe beweisen, dass er die Katze war.«

»Es sind doch erst ein paar Stunden vergangen. Wie ...«

»Na ja, die schwere Arbeit macht die Polizei«, sagte sie. »Ich habe nur in *Hello*-Magazinen geblättert, bis ich sein Gesicht sah.«

Als Davies Medina die Fotokopie geben wollte, sah er, dass der Mann bei der Erwähnung von *Hello* zusammenzuckte. Davies lächelte. *Anscheinend hasst er diese Scheißblätter genauso wie ich. Vielleicht hat er es ja verdient, weiterzuleben… wenigstens noch ein bisschen.*

»Ach, das ist Ihre Kopie«, sagte das Mädchen zu Davies und gab Medina eine andere. Und als Medina dann zu einer Lampe ging, um sich das Foto besser anschauen zu können, fügte sie leise hinzu: »Wenn Sie dem Superintendent heute sagen, dass Sie die Katze identifiziert haben, dann möchte ich wetten, dass er sich an seiner Zigarette verschluckt.«

Nun musste Davies grinsen. Der Chief Superintendent der Metropolitan Police war berühmt dafür, dass er immer eine Zigarette im Mund hatte. Immer. Kaum jemand hatte je gesehen, dass er sie herausnahm. Der Mann atmete und redete durch die Mundwinkel. Und das Mädchen überließ ihm freiwillig die Lorbeeren? Überrascht erkannte Davies, dass er jetzt wahrscheinlich die lange erwartete Beförderung erhalten würde.

»Haben Sie was dagegen, wenn ich mir irgendwann mal mit Ihnen Trevor Jones' Haus ansehe?«, fragte sie ihn.

»Sollte kein Problem darstellen«, antwortete Davies mit einem Lächeln.

»Ach, und die Marquise, Lady Halifax; ist es okay, wenn ich sie davon in Kenntnis setze, dass ihr Ring gefunden wurde?«

Sein Lächeln wurde breiter, und er nickte. »Das ist völlig in Ordnung.«

»Ich wollte Sie da noch etwas fragen, Cidro«, sagte Kate, nachdem der Detective gegangen war.

Medina saß ihr gegenüber im Wohnzimmer und hatte einen Teller mit Eiscreme auf dem Schoß.

»Ich habe mir überlegt, was ich tun würde, wenn ich dieses Manuskript so verzweifelt in die Hände bekommen möchte und ich ein, Sie wissen schon, skrupelloser Krimineller wäre?«

»Hm?«

»Ich würde mir etwas, das Ihnen mehr am Herzen liegt, als Geisel nehmen. Jemanden, den Sie lieben. Geschwister, eine Freundin, Ihre Eltern… Ich denke, meine Firma sollte…«

»Nun ja, das ist eine Sache, über die wir uns keine Gedanken zu machen brauchen. Ich bin ein Einzelkind, ich habe keine Freundin, und meine Eltern leben in Spanien.«

»Ich sage in unserem Madrider Büro Bescheid, dass sie Sie im Auge behalten«, sagte Kate. »Und ich lasse das Manuskript hier«, fügte sie hinzu und zog Phelippes Zinnkästchen aus ihrem Rucksack. »Wir sollten es in Ihren Safe legen.«

Medina nickte. »Allerdings, Kate, dieser Dieb. Dieses Foto von ihm, als er noch am Leben war – das kam mir irgendwie bekannt vor. Es könnte sein, dass er zu meinem Club gehörte oder dergleichen.«

»Ich bin mir ziemlich sicher, dass Ihre Wege sich in Oxford gekreuzt haben. Er machte vor zwölf Jahren am Magdalen College seinen Abschluss.«

»Vielleicht. Sind Sie sicher, dass Sie nicht probieren wollen?«

»Na gut«, sagte sie und griff nach dem Löffel. Während sie die Eiscreme im Mund zergehen ließ, sah sie zu, wie er seine Aktentasche öffnete und eine kleine weiße Schachtel mit silberner Schleife herausholte. Nach seinem Gesichtsausdruck zu urteilen, war dies für sie.

»Ach, inzwischen weiß ich über Ihre Geschenke Bescheid, Mister. Was ist das, noch ein Test meiner Fähigkeiten? Noch ein Reifen, durch den ich springen soll?«

Medina schüttelte lächelnd den Kopf und setzte sich neben sie aufs Sofa. Ihr zugewandt, mit den Ellbogen auf der Rückenlehne, sagte er: »Ich habe auf dem Nachhauseweg kurz beim Yard vorbeigeschaut und denen, na ja, ein bisschen was vorgeflunkert. Ich sagte ihnen, der Dieb hätte seine Waffe von meinem Schreibtisch genommen, dass es meine sei. Eine nicht registrierte Antiquität. Sie hatten keine Verwendung mehr dafür, und ich dachte mir, vielleicht wollen Sie sie haben.«

»Ich weiß nicht, was ich sagen soll«, entgegnete Kate und öffnete die Schachtel. »Die Pistole der Katze – ich habe noch nie etwas so Aufmerksames, so… vielen Dank.«

»Normalerweise muss ich schon Diamanten springen lassen, um eine solche Reaktion zu bekommen«, sagte Medina sarkastisch.

Dann legte er ihr die Hand auf die Schulter und fügte besorgt hinzu: »Dieser Kerl in New York hatte es doch auf Sie abgesehen, und ich bin besorgt, dass Ihnen hier etwas Ähnliches passieren könnte. Ich hoffe, Sie brauchen Sie nicht, aber nur für den Fall ...«

Was tut seine Hand noch immer auf meiner Schulter?

Medina fuhr fort: »Sie wissen doch, wie man eine Waffe benutzt, nicht?«

Kumpel, ich könnte dir aus zweihundert Metern Entfernung einen Apfel vom Kopf schießen. »Ach, Cidro, haben Sie mich denn nicht mit den berühmtesten doppelzüngigen Schlampen der Geschichte verglichen?«

»Ich glaube schon.«

»Dann sollten Sie auch wissen, dass wir alle sehr, sehr geschickt sind, wenn es darum geht, den Feind außer Gefecht zu setzen.«

»Ach, das ist interessant«, sagte Medina und hielt dann inne, um sich mit theatralischer Geste übers Kinn zu streichen. »Weil ich mich zu erinnern glaube, dass Mata Hari als Spionin eine ziemliche Pfuscherin war und dass sie ihr außergewöhnliches Geschick eher im Schlafzimmer demonstrierte. Ich frage mich, ob ...«

»Ach, ich kann auch dort schießen. Musik, gedämpfte Beleuchtung, das alles lenkt mich nicht ab.«

Medina lachte. »Ich bin gleich wieder da«, sagte er, stand auf und verließ das Zimmer.

Ein paar Minuten später kehrte er mit einem Teller gegrillter Käse-Sandwiches zurück. »Wollen Sie eins?«

»Gegrillter *Käse* nach Eis?« Kate schüttelte den Kopf, und während Medina sich wieder setzte, fiel ihr auf, dass seine Augen dunkler wirkten als sonst, nicht mehr so hellblau. Als sie genauer hinschaute, sah sie, dass seine Pupillen fast völlig geweitet waren. »*Aha*. Sie haben doch ziemlich bald noch eine Geschäftsbesprechung, nicht?«

»Ja.«

»Absolvieren Sie die immer in einem, äh, veränderten Zustand.«

»Nur wenn ich weiß, dass sie sehr, sehr langweilig werden. Wollen Sie was? Es ist Northern Light. Hat vor nicht allzu langer Zeit den Cannabis-Cup gewonnen.«

»Cannabis was?«

»In Amsterdam gibt es jedes Jahr einen Wettbewerb. Doch da die Juroren einen Bewerber nach dem anderen probieren müssen, verlieren sie mit der Zeit vielleicht ihre Fähigkeit, wissenschaftlich präzise Urteile zu fällen. Wobei wissenschaftliche Präzision wohl nicht gerade das herausstechendste Merkmal von einem Haufen Kiffköpfen ist, aber ... wie auch immer, sind Sie interessiert?«

»Nein danke«, erwiderte Kate und schüttelte mit amüsierter Überraschung den Kopf. »Ich treffe mich ziemlich bald mit einer Freundin, und glaube nicht, dass sie sehr erfreut wäre, wenn ich high aufkreuzen würde.«

»Oh«, sagte Medina, sichtlich bestürzt.

»Was ist denn das für eine Armesündermiene? Eine Art Gruppendruck?«

»Nein«, sagte er und lächelte schon wieder. »Ich hatte nur gehofft, dass Sie später heute Abend mit mir ausgehen würden.«

»Äh...«

»Wie wär's mit danach?«, fragte Medina.

»Bis dahin habe ich sicher keine neuen Informationen mehr, deshalb...«

»Für den Fall, dass Sie es noch nicht bemerkt haben, Kate, ich bitte Sie um ein Rendezvous.«

»Sind Sie das, der da spricht, Cidro, oder das Goldmedaillen-Ganja?«

»Ich. Ganz eindeutig.«

»Oh. Na ja, keine Rendezvous mit Klienten. Firmenpolitik.« Das stimmte zwar nicht ganz – Slade hatte ihr in dieser Hinsicht nie irgendwelche Vorschriften gemacht –, aber etwas Besseres war ihr im Augenblick nicht eingefallen.

»Wie wär's, wenn ich Sie feure und morgen früh wieder engagiere?«

Kate schüttelte lachend den Kopf. »Okay. Ich habe gelogen. Keine Firmenpolitik. Es ist was Persönliches. Sie wissen schon – was ist, wenn es entsetzlich wird, und ich aber mit Ihnen weiterarbeiten muss, bis der Fall abgeschlossen ist?«

»Kapiert.«

Kate sah auf die Uhr und stand auf.

Medina war noch nicht fertig. »Okay, dann kein Rendezvous. Noch nicht. Nur einen Drink, um Ihren nächsten Zug zu planen... in unserem *Fall*. Wie wär's mit zehn? Elf?«

»Wenn ich zu der Zeit schon frei bin«, sagte Kate und ging zur Tür, »und außerdem umkomme vor Langeweile, dann rufe ich Sie vielleicht an.«

Knightsbridge, London – 18 Uhr 12

Ein paar Blocks vom Hyde Park entfernt auf dem Montpellier Square stieg Kate aus einem schwarzen Taxi und ging zu einem weißen Ziegelhaus. Sie drückte auf Adriana Vandis' Summer und ging dann zu ihrer Wohnung hoch.

»Tolles Outfit«, sagte Kate.

Adriana trug einen goldenen, trägerlosen BH, einen passenden Tanga und sonst nichts. »Tut mir Leid, dass ich so spät dran bin«, sagte sie, küsste Kate auf die Wange und bat sie herein.

»Kein Problem.«

»Ich habe diesen BH eben bei La Perla gekauft. Mein Busen sieht darin göttlich aus, findest du nicht auch?«, fragte sie und drehte sich, damit Kate sie von allen Seiten bewundern konnte.

»Ernsthaft, Ana. Wenn ich keine überzeugte Hetera wäre...«

»Wenn du Glück hast, verkneife ich es mir, sie in der Öffentlichkeit zu streicheln.«

»Aber ich hoffe doch, nicht wegen mir«, erwiderte Kate grinsend. »Ich würde allerdings gern sehen, wie die Wachmänner bei Sotheby's reagieren.«

Schlank aber wohlgeformt, mit schwarzen, schulterlangen Haaren und einer erotisch mediterranen Ausstrahlung, sah Adriana Vandis ganz und gar nicht wie eine Bankerin aus. Kein Mensch würde auf den Gedanken kommen, dass sie eine der bestbezahlten Wertpapierhändlerinnen der Stadt war. Sie war auch eine der unbeliebtesten. Natürlich hassten die Frauen sie wegen ihres Aussehens; lange, stressige Tage in der City machten sich bei den meisten mit schlaffen Körpern bemerkbar und mit Gesichtern, die so ausgezehrt waren wie das von Munchs Schreiendem. Die Männer dagegen, die zwar ihr Aussehen liebten, sich aber wünschten, sie wäre eine Sekretärin, hassten sie wegen ihres Talents und ihres himmelhohen Gehalts. Und beide Geschlechter hassten die Tatsache, dass Adriana dazu neigte, erst spät einzulaufen und schon Mitte des Nachmittags wieder davonzurauschen, und das Ganze mit ihrer typischen Mischung aus zielstrebigem Gang und sexy Hüftschwung.

Die Bank, für die sie arbeitete, Silverman Stone, erhob ihre Teamwork-Philosophie in den Rang eines religiösen Mantras, was Adriana zum reinsten Antichrist machte, aber da sie der Firma viermal so viel Geld einbrachte wie irgendeiner ihrer Kollegen und der Vorstandsvorsitzende es liebte, sie mindestens ein dutzendmal pro Tag von oben bis unten anzuglotzen, war ihre Stellung mehr als sicher. Was Adriana nur recht war, denn sie hatte vor, zu bleiben, bis sie genug Geld hatte, um nicht mehr arbeiten zu müssen, und dann ihre eigene Kunstgalerie in einem angesagten Viertel der Stadt zu eröffnen.

Sie und Kate waren im ersten Collegejahr Zimmergenossinnen gewesen, und sie hatten während des ganzen Studiums zusammengewohnt.

»Brauchst du ein Kleid oder …«

»Ich habe eines in meinem Rucksack, aber wenn du mir ein paar Schuhe borgen könntest …«

»Klar. Willst du duschen?«

»Das wäre toll«, sagte Kate. »Wie war die Arbeit heute?«

Adriana zuckte die Achseln, während sie ein Handtuch aus dem Wäscheschrank zog. »Weniger schlimm als sonst. Ich habe vor ein paar Wochen angefangen, mit exotischen Optionen zu handeln. Macht irgendwie Spaß.«

»Dann handelst du jetzt mit Aktien von Striptease-Clubs?«, witzelte Kate und folgte Adriana ins Schlafzimmer.

»Ironischerweise heißt exotisch nur, dass man mehr rechnen muss. Anstatt das Recht zu erwerben, ein bestimmtes Aktienpaket –

Anteile von Ralph Lauren, zum Beispiel – an einem bestimmten Tag zu einem bestimmten Preis zu kaufen, erwirbt man das Recht, sagen wir mal, Aktien des am drittbesten abschneidenden Modehauses an diesem Tag zu diesem Preis zu kaufen, egal, welches Haus das ist.«

Kate bemerkte ein neues Gemälde über dem Bett. »Oh, das gefällt mir!« Adriana hatte in ihrem letzten Studienjahr angefangen, in Öl zu malen, und tat es seitdem.

»Siehst du, dass dieser Hut fast ihr ganzes Gesicht verdeckt? Ich hab's aufgegeben. Ich kann noch immer keine Gesichter malen.«

»Na ja, ein bisschen was kannst du inzwischen schon. Ich denke, das könnte ein perfektes Kinn sein.«

»Nach einem ganzen Wochenende sollte es das auch sein«, entgegnete Adriana lachend und schüttelte den Kopf. »Weißt du, heute Abend steht ein Aquarell von Cézanne zum Verkauf, das hat dieselben Blau- und Grüntöne. Ich würde es gerne auch hier drin aufhängen.«

»Klingt gut.«

Adriana öffnete ihren Wandschrank und zeigte auf ein bodenlanges rotes Kleid mit Spaghettiträgern, das an der Tür hing. »Mein neues Valentino. Wie gefällt es dir?«

»Klasse. Genau dein Stil«, sagte Kate begeistert, obwohl sie kein solches Faible für Designer-Klamotten – und das übliche Drum und Dran materiellen Erfolgs – wie Adriana hatte. Kate hatte es immer mehr interessiert, hinter die glitzernden Fassaden zu schauen, als sie zu erschaffen, aber sie war stolz auf ihre Freundin. Adriana war auf der griechischen Insel Santorin in Armut aufgewachsen und hatte ihrer Mutter geholfen, die Zimmer eines der schäbigeren Hotels zu putzen. Ihre Mutter hatte, aus finanzieller Notwendigkeit, mit einem ungehobelten und brutalen Freund zusammengelebt. Seit Adriana denken konnte, stand ihr Entschluss fest, so reich zu werden, dass sie ihrer Mutter eine geräumige Wohnung am Strand kaufen konnte. Da sie bereits in den Semesterferien bei Silverman Stone gearbeitet hatte und sofort nach ihrem Diplom dort eine Vollzeitstelle angeboten bekam, hatte sie das schon mit fünfundzwanzig Jahren tun können.

»Probier mal diese Duschlotion auf dem Fensterbrett. Honig-Vanille, riecht wunderbar.«

»Mach ich«, sagte Kate und ging ins Bad. Sie steckte sich die Haare oben auf dem Kopf zusammen, duschte schnell und schlüpfte dann in ihr schwarzes, trägerloses Schlauchkleid und die Schuhe, die Adriana ihr vor die Badezimmertür gestellt hatte.

»Ich bin in der Küche«, rief Adriana. »Und, worum geht's in diesem neuen Fall«, fragte sie, als Kate durch die Tür trat.

»Um eine Sammlung von Spionageberichten aus dem sechzehnten Jahrhundert, die jemand meinem Mandanten stehlen wollte«, sagte Kate und sah zu, wie Adriana ein wenig Orangensaft in zwei Champagnerflöten goss. »Du weißt doch, ich habe meine Diplomarbeit über Christopher Marlowe geschrieben.«

»Wie könnte ich das vergessen?«, stöhnte Adriana und verdrehte ironisch die Augen. Während sie ihr Abschlussjahr vorwiegend mit Malen und abendlichem Ausgehen verbracht hatte, hatte Kate das ihre in verstaubten Winkeln der Bibliothek zugebracht.

»Na ja, heute Nachmittag stieß ich auf etwas, das aller Wahrscheinlichkeit nach sein erster Geheimdienstbericht sein dürfte. Er identifizierte den Mörder, der den Anschlag auf den achten Graf von Northumberland im Bloody Tower verübte, wie auch die prominente katholische Familie, die ihn dafür angeheuert hatte. Du weißt schon, damit ihre Verschwörung gegen Elizabeth nicht bekannt wurde.«

Als Kate sah, dass Adriana eine ziemlich desinteressierte Miene machte, fügte sie hinzu: »Bis jetzt ist über Marlowes Spionagekarriere kaum etwas bekannt. Das ist wirklich aufregend.«

»Nur damit ich es richtig verstehe. Du beschäftigst dich noch immer mit einem Kerl, der seit Jahrhunderten tot ist?«, seufzte Adriana. Sie zog das Hier und Jetzt vor. »Und ich habe schon überall rumerzählt, dass du so eine Art Charlies Engel bist, die die Bösewichter in einem verführerischen weißen Bikini bekämpft.«

»Noch nicht, aber…« Kate faltete die Hände und sagte verträumt: »Wenn ich Glück habe, kriege ich vielleicht eines Tages meinen Bikini-Auftrag.«

Sie saßen an einem Glastisch vor einem Erkerfenster mit Blick auf den Garten hinter Adrianas Haus.

»Hast du schon mal was von einem Typen namens Cidro Medina gehört?«

»Der heiße blonde Fondsmanager, der weibliche Herzen zum Mittagessen verspeist? Jede Frau in der City hat von ihm gehört. Ich habe ihn vor einem Jahr auf einer Party kennen gelernt.«

»Warst du interessiert?«

»Na ja, ihn zu sehen, heißt, interessiert zu sein«, sagte Adriana grinsend. »Aber zu der Zeit war ich zu sehr in Mark verknallt, um groß auf ihn zu achten.«

»Welcher Mark?«

»Der Kokser.«

»Ach ja, richtig«, sagte Kate, als es ihr wieder einfiel. Wegen dem hatte es eine Menge Telefongespräche und Tränen gegeben. Obwohl Adriana die lebensfroheste, schönste und beeindruckendste Frau war, die Kate je gesehen hatte, litt sie doch beinahe beständig an gebrochenem Herzen. Sie verknallte sich in einen heruntergekommenen Halunken nach dem anderen. »Bin froh, dass der weg ist vom Fenster«, sagte Kate.

»Ich auch. Aber zurück zu Cidro. Warum hast du ihn ins Gespräch gebracht?«

»Er ist mein Mandant.«

»Und er baggert dich an.«

Kate nickte.

»Sei vorsichtig. Ich habe einmal mitbekommen, wie er sehr ernsthaft mit einem Mädchen am Handy säuselte, während ein anderes Mädchen ihn begrapschte und auf den Nacken küsste. Wenn ich es nicht mit eigenen Augen gesehen hätte, hätte ich nie geglaubt, dass er so ein Scheißkerl sein kann.«

»Ich habe ja nicht vor, mich in ihn zu verknallen.«

»Ich weiß«, sagte Adriana mitfühlend, denn sie wusste natürlich, dass Kate noch immer um ihren toten Verlobten trauerte. »Aber sobald Medina spürt, dass es einfacher wäre, Mona Lisa einen Nasenring zu verpassen, als dein Herz zu erobern, lässt er nicht mehr locker.«

»Eine kleinere Arbeitserschwernis«, sagte Kate achselzuckend. »Aber ich kann nicht sagen, dass es mir *so* besonders lästig wäre.«

Mayfair, London – 19 Uhr 20

»Geboten sind zwei Komma zwei Millionen von dem jungen Herrn zu meiner Rechten, Paddel acht-zweiundzwanzig. Zu meiner Rechten zwei Komma zwei Millionen. Zwei Komma drei von einem telefonischen Bieter. Bei zwei Komma drei Millionen Pfund. Zurück zu Ihnen, Sir. Sagen Sie zwei Komma vier?«

Giles Spencer hob mit einem Lächeln das Paddel mit seiner Bieternummer 822. Er trug seinen Glück bringenden Nadelstreifenanzug und wusste, dass er darin besonders flott aussah. Und jetzt war er kurz davor, noch ein neues Gemälde sein Eigen zu nennen, das zweite an diesem Abend. Er spürte das vertraute Pulsieren in seinen Adern. Hin und wieder war das besser als Koks.

»Ich habe zwei Komma fünf von den Telefonen. Zwei Komma fünf Millionen. Wir haben zwei Komma sechs Millionen auf meiner Rechten, zwei Komma sechs von Paddel acht-zweiundzwanzig. Sagt jemand zwei Komma sieben? Zwei Komma sieben irgendjemand? Nun denn, zwei Komma sechs Millionen zum Ersten. Zwei Komma sechs Millionen zum Zweiten. Und es gehört Ihnen, Sir. Meinen Glückwunsch. Verkauft für zwei Komma sechs Millionen Pfund.«

Giles sah zu, wie der Auktionator sein Hämmerchen schwang, dann etwas auf einen Notizblock schrieb und dabei durch eine Lesebrille spähte, die sich auf seiner Nasenspitze festzuklammern schien. Er fragte sich, wann sie herunterfallen würde. *Fünf, vier, drei, zwei… ist anscheinend angeklebt.*

Als Giles aufstand, um sich etwas zu trinken zu holen, ließ ein unerwarteter Anblick ihn wie angewurzelt stehen bleiben. Vor der farbarmen Kulisse des Auktionssaals – marineblaue Wände mit weißen Verzierungen, Roben und Dinnerjacketts in gedeckten Farben, vorwiegend graue Haare und blasse Haut – brachte ihn eine tief gebräunte, junge Frau in einem leuchtend roten Kleid dazu, zuerst erstaunt die Augen aufzureißen und sich dann zu kneifen. Das Kleid war eng, es spannte sich um ihren perfekten Busen wie Zellophan.

Giles wandte den Blick ab, denn er ließ sich nicht gern beim Starren erwischen. Und in diesem Augenblick sah er, dass ein anderer ebenfalls starrte. Der Mann war groß und durchtrainiert und hatte dichte dunkelgraue und zu einem Pferdeschwanz zusammengefasste Haare.

Seine dunkle, v-förmige Augenbrauenpartie passte nicht so recht zu seiner blassen Haut und gab seinem Gesicht etwas eindeutig Finsteres. Offensichtlich hatte er keine Angst zu starren, und er tat es mit einem merkwürdigen Ausdruck auf dem Gesicht, ein beinahe verzaubertes, still nach innen gerichtetes Lächeln. Als würde er sie irgendwie kennen, aber nicht so richtig. War dieser Appetithappen in Rot irgendeine Berühmtheit?

Giles drehte sich wieder zu ihr um. Sie war winzig – kaum mehr als einsfünfundfünfzig. Er kannte sie nicht, das merkte er jetzt, aber er hatte den perfekten Namen für sie: Rotbrüstchen. Kein Mensch, der mehr als wenige Augenblicke seine Aufmerksamkeit erregte, kam ohne einen Spitznamen davon. Er sah zu, wie sie die Bar entdeckte, ihrer Freundin etwas ins Ohr flüsterte und dann darauf zuschlenderte. Giles bewunderte ihre flüssigen Bewegungen, eine geschmackvolle Mischung aus Anmut und Sexappeal. Dann drehte er den Kopf wieder, um dem Blick ihres anderen Bewunderers zu folgen und um vielleicht einen Moment lüsterner Kumpanei zu erhaschen.

Zu Giles' Überraschung schaute der Mann mit der v-förmigen Brauenpartie aber die Freundin an, ein größeres, distanziert wirkendes Mädchen in einem schwarzen Cocktailkleid. Sie war vermutlich hübsch – eigentlich sogar ziemlich makellos –, aber mit ihrer reservierten Körperhaltung interessierte sie ihn absolut nicht. Außerdem ein bisschen zu muskulös. Ihre Arme sahen aus wie die eines Teenager-Jungen. Ja, dachte Giles. Rotbrüstchen war die Beute. Rotbrüstchen war das knusprige Vögelchen, und er war der Fuchs.

Voller Selbstvertrauen nach seinen erfolgreichen Ersteigerungen näherte Giles sich seinem Opfer.

Kate sah zu, wie der junge Dandy mit einem selbstzufriedenen Grinsen auf Adriana zustolzierte. Seine Haare waren zurückgekämmt, was sein so gut wie nicht existierendes Kinn betonte, und er trug einen Nadelstreifenanzug, der ein paar Zentimeter zu kurz war – vielleicht um die zu seinem Hemd passenden, pinkfarbenen Socken zur Geltung zu bringen. Er flüsterte ein paar Worte – irgendeine Anmache, wie Kate vermutete –, doch als er dann Adrianas Antwort hörte, sackte die Hand mit seinem Drink ebenso nach unten wie sein Unterkiefer. Was hat sie wohl diesmal gesagt?, fragte sich Kate. Vielleicht ihren Standardsatz: »Ich bevorzuge bisexuelle Aufblaspuppen.«

Mit den Gläsern in der Hand nahmen Kate und Adriana ihre Plätze ein. Mit einem leisen Seufzen machte Kate es sich bequem, um das beruhigende Erlebnis zu genießen – das rhythmische Timbre in der Stimme des Auktionators, das leise Murmeln gedämpfter Handy-Gespräche in verschiedenen Sprachen, die leuchtenden Ziffern der Devisenbeträge, die bei jedem neuen Gebot synchron zu seinen Worten über dem Auktionator aufblitzten, die kleinen Männer in marineblauen Kitteln, die sich wie Pendel hin und her bewegten und immer neue Bilder auf der Staffelei platzierten.

Kate starrte eben ein Büschel weißer Haare an, das hinter einem blassen Ohr direkt vor ihr Hallo winkte, als Adriana sie anstubste und aus ihrem Tagtraum riss.

»Los eins-fünfunddreißig«, verkündete der Auktionator. »Der Balkon. Zweites Bild aus einer Serie von Paul Cézanne, circa 1900. Graphit und Aquarellfarben auf weißem Papier. Wir beginnen bei dreihunderttausend Pfund. Wer bietet dreihunderttausend? Eine neue Bieterin, die Dame in Rot an der Rückwand. Wer bietet dreihundertundzwanzig? Dreihundertzwanzigtausend von den Telefonen. Dreihundertzwanzigtausend. Wer bietet dreihundertvierzig? Höre ich dreihundertvierzigtausend? Aha, Paddel sieben-siebzehn, der Herr zu meiner Linken. Dreihundertvierzigtausend von

Paddel sieben-siebzehn. Wer bietet dreihundertsechzig? Dreihundertsechzigtausend von der Dame in Rot. Wer bietet dreihundertachtzig? Sie, Sir, Paddel sieben-siebzehn. Zu meiner Linken sind dreihundertachtzigtausend Pfund geboten. Vierhundert von unserem Telefonbieter. Vierhunderttausend. Vierhundertzwanzig. Viervierzig. Vierhundertsechzig.«

Der Kopf des Auktionators und seine Hand zuckten in dreieckigen Bewegungsabläufen von Bieter zu Bieter, bis der telefonisch zugeschaltete Interessent ausstieg. Dann zuckte sein Kopf hin und her zwischen Adriana und dem Mann mit Paddel 717, und seine Stimme wurde immer schneller und lauter. Vergeblich verdrehte Kate den Hals, um einen Blick auf den Konkurrenten ihrer Freundin zu erhaschen. Schließlich gab Adriana auf.

»Fünfhundertzwanzigtausend Pfund sind geboten. Höre ich fünfhundertundvierzig? Bietet jemand fünfhundertvierzig? Sind Sie sicher, Miss? Das ist Ihre Gelegenheit. Nun gut. Fünfhundertzwanzigtausend zum Ersten.«

Der Auktionator schaute sich um. Nichts. »Dann fünfhundertzwanzigtausend zum Dritten. Verkauft an den Herrn zu meiner Linken. Meinen Glückwunsch, Sir.«

Adriana beugte sich zu Kate und flüsterte verärgert: »Ich denke, ich muss diesen hartnäckigen kleinen Scheißer finden und ihn mir vorknöpfen. Vielleicht, wenn ich ihm schöne Augen mache...«

Während einer kurzen Pause standen Adriana und Kate plaudernd neben einer großen Leinwand mit Wasserlilien von Monet.

»Weißt du, was, Kate? Ich hatte meine erste Affäre mit einer Frau.«

»Echt?«

Adriana runzelte die Stirn. »Verdammt. Ich dachte, das würde dich schockieren.«

»Also komm, Ana, dazu braucht es schon ein bisschen mehr. Der erste Chef des MI 6 stach sich mit einem Brieföffner in seine Beinprothese, um die Leute zu erschrecken. Das sind die Sachen, bei denen ich eine Gänsehaut kriege.«

»Na ja. Wie auch immer, das Ganze fing als flotter Dreier an.

Danach ließ mir der Kerl zwar keine Ruhe mehr, aber sooft ich mit dem Mädchen ausging, zeigte sie mir die kalte Schulter.«

»Was dich natürlich angespornt hat.«

»Na ja, das, und die Tatsache, dass eine Frau zu befriedigen so ist, als würde man auf einem Instrument spielen, und die meisten Männer haben es nie richtig gelernt.«

»Und, war es so, wie du es dir erhofft hattest?«

»Ich schätze, es war ganz okay«, erwiderte Adriana. Dann schaute sie ins Leere, als suche sie nach einer Antwort, und fügte hinzu: »Ich hatte nur das Gefühl, dass irgendwas fehlt.«

Kate lachte.

»Ich glaube allerdings, ich muss es noch einmal versuchen.«

»Warum das?«

»Weil ich diese Phantasie habe, dass eine verschmähte Lesbe in mein Büro stürmt und irgendwas Schweres nach mir wirft. Der Ausdruck auf den Gesichtern meiner spießigen Kollegen wäre unbezahlbar. Gott, sie würden…«

Plötzlich verklangen Adrianas Worte, als Kate einen flüchtigen Blick auf ein vertrautes Profil erhaschte. Ungefähr acht Meter entfernt stand ein Mann in einem exzellent geschnittenen Dinnerjackett vor der Wand und betrachtete ein Gemälde. Er hatte dunkelgraue, zu einem Pferdeschwanz zusammengefasste Haare und ein Kinn so scharf wie ein Hackbeil. Während sie ihn betrachtete, gingen ihr eine Reihe von Bildern durch den Kopf. Zwei Männer in einem Restaurant in Dubai. Zwei Männer an der Amalfi-Küste. In Paris. In Berlin. Kein Zweifel, der Mann vor ihr war Luca de Tolomei. Aber er hatte die Einladung Sotheby's doch abgelehnt, dachte Kate überrascht. Da war Edward Cherry sich ganz sicher gewesen. Offensichtlich hatte de Tolomei es sich in letzter Sekunde anders überlegt. Aber warum? War es Zufall? Natürlich, sagte sie sich. Es musste Zufall sein.

»Du hörst mir ja gar nicht mehr zu, Kleines, was ist denn los?«, fragte Adriana.

»Hm, was Unerwartetes aus der Arbeit. Könntest du mir einen Gefallen tun?«

»Klar.«

»Ich werde mich weiter mit dir unterhalten. Das klingt jetzt vielleicht komisch, aber nimm einfach alles, was ich sage, für bare Münze, und wirf Sachen dazwischen wie ›Warum?‹ oder ›Das musst du mir genauer erzählen‹. Du weißt schon, hilf mir einfach zu plappern, ohne dass es wie ein Monolog klingt.«

Dann nahm sie Adriana am Arm und fügte hinzu: »Komm, schauen wir uns den Fragonard an, drei Bilder weiter vorne.«

An einem Pfefferminzschnaps nippend, lehnte Giles seit Beginn der Pause an einer Wand und beobachtete den Ripper. Er hatte den Mann mit den v-förmigen Brauen nach dem berüchtigtsten Mörder seines Landes benannt. Der Mann war höchstwahrscheinlich harmlos, aber die Art, wie er das Mädchen in Schwarz anstarrte, kam ihm bedrohlich vor. Wenn die Frau nicht in seine Richtung schaute, musterte er sie mit merkwürdigem Besitzerstolz und hin und wieder aufblitzender Begierde. Einer Begierde, die aber eigentümlicherweise asexuell wirkte. Eher blutrünstig als lüstern.

Aber wie sollte er das Mädchen nennen, fragte sich Giles, während er zur Bar ging, um sich einen neuen Schnaps zu holen. Neben Rotbrüstchen war sie ein Mauerblümchen – aber eigentlich auch wieder zu hübsch dafür. Eiskönigin? Nein, sie war nicht herrisch genug, um eine Königin zu sein. Oder eine Prinzessin? Eher eine aus dem gewöhnlichen Volk. Das Eisweib? Zu unbeholfen, das klang nicht gut. Eisproletin? Nein, das passte absolut nicht. Also komm, Giles.

Ich hab's. Gletschergirl, dachte er voller Stolz.

Als er zu seinem Aussichtspunkt am anderen Ende des Saals zurückkehrte, stellte Giles überrascht fest, dass die beiden Frauen sich langsam auf den Ripper zubewegten. Und als er sich dann Gletschergirl noch einmal genauer anschaute, merkte er erstaunt, dass er sie kaum wieder erkannte. Ihre großen grünen Augen zeigten nun ein beinahe elektrisches Funkeln, ihre Haare warf sie mit flirtendem Selbstbewusstsein zurück, und sie hatte sich bei ihrer Freundin eingehakt und beugte sich mit beinahe sinnlicher Zuneigung ihr zu. Wow, dachte Giles, dieses Lächeln von ihr könnte einen Heiligen ins Verderben stürzen. Auch sie hatte einen seiner berühmten Anmachersprüche verdient. Wie hatte er sie nur übersehen können, als sie den Raum betrat.

Dann traf Giles noch ein Schock. Er erkannte, dass Gletschermädchen dem Ripper verstohlene Blicke zuwarf und ihre Freundin immer näher an ihn heranmanövrierte. Es gab also zwei Leute, die sich gegenseitig wieder erkannt hatten, doch jeder tat so, als kenne er den anderen nicht. Was war denn da los?

Sein Glas in der Hand, lehnte Giles sich an die Wand und wartete gespannt darauf, wie dieses kleine Drama sich entwickeln würde.

»Wer dieses Bild da kauft, wird sich ziemlich bald wünschen, er hätte es nicht getan«, sagte Kate zu Adriana. Sie standen vor einem Ölgemälde von Jean-Honoré Fragonard, einem französischen Künstler des achtzehnten Jahrhunderts. Es zeigte ein Paar, das sich in einem Garten küsste.

»Wie meinst du das?«, fragte Adriana mit gespieltem Interesse.

Aus dem Augenwinkel heraus sah Kate, dass de Tolomei sich ein Handy ans Ohr hielt, aber sie merkte auch, dass er nur so tat, als würde er telefonieren. Ganz offensichtlich hörte er ihr zu. Befriedigt fuhr sie fort: »Es ist eine Fälschung. Da bin ich mir ganz sicher.«

»Wieso?«

»Na ja, du weißt doch, dass während des Zweiten Weltkriegs die Nazis in Frankreich eine Sondereinheit hatten, die bei wohlhabenden jüdischen Familien und Händlern Kunstgegenstände konfiszierte, alles genau registrierte und dann für Hitlers und Görings Sammlungen nach Deutschland schickte?«

Adriana nickte.

»Vor dem Krieg schafften viele Familien, darunter auch die Rothschilds, den Großteil ihrer Sammlungen aus Paris heraus – nicht weil sie zu diesem Zeitpunkt die Plünderungen schon voraussahen, sondern weil sie befürchteten, die Luftwaffe würde die Stadt bombardieren. Wie auch immer, bevor Robert de Rothschild nach Amerika floh, schickte er seine Kunstgegenstände an eine Vielzahl von Orten, darunter auch in sein Schloss, La Versine, in der Provinz. Nachdem die Nazis Frankreich besetzt hatten, dauerte es nicht lange und die Sondereinheit nahm ihre Arbeit auf. Zuallererst machten sie Jagd auf die weltberühmten Sammlungen der Rothschilds. Bevor sie La Versine erreichten, versteckten Roberts Bedienstete so viel, wie sie konnten. Darunter auch dieses Gemälde.«

Kate hielt einen Augenblick inne, um einen Schluck Wein zu trinken.

»Und als die Nazis ankamen?«, fragte Adriana.

»Sie fanden alles, bis auf ein paar antike Uhren und Möbelstücke, die in einem Lagerschuppen versteckt waren, und zwei Fragonards und einen Van Eyck, die im Gästehaus des Nachbarschlosses, La Faunier, versteckt waren.«

»Aber warum ist dieses Bild deshalb eine Fälschung?«, fragte Adriana und deutete auf das Bild neben ihnen.

Kate lächelte. »Weil Château la Faunier beim Bombardement der Nazis 1944 völlig zerstört wurde.«

»Dann sind also diese Bilder…«

»Asche, Baby«, sagte Kate. »Der Fälscher benutzte offensichtlich ein Foto des Originals als Vorlage für das da und ließ dann die Rothschild-Unterlagen in den diversen Archiven fälschen.«

»Geht so was überhaupt?«

Kate zuckte die Achseln. »Einen Archivar bestechen, damit man nach der offiziellen Besuchszeit Zugang zu den relevanten Unterlagen erhält? Das sollte nicht so schwer sein.«

»Wirst du was sagen?«

»Irgendwann schon«, sagte Kate mit schelmischem Grinsen. »Aber zuerst möchte ich sehen, wie viel jemand dafür hinblättert.«

Dann beugte sie sich zu Adriana und flüsterte die letzten Worte nur Zentimeter von ihrem Ohr entfernt. »Und jetzt verschwinde von hier, meine Schöne. Mach den armen Kerlen eine Freude, die schon den ganzen Abend von dir träumen.« Während sie das sagte, drückte Kate sich den Kelch ihres Weinglases an den Bauch und drehte ihn, wobei sie den Stoff ihres Kleids dazu benutzte, ihre Fingerabdrücke vom Glas zu entfernen, und Adrianas Körper, um diese Aktion vor de Tolomei zu verstecken.

»Ich muss mal aufs Töpfchen«, sagte Adriana so laut, dass de Tolomei es hören musste.

»Okay. Ich muss sowieso meine Mailbox kontrollieren«, sagte Kate, die nun darauf achtete, ihr Weinglas nur am Fuß zu berühren, als sie es in die linke Hand nahm und mit der rechten ihr Handy aus ihrer Schultertasche holte.

Während Adriana davonging, drehte Kate sich dem Fragonard zu, hielt sich das Handy ans Ohr und fragte sich, ob de Tolomei anbeißen würde. Falls ja, würde sie zugeben, dass sie ihn ausgetrickst hatte, sich dann als Privatdetektivin vorstellen und so tun, als interessiere sie sich nur für ihn, weil sie ihrem Chef einen neuen großen Kunden vermitteln wolle. Sie war sicher, dass er ihr die Geschichte abkaufen würde, wenn sie zugab, ihn zuvor ausgetrickst zu haben. Leute, die argwöhnisch genug waren, um hinter Fassaden zu schauen – und das Unerwartete zu erwarten –, neigten dazu, sich auf ein Aha-Erlebnis einzustellen. Aber nicht auf zwei.

»Verzeihen Sie mir. Es tut mir schrecklich Leid, Sie zu unterbrechen...«

Kate klappte ihr Handy zu und wandte sich mit leicht verärgerter Miene de Tolomei zu. »Nun ja, jetzt haben Sie mich ja schon...«

»Ich konnte nicht umhin, Ihre Unterhaltung zuvor mitzuhören, und da interessiert mich eine Sache ganz besonders.«

Kate zog eine Augenbraue hoch.

»Ich kenne die Geschichte von Robert de Rothschild – ich habe von den in dem Lagerschuppen von La Versin versteckten Stücken gelesen und auch von den Stücken in der Geheimkammer, die Robert sich in sein Pariser Haus einbauen ließ –, aber das Gästehaus von La Faunier? Diesen Teil der Geschichte habe ich noch nie gehört.«

»Und zwar deshalb, weil ich ihn erfunden habe«, sagte Kate mit schelmischem Lächeln. »Château la Faunier – das Trugschloss! Ich wollte nur Ihre Aufmerksamkeit erregen. Könnten Sie das mal kurz halten?«, fragte sie und gab ihm ihr Glas.

Während de Tolomei ihr den Gefallen tat, holte Kate ihre Brieftasche aus der Schultertasche, zog eine Visitenkarte heraus, gab sie ihm und nahm ihm das Glas wieder ab. Natürlich am Fuß.

»Kate Morgan, Privatdetektivin bei der Slade Group«, las er laut, hob dann wieder den Kopf und streckte ihr die Hand hin. »Luca de Tolomei. Sehr erfreut.«

»Ebenfalls. Ihr Ruf eilt Ihnen voraus. Ich suche schon eine ganze Weile eine Gelegenheit, Ihre Bekanntschaft zu machen. Eins meiner Spezialgebiete ist das Aufspüren verschwundener Kunstwerke. Vielleicht haben Sie von dem Veneziano gelesen, den ich vor ein paar Monaten für einen Mandanten wieder entdeckte…«

»Derjenige, der sich unter dieser grausigen viktorianischen Fuchsjagd verbarg? Wie könnte ich das vergessen?«, warf de Tolomei dazwischen. »Das waren Sie?«

Kate nickte.

»Beeindruckend.«

Sie lächelte. »Wie auch immer, ich dachte mir, dass meine Fähigkeiten – zusammen mit den anderen Dienstleistungen meiner Firma – Ihnen vielleicht irgendwann von Nutzen sein könnten. Ich kann mir außerdem vorstellen, dass Sie hin und wieder Hintergrundinformationen über Leute benötigen, mit denen Sie Geschäfte machen.«

Während sie ihm ihre Story auftischte, glaubte sie, ein belustigtes Flackern in de Tolomeis Augen zu erkennen.

»Mein Sicherheitssystem ist, äh, angemessen, glaube ich…«

Das werden wir schon ändern.

»…und ich habe einen Assistenten, der die Referenzen meiner Kunden überprüft, aber es gibt wirklich etwas, bei dem ich Ihre Hilfe gebrauchen könnte. Etwas, hinter dem ich seit mehr als zehn Jahren her bin.«

»Ein Gemälde?«

De Tolomei schüttelte den Kopf. »Eine andere Art von Kunst, um genau zu sein…« Er hielt inne und sah sich um. Mehrere Leute standen ganz in ihrer Nähe. »Aber ich würde es vorziehen, nicht in dieser Umgebung darüber zu sprechen, wenn Sie verstehen.«

»Natürlich«, sagte Kate. »Ich erinnere mich, gelesen zu haben, dass Sie Ihren Hauptsitz in Rom haben. Ich muss morgen selbst dort hin. Am frühen Abend habe ich im Vatikan einen Termin, aber vielleicht könnten wir uns danach treffen?«

»Ich glaube, wir sind da in derselben Veranstaltung. Im Apostolischen Palast um acht?«

»Genau.«

»Was für eine glückliche Fügung. Ich freue mich schon darauf«, sagte de Tolomei.

Sie gaben sich die Hand, und als er sich abwandte, sah Kate sein Auktionspaddel; es trug die Nummer 717. *Was?* De Tolomei ist der Mann, der Adriana den Cézanne weggeschnappt hat, dachte sie überrascht. Und den wollte Adriana mit ihrem Charme dazu bringen, ihr das Gemälde zu verkaufen?

Augenblicke zuvor, erinnerte sich Kate, hatte de Tolomei die so erfreuliche Zufälligkeit ihres bevorstehenden Treffens in Rom zur Sprache gebracht, ein Treffen, das sie mit Edward Cherry arrangiert hatte. Im Gegensatz zu dem hier. Das Treffen an diesem Abend war wirklich eine glückliche Fügung, eine Zufallsbegegnung, die keiner von beiden geplant hatte. Oder vielleicht doch? Wer hatte eben wen zum Narren gehalten?

Scheiße, dachte Giles Spencer. Er war enttäuscht, dass diese unerwartete Abendunterhaltung sich so verdammt spannungsarm entwickelte. Anstatt dass die beiden sich an die Gurgel gingen oder in unbezähmbarer Leidenschaft übereinander herfielen, hatten der Ripper und das Gletschergirl sich bei höflicher Konversation angelächelt und Visitenkarten ausgetauscht.

Mit einem Stirnrunzeln verließ Giles den Auktionssaal und ging die Treppe hinunter. Wenigstens hatte er neue Bilder, die ihn aufmunterten. Als er auf dem Weg nach draußen an Sotheby's Café vorbeikam, sah er das Gletschermädchen – das Mauerblümchen, aus dem die Rose des Abends geworden war – direkt vor sich. Sollte er einen Versuch wagen? Ist vielleicht schon zu spät, dachte er. Sie schien es eilig zu haben.

Giles blieb stehen, als sie die Damentoilette betrat, und fragte sich, ob er auf sie warten sollte. Doch dann sah er, was sie in ihrer rechten Hand trug, und dachte stattdessen über den etwas merkwürdigen Umstand nach, dass das Mädchen ihr Glas nicht im Café abgestellt hatte, sondern auf die Toilette mitnahm.

Im Cinar Hotel stand Hamid Azadi an der Balkonbrüstung seines Zimmers, schaute aufs Marmarameer hinaus und hielt ebenfalls ein Weinglas in der Hand. Aber seines war voll, denn er trank, um den ersten Tag seines neuen Lebens zu feiern.

Azadi war am vergangenen Abend aus dem Iran geflohen. Sein Plan war einfach, aber effektiv gewesen: so zu tun, als würde er Gerüchten über ein bevorstehendes Überlaufen eines Agenten nachgehen und dabei selber überlaufen. Im Lastwagen eines Heroinschmugglers hatte er sich über die Grenze in die Türkei geschlichen, wo bereits ein Auto wartete, das ihn zu einem Hotel in Yeşilköy brachte, einem ruhigen Vorort fünf Minuten von Istanbuls internationalem Atatürk-Flughafen entfernt. Während der Fahrt hatte er eine Perücke, Wangenkissen, Make-up und falsche Zähne getragen, um seine Erscheinung so zu ändern, dass er der ersten seiner diversen neuen Identitäten ähnelte, einem älteren indischen Journalisten. Am nächsten Morgen würde Azadi eine Maschine der Turkish Airlines nach Paris besteigen, und von Orly aus würde er mit einem Taxi zur Klinik eines sehr erfahrenen plastischen Chirurgen fahren, einem Arzt, dessen Dienste de Tolomei selbst einmal in Anspruch genommen hatte.

Azadi schuldete de Tolomei sein neues Leben; der Mann hatte ihm bei jedem Schritt seiner Fluchtplanung geholfen. Doch der Gedanke machte ihm nicht das geringste Kopfzerbrechen. De Tolomei hatte vielleicht nicht viele Freunde, doch gegenüber den wenigen, die er hatte, verhielt er sich so loyal, wie Azadi es nie für möglich gehalten hätte.

Was für ein glücklicher Zufall war es doch gewesen, dass er, Azadi, in einer Position gewesen war, um das wesentliche Element einer Rache zu liefern, nach der de Tolomei sich schon so viele Jahre sehnte. Nach Angaben des Kapitäns der *Nadeschda* war die Holzkiste, die Azadi selbst gepackt hatte, am Tag zuvor auf de Tolomeis Jacht umgeladen worden. Kurz darauf, das hatte er erfahren, war die Lieferung in der Nähe von Sidi Bou Said an der tunesischen Küste auf ein Schnellboot umgeladen und zu einer nahen Villa gebracht worden, wo sie ebenfalls unbeschadet ankam.

Vor ein paar Stunden hatte de Tolomei angerufen und Azadi mit beinahe leidenschaftlichem Überschwang für seine Hilfe gedankt. Azadi hatte sich gedacht: Luca, es ist ja nicht so, dass ich dir eben den Weg zum Jungbrunnen verraten hätte, aber aus Respekt hatte er es nicht gesagt. Er wusste nicht, was genau de Tolomei mit seiner neuen Erwerbung vorhatte, und er wollte es auch nicht wissen. Da sein dreiundvierzigster Geburtstag kurz bevorstand und seine Kollegen inzwischen ganz unverblümt fragten, warum er noch nicht verheiratet sei, kannte Azadi im Augenblick nur ein Gefühl: Begeisterung darüber, dass er aus seiner Zwangslage entkommen war. Für ihn war der Gedanke, eine Frau zu lieben, ungefähr so verlockend, wie ein Fass Rohöl zu trinken, und eine Heirat nur um des Scheins willen hätte nie funktioniert. Denn ohne Zweifel würde eine solche Ehefrau ihren Freundinnen erzählen, dass das Ehebett kalt blieb.

Außerdem glaubte Azadi, dass sein Land, trotz des Reformpräsidenten, ein Kessel war, der bald überkochen würde. Die Arbeitslosenquote – die schon jetzt erschreckend hoch war – stieg immer weiter, und überall gingen die jungen Leute auf die Straße und protestierten gegen ihre Chancenlosigkeit, die wuchernde Korruption und die Unterdrückung anders denkender Journalisten und Intellektueller. Azadi war nicht der einzige Iraner, der die allmächtigen Mullahs hasste – bei weitem nicht. Er war froh, dass er nicht dabei sein würde, wenn es zur nächsten Revolution kam. Ein wütender Mob ging selten sanft mit Regierungsbeamten um. Beim letzten Mal war der Chef der Geheimpolizei des Schahs aufgehängt worden, doch nicht so, dass er daran starb. Dann hatte man ihn geschlagen und ausgepeitscht, bis seine Knochen zerschmettert waren und das Lebensblut aus ihm herausfloss.

Während Azadi in den Fotos des Strandhauses blätterte, das de Tolomei für ihn in Key West besorgt hatte, stellte er sich vor, wie er über den Strand schlenderte. Er schloss die Augen, spürte das warme, aber erfrischende Wasser an seinen Zehen und den Druck eines starken Arms um seine Schultern.

Mit dem Weinglas von Sotheby's in einem Plastikbeutel in ihrer Handtasche stand Kate vor dem überwölbten Eingang des Gebäudes und entschuldigte sich bei Adriana, weil sie ihren gemeinsamen Abend so unvermittelt abkürzen musste. Nachdem sie ausgemacht hatten, am nächsten Morgen gemeinsam zu joggen, umarmten sie sich zum Abschied, und während Adriana auf ihr Taxi wartete, ging Kate in nördlicher Richtung die Old Bond Street entlang und bog dann links auf den Grosvenor Square ein. Sie wollte so schnell wie möglich in das örtliche Büro der Slade Group.

Während sie an Galerien, Anwaltskanzleien und teuren Friseursalons vorbeiging, wählte sie Max' Nummer.

»Ich dachte, du wolltest dir den Abend freinehmen«, sagte er. »Hab gar nicht gewusst, dass ich dir so sehr fehle.«

»Na ja, das ist das eine, und dann gibt es da noch eine unerwartete Entwicklung. Rate mal, wer doch noch bei der Auktion auftauchte?«

»De Tolomei?«

»Genau«, sagte Kate. »Und ich habe ein Glas mit seinen Fingerabdrücken. Ich werde sie jetzt gleich einscannen und dir schicken.«

»Also, Kate, eigentlich ist dieser Auftrag für uns bereits zu Ende.«

»Wovon redest du denn?«

»Na ja, zuallererst war ich in Bezug auf de Tolomei auf der falschen Fährte.«

»Und die vielen Kriminellen, mit denen er Geschäfte macht?«

»Ich bin mir ziemlich sicher, dass er mit Informationen handelt, nicht mit Waffen oder Drogen. Dass er ein Erpresser im großen Stil ist.«

»Wie, um alles in der Welt, bist du ...«

»Ich hatte mir seine finanziellen Transaktionen genauer angesehen – die Daten, die Beträge, die Richtungen der Geldflüsse –, und das Erste, was mir klar wurde, war, dass alle Leute, die Zahlungen an de Tolomei leisteten, fette Leichen im Keller hatten. Drei der Kerle, die ich dir gestern zeigte, zum Beispiel – die deutschen und französischen Waffenhändler Bruyère und Kessler und der pakistanische Textilmagnat Khadar Khan –, sie alle sind allem Anschein nach ehrbare Geschäftsleute. Der ganze illegale Kram – der Verkauf von Chemikalien und Material zur Herstellung von Zentrifugen an den Irak nach Desert Storm oder, in Khans Fall, der Drogenhandel –, das sind alles nur Gerüchte.«

Max trank einen Schluck und fuhr dann fort. »Und dann die Leute, von denen er kauft – das sind größtenteils Geheimdienstler, Polizisten und Journalisten. Die Leute eben, die solche Gerüchte ausgraben.«

»Oh«, machte Kate, die nun einiges begriff. »Ich wette, du hast Zahlungen an einen irakischen Geheimdienstoffizier irgendwann in den Neunzigern gefunden, und zwar kurz bevor de Tolomei anfing, bei Bruyère und Kessler abzukassieren.«

»Genau. Und eine Zahlung an Hamid Azadi, kurz bevor das Geld von Khadar Khan hereinkam. Weißt du, Khan raffiniert sein Heroin im westlichen Afghanistan und bringt es dann durch den Iran in die Türkei, und jemand wie Azadi bekommt so etwas natürlich mit.«

»Und es kann nicht sein, dass das Timing nur Zufall ist?«

»Nicht bei Dutzenden von Beteiligten. Aber es ist mehr als nur das Timing, Kate. Überleg mal, wer an wen zahlt. Nimm Khadar Khan. Wenn de Tolomei für ihn Heroin transportieren würde, würde er Khan für den Wert des Heroins bezahlen. Stattdessen bezahlt aber Khan ihm sehr viel Geld.«

»Könnte es nicht sein, dass Khan ihn für den Transport bezahlt?«

»Und darauf vertraut, dass de Tolomei das Heroin wirklich zu Khans Abnehmern bringt, anstatt es irgendwo anders abzuladen und den ganzen Profit selbst einzustreichen? Unmöglich. Baby, das ist eines der Geschäfte, die nicht auf Vertrauensbasis laufen.«

»Gutes Argument.«

»Dieselbe Logik trifft auch auf Waffenhändler zu. Vor einem Jahrzehnt kaufte de Tolomei etwas von einem irakischen Geheimdienstoffizier und fing direkt danach an, Zahlungen von Bruyère und Kessler zu erhalten. Irak baute damals sein Waffenarsenal neu auf und verkaufte es nicht; für einen Waffenhandel lief das Geld also in die falsche Richtung.«

»Und du bist sicher, dass das Geld nicht für Kunstgegenstände war?«

»Ja«, sagte Max. »Hör mal zu, du wirst stolz auf mich sein. Ich habe Kesslers Frau angerufen und mich als Reporter von *Town and Country* ausgegeben, der an einem Feature über ihr Haus arbeitet. Sie war völlig von den Socken. Dann erwähnte ich Kunst, fragte sie, ob sie eine eindrucksvolle Sammlung besitze, wessen Arbeiten sie sammle. Da wurde sie ziemlich schnippisch und sagte: ›Ich bin Künstlerin. An unseren Wänden hängen nur meine Arbeiten. Und ja, sie sind mehr als eindrucksvoll. Sie sind fabelhaft.‹«

»Gute Arbeit. Aber wenn du Recht hast und de Tolomei mit Geheimnissen, nicht mit Waffen handelt, dann möchte ich doch eines wissen: Was ist das für ein Elf-Millionen-Dollar-Knüller, den er eben von Hamid Azadi gekauft hat?«

Die tunesische Küste – 23 Uhr 19

Surina Khan drückte die halbe Tube antibiotischer Salbe auf ihre Handfläche und strich sie behutsam auf die Schnitte im Gesicht ihres Patienten, um seine aufgesprungenen Lippen und auf die verschorften Flecken an den Fingerspitzen, wo die Nägel sein sollten. Ein Arzt aus dem Ort hatte eben zum dritten Mal vorbeigeschaut, und endlich waren sie wieder allein. Obwohl er erst noch die Augen öffnen musste, sprach Surina bereits seit knapp zwei Wochen mit ihm. Sie wusste, dass er sie trotz seines Zustands hören konnte; wenn sie seine Hand hielt, konnte sie seine Gedanken beinahe spüren.

Die *Nadeschda* hatte sie im pakistanischen Hafen Karatschi abgeholt, und auf dem Schiff hatte sie die neue Freundin des Kapitäns gespielt. Sie hatte auf dem Sofa in seiner Kabine geschlafen, und nachdem sie die Kiste, die ihren Patienten enthielt, zwölf Tage zuvor an Bord genommen hatten, hatte sie sie geöffnet, seine Infusionen kontrolliert und seine Wunden gepflegt. Und als dann die Kiste auf Mr. de Tolomeis Jacht umgeladen wurde, hatte sie drinnen bei ihm gelegen und ihm trotz ihrer eigenen Todesangst versichert, dass alles gut gehen werde. Sie konnte nicht verstehen, warum Mr. de Tolomei so versessen darauf war, ihn versteckt zu halten, aber sie tat sehr gerne alles, was er von ihr verlangte.

Sie liebte es, allein zu sein mit ihrem Patienten. Solange sie zurückdenken konnte, hatte sie Ärztin werden wollen – hatte in ihrer Jugend nach dem Schulunterricht sogar als Freiwillige in einem Krankenhaus gearbeitet. Aus irgendeinem Grund war dies hier aber etwas anderes.

Obwohl der ganze Körper zerschunden und ausgezehrt war, waren es die Füße ihres Patienten, die ihr einen Schauer über den Rücken jagten. Die Sohlen waren bedeckt mit altem Narbengewebe und jüngeren Verletzungen. Was konnte er nur getan haben, um solche Auspeitschungen verdient zu haben? Nichts. Es war unmöglich, dachte sie. Eine solche Bestrafung konnte niemand verdient haben – nicht einmal der Junge aus ihrer Nachbarschaft in Islamabad, der ihr Jahre zuvor voller Zorn über ihre Zurückweisung seiner Avancen Säure ins Gesicht geschüttet hatte.

Tief gebückt ließ Surina ihre mit Salbe bedeckten Finger über Fersen und Sohlenbögen ihres Patienten kreisen, dann richtete sie sich kurz auf, um ihre Tränen wegzuwischen. Sie wollte nicht, dass sie salzige Flüssigkeit auf seine Wunden tropfte.

Wer ist er?, fragte sie sich immer wieder. Seine Haut war nicht natürlich blass; er hatte arabisches Blut in sich, da war sie sich ganz sicher, aber auch noch etwas anderes. Obwohl seine Gesichtszüge noch immer verzerrt waren von Quetschungen und Schwellungen, glaubte sie zu sehen, dass er zur Hälfte Europäer war. Aber was hatte er in einem Gefängnis im Mittleren Osten zu suchen? Sie konnte sich nicht vorstellen, dass er ein gewöhnlicher Krimineller war. Irgendwie musste er sich mit seiner Regierung angelegt haben – als Aktivist vielleicht, als Dissident. Wer er auch war, dachte Surina, sie würde bei ihm bleiben, bis es ihm wieder besser ging. Egal, was ihr Vater dachte.

Khadar Khan hatte wütend reagiert, als sie das Angebot seines Geschäftsfreundes annahm. Surina wusste nicht, warum, und es war ihr auch gleichgültig. Seit ihrer Entstellung durch die Säure hatte ihr Vater sich nie die Mühe gemacht, zu verstecken, dass er ihren Anblick nicht ertragen konnte. Aber Mr. de Tolomei war bei ihren wenigen Begegnungen immer sehr freundlich zu ihr gewesen, und für diesen Job hatte er ihr ein so großzügiges Gehalt angeboten, dass sie ihr Zuhause für immer verlassen konnte.

Nachdem sie den Deckel wieder auf die Tube in ihrem Schoß geschraubt hatte, beugte sich Surina über das Bett, um die Tube wieder auf das Nachttischchen zu legen. Dabei traf ihr Blick flüchtig den Spiegel über dem Kopfbrett. Er zeigte die rechte Seite ihres früher einmal atemberaubend schönen Gesichts, die Seite, deren Wange und Ohr nur noch ein verbranntes und erstarrtes Netz aus furchigem Narbengewebe war. Eine einsame Träne holperte über die unebene Fläche. Jetzt mochte sie ihr Patient – das spürte sie –, aber würde er sie auch noch mögen, wenn er die Augen öffnete?

Mayfair, London – 21 Uhr 26

Während sie den Berkeley Square überquerte, hörte Kate sich an, was Max von seinem letzten Gespräch mit ihrem Chef zu berichten hatte.

»Als ich ihm meine Theorie über de Tolomei erklärte, schnitt er mir das Wort ab. Eine Weile sagte er gar nichts, stand einfach nur da... ich weiß auch nicht, irgendwie verblüfft. Dann fragte er, ob de Tolomeis Jet kürzlich in einem der an den Iran angrenzenden Länder gelandet ist. War er nicht. Dann sollte ich herausfinden, ob seine Jacht in der letzten Woche den Suezkanal durchfahren hatte. Auch da hieß die Antwort nein. Und ein Hafen in der Türkei, fragte er. Ebenfalls nein. Dann ließ er mich anhand eines Luftbilds von de Tolomeis Jacht die Satellitenbilder des Mittelmeers der letzten fünf Tage durchchecken, und ich hatte ein paar Treffer. Letzte Nacht traf sich die Jacht knapp östlich von Malta mit einem

Schiff, und eine Holzkiste wurde vom Schiff auf die Jacht umgeladen. Die Jacht drehte nach Süden ab, und ich konnte sie bis nach Sidi Bou Said verfolgen. Slade ließ mich nun die tunesischen Grundbuchdateien durchsuchen. Es zeigte sich, dass de Tolomei dort unter falschem Namen eine Villa an der Küste besitzt. Kaum hatte ich das gesagt, zog Slade sein Handy heraus, wählte und sagte: ›Black, nehmen Sie die nächste Maschine nach Tunis.‹ Kannst du dich noch an die Jungs im Hubschrauber am vorletzten Abend erinnern? Jetzt wissen wir ...«

»Moment mal. Was war in der Kiste?«, warf Kate dazwischen.

»Keine Ahnung«, antwortete Max. »Ich habe Slade gefragt, ob er meine Erpressungstheorie für falsch hält – ob de Tolomei, wie wir ursprünglich vermutet hatten, als Mittelsmann für einen Verkauf von Massenvernichtungsmitteln an Terroristen fungiert. Ich habe ihn darauf hingewiesen, dass die Kiste eindeutig groß genug war für einen Nuklearsprengkopf, aber er sagte nur: ›Nein, de Tolomei hat etwas anderes gekauft.‹ Na ja, du weißt doch, dass er nie flucht oder die Beherrschung verliert. Aber er polterte los: ›Verdammte Scheiße! Wer, zum Teufel, ist der Kerl?‹«

»Na, das werden wir schon rausfinden«, sagte Kate, als sie auf ihr Londoner Büro zuging. Es befand sich in den oberen Stockwerken eines reich verzierten, rosafarbenen und kastanienbraunen, georgianischen Hauses gegenüber des Connaught Hotels, das ein Mandant, der damals gerade nicht flüssig war, der Slade Group anstelle einer Bezahlung überschrieben hatte. Das Ziegel- und Steingebäude hatte im Untergeschoss eine Ladenfront, in der mehrere Kunstgalerien und Antiquitätenhandlungen untergebracht waren. Als Kate sich dem Eingang näherte, erregten einige Vogelzeichnungen ihre Aufmerksamkeit, dann eine Kopie der Venus von Milo, die neben einem sitzenden Buddha stand.

»Ach, Kate? Slade sagt, du bist raus aus dem Fall – weil er zu gefährlich geworden ist.«

»Aber er will doch wissen, wer de Tolomei ist, und ich habe seine Fingerabdrücke«, sagte sie, als sie die Treppe hinaufstieg. »Natürlich schicke ich sie dir.«

»Ich schätze, das kann nicht schaden«, sagte Max. »Bei einem so kunstvollen Identitätswechsel ist es ziemlich wahrscheinlich, dass de Tolomei irgendwo eine Akte hat... mit Fingerabdrücken. Er muss was verdammt Wichtiges zu verstecken haben, wenn er sich solche Mühe macht.«

»Hoffen wir's«, sagte Kate, betrat das Büro und schaltete das Licht an. »Wie's aussieht, sind heute alle schon nach Hause gegangen«, fügte sie hinzu und ging in Richtung Labor.

»Beeil dich, Mädchen. Die Spannung bringt mich um«, stöhnte Max.

»Hab's schon fast«, sagte Kate. Sie nahm den Fuß des Weinglases in die linke Hand, griff mit der rechten nach einem dunklen Pinsel, tauchte ihn in ein Glas mit schwarzem Pulver und strich mit den feinen Borsten über die ihr zugewandte Seite des Kelchs. Sie erwartete, dass das Pulver in den Wirbeln eines Fingerabdrucks haften blieb, aber nichts geschah. Es war nur ein verschwommener Fleck zu sehen. Sie drehte das Glas und versuchte es auf der anderen Seite. Auch dort keine Abdrücke.

»Was ist los?«, fragte Max.

»Nichts. Außer dass ich ein Volltrottel bin.«

»Er hat sich die Abdrücke mit Säure wegätzen oder sonst wie wegmachen lassen?«

»Offensichtlich. Ich meine, ich habe gesehen, wie er das Glas gehalten hat, habe es ihm dann abgenommen und sofort in Plastik gesteckt.«

Kate räumte die Utensilien weg, verließ das Büro und fügte hinzu: »Aber ich habe ja noch morgen Abend.«

»Rom?«

»Ja. Ich finde schon raus, wer er ist.«

»Nein, das wirst du nicht. Slade meinte es ernst, Kate. Lass die Finger von dem Fall.«

»Max, Slade will doch offensichtlich dringend wissen, wer de Tolomei ist, und ich habe eine gute Chance, es herauszufinden. De Tolomei mag mich. Er will mich engagieren, damit ich irgendeinen Kunstgegenstand für ihn ausfindig mache. Ich beschaffe mir eine Stimmprobe, eine Netzhautaufnahme... überrede ihn, dass er mir seine private Sammlung zeigt, und platziere ein paar Wanzen in seinem Haus... Du weißt doch, dass der Vampir-Zutritt die einzige Möglichkeit ist, in nächster Zeit da reinzukommen.«

»Stimmt«, sagte Max. Ihre Agenten in Rom waren für einen Einbruch noch nicht bereit; »Vampir-Zutritt« bedeutete, dass man eine Einladung in das Haus bekam. »Aber...«

»Kein Aber. Ich fliege. Slade ist nur überbesorgt um mich, weil er es meinem Vater versprochen hat. Aber er braucht doch die Informationen, oder?«

»Sieht ganz so aus. Also, was soll ich ihm sagen?«

»Nichts. Dass ich in London an Medinas Fall arbeite. Und wenn ich die Antworten habe, die er braucht...«

»Rufst du ihn selber an. Dafür halte ich meinen Kopf nicht hin.«

16

Sagt mir, wo ist der Ort, den man die Hölle nennt?

FAUSTUS in Marlowes *Dr. Faustus*

London – Abend, Mai 1593

Marlowe saß am rechten Ende der vierten Bankreihe und steckte heimlich ein zusammengefaltetes Papier in einen Spalt zwischen Sitzfläche und Sockel. Eine Hand legte sich auf seine Schulter. Er bemühte sich, ruhig zu wirken. Er drehte sich langsam um und sah überrascht, dass der Pfarrer ihn mitleidig anlächelte.

»Was immer dich bedrückt, mein Sohn, Gott wird dir vergeben.«

»Habt Dank«, erwiderte Marlowe und merkte erst jetzt, dass er Tränen auf den Wangen hatte. Erst vor wenigen Minuten hatte er mit Zwiebelsaft anstatt mit Tinte geschrieben und vergessen, sich die Hände zu waschen. Das war nicht gerade seine ungeheuerlichste Sünde, aber ein kleiner Gnadenerweis, wie fehl am Platze auch immer, konnte ihm auf seinem Weg nicht schaden.

Als er die gutturalen Rufe eines Themse-Fährmanns in der kleinen Kapelle hallen hörte, trat er hinaus auf die London Bridge und stieg hinunter zu dem wartenden Flusskahn.

»Tragt Ihr immer Euren irdischen Besitz bei Euch?«, fragte er den Bootsmann und deutete auf den Stapel Kleidungsstücke und Decken im Heck der kleinen Barke.

»Mein Weib hat mich hinausgeworfen.«

»Darf ich fragen, wieso?«

»Ertappte mich mit ihrer Schwester im Bett.«

»Das ist ein Grund.«

»Ich wollte ja durch ein Fenster wieder hineinklettern, aber meine Frau ist … na ja, sie ist viel größer als ich.«

Marlowe tat so, als müsse er sich räuspern, und hob die Hand vor den Mund.

»Sie hatte einen Kupferkessel in der Hand und drohte, mir den Schädel einzuschlagen. Da dachte ich mir, ich lasse mich ein paar Nächte lang nicht sehen.«

»Kluge Entscheidung.«

»Wohin?«

»Durham House«, antwortete Marlowe mit abgewandtem Gesicht. Obwohl er versuchte, eine mitfühlende Miene aufzusetzen, musste er bei der Vorstellung dieser großen und wütend einen Kessel schwingenden Frau grinsen.

Sechs Fuß entfernt lag versteckt unter den Decken und Kleidungsstücken ein Mann. Er nahm sich vor, dem Fährmann einen Bonus zu bezahlen. Der Kerl war verdammt überzeugend gewesen.

Zwischen Westminster und London gelegen, war Durham House eines von mehreren prächtigen Anwesen am Nordufer der Themse. Ursprünglich für Kleriker erbaut, wurde es seit langem vom Hofe genutzt. Vor etwas mehr als zehn Jahren hatte Königin Elizabeth einen Großteil des ausgedehnten Landsitzes an ihren damaligen Lieblingshöfling Sir Walter Raleigh verpachtet.

Die kriegerische Fassade, die sich direkt am Ufer erhob, beherrschte die ganze Umgebung. Raleigh saß in einem der Türmchen. Die kleine Kammer war sein Arbeitszimmer, und sein geneigtes, mit feinen Intarsien aus hellem Holz verziertes Stehpult stand vor dem gerundeten Fenster. Mit erhobenem Krähenfederkiel dachte er über die nächste Stanze seines neuen Gedichts nach, ein Epos, das seiner langen Verbindung mit der Königin gewidmet war. Er nannte es *Buch des Meeres an Cynthia*.

Anfang der 1580er Jahre hatte Raleigh, Sohn eines Gutspächters, Elizabeths Herz mit seinen dramatischen Gesten, seinem sprühenden Witz und seiner rasiermesserscharfen Zunge gewonnen. Ein Jahrzehnt lang belustigten sie seine Witze, erfreuten sie seine Gedichte, und er wich kaum von ihrer Seite. Die vernarrte Königin schenkte ihm wertvolle Monopole, Ländereien und Ämter, und sein Reichtum und sein Ruhm wuchsen schnell. Er war vielleicht der am meisten beneidete Mann Englands. Im letzten Jahr jedoch war alles anders geworden.

Als seine heimliche Heirat mit einer ihrer Ehrenjungfrauen ans Licht kam, ließ Elizabeth ihn in den Tower werfen. Inzwischen war Raleigh zwar wieder in Freiheit, doch er durfte ihr nicht mehr unter die Augen treten. Den Großteil seiner Zeit brachte er nun auf seinem Landsitz in Dorset zu und fuhr nur nach London, wenn dringende Verpflichtungen ihn riefen. Er plante eine Reise in die Neue Welt, die Suche nach der goldenen Stadt El Dorado, das angeblich tief versteckt in den Urwäldern von Guyana lag. Die Möglichkeit, die Reisen, die er plante, überhaupt zu unternehmen, war einer der wenigen Gnadenerlasse seiner Verbannung; in den Jahren zuvor, während der Fahrten nach Virginia Mitte der Achtziger, hatte Elizabeth darauf bestanden, dass er die Britischen Inseln nicht verlasse.

Ein letztes Mal tauchte Raleigh seinen Federkiel in das emaillierte Tintenfass und schrieb die letzten Zeilen dieses Tages, den Schluss des zehnten Buchs seines langen Epos. Ein Blick hinunter zum Fluss zeigte ihm, dass Kit eben aus einem Kahn ans Ufer stieg. Auch wenn seine Standesgenossen es missbilligten, dass er sich mit einem so niederen Stückeschreiber abgab, war der Kerl doch eine unschlagbare Gesellschaft – er hatte einen rastlosen Geist und sagte so frei seine Meinung, wie niemand am Hof es wagte, was für Raleigh sehr erfrischend war. In seiner Zeit am Hof Elizabeths hatte er genug sinnloses Geschwafel, Lügen und falsches Lächeln erlebt.

Raleigh hatte Marlowe vor Jahren bei einem seiner Besuche auf Henry Percys Landsitz kennen gelernt. Percy, der neunte Graf von Northumberland, besaß eine der bestausgestatteten Bibliotheken Englands, mehr als tausend Bände, die aus Dutzenden von Truhen und Schränken quollen. Marlowe hatte sich einige Wochen dort aufgehalten und, als Vorbereitung zu seinem *Dr. Faustus*, Percys umfangreiche Sammlung okkulter Literatur studiert, Bücher von Europas berühmtesten Magiern – Cornelius Agrippa, Giovanni Battista de la Porta, Giordano Bruno, John Dee und anderen. Raleigh und Percy hatten ihre Tage mit Jagd und Falknerei zugebracht, Marlowe mit Lesen, und am Abend hatte der aufstrebende Stückeschreiber sich zu ihnen gesellt, um bei Karten- oder Würfelspielen mit ihnen zu rauchen und philosophische Debatten zu führen.

Mit einem roten Band verknotete Raleigh den dicken Stapel Blätter, stand auf und ging mit dem Paket zur Treppe.

Als Marlowe Raleigh auf sich zukommen sah, lächelte er. Mit seiner beeindruckenden Größe, der farbenprächtigen Kleidung, den funkelnden Juwelen und dem Schwert an seinem Gürtel sah sein sonnengebräunter Freund wirklich aus wie ein verwegener Forschungsreisender, der exotische Länder erkundete.

Marlowe hatte schon lange, bevor sie sich persönlich kennen lernten, Zuneigung zu Raleigh gefasst, denn er sah in ihm einen verwandten Geist. Der berühmte Witz des Höflings und seine Neigung, sich über Konventionen hinwegzusetzen, waren bereits in Marlowes frühen Jahren in Cambridge legendär. Diese Zuneigung verfestigte sich noch, als Raleigh, der ein Monopol auf den Weinverkauf besaß, die puritanische Verwaltung der Universität in Rage brachte, indem er weniger als eine Meile entfernt einen Weinladen eröffnen ließ. Für Marlowe war die Möglichkeit, in der Nähe Alkohol kaufen zu können, an und für sich schon ein Segen, dass aber verstaubte Dekane beim Anblick torkelnder Studenten ohnmächtig die Fäuste schüttelten, war unbezahlbar.

Sie umarmten einander.

»Ah, Geschenke.«

Raleigh lachte. »Nicht unbedingt. Das ist ein neues Gedicht, an dem ich gerade arbeite. Ich hatte vor, äh…«

»Es zu veröffentlichen?« In Raleighs Kreisen wurde es als höchst unfein erachtet, wenn ein Herr ihres Standes etwas so *schrecklich* Gewinnorientiertes tat. Dichter von Stand brachten ihre Werke für gewöhnlich unauffällig im Freundeskreis in Umlauf, nur um des Vergnügens, nie um des Profits willen.

»Im Augenblick bin ich nur an deiner Meinung interessiert, aber wenn ich die letzten zwei Kapitel abgeschlossen habe…«

»Eine anonyme Veröffentlichung, die nie zu dir zurückverfolgt werden kann? Möglich ist das.« Während sie hineingingen, steckte Marlowe die Rolle in seinen Beutel. »Und, mein Freund, ich höre, du bereitest eine neue Eroberung vor? Noch mehr jungfräuliche Länder, die es zu deflorieren und zu plündern gilt?«

»Wie immer, Kit, sind deine Worte Schwerter«, erwiderte Raleigh und führte Marlowe in seine Privatgemächer im obersten Stock. »Aber du bist nicht der Erste.« Seit Raleigh eine der Damen der Königin verführt hatte, war er Zielscheibe einer endlosen Reihe ähnlicher Witze.

Der Tisch im Esszimmer war mit dickem, rotem Tuch bedeckt, und dazu passende Quastenkissen lagen auf den Bänken. Zinngeschirr und Besteck waren aufgetragen, Kerzen brannten, Wein funkelte in Bechern, und ein gebratener Pfau – der prächtige Schwanz wie ein Fächer am Rand des Tabletts angeordnet – wartete auf sie.

Raleigh setzte sich und biss herzhaft in einen knusprigen Schenkel. »Ich suche nach El Dorado, der Stadt des Goldes an den Ufern des Manoa-Sees. Beherrscht von den Nachfahren eines Inka-Prinzen.« Er beugte sich vor. »Meine Quellen sagen, dass das Königreich mehr Gold hat als Peru. Tempel voll goldener Götzenbilder; Gräber, die überquellen von Schätzen …«

Während Marlowe Raleighs funkelnder Beschreibung lauschte, fragte er sich, wie verlässlich diese Quellen tatsächlich waren. Gefangene Seeleute, das stellte er sich vor, würden fast jedes Märchen erzählen, wenn man ihnen mit Folter drohte.

»Erst im letzten Monat habe ich Erkundungsflotten ausgeschickt«, fügte Raleigh hinzu. »Im Sommer sollte ich ihre Berichte bekommen. Wir werden die Spanier an Glanz übertreffen, mein Freund.«

»Darauf trinke ich.«

»Warte. Ich habe dir meine aufregendste Neuigkeit noch nicht erzählt.«

»Du hast die nötigen Mittel beisammen?« Als Marlowe Raleighs Überraschung sah, erklärte er: »Tavernenklatsch. Wie hast du es angestellt?«

»Nun ja, wer würde sich die Gelegenheit entgehen lassen, sein

Geld zu vertausendfachen? Ich habe ganz einfach von der goldenen Stadt erzählt und die Berichte der Augenzeugen vorgelegt, und mein Wohltäter hat sein Schatzkästlein mit einer Bereitwilligkeit geöffnet, die man eher bei einer lüsternen Art von Geschäft erwartet hätte.«

»Und dieser so lüstern gute Geist ist...?«

»Robert Cecil.«

»Aber er ist verschuldet!«

»Das kann nicht sein. Er hat mir fünfzigtausend Pfund versprochen.«

»Dann ist das Gerücht, das ich gehört habe, vermutlich falsch«, murmelte Marlowe. Aber es war nicht nur ein Gerücht. Im vergangenen Jahr hatte Cecil so dringend Geld gebraucht, dass er Marlowe gebeten hatte, Münzen zu fälschen. Der Mann hätte ihn sicherlich nicht zu einem dermaßen hochverräterischen Verbrechen angestiftet, wenn er Tausende von Pfund übrig gehabt hätte; also musste er erst kürzlich zu Geld gekommen sein. War Cecil der Moskowiter, der mit Helens Piratenkapitän Geschäfte machte?

»Wann brichst du auf?«, fragte Marlowe.

»In den nächsten ein oder zwei Jahren. Wir arbeiten noch an den Routen, stellen die Ausrüstung zusammen...«

»Schade, dass das Reisen nicht so einfach ist wie...« Marlowe hob den Blick zur Decke.

Raleigh stand mit einem geheimnisvollen Lächeln auf. »Komm mit mir.«

Marlowe folgte ihm den Korridor entlang zu Tom Hariots Unterkunft im Nordflügel des Hauses.

Karten, Atlanten und zahllose Blätter mit numerischen Tabellen wie auch die Utensilien vieler laufender Experimente bedeckten die Schreibtische in Hariots Studierzimmer. Eine mit Wasser gefüllte Glaskugel, die an einem metallenen Haken von der Decke hing, erregte als Erstes Marlowes Aufmerksamkeit. Ein Stück steifes Pergament mit einem Loch in der Mitte hing zwischen der Kugel und dem nächsten Fenster. *Hm.*

Hariot, ein Oxford-Absolvent, war Meister der Mathematik, der

Optik, der Astronomie und der Kartographie. Neben seinen Experimenten führte er Raleighs Bücher, unterrichtete Raleighs Schiffskapitäne in Navigation und zeichnete Karten der Küstenverläufe, die Raleigh zu erforschen gedachte.

Hariot saß mit dem Rücken zu ihnen und schien ihr Eintreten überhaupt nicht zu bemerken. Er schrieb eifrig. Er rechnet, dachte Marlowe, als er seine abgehackten Armbewegungen sah. Hariot war erstaunlich flink mit Zahlen, so dass er ein unschätzbarer Verbündeter war, wenn es ums Kartenspielen ging. Doch bedauerlicherweise für Marlowe hatte Hariot, kaum dass er die Kunst des Augenzählens und der Wahrscheinlichkeitsberechnung gelernt hatte, das Interesse daran wieder verloren und hatte sich seitdem nicht mehr zu einem Spiel überreden lassen. Dieses Überreden lag Marlowe normalerweise sehr am Herzen, doch im Augenblick war er neugierig auf Hariots neueste Entdeckungen. Der Mann war ein Genie.

»Geht's dir gut, Tom?«

Hariot schrak hoch. »Ging schon mal besser«, antwortete er und drehte sich um.

»Was plagt dich?«

»Der Regenbogen.«

»Iris läuft dir noch immer davon, was?«

Hariot nickte betrübt. »Aber ein paar Dinge habe ich herausgefunden«, sagte er stolz und deutete zu einem gläsernen Becken. Es war zur Hälfte mit Wasser gefüllt, und darin steckte ein Stab. Er war etwa einen Fuß lang und nur teilweise unter Wasser. »Der Stab«, sagte er. »Was fällt dir auf?«

Marlowe zuckte die Achseln. »Sieht ganz gewöhnlich aus.«

»Seine Form?«

»Gebogen.«

Hariot zog ihn heraus. Er war vollkommen gerade.

Raleigh und Marlowe schauten ihn erwartungsvoll an.

»Licht bricht sich, wenn es in eine Flüssigkeit eindringt«, erklärte Hariot.

»Was hat das mit dem Regenbogen zu tun?«

»Die Luft ist voller winziger Wassertropfen, und die Strahlen des Sonnenlichts brechen sich, wenn sie in die Tropfen eindringen. Diesen Prozess nennt man Refraktion. Und wenn die Strahlen dann auf die hintere Wand des Tropfens treffen, reflektieren sie daran – sie prallen zurück. Der Regenbogen hat etwas mit diesen Winkeln zu tun, der Refraktion und Reflektion des Sonnenlichts. Ich habe die Abmessungen studiert, aber...«

»Wenn der Himmel voller Tröpfchen ist, warum dann ein so dünner Bogen?«, fragte Marlowe. »Nur an einer ganz bestimmten Stelle?«

»Das hat zu tun mit dem Winkel zwischen den Sonnenstrahlen hinter dir, den Wassertröpfchen im Himmel und deinen Augen hier auf der Erde.«

»Und die Farben?«

»Ich bin mir, ähm...«

»Ich habe großes Vertrauen in dich.«

Raleigh schaute Hariot an. »Es ist eine gute Nacht zum...«

»Eine vollkommene. Willst du?«

Raleigh nickte.

Marlowe schaute interessiert zu. Hariot ging zu einem von der Decke hängenden Seil und zog daran. Mit lautem Knarzen schwang eine Tür, an der eine Klappleiter befestigt war, nach unten. Hariot stieg hinauf.

Marlowe folgte ihm und fand sich in einer dunklen Kammer wieder. Hariot drückte eine der Wände nach außen. Mondlicht strömte herein. Einer nach dem anderen traten sie aus der Mansarde auf das nur leicht geneigte Dach.

Hariot holte nun ein langes, merkwürdig aussehendes Metallrohr aus einer Kiste am Dachrand. Er setzte sich, lehnte sich zurück, hielt sich das Rohr ans Auge und richtete es in den Himmel. Die Röhre bestand aus zwei Zylindern, die er einstellte, indem er den Abstand zwischen seinen Händen, die die beiden umklammerten, veränderte. Der hintere Zylinder schien etwas dicker zu sein als der an seinem Auge und glitt über diesen. »Da ist er«, flüsterte er. »Kit, schau mal.«

Marlowe, der neben ihm saß, nahm das schwere Rohr in die Hand und bemerkte eine gewölbte Glasscheibe knapp innerhalb der Öffnung. Sie war glatt wie die Gläser in einer Brille. Er spähte hindurch.

»Benutz dein anderes Auge, um das Ding auf den Mond zu richten«, sagte Hariot.

Marlowe tat es. »Gütiger Gott. Was…«

»Das ist ein Teleskop«, sagte Hariot. »Lässt den Mond um ein Vielfaches größer erscheinen.«

»Er wirkt so nahe… alle Einzelheiten sind so scharf!«

»Du sprichst doch schon so lange davon, die Himmel zu erforschen«, sagte Raleigh, »und da keines meiner Schiffe in diese Richtung segelt…«

Marlowe, Raleigh und Hariot, die hoch oben auf dem Dach von Durham House saßen, wähnten sich allein – unbeobachtet von spähenden Augen und argwöhnischen Ohren. Sie täuschten sich.

Nur ein Stückchen entfernt saß ein Mann in den oberen Ästen eines Baums und sah zu, wie sie sich Pfeifen ansteckten und in den Himmel schauten. Sein Name war Richard Baines, und es war der Mann, der Marlowe von der London Bridge aus gefolgt war.

Gottes Geheimnisse zu erkunden ist das Werk des Teufels, dachte Baines. Kein Wunder, dass die Leute Hariot einen diabolischen Zauberer nennen.

Baines' Auftraggeber wollte Beweise dafür, dass Marlowe den Atheismus förderte. Solche Beweise konnten immer gefälscht werden – das geschah die ganze Zeit –, aber Baines nahm seine Spionagearbeit ernst. Wenigstens ein paar Körnchen Wahrheit wollte er für seine Anschuldigungen.

Als Marlowe dem Bootsführer sein Ziel genannt hatte, hatte Baines vermutet, dass sich das Bespitzeln an diesem Abend als Goldgrube erweisen würde. Sowohl Marlowe wie Raleigh waren berüchtigte Häretiker.

Und wie Recht er gehabt hatte. Was er eben gehört hatte, genügte, um dafür zu sorgen, dass der einzige Ort, den Marlowe noch erkunden würde, eine Gefängniszelle war.

Man kann auf einem Ast nur eine bestimmte Zeit sitzen, bevor einem der Hintern taub wird. Einer der Knoten, die in Baines' Fleisch drückten, fühlte sich an wie ein Folterinstrument. Mit schmerzverzerrtem Gesicht rutschte er hin und her.

In Southwark am anderen Themseufer rutschte eine holländische Frau namens Eva ebenfalls hin und her. Aber sie saß nicht auf einem Ast, sondern auf einem Tisch. Und sie wand sich nicht vor Schmerzen, sondern vor Vergnügen. Sie hatte Robert Poleys Kopf unter ihrem Rock und hoffte inständig, dass ihr Gatte nicht zu früh aus der Taverne nach Hause kommen und sie in einer so unschicklichen Lage vorfinden würde.

Für die meisten Menschen ist Ehebruch eine Form von Betrug. Aber nach Robert Poleys einzigartigem persönlichen Moralkodex war, wenn man das Spiel der Liebe spielte, das Bezahlen für den Akt die gemeinste Form des Betrugs, die Verführung der Frau eines anderen dagegen die ehrbarste Art des Erfolgs. Die junge blonde Frau des holländischen Glasbläsers war sein jüngster Triumph, wenngleich kaum sein größter.

Jahre zuvor, als Francis Walsingham noch am Leben war, hatte Poley die Tochter des großen Meisterspions, die damals mit dem beliebten Dichter Sir Phillip Sidney verheiratet war, ins Bett gelockt. Jetzt war die ehemalige Lady Sidney die Gattin des Grafen von Essex, doch zu Poleys Entzücken hatte sie noch immer eine Schwäche für ihn. Er nahm sich vor, bald ein Stelldichein mit ihr zu vereinbaren. Und vielleicht würde er es diesmal Cecil sagen. Ohne Zweifel würde sein Arbeitgeber sich sehr darüber freuen, dass er mit der Frau seines Feindes ins Bett ging.

Seinen größten erotischen Misserfolg hatte Poley jedoch mit Mary, der Königin der Schotten, erlebt. In den letzten Jahren ihres Lebens, als sie auf Tutbury Castle gefangen gehalten wurde, hatte man ihn zu ihr geschickt, damit er sich als Sympathisant ausgebe, als heimlicher Katholik, der ihr beim Schmuggeln ihrer Briefe behilflich sein könne. Er traf sich immer mit der Königin, wenn sie durch Tutburys Parkanlagen ritt, und erkannte sehr schnell, dass ihr Ruf als gefährliche Verführerin alles andere als der Wahrheit entsprach. Die traurige und ergebene Frau schrieb Dutzende von

Liebesbriefen an ihren Gatten, den sie nie mehr sehen sollte. Hin und wieder weinte sie voller Dankbarkeit an Poleys Schultern, der ihr versicherte, dass diese Briefe ihr Ziel erreichen würden. Es war eine Lüge, aber eine, die sie tröstete. Die Tiefe und Dauerhaftigkeit ihrer Liebe rührte ihn, und bald gab er seinen ursprünglichen Plan auf, ihr letzter Liebhaber zu werden. Die Nemesis von Walsinghams Geheimdienst – und das Idol katholischer Verschwörer überall auf den Britischen Inseln und auf dem Kontinent – war nur eine einsame, alternde Frau, die sich nach ihrem Gatten sehnte. Sie würde nie wieder frei sein, aber Poley hoffte, mit seinen falschen Zusicherungen dafür zu sorgen, dass sie wenigstens in Frieden sterben konnte.

Während dieser Nachmittage mit Mary lernte Poley etwas über sich selbst. Auch wenn der Verrat sein Lebensunterhalt und sein größtes Vergnügen war, verlor er doch das Interesse daran, wenn er jemanden betraf, vor dem er Hochachtung hatte. Und darüber hinaus wollte er demjenigen helfen, der sich im Gewirr staatlicher Intrigen verfangen hatte. Das geschah nicht oft, seit Mary kein einziges Mal mehr, aber die Nachricht von Marlowes Notlage weckte diesen so lange schon schlafenden Teil seiner Seele wieder. Er mochte den charmanten Stückeschreiber und bewunderte seinen wagemutigen Spott über alles, was töricht war in diesem Land.

Er knöpfte sein Leinenhemd zu und küsste Eva zum Abschied.

Neben der leeren Bärenkampfarena sah Poley Teresa Ramires, ein üppiges Mädchen mit rabenschwarzen Haaren, in einem Strahl des Mondlichts stehen. Sie war eine Dienstmagd in Essex' Haushalt und eine von Poleys wertvollsten Zuträgerinnen.

»Hallo, Rob«, sagte sie und streckte ihm die offene Hand hin.

Poley griff in seine Tasche. »Ich nehme doch an, ich bekomme etwas für mein Geld«, sagte er und hielt einen Shilling in die Höhe.

Teresa nickte. »Ich weiß nicht genau, wo Kit Marlowe ist …«

Poley steckte die Münze wieder in die Tasche.

»Aber ich weiß, dass Phelippes ihn bezahlt, damit er eine der Handelsgesellschaften auskundschaftet. Die, äh …«

»Levantiner Gesellschaft? Marokko? Moskowiter?«

Teresa nickte. »Moskowiter, um die geht es. Phelippes vermutet, dass da irgendetwas geschmuggelt wird.«

»Von wem? Hat er das gesagt?«

»Nein. Aber er ist heute Abend im Essex House. Ich werde in der Nähe bleiben.«

»Gut«, sagte Poley und gab ihr den Shilling. »Sei gegen Mittag wieder hier.«

Während Teresa davonschlenderte, starrte Poley auf die Themse hinaus und dachte über diese Information nach. Offensichtlich hatten einer oder mehrere der Händler und Höflinge in der Moskowiter Gesellschaft etwas zu verbergen, und es konnte gut sein, dass Marlowe kurz davor stand, dies aufzudecken. Dürfte der Grund für das »Tamerlan«-Plakat sein, dachte Poley. Marlowe ist dicht an der Wahrheit, und dieser oder diese Schmuggler wollen ihn aufhalten. *Na ja, das werden sie nicht schaffen. Dafür werde ich sorgen.*

17

St. James's, London – 21 Uhr 40, Gegenwart

»Surina, wie geht es ihm?«, fragte de Tolomei. Er lag auf einem Sofa mit Blumenmuster in seiner Suite im Ritz und hielt sich sein Handy ans Ohr.

»Er legt ein bisschen was an Gewicht zu, Sir. Und auch seine Wunden verheilen gut. Der Arzt meint, er müsste jetzt eigentlich jeden Tag aufwachen, aber...«

»Was denn?«

»Er hat immer wieder diese... Anfälle. Ich, na ja, ich habe ihm zuvor die Hand gehalten und sie... sie zuckte. Mehrmals.«

»Er war in einem schrecklichen Gefängnis, Surina. Dort wurde er unter anderem auch mit Elektroschocks gefoltert.«

»Darf ich fragen, äh...«

»Er ist kein Krimineller, Surina. Er wurde von seinem Land verraten.«

»Oh.«

»Und wie geht es Ihnen?«

»Sehr gut, Sir. Ich habe noch nie am Meer gewohnt... es ist so wunderschön hier. Und ich... ich mag auch ihn. Ich bete jeden Abend für ihn.«

»Gut. Ich werde Sie beide sehr bald sehen.« De Tolomei hielt inne, er wusste nicht so recht, wie er seinen nächsten Gedanken in Worte fassen sollte. »Übrigens, Surina...«

»Ja, Sir?«

»Falls Sie... falls Sie so etwas wollen. Ich habe für Sie einen Termin bei einem plastischen Chirurgen in Paris vereinbart. Er ist einer der besten der Welt.«

Sie blieb einen Augenblick stumm und atmete kaum. »Oh... ich weiß gar nicht, was ich sagen soll. Ich...« Kurz versagte ihr die

Stimme, dann flüsterte sie: »Ja. Ich – bin daran interessiert. Sehr sogar.«

»Der Arzt meinte, Ihre Verbände wären weg, bevor Ihr Semester anfängt«, sagte de Tolomei. Surina hatte ihm erzählt, dass sie einen Teil seines Honorars für ein Studium an der Sorbonne verwenden wolle.

»Vielen Dank.«

»Auf Wiedersehen.«

De Tolomei schaltete das Handy ab, schloss die Augen und seufzte bei dem Gedanken, wie reibungslos sein Plan sich entwickelte. Und dabei musste er sich bei einem früheren Feind für das alles bedanken.

Vor drei Jahren hatte ein ranghoher CIA-Agent, der bei mehreren ausländischen Geheimdiensten auf der Gehaltsliste stand, Hamid Azadi vom VEVAK über eine CIA-Operation informiert, die auf irakischem Boden im Gange war. Teheran, das wusste der amerikanische Verräter, wollte, dass Saddams Regime von der gesamten Schlagkraft des US-Militärs pulverisiert und nicht nur durch einen verdeckten Mordanschlag enthauptet würde. Er hatte deshalb Azadi genug Informationen gegeben, damit der den jungen Mann, der die Operation leitete, lokalisieren und töten lassen konnte.

Azadi hatte tatsächlich ein Team auf den amerikanischen Spion angesetzt. Aber er tat es nicht, um die geopolitischen Ziele seines Landes voranzubringen. Für die interessierte er sich schon längst nicht mehr. Er wollte den Spion für persönliche Zwecke benutzen – als Faustpfand, um seine bevorstehende Flucht zu erleichtern. Und so hatte er den Mitgliedern des Entführungsteams nur gesagt, ihr Ziel sei ein Zeuge mit wertvollen Informationen über die Mudschaheddin e-Khalq (MEK), die militanteste iranische Oppositionsgruppe, die zu der Zeit Trainingslager und Treffpunkte überall im Südwesten Iraks hatte. Dann hatte er den jungen Spion unter falschem Namen im Teheraner Evin-Gefängnis versteckt.

Azadi hatte nicht vorausgesehen, dass die Vorbereitung seiner Flucht drei Jahre dauern würde, und er hatte auch nicht gewollt, dass sein Gefangener in den Händen der sadistischen Wächter von

Evin leiden musste, aber so ist das Leben. Azadi hatte ihn meist betäubt und isoliert gehalten. Der Gefangene war gefoltert worden, aber mit etwas Glück würde er sich kaum daran erinnern. Da Azadi wusste, dass de Tolomei mit den inneren Mechanismen der amerikanischen Geheimdienste vertrauter war als er, hatte er seinen Freund um Rat gefragt, wie er sein Faustpfand am besten einsetzen könnte.

Als de Tolomei Azadis Video zum ersten Mal sah, hatte es ihn durchzuckt wie bei einem Stromschlag. Nachdem er dreizehn Jahre lang auf den richtigen Augenblick gewartet hatte, um eine Rache zu inszenieren, die dem Mann angemessen war, der sein Leben zerstört hatte, war ihm ganz unerwartet das perfekte Werkzeug in den Schoß gefallen. De Tolomei hatte Azadi sofort angeboten, ihm den Gefangenen aus persönlichen Gründen abzukaufen und seine umfangreichen Kontakte zu nutzen, um Azadi eine erfolgreiche Flucht in die USA zu ermöglichen. Er erklärte ihm, bei amerikanischen Regierungsbeamten könne man sich nicht darauf verlassen, dass sie eine getroffene Abmachung einhielten. Wenn sie ihn nicht absichtlich verheizten, nachdem sie von ihm bekommen hatten, was sie wollten, würde ohne Zweifel einer von ihnen einen Fehler bei seiner Umsiedelung machen und ihn so seinen Mördern ausliefern. Azadi hatte das Angebot sofort angenommen.

Als de Tolomei nun auf seine Hände hinunterschaute, sah er, dass sie sich um einen imaginären Hals legten. Vor dreizehn Jahren hatte Donovan Morgan sein Leben zerstört, und damals hatte er sich nichts sehnlicher gewünscht, als ihn zu erwürgen. Mit der Zeit jedoch hatte er erkannt, dass der Tod eine viel zu leichte Strafe für ihn wäre.

McLean, Virginia – 16 Uhr 44

Alexis Cruz, die Direktorin der Central Intelligence Agency, entspannte sich in einer geräumigen Badewanne neben ihrem Büro im siebten Stock der CIA-Zentrale. Seit zehn Stunden hatte sie un-

unterbrochen in Besprechungen gesessen und hatte nun angeordnet, dass man sie eine Stunde lang nicht stören dürfe, mit der Begründung, sie erwarte den dringenden Anruf eines südostasiatischen Staatsoberhaupts.

Alexis' Training vor Sonnenaufgang war mörderisch gewesen. Mit einem früheren D-Boy (einem Angehörigen der Delta Force, der Elitetruppe der Armee) als neuen persönlichen Trainer war sie in einer ausgezeichneten körperlichen Verfassung, aber ihre Muskeln schmerzten nun beinahe die ganze Zeit. Ihre Nachmittagslektüre in der Badewanne zu absolvieren war ziemlich schnell zu einer Gewohnheit geworden. Einer ihrer Leibwächter – der einzige Mensch, der davon wusste – witzelte gerne, dass sie dem Begriff »nasse Arbeit« eine ganz neue Bedeutung gab.

Sie hatte eben eine dünne Akte mit Informationen geöffnet, die sonst auf keiner Datenbank und in keinen Unterlagen des CIA existierten. Es war die Personalakte eines Operationsführers mit dem Decknamen Acheron, der Beste, den die Agency in den letzten zehn Jahren gehabt hatte. Wenn Jeremy Slade es schaffte, ihn mit intakter Deckung zurückzubekommen, wäre das ein Wunder; er war für sein Land viel mehr wert, als irgendein Raketenabwehrschild es je sein könnte. Falls die Jungs vom Verteidigungsministerium es je schaffen, einen zu entwickeln, der funktioniert, dachte Alexis mit einem Kopfschütteln.

Eine Information, die diese Akte nicht enthielt, war der richtige Name des Agenten, den kannten nur Slade und Donovan Morgan. Beim Überfliegen der ersten Seite sah Alexis, dass er der Sohn eines ägyptischen Vaters und einer amerikanischen Mutter und mit einer doppelten Staatsbürgerschaft in Kairo aufgewachsen war. In den frühen Neunzigern, als die Regierung Mubarak Krieg gegen die militanten islamischen Gruppen in Ägypten führte, waren einige Freunde dieses Jungen bei einem Terroristenangriff auf ein Café auf dem schicken Tahrir-Platz in Kairo getötet worden. Da der Großteil von Ägyptens Einkünften aus dem Tourismus kam, suchten sich die militanten Islamisten Touristenorte als Ziele, um so die Wirtschaft zu ruinieren und dadurch die Regierung zu untergraben.

Nachdem ihr künftiger Spion – damals Studienanfänger an der Cairo University – Gerüchte gehört hatte, der ägyptische Geheimdienst sei von Angehörigen militanter Gruppen unterwandert worden, hatte er seine Dienste Slade angeboten, zu der Zeit Leiter des CIA-Büros in Kairo. Trotz fehlender Grundausbildung hatte es der Spion unter Slades Führung geschafft, die Al Gama'a al Islamija, Ägyptens brutalste Terrororganisation, zu infiltrieren. Das Vertrauen der Militanten hatte er sich erschlichen, indem er bei ihrer beliebtesten Geldbeschaffungsaktion mitmachte: dem Bankraub.

Slade, der ein großer Freund der klassischen griechischen Literatur war, hatte beschlossen, seinen neuen Rekruten Acheron zu nennen, in der griechischen Mythologie der Fluss, den Odysseus überqueren musste, um in die Unterwelt zu gelangen. Der Name erwies sich als sehr passend: Mit Acherons Informationen war Slade in der Lage, den ägyptischen Behörden bei der Vereitelung von fast einem Dutzend Angriffen auf ausländische Touristen zu helfen.

1995 kehrte Slade als Leiter der Abteilung Mittlerer Osten nach Washington zurück, und zwei Jahre später folgte ihm Acheron, der sich für ein Studium der Archäologie in den Vereinigten Staaten eingeschrieben hatte. Indem er archäologische Ausgrabungsprojekte als Deckung benutzte, führte er mehrere Jahre lang mit außerordentlichem Erfolg Aufträge im gesamten Mittleren Osten durch, bis zu der Operation Anfang 2001, die den Decknamen Hydra trug. Sie wurde so genannt, weil Saddam Hussein im Grunde genommen auch ein Ungeheuer mit vielen Köpfen war.

Ihr Spion hatte eine unglaublich gute Deckung gehabt. Auch wenn Hussein ein brutaler, sein Volk unterdrückender Diktator war, war er doch immer auch ein begeisterter Förderer der Erforschung von Iraks kulturellem Erbe gewesen, und hatte nach Desert Storm ausländische Archäologen – darunter auch Briten und Amerikaner – eingeladen, die historischen Stätten seines Volkes zu restaurieren und zu studieren. Und als Wiege der Zivilisation – das Land der alten sumerischen, assyrischen und babylonischen Reiche – hatte der Irak Tausende davon. Was dem Saddam-Regime ihren Spion darüber hinaus noch sympathisch machte, war die Tatsache, dass er Mitglied in einer Bostoner Organisation war, die in einem Rundschreiben die Verwüstungen verurteilte, die amerikanische und britische Kampfflugzeuge bei ihren Patrouillen in den Flugverbotszonen anrichteten; offensichtlich hatten ihre Bomben unter anderem auch Ur, die Geburtsstätte Abrahams, fast zur Gänze zerstört.

Die Archäologen im Irak durften nicht nur Laptops – zur Analyse jahrtausendealter Keilschrifttafeln – mit sich führen, man ermutigte sie sogar, sich zu bewaffnen, um sich gegen Plünderer wehren zu können. Aufgrund des Chaos und der Armut nach Desert Storm, das wusste Alex, war die Plünderei ein so extremes Problem geworden, dass die wenigen Archäologen, die im Irak arbeiteten, manchmal schwerer bewaffnet waren als Soldaten. *Eingeladen ins Land, mit der Erlaubnis, einen Laptop und eine Waffe mit sich zu führen – besser geht's nicht.*

Im März 2001 hatte es in Bagdad eine internationale Konferenz zur Feier der Erfindung der Schrift vor fünftausend Jahren gegeben. Archäologen und Keilschriftexperten aus den USA, Großbritannien und Europa waren dort zusammengekommen, um über ihre neuesten Forschungsergebnisse zu sprechen und mit ihren irakischen Kollegen über neue Theorien zu diskutieren. Und so war Acheron einer von zahlreichen Westlern gewesen, die vor und nach der Konferenz durchs ganze Land reisten, um alte Grabungsstätten zu besuchen und die Arbeit dort wieder aufzunehmen. Der Coup, den er aus dieser perfekten Positionierung heraus durchführen sollte, wäre zweifellos ein Erfolg gewesen, wäre er nicht einen Monat nach Beginn der Operation verraten worden. Alexis hatte zwar keinen Beweis, aber sie glaubte, dass ein ranghoher CIA-Offizier dafür verantwortlich war.

Alexis war zu der Zeit nicht beim CIA gewesen. Obwohl sie dort ihre Karriere als Sachbearbeiterin begonnen hatte, hatte sie die Agency mit Ende zwanzig verlassen, um ihr Juraexamen zu machen, hatte dann kurz als Staatsanwältin gearbeitet und war schließlich Kongressabgeordnete für den Staat New York geworden. Kurz nach dem 11. September 2001 hatte der Präsident sie gebeten, die unter Beschuss geratene CIA zu übernehmen und sie, wie er es nannte, kräftig zu entstauben. Was sich als schmerzhaft lang-samer Prozess erwies. Unter anderem hatte sie diesen speziellen Verräter, falls es ihn wirklich gab, noch immer nicht identifiziert.

Alexis fluchte gerade, als eines ihrer abhörsicheren Telefone klingelte. »Cruz«, sagte sie nach dem Abheben.

»Lexy? Ich bin's, Jeremy.«

»Ich lese eben die Akte. Hast du ihn gefunden?«

»Ja. Nach Jahren in einem der unzugänglichsten Gefängnisse der Welt ist er jetzt in einer nur leicht bewachten Villa an der tunesi-schen Küste, kannst du dir das vorstellen? In diesem Augenblick bereitet sich ein Team von mir darauf vor, dort einzudringen.«

»Wie hast du...«

»Er wurde in einem Lastwagen aus Evin weggebracht und dann auf ein Schiff geladen, das den Golf in Richtung Mittelmeer ver-ließ. Letzte Nacht hatte das Schiff ein Rendezvous mit einer Jacht vor der Küste von Tunis. Ein KH-zwölf war zur richtigen Zeit in der richtigen Position, um die Transaktion aufzuzeichnen.«

»Du glaubst also, dass de Tolomei, wer immer er ist, ihn Azadi abgekauft hat, um uns zu erpressen?«

»Scheint sein Hauptgeschäft zu sein«, sagte Slade. »Wenn es Azadi wäre, würde ich vermuten, dass er versucht, irgendeinen Gefangenenaustausch zu organisieren, aber bei de Tolomei...«

»Richtig. Aber auch wenn Don finanziell nicht schlecht gestellt ist, hat er auf keinen Fall die Mittel in der Größenordnung von de Tolomeis üblichen Opfern«, sagte Alexis. »Er könnte es natürlich auf meine frei verfügbaren Gelder abgesehen haben, außer...«

»Er hat es auf etwas anderes als Geld abgesehen«, ergänzte Slade.

»Eine Amnestie?«, schlug Alexis vor. »Vielleicht hat er eine neue Identität angenommen, weil er eine Art Flüchtling ist.«

»Das würde passen«, sagte Slade. »Wie auch immer, wir bekom-men unseren Mann zurück, aber wir könnten noch ein anderes Problem haben. Erinnerst du dich noch an diese Injektionsspuren auf seinen Armen? Es könnte sein, dass Azadi ein komplettes Ge-ständnis auf Band hat.«

»Was dazu führen könnte, dass der Kongress, vielleicht sogar der Haager Gerichtshof, Ermittlungen gegen alle damals Beteiligten aufnimmt... und es möglicherweise zur Anklage kommt«, sagte Alexis. »Mein Vorgänger, du, Donovan, ganz zu schweigen vom Präsidenten.« Im Geiste sondierte sie das trübe Territorium des internationalen Rechts in Bezug auf die versuchte Ermordung einer politischen Figur in einem anderen Staat. »Wir können nicht argumentieren, dass Anfang 2001 Kriegszustand herrschte«, fuhr sie fort, »die Anklage würde deshalb lauten... Verschwörung zur Verletzung von Artikel eins der UN-Resolution von 1974 gegen illegale Akte der Aggression. Wir könnten natürlich auch nicht mit vorwegnehmender Selbstverteidigung argumentieren. Ja, es müsste schon humanitäre Intervention sein.«

»Würde das funktionieren?«, fragte Slade.

»Juristisch? Sicher. Aber bei der bevorstehenden Wahl wäre das ein PR-Albtraum. Der Präsident würde meinen Kopf zum Frühstück verspeisen.«

»Dazu werde ich es nicht kommen lassen, Lexy.«

»Ich weiß«, sagte sie leise und veränderte ihre Lage, weil ihr rechtes Bein eingeschlafen war. Zu ihrer Verärgerung verursachte die Bewegung ein leises Plätschern.

»In der Wanne, was?«

»In flagranti erwischt.«

»Schade, dass ich nicht bei dir sein kann.«

Trotz des warmen Wassers, das sie umspülte, lief Alexis ein Schauder über den Rücken.

Sidi Bou Said, Tunesien – 23 Uhr 56

Mondlicht und Straßenlaternen erhellten Sidi Bou Said, eine malerische blau-weiße Stadt auf einer Klippe über dem Golf von Tunis. All die weiß getünchten, rechteckigen Gebäude hatten leuchtend blaue Türen, Fensterstöcke und raffinierte Spaliere, die trieften vor Bougainvillea. Touristen drängten sich in den Straßen – vorwiegend schick gekleidete Europäer, die durch Kopfsteinpflastergassen schlenderten, die Läden und sich gegenseitig musterten.

Gekleidet in elfenbeinfarbenes Leinen, schlenderten Connor Black und Jason Avera, zwei ehemalige CIA-Paramilitärs, die jetzt in Jeremy Slades Diensten standen, auf ihr Ziel zu, einem Café am Klippenrand mit Blick auf den Golf. Sie hatten den ersten Flug an diesem Nachmittag von Istanbul nach Tunis genommen. Das Café lag einen halben Kilometer von der Villa entfernt, die ihr Vier-Mann-Team beobachtete.

»Wenn man sich überlegt, dass wir auf dem Weg zu einem iranischen Gefängnis waren. Da wird das hier ja das reinste Kinderspiel«, sagte Jason.

Connor nickte. Als er sah, dass zwei Frauen ganz unverblümt mit ihnen flirteten, griff er nach Jasons Hand. Um unerwünschter Aufmerksamkeit zu entgehen, gaben sie sich als schwule Touristen aus.

Mit einem gekünstelten Lächeln flüsterte Jason: »Scheiße, deine Hände sind feucht.«

Connor grinste. »Damit ich dich besser streicheln kann, mein Lieber.«

»Meinst du nicht, dass die rosa- und lavendelfarbenen Hemden reichen, um die Botschaft rüberzubringen?

»Offensichtlich nicht«, sagte Connor und ließ los, sobald die beiden Frauen mit der vorhersehbaren Klage »Die heißen Typen sind immer schwul« an ihnen vorbeigegangen waren.

Nach einer Biegung der Straße kamen die beiden zu einem kleinen, von Cafés gesäumten Platz und gingen auf den Tisch zu, an dem sie schon vor ein paar Stunden gesessen hatten. Zum Glück war er frei. Sie bestellten die Spezialität des Hauses – süßer Pfefferminztee in winzigen Gläsern, Baklava und eine Hookah, eine Wasserpfeife, mit Apfeltabak –, schauten dann hinunter auf die geschwungene Küstenlinie und taten so, als würden sie die Aussicht genießen.

Das träge Wasser des Golfs funkelte im Licht des Mondes und der Sterne. Etwa dreißig Meter von der fraglichen Villa entfernt ritt ein Mann scheinbar ziellos über den Strand. Er trug ein Led-Zeppelin-T-Shirt, hatte eine Karte auf dem Hals des Pferdes ausgebreitet und eine Taschenlampe in der Hand, einen CD-Player am

Hosenbund und Kopfhörer über den Ohren. Immer wieder laut den Refrain eines Lieds mitgrölend, wirkte er wie ein betrunkener Tourist.

Connor wandte seine Aufmerksamkeit der Villa zu. Etwas versteckt in einem Palmenhain gelegen, hatte sie zum Meer hin einen zweistöckigen Balkon und war, wie in Sidi Bou vorgeschrieben, blau und weiß getüncht. Als Connor zu reden anfing, nickte und kicherte Jason, obwohl Connor nicht mit ihm sprach, sondern in ein Mikrofon, das unter seinem Hemdkragen versteckt war.

»Mr. Revere, hier Liebling Eins. Was siehst du?«, fragte Connor. Sie benutzten Codewörter, um ihre Identität und ihr Beobachtungsobjekt zu verschleiern, für den Fall, dass irgendjemand durch Zufall auf ihre Funkfrequenz geriet.

»Zwei Katzen auf dem Balkon im Erdgeschoss«, berichtete der Mann auf dem Pferd und benutzte dafür ihr Codewort für bewaffnete Wachen. »Ich weiß zwar nicht, wie sie drangekommen sind, aber es sieht aus, als hätten sie M-Viers«, fügte er hinzu und meinte damit das Modell eines Sturmgewehrs, das speziell für die amerikanischen Sondereinheiten entwickelt worden war. Obwohl sie leicht und kompakt waren, besaßen M4-Karabiner eingebaute Nachtsichtgeräte und Granatwerfer.

»Wie sieht's drinnen aus?«

Der Mann auf dem Pferd drehte an einem kaum sichtbaren Knopf an seiner Brille, um die Wärmebildfunktion zu aktivieren, und antwortete: »Noch dieselben drei Körper. Oben Mr. Nightingale, liegend. Das Dämchen noch immer über ihn gebeugt – berührt seinen Kopf, könnte ihm die Haare kämmen. Noch eine Katze, eine dritte, unten neben der Haustür.«

»Beleuchtung?«

»Reicht ungefähr fünf Meter vom Haus weg.«

»Allgemeine Einschätzung?«

»Keine Kameras. Auch keine roten Linien«, fügte er hinzu und meinte damit Laserstrahlen als Stolperfallen. »Ein ganz normales Ferienhaus, würde ich sagen.«

»Okay. Bis bald«, sagte Connor. Dann wandte er sich Jason zu und beugte sich zu ihm. »Waldmensch, was hast du?«

Der Mann, zu dem Connor eigentlich sprach, saß bequem auf einem Erd- und Laubhügel auf der anderen Straßenseite der Villa. Obwohl verdeckt von dicht stehenden Bäumen und Sträuchern, hatte er einen guten Blick auf die Zufahrt und die Haustür. Außerdem hatte er ein Richtmikrofon in den Händen und ein leistungsstarkes Fernglas auf dem Schoß.

»Hey, Liebling Eins. Heute kam zweimal ein Auto und fuhr nach jeweils zwanzig Minuten wieder weg. Das Nummernschild wurde als das eines örtlichen Arztes identifiziert.«

»Hat das Mikro irgendwas aufgeschnappt?«

»Vor ungefähr fünfzehn Minuten erhielt Mrs. Nightingale einen Anruf von ihrem Auftraggeber. Ich schätze, er bezahlt sie gut – sie klang ziemlich dankbar. Scheint ihn auch sehr zu mögen. Ansonsten hat sie nur mit ihrem Alten geredet. Ein ununterbrochener Monolog, dass sie ihn sehr gern mag und will, dass er mit ihr nach Paris kommt … sie stellt ihm Fragen und überlegt dann laut, was er ihr antworten könnte.«

»Was hat der Arzt gesagt?«

»Dass er im Koma liegt, aber jeden Augenblick aufwachen kann. Hat Mrs. Nightingale frische Infusionsbeutel, antibiotische Salben und solche Sachen gebracht.«

»Okay. Komm zwischen zwei und drei rein.«

Connor schaute noch einmal zu seinem Kollegen auf dem Pferd hinunter und sah, dass er an der Villa vorbei und zum Jachthafen am Fuß der Klippe ritt. Als er sich dann wieder zu Jason umdrehte, bemerkte er, dass ihr Dessert eingetroffen war. Er nahm ein Stück Baklava und führte es mit zuckersüßem Lächeln Jason an den Mund, wobei er unauffällig in die Richtung eines Tisches nickte, an dem zwei Frauen saßen und zu ihnen herüberstarrten.

»Netter Versuch«, sagte Jason und lehnte sich mit seinem Teeglas zurück.

Lachend griff Connor nach seinem klingelnden Handy.

»Hallo«, hörte er Jeremy Slades Stimme. »Wie sieht's aus?«

»Alles klar.«

»Seid ihr bereit, morgen da reinzugehen?«

»Hundertprozentig. Der Himmel soll völlig bedeckt sein.«

»Gut.«

»Was ist mit den Wachen?«

»Wissen Sie, wen sie da bewachen?«

»Nein. Und offensichtlich ist sein Gesicht so zerschlagen, dass es nicht zu identifizieren ist.«

»Betäubt sie.«

»Und das Mädchen? Sie ist so eine Art Krankenschwester, ein Teenager, wie wir glauben. Sie hat keinen Schimmer, um wen sie sich kümmert, aber ihren Chef kennt sie auf jeden Fall.«

»Dann nehmt sie mit.«

Mayfair, London – 22 Uhr 10

Kate, die an ihrem Computer saß, hörte ein Klopfen an der Tür und die vertraute Stimme eines der Hotelpagen. Er gab ihr eine handschriftliche Nachricht. Sie warf nur einen flüchtigen Blick darauf und stellte überrascht fest, dass es sich um völlig sinnloses Textgewirr handelte.

»Er meinte, das könnten Sie vielleicht brauchen«, ergänzte der Page und gab Kate ein cardanisches Gitter, dieses elisabethanische Entschlüsselungshilfsmittel, das sie am Abend zuvor Medina gezeigt hatte.

Kate dankte ihm, kehrte in ihr Schlafzimmer zurück und legte das Gitter über die Nachricht. Buchstaben, die sechs Wörter ergaben, wurden in den ausgeschnittenen Fenstern sichtbar: ICH BIN UNTEN IN DER COCKTAILBAR.

Kate hatte noch nicht entschieden, ob sie Medina an diesem Abend anrufen würde, aber… *Wie's aussieht, hat er mir die Entscheidung abgenommen.*

Da sie noch immer das trägerlose schwarze Kleid trug, ging sie zu den hochhackigen Prada-Sandalen, die sie sich von Adriana ausgeliehen hatte. Doch als sie auf dem Bett saß, um sie zu schließen, überlegte sie es sich anders – *wozu denn?* – und beschloss, nur Hotel-Slippers zu tragen. Vor einem Spiegel zögerte sie kurz, blieb dann bei ihrer Entscheidung und kontrollierte nur ihre Zähne nach Lippenstiftflecken.

Oben im dritten Stock stand der neueste Gast des Hotels auf dem Treppenabsatz und spähte in den Schacht hinunter.

»Hatten Sie einen schönen Abend?«, fragte ihn eine deutsche Frau.

»Wunderbar«, erwiderte er mit seinem besten amerikanischen Akzent. »Ich war im Theater. Eine wunderbare Komödie.«

Dann griff er in seine Jackentasche und tat so, als würde er seinen Zimmerschlüssel suchen, bis die Frau verschwunden war, nur um dann wieder ins Treppenhaus hinunterzuspähen. Wenige Minuten später sah er, dass Kate Morgans Tür aufging, und er schaute ihr nach, bis ihr Kopf aus seinem Blickfeld verschwand. Sie trug einen Rucksack, aber vielleicht...

Immer zwei Stufen auf einmal nehmend, war er binnen Sekunden an ihrer Tür und öffnete das Schloss. Auf dem Schreibtisch lag ein Handy, und er ging darauf zu.

Medina saß mit dem Rücken zu ihr, als Kate die schummerig beleuchtete, holzgetäfelte Cocktailbar betrat. Er schaute entweder einen Hirschkopf oder ein Pferdegemälde an. Sie benutzte die Gelegenheit, um ihn zu betrachten. Er trug eine schwarze Hose und ein anthrazitfarbenes Button-Down-Hemd, was, wie Kate zugeben musste, an ihm sehr schmeichelhaft aussah. Wobei er diese Art von Unterstützung gar nicht nötig hatte.

»Hübsche Schuhe«, sagte er, als er sie bemerkte.

»Danke, ich...«

»Sie brauchen es nicht zu erklären. Ich weiß, das ist Ihre Art, mir zu sagen, dass Sie mich nicht beeindrucken wollen. Aber wenn es Ihnen wirklich so gleichgültig wäre, dann hätten Sie ein Sweatshirt anziehen sollen.«

Stimmt, ähm.... »Und mich von den Schnöseln hier drinnen dumm anstarren lassen? Nein danke.«

»Verdammt. Ich versuche, Sie in Verlegenheit zu bringen, nur ein einziges Mal, aber...«

»Cidro, beim Necken ist es wie beim Tennis. Nach einem guten Return punktet man leichter als nach einem schwachen Lob.«

»Ein zweischneidiges Kompliment, gute Arbeit. Und, was darf ich Ihnen zum Trinken bringen?«

»Ah, ich hatte heute schon einige Drinks, also…«

»Das ist doch nicht Ihr Ernst, oder? Kommen Sie schon.«

Kate lachte. »Okay, ich nehme einen Amaretto mit Milch. Aber vergessen Sie nicht, ich habe Sie gewarnt. Noch mehr Alkohol, und mein innerer Zensor nimmt den Hut und geht nach Hause.«

»Klingt, als wäre das der Punkt, wo's interessant wird.«

»Vielleicht. Aber Sie dürfen nicht wütend werden, wenn ich Sie… ach, ich weiß auch nicht… ein aufgeblasenes Arschloch oder sonst was nenne.«

»Daran bin ich gewöhnt.« Medina ging zur Bar.

Kate setzte sich in einen Ledersessel vor einem mit schweren, roten Vorhängen geschmückten Fenster.

»Erzählen Sie, wie war Ihr Abend?«, fragte er und stellte die Drinks auf den niedrigen Tisch zwischen ihnen.

»Gut. Ich war, zusammen mit meiner Zimmerkollegin aus dem College, auf einer Auktion bei Sotheby's. Und Ihre Besprechungen?«

»Auch gut. Da ist einiges… in Bewegung gekommen. Aber was mich wirklich interessiert, ist die Frage, was Sie gern tun, wenn Sie nicht arbeiten.«

»Ich dachte, wir wollten nur übers Geschäftliche reden.«

»Darling, ich weiß ja nicht, in welcher Welt Sie leben, aber höfliche Geschäftsleute pflegen zuvor etwas Konversation, und zwar mehr als zwei Sätze lang.«

»Verzeihen Sie mir«, sagte Kate und schlug sich leicht an die Stirn. »Aber ich muss schon sagen, die Frage nach meinen Lieblingsbeschäftigungen, Cidro, das ist Flirten wie aus dem Lehrbuch.«

»Es soll schon vorgekommen sein, dass ich diese Frage stelle, ohne sie ernst zu meinen«, gab Medina zu, »aber in Ihrem Fall interessiert es mich wirklich.«

»Oh. Na gut… Hm, ich reise gern. Ein Land besuchen, das ich noch nie gesehen habe, anfangen mit ein wenig Kunst und Architektur, dann etwas Körperliches – Wandern oder Klettern oder so was. Und Sie?«

»Na ja, eigentlich sind Sie noch nicht fertig. Was ist mit dem Alltag?«

Kate seufzte.

»Letzte persönliche Frage. Versprochen.«

»Okay. Ich mag angesagte Pop-Musik. Auch Country, wenn ich in der Stimmung bin. Ähm, Hip-Hop-Unterricht … Ich schaue mir gern Action-Filme an, wenn ich ein wenig beschwipst bin, vor allem solche, bei denen der Held dauernd sein Hemd auszieht, und ich bin süchtig nach Milchschokolade. Sie wissen schon, hin und wieder brauche ich eine Dröhnung. Nicht wie ein Junkie – eher wie ein Buchhalter, der Anfang April seinen Taschenrechner braucht. Ich brauche das Zeug, aber ich glaube nicht, dass ich gewalttätig werde, wenn man es mir verweigert. Reicht Ihnen das?«

Medina nickte lächelnd.

»Bereit für einen Fallbericht?«

»Sehr.«

»Okay. Einer meiner Kollegen hat sich die Telefongespräche und E-Mails der Katze – Sie wissen schon, Simon Trevor-Jones – der letzten paar Wochen angeschaut, da er ja irgendeine Form von Kontakt mit dem Mann gehabt haben musste, den wir suchen. Auch wenn es nur ein indirekter war.«

Kate hielt einen Augenblick inne, um ihren Drink zu probieren.

»Ich habe jeden ausgeschlossen, den wir identifizieren konnten. Eine Nummer ist übrig, die mein Kollege noch niemandem zuordnen konnte, aber wenn wir den Besitzer aufspüren…«

»Könnten wir unseren Mann finden.«

»Wir hoffen es. Es ist möglich, dass Trevor-Jones und dieser Jade Dragon sich ausschließlich persönlich trafen oder dass Trevor-Jones einen Mittelsmann einsetzte, den er nur persönlich traf, was bedeutet, dass ich mich wieder in *Die Anatomie der Geheimnisse* vertiefen sollte. Sind wir jetzt fertig«, fragte sie mit gespielter Gereiztheit.

»Nicht ganz. Eine Frage habe ich noch.« Als er Kates Miene sah, fügte er hinzu: »Sie hat mit dem Fall zu tun.«

»Ja?«

»Vorgestern im Pierre, da haben Sie mich neugierig gemacht. Ich wollte Sie schon die ganze Zeit danach fragen. Sie haben mir erzählt, woran Sie arbeiteten, als Sie das College verließen, die Frage, ob es in der Renaissance gefährlicher war, die Geheimnisse des Staates zu erkunden oder die Geheimnisse Gottes. Ich weiß, Sie haben Ihre Dissertation abgebrochen, aber hatten Sie zu der Zeit schon eine Antwort?«

»Eher einen Ausgangspunkt«, sagte Kate. »Einige vorläufige Ideen.«

»Und die waren?«

»Es hing davon ab, wie dieses geheime Wissen benutzt wurde – für sich selbst oder um Macht zu erlangen, und wenn um der Macht willen, wer dadurch bedroht wurde und wie.«

Als Kate Medinas erwartungsvolle Miene sah, fragte sie: »Wollen Sie wirklich mehr hören?«

»Ja«, sagte er und schien überrascht, dass sie gefragt hatte.

»Nun, allgemein gesagt beschränkte ich mich bei dem Staat-Gott-Gegensatz auf politische und militärische Geheimnisse versus Entdeckungen in der Naturphilosophie, die wir heute Naturwissenschaft nennen. Die beiden Bereiche überschnitten sich natürlich, wie sie es heute tun. Wie auch immer, der politische und militärische Teil ist ziemlich einfach. Auf diese Art von Geheimnissen war nie irgendjemand um ihrer selbst willen scharf; es ging immer um Geld oder Macht. So wie heute lief ein Spion in der Renaissance Gefahr, umgebracht zu werden, wenn er sensible Informationen über Kriegspläne in die Finger bekam. Oder wenn er belastende Informationen über eine politische Figur hatte, ob in seiner eigenen Regierung oder in einer anderen – dasselbe«, sagte Kate und fuhr sich mit dem Finger über den Hals.

»Beim wissenschaftlichen Teil wird die Sache allerdings komplizierter.«

In diesem Augenblick kam eine junge Kellnerin an ihren Tisch. Sie war schwarz-weiß gekleidet, hatte Perlen im Ohr, nur minimales Make-up und trug die Haare zu einem ordentlichen Knoten zusammengefasst. »Noch einen Drink?«

Medina nickte. »Ich nehme noch einen Sapphire-Tonic, und die Dame...«

»Bailey's auf Eis. Danke.«

Nachdem die Kellnerin gegangen war, wandte Medina sich wieder Kate zu. »Sie waren gerade bei der Wissenschaft.«

»Das war die Art von Wissen, die manchmal um ihrer selbst willen angestrebt wurde, und wenn das der Fall war, hatte man nichts zu befürchten. Nehmen Sie Kopernikus. Nach seiner Theorie war die Sonne der Mittelpunkt des Universums – und viele Leute nehmen an, dass das etwas war, was die katholische Kirche in ihren Grundfesten erschütterte, etwas, das einem das Leben kosten konnte. Tatsächlich war es aber nicht so. Kein Mensch belästigte ihn. Es gab sogar Kleriker, die seine Forschungen förderten.«

»Tatsächlich?«

»Ja«, sagte Kate und dankte der Kellnerin, die die Getränke auf den Tisch stellte. »Wissen Sie, Kopernikus ging es überhaupt nicht darum, irgendwelche kirchlichen Autoritäten, ob nun katholisch oder protestantisch, herauszufordern. Er war einfach nur vernarrt in die Idee, der Wahrheit über die Bewegung der ›Himmelssphären‹, wie er das nannte, auf den Grund zu kommen. Und er konnte gut mit Zahlen umgehen und erkannte, dass bei dem aristotelischen, geozentrischen Weltbild die Mathematik einfach nicht funktionierte – was ihn ärgerte, na ja, Sie wissen schon, wie ein Stein im Schuh.«

Medina lächelte.

»Sein Buch über das heliozentrische Universum veröffentlichte er 1543, und obwohl es der Schrift völlig widersprach, ließ es die Kirche in den folgenden fünfzig Jahren ziemlich kalt«, sagte Kate. »Im Gegenteil, dem Papst gefielen seine Theorien, und er wollte seine Gleichungen benutzen, um den Kalender zu reformieren. Und protestantische Gelehrte – zumindest die wenigen, die etwas von Astronomie verstanden – erkannten, dass Kopernikus Aristoteles an die Kandare legte, mathematisch gesprochen, und sie benutzten seine Theorien sehr gerne, ohne sich um ihre theologischen Implikationen zu kümmern. So komisch das klingt, aber sie fanden einen Weg, sich dieser neuen Astronomie zu bedienen, ohne sie auf die physikalische Welt anzuwenden.«

»Aber Galileis Verhaftung«, sagte Medina mit einem Stirnrunzeln. »Und wurde denn nicht jemand hingerichtet, weil er über diese Dinge redete? Da gibt's doch diesen Platz in Rom ...«

»... wo Giordano Bruno 1600 auf dem Scheiterhaufen verbrannt wurde«, ergänzte Kate. »Sie haben Recht. Aber darum geht's ja. Galileo und Bruno erfreuten sich nicht nur an den Ideen oder berauschten sich an der universellen Wahrheit. Sie benutzten die kopernikanische Astronomie, um mächtigen Leuten auf die Füße zu treten. Und von da an war die Kacke am Dampfen.«

»Wie das?«

»Na ja, als Galilei anfing, hatte er tatsächlich katholische Spitzenmänner als Förderer, aber als er dann versuchte, ihnen zu erklären, wie sie die Schrift neu interpretieren sollten – mitten in ihrem Revierkampf mit den Protestanten –, fühlten sie sich bedroht, gerieten in Rage, und Galilei wurde verhaftet. Und Bruno – der so genannte verrückte Priester der Sonne – betrachtete das Juden- wie das Christentum als Verfälschungen uralter Wahrheiten und benutzte die kopernikanische Astronomie, um seine Reformidee sinnbildlich darzustellen. Er wandte sich an mehrere Staatsoberhäupter, um seine neue religiöse Lehre zu propagieren, und sagte ihnen, wenn die Sonne der Mittelpunkt des Universums sei, dann seien sie der Mittelpunkt der Welt und nicht der Papst.«

»Also schickte der Papst seine Todesschwadron aus.«

»Genau. Die Leute glauben, dass neue Entwicklungen in der Astronomie in der frühen Neuzeit einen massiven Zusammenprall von Wissenschaft und Religion verursachten, aber bei diesem Zusammenprall ging es nie wirklich um Astronomie. Es ging um Politik und wer wessen Macht untergrub. Und, sind Sie noch wach?«

»Natürlich. Und jetzt weiß ich endlich, warum ich die Universität nicht geschafft habe.«

Sie zog eine Augenbraue hoch.

»Ich hatte kein hübsches Mädchen, das mir alles erklärte.«

Offensichtlich hatte Kate ihre Zurückweisungsstrategie einen

Augenblick vergessen, denn sie errötete. *Was ist denn los mit mir? Ach ja, Alkohol… richtig.*

»Aber lassen Sie sich von mir nicht unterbrechen«, sagte Medina. »Kehren wir zurück zu den haiverseuchten Gewässern der Neugier in der Renaissance… Sie sprachen eben über wissenschaftliche Entdeckungen.«

»Ja. Astronomie. Ich betrachtete das als eine Art, Gottes Geheimnisse in der vertikalen Dimension zu erforschen«, sagte Kate und bewegte die Hand auf und ab. »Konnte damals tödlich sein, wenn man das Entdeckte benutzte, um Könige oder Päpste zu bedrohen. Aber geographische Entdeckungen – diejenigen, die man in der horizontalen Dimension machte«, fuhr sie fort und bewegte die Hand hin und her, »das ist eine ganze andere Geschichte. Sie sind sicher, dass Sie noch mehr…«

»Ja, Kate.«

»Okay. In gewisser Weise waren Forschungsreisen auch ein Weg, göttliche Geheimnisse zu erkunden – man segelte zu weit entfernten Ländern, in denen angeblich Ungeheuer und Dämonen hausten, und bewies, dass das nicht stimmte. Forschungsreisende waren natürlich ein bisschen mehr an Geld und Ruhm als an intellektueller Befriedigung interessiert, aber das Reisen war auf jeden Fall ein Mittel, um Wunder zu entzaubern und geheimnisvollen Orten das Phantastische zu nehmen. Der Unterschied ist, dass die Regierung einen nie umbrachte wegen dem, was man herausgefunden hatte. Im Gegenteil, wenn man eine neue Handelsroute fand oder einen Ort, wo man eine Kolonie gründen konnte, oder wenn man einfach nur raubte und plünderte, war man ein nationaler Held… und wurde vielleicht sogar zum Ritter geschlagen. Und wenn man mit leeren Händen zurückkam, war man zwar pleite, aber sicher.

Die Suche nach Wissen in der horizontalen Dimension, wie ich das nenne, war nicht ungefährlicher als in den anderen Bereichen, von denen ich gesprochen habe, aber die Bedrohung hatte andere Ursachen – Stürme, Mangelernährung, Piraten, was immer Sie wollen. Und manchmal wurden Seeleute gefangen genommen und gefoltert wegen geographischer Informationen, die einen potentiellen ökonomischen Wert hatten, Tipps, zum Beispiel, über die Lage des sagenumwobenen El Dorado.«

Kate lächelte. »Und jetzt, Optik, Cidro… klingt langweilig, aber ich habe da eine ziemlich saftige Geschichte. Interessiert?«

»Sehr.«

»Die meisten Leute glauben, dass gleich nach der Erfindung des Teleskops – durch einen holländischen Brillenmacher im frühen siebzehnten Jahrhundert – diese Technologie sich wie ein Lauffeuer verbreitete, was bedeutet hätte, dass sie niemandem einen wirklichen militärischen Vorteil brachte… zum Beispiel die Schiffe des Feindes entdecken zu können, bevor der einen entdeckte. Wie auch immer, es gibt da eine Passage in dem Text eines Naturphilosophen aus dem sechzehnten Jahrhundert, der nicht eindeutig zu interpretieren ist, aber es klingt wirklich so, als hätte der Kerl ein Teleskop benutzt. Ich denke, es könnte schon Jahre früher erfunden worden sein, als vermutet wird, und der Erfinder hat es einfach für sich behalten. Es war mit Sicherheit möglich, dass jemand umgebracht wurde, um das Geheimnis zu bewahren.«

»Man konnte also damals für beides umgebracht werden«, sagte Medina und schaute in sein Glas, in dem er die Eiswürfel herumwirbelte. »Aber ich schätze, Sie sind zu dem Schluss gekommen, dass es viel gefährlicher war, Spion zu sein als Wissenschaftler, weil man *immer* in Gefahr war? Und nicht nur *manchmal?*«

»Mehr oder weniger. Es war auf jeden Fall am sichersten, ein bescheidener Wissenschaftler zu bleiben. Nach Wissen um seiner selbst willen zu streben, weit entfernt von den Machtspielen am Hofe. Für das Ende hatte ich allerdings noch einen Knaller geplant«, sagte Kate mit einem Lächeln.

Medina zog eine Augenbraue hoch.

»Im elisabethanischen England gab es eine Menge Jungs, die sich mit der Erforschung beider Arten von Geheimnissen beschäftigten. Wie Francis Walsingham und Robert Cecil. Sie waren beide erstklassige Spione und griffen außerdem verschiedenen Forschungsreisenden finanziell unter die Arme, Francis Drake und Walter Raleigh, zum Beispiel. Und der wichtigste Intellektuelle an

Elizabeths Hof – ein Mann namens John Dee – stand im Verdacht, ein Spion zu sein, und er erforschte außerdem Gottes Geheimnisse. Er behauptete zum Beispiel, Engel rufen zu können und Einsicht in himmlische Wahrheiten zu haben. Man glaubte auch, dass er schwarze Magie praktiziere, und ein verängstigter, wütender Mob verwüstete einmal seine Bibliothek und zerstörte seine wissenschaftlichen Geräte, aber er erreichte ein gesegnetes, hohes Alter. Einen gab es allerdings, der nach beiden Arten von Wissen strebte und ermordet wurde, und wir wissen noch immer nicht, weswegen. Es gibt natürlich Spekulationen, aber …«

»Wer war das?«

»Christopher Marlowe.«

»Ein großer Dramatiker, nicht?«

Kate nickte. »Er war außerdem ein Spion, der einiges über die Leichen im Keller von ein paar ziemlich gefährlichen Politikern wusste. Andererseits erkundete er auch Gottes Geheimnisse ziemlich intensiv. Zumindest in der Fiktion, wenn nicht in der Praxis.«

»Wie meinen Sie das?«

»Seine Stücke waren religiös ziemlich zugespitzt. Sein Faustus, zum Beispiel, fragt den Abgesandten des Teufels, wo die Hölle liege, und sagt dann, er halte die Hölle für ein Märchen. Später fährt Faustus in einem von Drachen gezogenen Wagen davon, um das Universum zu erforschen, und, wie er es formulierte: ›Zu finden die Geheimnisse der Astronomie/Vergraben im Buch von Jovis' Firmament.‹ Das war damals ziemlich subversiv.«

Kate nahm einen Schluck von ihrem Drink. »In Marlowes letztem Monat ermittelten die Behörden gegen ihn. Wegen Aufwiegelung und Atheismus, denn die Autorität der Kirche zu untergraben bedeutete, die des Staates zu untergraben. Wenige Tage vor seinem Tod schrieb ein Informant in einem Bericht, seine atheistische Propaganda sei so gefährlich, dass man ihm den Mund mit Gewalt schließen müsse.«

»Also wurde er verhaftet und hingerichtet?«

»Nein. Er wurde vom Kronrat verhört, aber am selben Tag wieder freigelassen. Kurz darauf wurde er jedoch ermordet. Wir wissen, welche drei Männer zu dem Zeitpunkt im selben Zimmer mit ihm waren, aber wir wissen noch immer nicht, welcher es tat oder warum.«

»Was glauben Sie?«

»Nun, zunächst glaube ich, dass Marlowe kein Atheist war. Mit Sicherheit neugierig, voller Zweifel und angewidert von der religiösen Führung seiner Zeit, was in einem Jahrhundert, in dem Skeptizismus als Verbrechen betrachtet wurde, sicher kein Vergnügen war. Doch wie seine Ansichten auch gewesen sein mochten, ich glaube nicht, dass er ihretwegen starb. Ich glaube, dass ein Politiker Marlowe in eine Falle lockte, entweder um seine eigenen Geheimnisse zu bewahren oder um Belastendes gegen einen Rivalen in die Hände zu bekommen.«

»Wer?«

Kate schüttelte den Kopf. »Ich weiß es nicht.«

Medina lächelte. »Aber Sie haben Recht. Diese Geschichte ist ein Knaller.«

»Danke.«

»Aber, Kate, dieser Marlowe, den mögen Sie wirklich, oder?«

»Ja. Soweit ich das während meines Studiums mitbekam, war er in vielerlei Hinsicht eine interessante Figur«, erwiderte sie beiläufig.

Tatsächlich war Marlowe für Kate viel mehr als nur ein Thema von rein akademischem Interesse. Als sie die Entscheidung treffen musste, ob sie die Universität für die Slade Group verlassen sollte oder nicht, hatte sie an Marlowe gedacht, der zwischen der Welt der Gelehrsamkeit und der geheimen Unterwelt hin und her wanderte, und schließlich beschlossen, in seine Fußstapfen zu treten – bis zu einem gewissen Grad zumindest. Sie hatte nicht vor, mit neunundzwanzig an einem Messer in der Augenhöhle zu sterben. Doch Marlowe war für sie nicht nur eine berufliche Inspiration, sie betrachtete ihn auch als verwandte Seele. Seit Rhys' Tod wusste sie, dass sie für den Rest ihrer Tage mit der schmerzhaften Sehnsucht nach etwas, das sie nicht bekommen konnte, würde leben müssen, und so fühlte sie sich zu Marlowes tragischen Helden hingezogen, die alle unter der unstillbaren Sehnsucht nach etwas Unerreichbarem litten.

Medina verschränkte die Arme vor der Brust und kniff die

Augen zusammen. »Gibt es irgendjemanden in *unserem* Jahrhundert, der diesen Ausdruck auf Ihr Gesicht zaubert?«

Kate nippte still an ihrem Drink.

»Na, kommen Sie. Wie heißt er?«

»Wer?«

»Der Kerl, an dem Ihr Herz hängt.«

»Wie kommen Sie darauf?«

»Ich baggere Sie seit unserer ersten Begegnung an.«

»Sie haben wohl noch nie einen Korb bekommen, was?«

»Eigentlich nicht.« Medina hielt kurz inne und fügte dann hinzu: »Mir wurde gesagt, dass fünf Minuten mit mir aus einer arthritischen Nonne eine agile Nymphomanin machen.«

Kate lachte laut auf. »Ein Ego, so groß wie Texas, und trotzdem noch irgendwie charmant. Beeindruckend.«

»Ich meine es ernst. Wir verstehen uns gut, und dennoch... na ja, da bleibt mir nur der Schluss, dass Ihr Herz bereits vergeben ist. Also, wer ist er? Und wann können wir uns duellieren?«

»Nicht in nächster Zeit. Aber er hätte Ihnen den Arsch versohlt. Er hat einmal ein japanisches Fechtturnier gewonnen.«

»Wo ist er?«

»Ich weiß es nicht... er ist tot.«

Medina machte ein bestürztes Gesicht. »O Gott. Tut mir Leid.«

»Ist okay. Es ist schon lange her. Aber Sie haben Recht. Mein Herz gehört noch immer ihm, so als wäre es ein Grundstück, das er gekauft und auf dem er eine Festung errichtet hat.«

»Wie haben Sie sich kennen gelernt?«

»Es war im Frühling meines Abschlussjahrs im College. Ich hatte eine Weile Kickboxen unterrichtet, aber seit Jahren keinen richtigen Kampfsport mehr gemacht, und genau das unterrichtete er. Nachdem ich meine Examensarbeit abgeschlossen hatte, fing ich an, seine freien Übungsstunden zu besuchen, und...«

»Liebe auf den ersten Blick?«

»Schon nach wenigen Tagen«, sagte Kate und trank ihren Drink aus, den sie nicht mehr schmeckte. Sie erinnerte sich an den salzigen Geschmack von Rhys' Hals, wenn sie ihn damals auf dem Weg aus dem Studio küsste.

»Ich kann mir gar nicht vorstellen, wie das gewesen sein muss. Ich habe noch nie jemanden verloren, der mir nahe stand. Wie haben Sie…«

»Ach, eine Weile träumte ich davon, einfach zu verschwinden. Kein Selbstmord, sondern mich nur irgendwie in Luft auflösen. Aber ich konnte meinen Vater nicht im Stich lassen, also schleppte ich mich von einem Tag zum nächsten… und schließlich wurde mir bewusst, dass man Glück auch mit weniger offensichtlichen Aktivitäten finden kann.«

»Sie glauben wirklich, dass Sie sich nie wieder in jemanden verlieben können?«

Kate nickte. »Es geht nicht darum, dass Rhys… unersetzbar wäre. Ich glaube, es ist etwas Psychologisches, dass die Hirnchemikalien, die Gefühle wie die Liebe steuern, nach einem solchen Schicksalsschlag verwässert werden – vielleicht auch mit zunehmendem Alter. Wie mit Kinder-Aspirin verschnittenes Koks.«

»Sie wollen mir also sagen, dass ich mich in meinem fortgeschrittenen Alter nicht mehr richtig verlieben kann, wenn es bis jetzt noch nicht passiert ist?«

»Nein, aber ich würde sagen, dass Sie Ihr Herz leichter und gründlicher verlieren könnten, wenn Sie noch ein Teenager wären«, sagte Kate, legte kurz ihre Hand auf die seine und schüttelte in gespieltem Mitleid den Kopf. »Aber, Moment mal. Wenn ich mich recht erinnere, waren Sie doch in letzter Zeit ziemlich in irgend so ein Model vernarrt.«

»*Vernarrt* ist nicht das richtige Wort. Außerdem ist sie bereits Vergangenheit«, sagte Medina mit einer wegwerfenden Handbewegung. Dann streckte er die Hand aus und wischte ihr eine Haarsträhne aus dem Gesicht.

»Cidro, ich gehe morgen sehr früh mit einer Freundin zum Joggen«, sagte Kate mit einem Blick auf ihre Uhr, »und ich möchte bis morgen Nachmittag noch so viel wie möglich von dem Manuskript durcharbeiten. Danach muss ich kurz verreisen, und deshalb…«

»Sie verlassen mich?«

»Nur kurz.«

»Ach.«

»Nur für einen halben Tag. Sie schaffen das schon.« Als sie seinen nachdenklichen Gesichtsausdruck sah, fragte sie: »Überlegen Sie gerade, wann Sie das letzte Mal ein Mädchen freiwillig verlassen hat?«

Er nickte lachend. »Wie sind Sie darauf gekommen?«

»Gedankenlesen gehört zu meinem Job.«

»Übrigens, Kate, wegen der *Anatomie*. Ich habe einen Vorschlag – meine übliche Vorgehensweise bei mysteriösen Texten.«

»Ich dachte, Sie lesen nicht.«

»Hin und wieder nehme ich mal einen Krimi zur Hand. Sie wissen schon, wenn ich irgendwo festsitze ohne ...«

»... Mädchen, Drogen oder schnelle Autos?«

»Genau.«

Kate lächelte, denn sie wusste, worauf er hinauswollte. »Sie lesen die ersten paar Seiten, sind aber dann zu ungeduldig, um auf die Lösung zu warten, und blättern zum Ende.«

»Jedes Mal.«

Zurück in ihrem Zimmer, befolgte Kate Medinas Rat und schlug die letzte Seite der *Anatomie der Geheimnisse* auf. Wie sie ihrer Freundin, der Buchhändlerin Hannah Rosenberg, vor ein paar Tagen gesagt hatte, gab es für sie zwei Möglichkeiten, warum Phelippes seinen Buchbinder so gedrängt hatte. Entweder hatte Phelippes sofort nach dem Diebstahl der Akten des verstorbenen Walsingham beschlossen, das Manuskript schleunigst binden zu lassen und zu verstecken, damit kein Regierungsbeamter es in seinem Besitz finden konnte. Oder er hatte die Akten behalten – und möglicherweise benutzt, um andere zu erpressen – und sie erst dann überstürzt zum Buchbinder gebracht, als er befürchten musste, dass jemand das belastende Material mit ihm in Verbindung brachte. Keine der beiden Möglichkeiten war ein Indiz dafür, dass der letzte Bericht der sprichwörtliche rauchende Colt sein würde, aber da sie bei ihrem chronologischen Vorgehen bis jetzt noch kein Glück gehabt hatte, dachte sie, es wäre einen Versuch wert.

Okay, also dann hinten. Worum es in den letzten paar Berichten wohl geht? Walsingham starb 1590, und wenn Phelippes Be-

richte aus diesem Jahr mit aufgenommen hatte... mal sehen.
Sicher hat sich keiner der beiden sonderlich für Shakespeares
Stücke interessiert, aber was ist, wenn sie irgendwelche stichhalti-
gen Indizien gehabt hätten, die ein und für allemal beweisen wür-
den, dass er wirklich der Autor war? Zu der Zeit hatte er die ver-
schwundene Version des Hamlet *und den ersten Teil von* Henry VI.
bereits geschrieben...

Kate klappte ihren Laptop auf, öffnete die elektronische Version der letzten Seite des Manuskripts und sah nur Ziffern, keine Buchstaben. Und die Ziffern bildeten Gruppen, als wären sie Platzhalter für Buchstaben, die Worte ergaben. »Kann es wirklich so einfach sein?«, dachte sie laut, während sie die richtigen Entschlüsselungsbefehle suchte.

Noch einmal kam ihr Marlowe in den Sinn, und sie murmelte: »Verdammt. Schade, dass es nicht bis 1593 geht.«

18

Sagt an, ward je ein solcher Schurkenstreich gesehen,
so schlau ausgeheckt und so gut durchgeführt?

ITHAMORE in Marlowes *Der Jude von Malta*

London – Morgen, Mai 1593

Zweihundert Meter nördlich der London Bridge, im fünften Stock
eines Fachwerkhauses neben dem Leadenhall Market, kniete Thomas Phelippes auf dem Boden seines Arbeitszimmers und öffnete
eine Zedernholztruhe. Sie war voller Kleidungsstücke und loser
Papiere, aber im Augenblick interessierte ihn das alles nicht. Er
suchte etwas anderes.

Phelippes' Zedernholztruhe hatte keinen doppelten Boden; jeder
Dieb würde nach so einem suchen. Was die Truhe allerdings hatte,
war eine Art doppelter Deckel, ein etwa zwei Zoll hoher Hohlraum
in dem schweren Oberteil. Mit einem Messer stemmte er die dünne,
mit Samt bezogene Abdeckung hoch; darunter kam ein etwa neun
mal zwölf Zoll großer, ins massive Holz geschnittener Leerraum
zum Vorschein. Darin ruhte, in einem Nest aus Wollknäuel, ein
Zinnkästchen.

Phelippes trug das Kästchen zu seinem Schreibtisch. Seine Finger schlossen sich um das schwarze Seidenband, das er nie vom
Hals nahm, und zogen einen Schlüssel unter dem Hemd hervor. Er
beugte sich über den Kasten, schloss ihn auf, hob den Deckel an
und betrachtete liebevoll seinen kostbarsten Besitz: den Stapel Dokumente, den er aus Francis Walsinghams Akten entwendet hatte.
Sein Arsenal der Geheimnisse.

Kurz nach Walsinghams Tod hatte Phelippes die Unterlagen an
sich gebracht und mit nach Hause genommen, hatte die Berichte,

von denen er meinte, dass sie sich als nützlich erweisen könnten, versteckt, und den Rest verbrannt. Nach Jahrzehnten treuer Dienste hatte er sie mit Sicherheit verdient, doch der Kronrat hatte die Akten offiziell als gestohlen erklärt, und Phelippes hatte nicht die Absicht, sich wegen Diebstahls verhaften zu lassen.

Er hatte vor, die Unterlagen bald binden zu lassen. Wahrscheinlich noch vor dem Herbst. Hin und wieder hatte er neue Berichte hinzugefügt, und der Stapel würde bald zu dick sein für den speziellen luftdichten Behälter, den er dafür hatte anfertigen lassen. Er hatte es so lange hinausgezögert, weil er auf die perfekte letzte Seite wartete – ein Bericht mit Informationen, die Essex in den Stand des Staatssekretärs erheben würden, entweder indem sie die Königin mit Informationen von enormer Bedeutung beeindruckten oder indem sie seinen Rivalen Robert Cecil ruinierten. Zu diesem Zweck hatte Phelippes mehrere Eisen im Feuer. Er fragte sich, welches ihm das Gewünschte liefern würde.

Nachdem er den Kasten wieder versteckt hatte, stand er auf und verließ das Zimmer. Er verschloss die Tür und ging die Treppe hinunter zur Straße. Er hatte sich dieses Haus als Wohnstatt ausgesucht, weil es auf dem Gelände des alten römischen Gerichtshofes stand, aus der Zeit, als London noch Londinium hieß. Für ihn war das eine köstliche Analogie: Zwar war er kein Teil des modernen Rechtssystems Londons, aber der Besitz von Walsinghams Akten gab ihm die Macht, seine eigene Version der Gerechtigkeit zu gestalten. Im Augenblick hatte er vier Erpressungen laufen, die mehrere Geheimdienstoperationen finanzierten, von denen sein Auftraggeber keine Ahnung hatte.

An der London Bridge zog er Kit Marlowes jüngste Botschaft aus ihrem Versteck in der St. Thomas Chapel und winkte dann ein Boot heran.

»Zum Essex House«, sagte er. Das riesige gotische Gebäude am Nordufer der Themse war das Zuhause des Grafen und auch die Zentrale seines Spionagenetzes.

Phelippes betrat die große Halle und ging direkt auf die Kerzen zu, die auf dem großen Esstisch brannten. Mit konzentrierter Präzision erhitzte er Marlowes scheinbar leeres Blatt, und binnen Sekunden tauchten braune, an den Rändern gelbe Buchstaben auf. Es war ein sehr einfacher Geheimcode, den sie beide auswendig kannten. »Beim Blut Christi!«, rief Phelippes aus, als er las, dass niemand aus der Moskowiter Gesellschaft eine Nordostpassage entdeckt hatte. Dann entzifferte er einen Satz über die ungesetzliche Allianz mit einem Piratenkapitän der Barbaren. »Marlowe glaubt, diesen Übeltäter bis zum Wochenende demaskieren zu können.«

Auf dem Weg in die Privatgemächer seines Auftraggebers im Obergeschoss hörte Phelippes leises Murmeln und Papierrascheln aus einem der Arbeitszimmer im ersten Stock. Es war vermutlich Anthony Bacon, der Leiter des Auslandsgeheimdienstes von Essex' Netz. Bacon, ein blasser, von der Gicht geplagter Mann, las seine Papiere im Bett. Phelippes strich über den Schlüssel unter seinem Hemd und kicherte in sich hinein. Bacon hatte keine Ahnung von einem Bericht, den Phelippes besaß – dem Bericht über Bacons sündige Eskapaden in Frankreich.

Mit einem Dietrich öffnete Phelippes leise die Tür zu Essex' Gemächern. Es gefiel ihm, die Leute hin und wieder zu überraschen, denn man kannte einen Menschen nicht wirklich, wenn man ihn nur so sah, wie er gesehen werden wollte. Er schlüpfte durch die Tür und schlich, auf den parfümierten Binsen, die den Boden bedeckten, so leise wie möglich auftretend, den Gang entlang, schob einen weichen Wandteppich ein wenig beiseite und spähte um die Ecke.

Ach du meine Güte!

Auf dem riesigen Federbett wanden sich, die Gesichter einander zugewandt, die Beine verschlungen, Essex und eine üppige nackte Frau. Eine zweite Frau, noch draller als die erste, kniete am Fuß des Betts, saugte an den Zehen des Grafen und berührte sich selbst an Stellen, an denen man sich eigentlich nicht berühren sollte. Essex wischte sich einige Haarsträhnen aus dem feucht glänzenden Gesicht und reckte den Hals, um sie zu beobachten.

»Milord«, sagte die Zehensaugerin, »ich... muss Euch bald haben.«

In diesem Augenblick fing die Frau in Essex' Armen an, unziemliche Geräusche von sich zu geben, und Phelippes sah angewidert und doch fasziniert zu, wie ihre Schenkel bebten. Als sie sich wieder beruhigt hatte, schob Essex sie beiseite und setzte sich mit gespreizten Beinen auf. Er war nackt bis auf die mit Smaragden und Rubinen besetzte Kette um seinen Hals. Die zweite Frau krabbelte aufs Bett, setzte sich vor ihn und strich ihm mit den Füßen über die Beine. Als Essex ihren üppigen Hintern packte und sie zu sich zog, flüsterte sie: »O Milord.«

In diesem Augenblick fing die andere Frau an, ihm den Nacken zu küssen.

Haben diese wollüstigen Schlampen denn nie genug?

Phelippes wollte sich wieder zurückziehen, doch Essex' Stimme rief ihn zurück. »Übrigens, Thomas, ich weiß, dass Ihr hier seid.«

Verflucht seien die Heiligen. »Bitte entschuldigt diese Störung, aber ich habe eine Sache von großer Dringlichkeit mit Euch zu besprechen.«

»Hm, dann wollen wir mal überlegen. Teresa, würdest du dies hier als eine Sache von großer Dringlichkeit bezeichnen?«

»O ja, Milord«, seufzte die Frau in seinen Armen und schüttelte ihre dunklen Haare.

»Aber ich bin in Staatsgeschäften hier!«

»Ach, das bin ich auch«, erwiderte Essex. »Nun, möchtet Ihr gern sehen, was wir tun, wenn wir baden, oder zieht Ihr es vor, unten zu warten? Ich könnte die Sache noch reizvoller machen, indem ich den Stallburschen einlade – es liegt an Euch.«

»Sagt mir, Thomas. Warum, glaubt Ihr, besitze ich die Macht, die ich habe?«

Als Phelippes sich umdrehte, konnte er nicht anders, als den Anblick zu bewundern. Nach dem Bad waren Essex' Wangen rosig, und seine dunkelroten Locken waren straff im Nacken zusammengefasst. Sein Wams aus kastanienbrauner, golddurchwirkter Seide schmiegte sich perfekt an seinen muskulösen Körper. Seine Halskrause aus raffinierter Spitze war nagelneu.

»Unsere Geheiminformationen beeindrucken die Königin seit langem, und…«

»Wie wahr. Und möge das alles viel Gutes bewirken. Aber das Schlafgemach, Thomas, ich beeindrucke sie auch im Schlafgemach.«

Essex deutete zum Tisch, den Teresa eben deckte.

»Milord, wenn Ihr mir die Frage gestattet, wie schafft Ihr es von so etwas zu, nun, zu …«

»Elizabeth?«

Phelippes nickte.

»Als ich mich anfangs um ihre Gunst bei Hofe bemühte, geschah es … aus Notwendigkeit«, erwiderte Essex.

Phelippes wusste das nur zu gut. Von Geburt her war Essex der ärmste Graf Englands. Ohne die Liebe der Königin konnte er finanziell nicht überleben.

»Doch jetzt, da sie die Blüte ihres Lebens schon überschritten hat, sehe ich in ihr, sooft ich sie betrachte, eine Frau, die ich unbedingt besitzen und beherrschen muss – und das ist bezaubernd. Mehr noch als …« Er nickte zur Tür.

Phelippes sah zu, wie Essex ein runzliges grünes Blatt mit etwas aufspießte, das aussah wie ein winziger Teufelsdreizack. *Was, in Gottes Namen …?*

»Salat. Gut für die Verdauung. Sehr modern. Und das Dessert ist ein geheimes Rezept von Catherine de Medici. Ich musste den Leibkoch des französischen Königs bestechen, um es zu bekommen. ›Italienisches Eis‹ nennt er es.«

Um sich sein Missfallen nicht anmerken zu lassen, presste Phelippes die Lippen aufeinander. »Wisst Ihr noch, was ich Euch über Kit Marlowe berichtet habe?«

»Dass Ihr ihn auf Schmuggler innerhalb der Moskowiter Gesellschaft angesetzt habt? Männer, die vielleicht die Nordostpassage gefunden haben?«

»Leider gibt es keine Nordostpassage, aber die Nachforschungen könnten sich trotzdem als nützlich erweisen. Vielleicht. Ich verlasse mich allerdings nicht darauf, denn die Demaskierung betrügerischer Händler ist keine Sache von allzu großer Bedeutung. Und Beweise für dergleichen Unehrlichkeiten zu beschaffen, ist keine leichte Aufgabe. Es ist mein *anderer* Plan, der Euch mit größter Sicherheit einen Vorteil gegenüber Cecil verschaffen wird.«

»Wie lautet der?«, fragte Essex und griff nach der Kürbiscreme.

»Als Mitglied des Ausschusses, der nach dem Verfasser der Drohschriften fahndet, kann ich die Ermittlungen in jede Richtung lenken, die mir beliebt. Und ich lenke sie gegen Marlowe. Sehr bald schon wird er auf der Folterbank liegen und all die ungesetzlichen Machenschaften verraten, in die Cecil – Gerüchten zufolge – verwickelt ist. Und Raleigh ebenfalls. Wir werden in der Lage sein, sie beide zu vernichten.«

»Aber ich mag Marlowe, Thomas. Habt Ihr in diesem Winter sein *Massaker von Paris* gesehen?«

»Nein«, erwiderte Phelippes steif. »Ich ziehe die Dramen vor, die sich im wirklichen Leben abspielen.«

»Aber es war spektakulär. Das Rose war bis auf den letzten Platz gefüllt. Die Königin und ich schlichen uns maskiert hinein. Und seine Elegien. Erst heute Morgen habe ich Anne und Teresa eine vorgelesen, etwas über – was war es gleich wieder? Ein großes Bein, und … und …« Essex schlug sich an die Stirn und schloss die Augen. »Ein lüsterner Schenkel!«

Phelippes seufzte. Es enttäuschte ihn immer wieder, für jemanden zu arbeiten, der so ganz anders war als Walsingham. Warum wusste er die Schönheit nicht zu würdigen, die darin lag, mit einem Steinwurf so viele Vögel vom Himmel zu holen? Wenigstens schmollte er nicht mehr. Während viele Männer als Melancholiker posierten, nur weil es gerade Mode war, waren Essex' Trübsinnsanfälle echt und schlecht fürs Geschäft.

»Um Raleigh braucht Ihr Euch nicht mehr zu kümmern«, sagte Essex. »Er hat sich mit dieser heimlichen Heirat bereits selbst vernichtet.«

»Denselben Fehler habt Ihr vor drei Jahren begangen, und schaut, wo Ihr jetzt steht. Die Königin hat Euch nicht für lange vom Hofe verbannt.«

»Ich habe keine ihrer Damen geschwängert. Was hat Raleigh sich nur dabei gedacht?«

Phelippes schwieg, um nicht angesichts dieser Heuchelei laut aufzulachen. Essex war zu größeren Dreistigkeiten fähig als irgendein anderer. Raleigh eingeschlossen.

»Thomas, Eure heimtückische Ränke ist unnötig. Raleigh ist verbannt, und Cecil, nun, den werden wir bald zu Fall bringen. Vielleicht mit den Früchten von Marlowes Ermittlungen. Ich vermute, er wird Euch überraschen.«

»Milord, Ihr seid doch erst seit drei Monaten im Kronrat! Wir müssen Euren Wert beweisen und Eure Macht festigen. Und bitte bedenkt, dass ein Feind nie harmlos ist, solange er nicht völlig vernichtet ist. Cecil steigt beständig in Elizabeths Gunst, und wie ich erfahren habe, plant Raleigh eine weitere Reise in die Neue Welt. Sollte er Gold finden, wovon er überzeugt ist ...«

Essex stand auf und ging zur Tür. »Ich ziehe meine Art vor«, sagte er und rückte seinen neuen Samthut zurecht.

In diesem Fall werde ich Euch einfach nicht mehr auf dem Laufenden halten. »Wohin geht es?«

»Nach Greenwich. Die Königin wünscht Karten zu spielen.«

»Karten, Milord?«

Mit einem Lachen hängte Essex sich sein juwelenbesetztes Schwert an den Gürtel und machte sich auf zur Themse.

Der Spitzname, den die Königin ihrem feurigen Liebhaber gegeben hatte, war Wildes Pferd, und Phelippes stand da und fragte sich, welche Eigenschaft des jungen Grafen ihm diesen Titel wohl eingebracht hatte.

»Ich glaube, ich habe, was Ihr braucht, Sir.«

Phelippes schaute seinen Spion verwirrt an.

»Material für den Bericht über Marlowe. Ich habe mitgehört, wie er, Raleigh und Tom Hariot unseren Herrn, den Herrscher über Seine Schöpfung, lästerten. Sie benutzten ein merkwürdiges Gerät. Ein langes, irgendwie ...«

»Das ist ... interessant, Baines. Aber unnötig. Ich habe Euch doch gesagt, was ich von Euch will. Wiederholt die Anschuldigungen, die ich Euch gezeigt habe, wo und sooft Ihr könnt. Ganz einfach.«

»Aber ich habe nicht gehört ...«

»Ach, fügt auch ein bisschen was über Hariot dazu, wenn es unbedingt sein muss«, murmelte Phelippes. Dann fiel ihm etwas ein, das ihm ein anderer seiner Zuträger berichtet hatte. »Deutet an, dass Marlowe Moses für einen Betrüger hält, und zwar für einen… der darin Hariot nicht das Wasser reichen kann.«

Baines nickte.

Phelippes runzelte die Stirn. »Das genügt nicht. Wir wollen es niederschreiben.« Mit einem Blick zur Tür rief er: »Teresa!«

Sekunden später war sie da. »Ja, Sir?«

»Bring uns Papier, Tinte und eine Feder.«

Nun ging Phelippes in eine Vorratskammer im ersten Stock, um die Niederschrift von Kyds Verhör sowie die anderen Informantenberichte, die er gesammelt hatte, zu holen. Als er in die große Halle zurückkehrte, sagte er: »Seht zu, dass Ihr die übelsten dieser Vorwürfe mit einfügt.«

Baines drückte sich die Fingerspitzen der rechten Hand an die Stirn. »Titel, Titel…« Dann hob er den Kopf und sagte: »Wie wär's mit ›Eine Aufzeichnung der Ansichten eines gewissen Christopher Marlowe bezüglich seines Urteils über die Religion und das Wort Gottes‹?«

Phelippes schüttelte den Kopf. »Zu nichtssagend, Baines. Schreibt, äh… ›verdammenswertes Urteil über die Religion‹. Und ›Verhöhnung des Wortes Gottes‹.«

Baines tauchte die Feder ein und tat, wie ihm geheißen. Dann wandte er sich Kyds Anschuldigungen zu. »Hier steht, dass Marlowe über die Heilige Schrift spottet und Argumente vorbringt, die widerlegen sollen, was Propheten und heilige Männer gesagt haben.«

»Schreibt, dass er das Neue Testament für schlecht geschrieben erachtet und meint, es selbst viel besser zu können. Und dann…«

Baines schrieb eifrig.

»…dass er Christus einen Bastard nennt und Maria eine Hure.«

»Aber Sir! Das ist…«

»Wollt Ihr sein Schicksal mit ihm teilen?«

Widerwillig tat Baines, wie ihm geheißen, und hob dann wieder den Kopf. »Ich glaube, ich habe einmal gehört, wie er Protestanten bezeichnete als… verdammt, was war es gleich wieder?«

»Esel.«

»Ich glaube, eigentlich nannte er sie Heuchler, Sir.«

»Na, dann eben heuchlerische Esel.«

Mit einem Blick über Baines' Schulter fügte Phelippes hinzu: »Auf jeden Fall diese Geschichte über Christus und den Heiligen Johannes den Evangelisten, aber etwas derber. Schreibt, er nannte sie… Bettgenossen.«

»Weil wir gerade beim Thema sind, Sir, es gibt Gerüchte, dass er… dass er ein Bewunderer, äh…«

»Was?«, fragte Phelippes ungeduldig.

»Von Knaben ist.«

»Großartig. Wie's aussieht, seid Ihr doch zu etwas nütze, Baines«, erwiderte Phelippes. »Ach, und denkt Euch einen starken Schluss aus. Etwas, das keine Zweifel daran lässt, dass Marlowe eine Gefahr ist, die es zu beseitigen gilt.«

Die Feder in der Luft, dachte Baines sich Möglichkeiten aus.

Phelippes starrte zum Fenster hinaus. Nach einigen Minuten sagte er: »Wenn Ihr das Schreiben dem Ausschussvorsitzenden präsentiert, sagt ihm, dass Marlowe im Scadbury House ist, Tom Walsinghams Anwesen in Kent.«

»Soll er so schnell verhaftet werden? Ich dachte, Ihr wolltet…«

Phelippes zuckte die Achseln. »Wenn er seine Ermittlungen noch nicht abgeschlossen hat, wird Topcliffe die nötigen Einzelheiten aus ihm herausholen. Ist wahrscheinlich sowieso das Beste, wenn wir die Sache selbst zum Abschluss bringen. Marlowe war schon immer ein Schelm. Ich traue ihm nicht ganz.«

Robert Poley war verärgert.

Teresa Ramires verspätete sich.

Er ging neben der Bärenkampfarena auf und ab und wartete ungeduldig auf sie. Er hatte zwar schon eine Weile keine Uhr mehr gesehen, schätzte aber, dass es bereits eine halbe Stunde nach dem vereinbarten Zeitpunkt ihres Treffens war. *Die blöde Kuh.*

Doch als sie dann kam und er den Ausdruck auf ihrem Gesicht sah, war alles verziehen. So lächelte Teresa nur, wenn sie genau das gehört hatte, was er hatte hören wollen.

19

South Bank, London – 9 Uhr 14, Gegenwart

Kate schraubte eine Wasserflasche auf und schaute Adriana an. »Was dagegen, wenn ich schnell mal telefoniere?«

»Mach nur«, sagte Adriana, trat auf die Westminster Bridge und lehnte sich an das Steingeländer, um ihre Wadenmuskeln zu dehnen.

Vor einer Stunde hatten sie sich im St. James Park getroffen und waren auf dem Queen's Walk – ein Plankenweg am Südufer der Themse – bis zur London Bridge gejoggt. Auf dem Rückweg hatten sie an einem der vielen Kioske in der Nähe der Westminster Bridge angehalten, um sich etwas zu trinken zu kaufen.

»Guten Morgen«, sagte Medina.

»Ich habe Neuigkeiten«, sagte Kate und schaute über den Fluss zu den Märchenzinnen auf dem Big Ben und den Houses of Parliament.

»Erzählen Sie.«

»Nun, ich habe Ihren Rat befolgt und bin zum Ende gesprungen, und dabei habe ich erkannt, dass Phelippes nach Walsinghams Tod weiter Berichte sammelte, wenigstens bis 1593. Die letzte Seite macht mir Probleme, aber die vorletzte – sie stammt vom Mai des Jahres 1593 und ist offensichtlich von Christopher Marlowe verfasst worden.«

»Worum geht's?«

»Wie's aussieht, beauftragte Phelippes Marlowe, gegen eine elisabethanische Handelsgesellschaft zu ermitteln. Die Moskowiter Gesellschaft, Englands erste Aktiengesellschaft. Marlowe fand heraus, dass einer ihrer Topleute illegal Waffen an einen Barbarenpiraten lieferte, als Gegenleistung für Schätze aus dem Osten. Er schrieb, er könne den Mann innerhalb weniger Tage identifizieren.

Aber jetzt kommt's. Marlowe starb in diesem Monat. Da drängt sich mir der Gedanke auf ...«

»Dass er wegen dem, was er herausgefunden hatte, ermordet wurde?«, warf Medina dazwischen. »Von dem Händler, der seine Verbrechen geheim halten wollte?«

»Ja«, sagte Kate. »Und ich glaube, Marlowe schrieb auch den letzten Bericht. Er ist numerisch, und ich konnte ihn bis jetzt noch nicht entziffern, aber ich glaube nicht, dass Phelippes den Bericht über das Schmuggeln aufgenommen hätte, wenn er nicht vorgehabt hätte, den über die Identität des Schmugglers ebenfalls mit aufzunehmen. Kein anderer Eintrag in seiner *Anatomie* präsentiert ein unvollständiges Bild, und deshalb ...«

»Diese letzte Seite könnte die Frage beantworten, die Sie gestern zur Sprache gebracht haben – wer Marlowe umbrachte, und warum.«

»Vielleicht. Vielleicht hätte ich das nur gern, aber ...«

»Für mich klingt das logisch«, sagte Medina. »Aber, Kate, diese letzte Seite, ist das die Sache, hinter der heute jemand her ist?«

»Unwahrscheinlich. Es gibt zwar eine Menge Akademiker und Marlowe-Fans, die sehr gerne wissen würden, was wirklich passiert ist, aber ich bezweifle, dass einer von denen einen harmlosen Oxford-Professor umbringt, um das herauszufinden.«

»Das glaube ich Ihnen gern. Übrigens, wo sind Sie?«

»Unterwegs zu Lady Halifax. Ich treffe mich in fünfzehn Minuten mit ihr«, sagte Kate mit einem Blick auf ihre Uhr. »Erinnern Sie sich noch an den Rubinring der Katze? Er hat ihn ihr gestohlen, und ich möchte ihr ein paar Fragen zu dem Ring stellen. Sie spielt Tennis am Eaton Square. Hat mich auf eine Limonade nach dem Spiel eingeladen. Sind Sie später heute Vormittag zu Hause?«

»Ja.«

»Okay. Ich komme bald vorbei. Ich muss noch ein paar Seiten des Manuskripts untersuchen, bevor ich aufbreche.«

Weniger als eine Meile entfernt strich der Mann, den Kate Jade Dragon nannte, mit der Fingerspitze über die acht Zentimeter lange schwarze Stahlklinge seines zweischneidigen Gerber-Messers. Nach dem, was er eben erfahren hatte, war Kate Morgan, wie erwartet, auf Marlowes letzten Geheimdienstbericht gestoßen, und da sie auch verraten hatte, an welcher Stelle des Manuskripts er sich befand ...

Es war Zeit, zuzuschlagen, und zwar schnell.

Belgravia, London – 9 Uhr 30

»Lady Halifax?«

»Nennen Sie mich Perry«, sagte die kleine silberhaarige Frau. In einem kurzen, magentafarbenen Tennisdress, goldgerahmter Sonnenbrille und Turnschuhen, die so weiß waren, dass sie strahlten, stand sie in der Tür ihres Stadthauses am Eaton Square. »Spielen Sie?«, fragte sie und gab Kate einen Schläger.

»Nicht mehr seit der High School«, sagte Kate. »Ich ...«

»Na ja, Sie werden's schon noch können. Auf jeden Fall besser als Ella ... hat in letzter Minute abgesagt mit der Ausrede, dass ihr das Knie wehtue.« Lady Halifax schüttelte den Kopf. »Verflixt, wenn man in mein Alter kommt, sitzen alle anderen entweder untätig herum, jammern über Schmerzen oder sind tot.«

»Wie traurig für Sie.«

»Spielen Sie einen Satz mit mir, und ich werde Ihnen mit Vergnügen alle Ihre Fragen beantworten.«

»Abgemacht.«

»Sie sehen erhitzt aus, meine Liebe. Hier ist etwas Limonade«, sagte Lady Halifax und gab Kate eine Thermosflasche. Dann nahm sie eine zweite Thermosflasche und einen zweiten Schläger – mit pinkfarbenen Streifen, die zu ihrem Dress passten – und zog die Haustür hinter sich zu.

Sie überquerten die Straße und gingen zum Eingang des umzäunten Parks am Eaton Square. Kate atmete den angenehmen Duft der rosa- und lilafarben blühenden Bäume ein, öffnete ihre Thermoskanne, trank einen Schluck und hustete dann überrascht.

Lady Halifax kicherte. »Ich habe Pimms reingetan, meine Liebe. Limonade sollte man nie ohne trinken. Nun, wegen meines Rings...«

»Der ist auf dem Yard. Ist allerdings noch nicht freigegeben. Er muss noch... bearbeitet werden.«

»Wie haben Sie ihn gefunden?«

»Genau genommen...«

»Ach kommen Sie«, warf Lady Halifax dazwischen. »Ich weiß, dass Sie nicht diejenige wären, die mir die Nachricht überbringt, wenn Sie ihn nicht gefunden hätten.«

Kate lächelte. »Ich wurde engagiert, um in einem missglückten Einbruch zu ermitteln. Am Tatort wurde der Dieb tot aufgefunden, und er trug Ihren Ring. Wie sich zeigte, war er die Katze.«

»Grundgütiger. Nach so vielen Jahren... und, wer war er?«

»Simon Trevor...«

»Jones«, ergänzte Lady James mit weit aufgerissenen Augen. »Lord Astley. Ach, Christus auf Krücken, ich hätte es mir denken können. Er schien immer ein bisschen zu viel Spaß an den verstaubten, lachhaften Veranstaltungen zu haben. Ach, Peregrine, du blindes Weib! Das war doch nun wirklich offensichtlich.«

»Sie kannten ihn gut?«, fragte Kate.

Kopfschüttelnd betrat Lady Halifax den Platz. »Nein. Dass er tot ist, tut mir allerdings schon Leid. Denn die Frage, ob wir wirklich einen Dieb in unserer Mitte haben, machte vieles doch sehr viel interessanter.«

»Hatte er irgendwelche engen Freunde oder regelmäßige Geschäftspartner, von denen Sie etwas mitbekommen haben?«

»Ich kann mich nicht erinnern. Aber eine meiner Freundinnen weiß es sicher. Ich könnte mal herumtelefonieren.«

»Vielen Dank.«

»Jetzt machen Sie sich auf was gefasst, meine Liebe«, sagte Lady Halifax und trank einen Schluck aus ihrer Thermosflasche. »Ich werde Sie vom Platz fegen.«

Kate seufzte, als sie auf die Wilton Crescent einbog. Die alte Marquise hatte keinen Witz gemacht. Kate war erschöpft. Und sie hatte jedes Spiel verloren.

Ihr Handy klingelte. »Hallo?«

»Hier Hugh Synclair.«

»Guten Morgen, Inspector.«

»Kate, ich habe mit Rutherfords Arzt gesprochen. Es hat sich herausgestellt, dass er akuten, metastasierenden Prostatakrebs hatte. Wäre innerhalb der nächsten Monate gestorben. Und hatte offensichtlich auch ziemlich starke Schmerzen. Da stellt sich mir die Frage, ob er nicht jemanden angeheuert hat, um ihn, äh...«

»War er Katholik?«

»Ja.«

»Und mit einem Abschiedsbrief hätte er kein christliches Begräbnis bekommen.«

»Genau. Es ist eine Möglichkeit, meinen Sie nicht auch?«

»Ja. Aber was ist mit den Papieren, die von seinem Schreibtisch verschwunden sind?«

»Vielleicht ein höflicher Schütze... wollte ein bisschen aufräumen.«

»Was sagt Ihnen Ihr Bauch, Inspector?«

»Na ja, ich hatte gehofft, Sie hätten etwas gefunden, das Licht in die Sache bringen könnte.«

»Ich sage Ihnen Bescheid, sobald ich etwas weiß. Danke für die Information.«

»Keine Ursache. Ihnen noch einen schönen Tag.«

Als sie auf Medinas Klingel drückte, fragte sich Kate, ob einen Killer für sich selber anzuheuern wirklich ein Ausweg war für Leute, die Selbstmord für eine Sünde hielten. Falls es so war, dann war ein freundlicher, unschuldiger Mann doch nicht wegen des Manuskripts umgebracht worden. Vielleicht ging es Mr. Jade Dragon tatsächlich nur um die feine Gesellschaft und pikante Salongeheimnisse, wie sie ursprünglich gedacht hatte.

Charlotte öffnete die Tür.

»Was ist denn los?«, fragte Kate. Charlotte war blass im Gesicht, und ihre Hände zitterten.

»Ich war beim Einkaufen, und als ich zurückkam, sah ich, dass Mr. Medina, dass er... dass jemand...« Sie schluckte. »Auf ihn eingestochen hatte.«

»Was?«

»Er ist oben. Weigert sich, ins Krankenhaus zu gehen, schickt mich weg...«

»In seinem Schlafzimmer?«

Charlotte nickte. »Im dritten Stock.«

Bestürzt rannte Kate die Treppe hoch. Sie fand Medina in seinem Badezimmer, wo er eine Flasche Desinfektionsmittel aufschraubte. Er hatte sich ein dunkles Handtuch über der Kleidung um die Taille gewickelt. »Cidro, sind Sie okay?«

»Ja, mir geht's gut. Nur ein Kratzer... Charlotte kann kein Blut sehen. Tut mir Leid, wenn sie Ihnen Angst gemacht hat.«

»Ich fühle mich schrecklich. Ich hätte auf einen Leibwächter bestehen müssen, ich...«

»Also eigentlich war es ziemlich aufregend. Ich war noch nie zuvor in einen Messerkampf verwickelt.«

Kate versuchte, ihn mit ernster Missbilligung anzuschauen, schaffte es aber nicht. »Was ist passiert?«

»Es klingelte an der Tür. Ein junger Typ sagte, er habe eine Lieferung vom Yard. Und davor hatte wirklich eine Frau angerufen und behauptet, sie sei die Sekretärin des Superintendent...«

»Anscheinend hat uns jemand überwacht«, warf Kate dazwischen. »Hat wahrscheinlich gesehen, dass Sergeant Davies gestern hier war. Ach, es tut mir so Leid, ich...«

»Kate, Sie können doch nichts dafür. Ich bin der Trottel, der zu anmaßend ist, um Wachmänner in meiner Nähe zu ertragen.«

»Stimmt«, entgegnete sie, öffnete sein Medizinschränkchen und holte eine Tüte Watte heraus. »Sie haben also die Tür geöffnet, er stürzte herein und...«

»Ich glaube, sein Plan war: Messer in die Niere, Manuskript schnappen. Aber ich habe mir stattdessen sein Messer geschnappt.«

»Und er...«

»Rannte davon. Hatte Angst vor...«

»Ihrer überwältigenden Kraft«, erwiderte Kate trocken und löste das Handtuch.

»O mein Gott«, murmelte sie, als sie den großen Blutfleck auf dem Rücken seines dunkelblauen Hemds sah. Nachdem sie es aus der Hose gezogen und angehoben hatte, starrte sie mit aufgerissenen Augen den Schnitt auf seinem unteren Rücken an. Er reichte vom Hüftknochen bis zum Rückgrat.

»Cidro, wenn er nicht abgerutscht wäre, dann wären Sie innerhalb einer Minute tot gewesen.« Sie legte ihm eine Hand auf die Schulter und drehte ihn zu sich um. »Ich weiß, dass Sie ein Adrenalin-Junkie sind, aber könnten Sie sich bitte mit Drogen und Bungee-Jumping begnügen?«

Sie befeuchtete einen Waschlappen und fügte hinzu: »Ich klinge zwar nicht gern wie Ihre Mutter, aber wenn Sie weiterhin so sorglos sind, kann Sie das Ihr Leben kosten. Ich rufe jetzt mein Büro an, die sollen einen Wachmann schicken, und Sie müssen mir versprechen, dass Sie ihn nicht davonjagen, sobald ich weg bin.«

»Jawohl, Ma'am.«

»Wenn wir hier fertig sind, bringe ich das Messer und die Bänder von Ihren Überwachungskameras zum Yard. Und Sie werden sich nähen lassen.«

»Eigentlich ist da noch einiges, was ich…«

»Der Mann, der von meinem Büro kommt, wird bewaffnet sein, und er wird Sie persönlich ins Krankenhaus bringen. Wenn nötig, mit vorgehaltener Waffe.«

»Dagegen bin ich wohl machtlos.«

»Ja. Und jetzt ziehen Sie das Hemd aus.«

Die tunesische Küste – 13 Uhr 42

»Der Monceau-Park ist wunderschön«, sagte Surina Khan und tauchte einen großen Naturschwamm in die Schüssel mit schaumigem Seifenwasser auf dem Tisch neben sich. »Voller Blumen… und mit hübschen Wasserfällen«, fuhr sie fort und drückte den Schwamm aus. »Er soll verschiedene Geschichtsepochen und Orte dieser Welt darstellen, deshalb gibt es Kopien von römischen Ruinen, einer ägyptischen Pyramide, einer chinesischen Pagode… mein Bruder und ich sind immer dort herumgeschlichen, wo man eigentlich gar nicht hin darf – übers Gras, hinauf auf den Hügel mit dem Wasserfall, in den Bach …«

Sie nahm seine linke Hand, hob seinen Arm und strich ihm behutsam mit dem Schwamm über die Haut. Sekunden später zuckte seine Hand. Zum vierten Mal an diesem Tag. War das eine Nachwirkung der Elektroschocks, mit denen man ihn gefoltert hatte, oder drückte er absichtlich ihre Hand? Kommunizierte er mit ihr auf die einzige Art, die ihm möglich war?

»Möchtest du vielleicht diesen Sommer nach Paris kommen und ihn mit mir anschauen? Wir könnten an dem Teich mit der bröckelnden Säule ein Picknick machen.«

Surina drückte ihre Lippen sanft auf seine Stirn und ließ sich vom leisen Plätschern der Wellen am Strand, den Schreien der Möwen und dem stetigen Tropfen von Infusionsflüssigkeit in einen stillen Tagtraum einlullen.

Belgravia, London – 10 Uhr 50

»Ah, Kate?«, presste Medina zwischen zusammengebissenen Zähnen hervor.

»Cidro, sind Sie ein Mann oder eine Maus?«, neckte sie ihn, während sie seine Wunde mit Peroxyd reinigte.

»Richtig. Stark bleiben, Cid«, sagte er und zuckte unter jeder Berührung zusammen. »Such dir eine Ablenkung. Mal sehen, ah … au, Scheiße. Okay, konzentrier dich. Lord's Cricket Ground, ein lauer Sonntagnachmittag … ah, hundert Runs zum Gewinn, acht Schläger ausgeschieden …«

Kate versuchte ebenfalls, sich abzulenken. Sie war nur Zentimeter von seinem nackten Oberkörper entfernt – eine Herausforderung. *Okay … Rechnungen. Du setzt dich hin, öffnest dein Scheckbuch – die von City Sports ist diesen Monat fällig. Hm, ein Zahnarzt mit schlechtem Atem, Impfungen für Südostasien …*

»Au! Muss das so grob sein?«

»Oh, Cid. Tut mir Leid«, sagte Kate, nachdem sie beim Auftragen von antibakterieller Salbe unabsichtlich Medinas Wunde berührt hatte. Jetzt fing sie an, sie mit einem großen Verband abzudecken.

»Danke«, sagte er, als sie fertig war.

»Kein Problem.«

Er drehte sich zu ihr um. »Sicher? Sie sehen...«

»Alles okay. Bin nur erleichtert, dass Sie in Ordnung sind.«

Da sie nicht in der Stimmung war, ihm in die Augen zu sehen, konzentrierte sie sich darauf, die diversen medizinischen Hilfsmittel aufzuräumen.

Dann wurde ihr Gedankenfluss unterbrochen.

Sie spürte, wie seine Hand über ihren Nacken glitt und er sie an sich zog. Die Gesichter nur Zentimeter voneinander entfernt, schaute er sie einen Augenblick lang an und drückte dann seine Lippen auf ihre. Sanft. Zweimal. Als er sie das dritte Mal küsste, öffnete er den Mund ein wenig und strich mit der Zunge über ihre Oberlippe. Er zog sie sanft zwischen seine Lippen, hielt sie einen Augenblick fest, ließ Kate dann wieder los und lehnte sich zurück.

Medina sah sie eindringlich an. »Das will ich tun, seit wir uns das erste Mal begegnet sind.«

»Oh.«

»*Oh?* Mehr kriege ich nicht zu hören?«

»Okay, ich gebe zu, mir ist ein bisschen schwindelig.«

»Gut. Ich habe mir ja weiß Gott Mühe gegeben.«

»Es ist nur so, ich habe heute Morgen ziemlich lange gejoggt, dann zu viel Tennis gespielt... außerdem habe ich es noch nicht geschafft, irgendwas zu essen, und ziemlich heiß ist es auch, deshalb... aber ich bin schon wieder okay. Danke der Nachfrage.«

»Verstehe.« Medina zog sie noch einmal an sich, strich ihr mit der Fingerspitze über die Unterlippe und fragte: »Ich nehme an, noch immer okay?«

»Noch immer okay.«

»Und jetzt?«, fragte er und küsste sie in den Nacken.

»Kann mich nicht beklagen.«

»Na komm schon, Kate. Erzähl mir was Schmalziges.«

»Was Schmalziges?«

»Was ihr überm Teich romantisch nennt.«

»Na ja…«

»Ich warte«, sagte Medina, während seine Hand ihren Rücken streichelte.

»Na gut. Wenn du mich so berührst, kann ich nicht geradeaus denken, nicht geradeaus schauen und wahrscheinlich auch nicht geradeaus gehen. Reicht das?«

»Für den Augenblick.«

Eine Stunde später war Kate, nachdem sie das Messer und Medinas Überwachungsbänder in Davies' fähige Hände übergeben hatte, in ihrem Hotelzimmer, packte und hörte dabei Medinas Stimme aus dem Telefon.

»Eigentlich wollte ich dich ja persönlich nach Heathrow bringen, aber da deine Firma mich hier quasi als Geisel hält…«

»Ich kann in einem unserer Firmenhubschrauber mitfliegen«, sagte Kate. »Irgendein VIP-Klient muss in zwanzig Minuten dorthin.«

»Oh. Wann kommst du zurück?«

»Hm, morgen Nachmittag, denke ich. Vielleicht früher. Kommt darauf an, wie's läuft.«

»Muss ich mir Sorgen um dich machen?«

»Absolut nicht. Nur eine langweilige Identifikationsgeschichte. Nach dem Motto, finde den Namen zu dieser Person.«

»Ist diese Person gefährlich?«

Kate hatte keine Lust zu lügen. *Wie soll ich das sagen…* »Er ist ein freundlicher Kunsthändler. Der wird mir schon nichts tun.«

»Rufst du mich an, wenn du angekommen bist?«

»Okay.«

Sie verabschiedeten sich, und Kate schaute noch einmal nach, ob ihre Brieftasche und ihr Flugticket wirklich in ihrer Schultertasche waren. Gut.

»Ach, das hätte ich jetzt fast vergessen«, sagte sie laut und zog die kleine weiße Schachtel mit der Pistole der Katze heraus. *Die Sicherheitsleute in Heathrow fänden das sicher nicht sehr lustig.*

Vielleicht ist es eine Betäubungspistole, dachte sie, als ihre rechte

Hand sich um den Holzgriff legte. Das wäre einleuchtender bei einem Mann, der immer darauf geachtet hatte, nie jemanden zu verletzen. Weil sie wissen wollte, was sich in der Kammer befand, tastete sie mit den Spitzen von Ring- und Mittelfinger hinter dem Abzug nach der Magazinarretierung. Es gab keine. *Und wenn ich es mir genau überlege, Sicherung und Verschlusshebel sind auch nicht zu erkennen.* Aber in Reichweite ihres rechten Daumens befand sich eine dekorative Perlmutt-Lilie. *Hm.* Sie drückte darauf, hörte ein Klicken und sah, wie aus dem Lauf ein fünf Zentimeter langer Stahldorn herausschnellte.

»Ein Pistolendietrich…«, murmelte sie. »Natürlich.« Wenn die Katze eine Betäubungspistole gehabt hätte, hätte sie Medinas Wachmann mit Sicherheit außer Gefecht gesetzt und wäre über das Dach geflohen.

Aber warum war die Katze nicht bewaffnet gewesen? Er war zwar in ein Haus mit nur geringer Überwachungstechnik eingebrochen, aber wenn er das im Voraus gewusst hatte, warum hatte er dann nichts von dem Wachmann gewusst? Nach Medinas Angaben war der Mann fast immer da, wenn er ausging. Ein so wichtiges Detail hätte die Katze doch sicher nicht übersehen. Kate war verwirrt. *Sie* übersah etwas.

Offensichtlich hatte er das Haus vor dem Diebstahl nicht selbst ausgekundschaftet, folgerte sie. Warum hatte er den Einbruch dann überhaupt gemacht? Er war nicht Mr. Jade Dragon, er war nicht derjenige, der von etwas in dem Manuskript persönlich betroffen war, warum hatte er sich dann auf unpräzise Informationen aus zweiter Hand verlassen, um es zu stehlen? Normalerweise stahl er Gegenstände von viel größerem Wert mit viel weniger Risiko. Das alles ergab keinen Sinn.

Außer er war ein Freund von Jade Dragon, dachte Kate. Vielleicht hatte ihn sein Freund J.D. angerufen und um einen sofortigen Gefallen gebeten. Vielleicht hatte J.D. die halbherzige Überprüfung des Hauses selbst vorgenommen und sie der Katze dann als gründlicher verkauft, als sie tatsächlich gewesen war, weil ihm der Besitz der *Anatomie der Geheimnisse* wichtiger war als die Sicherheit seines Freundes. Wenn das zutraf, dann hatte J.D. in gewisser Weise die Katze getötet. Zusätzlich zu Andrew Rutherford. Und der versuchte Mord an Medina.

Als Kate die Pistole in einer Jacke versteckte, die sie im Connaught lassen wollte, zitterten ihre Hände vor Wut.

Sidi Bou Said – 14 Uhr 48

Connor Blacks Hände waren völlig ruhig. Er stand in einer verwinkelten Kopfsteinpflastergasse in der Nähe des Klippenrandes in Sidi Bou Said, hielt etwas in der Hand, das aussah wie eine Kamera mit langem Objektiv, und richtete das Gerät auf die Küstenlinie unter ihm. Mit Hilfe der Thermobildfunktion sah er einen Wachmann auf seinem gewohnten Posten in der Nähe der Haustür der Villa sitzen. Die beiden anderen spielten auf dem Balkon im ersten Stock irgendein Brettspiel. Direkt über ihnen auf dem oberen Balkon stand das junge Mädchen – die Krankenschwester, die er und seine Kollegen Mrs. Nightingale nannten – und schaute hinaus auf das ruhige, türkisfarbene Wasser des Golfs.

Es war das erste Mal, dass Connor mehr von ihr sah als einen roten Umriss innerhalb des Hauses. »Sie ist phantastisch«, murmelte er und vergrößerte das Bild ihres Profils. Sie war groß und schlank, hatte dunkle südasiatische Haut, schwarze Haare, die ihr bis zur Taille reichten, und ein Gesicht, bei dem Dichtern die Tinte ausgeht.

Er ließ das kameraähnliche Gerät sinken und schaute sich um. Er war allein.

»Revere, wie läuft's?«

»Gut«, kam die Antwort aus dem Ohrhörer, von dem Mann, dessen Vorname eigentlich Paul lautete. »Liebling Zwei hat unten im Yachthafen ein Sechzehn-Fuß-Boot gemietet. Wie bestücken gerade die Kühlbox…«

»Ich mache mich jetzt auf den Weg.«

»Ich auch«, entgegnete Revere. Er war unterwegs zu ihrem Stammcafé, um dort die Küstenüberwachung zu übernehmen.

Als Connor sein und Jason Averas Hotelzimmer betrat, sah er, dass die Ausrüstung, die sie in dieser Nacht brauchen würden, bereits vollständig in der Kühlbox verstaut worden war. »Gehen wir«, sagte er und packte einen der Tragegurte. Sie tagsüber durch die Stadt zu schleppen, würde völlig normal wirken. Nachts würden Leute vielleicht die Stirn runzeln und Fragen stellen.

In Shorts und Sonnenbrille gingen sie zum Jachthafen. Um den Schein zu wahren, wollten sie einen kurzen Ausflug die Küste entlang machen.

»Liebling Eins«, hörte Connor aus seinem Ohrhörer. Es war der Waldmensch, der noch immer zwischen den Bäumen gegenüber der Haustür der Villa saß. »Irgendwas passiert.«

»Ja?«

»Die Umrisse verblassen immer stärker. Ich habe Mrs. Nightingale zwar wieder ins Haus gehen sehen, aber jetzt sind sie und dieser Mann so gut wie verschwunden. Nur noch ein bisschen Geflacker. Ich kann sie zwar noch hören, aber...«

»Ein technisches Problem bei dir oder eine Sicherheitsmaßnahme von denen, was meinst du?«, fragte Connor. Er wusste, wenn die Wachmänner ihre Bewegungen kaschieren wollten, mussten sie nur die Klimaanlage der Villa ausschalten. Bei der starken nordafrikanischen Hitze würde die Raumtemperatur sich so sehr der Körpertemperatur annähern, dass das Wärmebildgerät nicht mehr funktionierte.

»Schwer zu sagen«, erwiderte der Waldmensch. »Ah, Moment mal. Eben fährt ein Lieferwagen vor. Majid's Kühltechnik. Wie's aussieht, ist bei denen die Klimaanlage ausgefallen.«

»Bleib dran. Kontrolliere, ob jemand das Haus verlässt. Revere überwacht den Strand.«

»Okay.«

Rom – 18 Uhr 35

Der blassgelb getünchte Palazzo hatte schwere Holztüren, steinerne Fensterstöcke und Töpfe mit roten Begonien auf dem kleinen Balkon im ersten Stock. Auf der Pflastersteingasse davor parkten Motorroller neben einigen Autos, die in Amerika wie Kinderspielzeuge aussehen würden. Obwohl das Gebäude schon bessere Tage gesehen hatte – hier und dort blätterte die Farbe ab, und auf Straßenhöhe verschandelten Graffiti die Fassade –, war es in Kates Augen perfekt.

»*Giuseppe, ciao!*«, sagte sie und umarmte den alten Besitzer des Hotels.

»Du hast einen neuen Freund. Ich schätze, jetzt ist es Zeit für mich – wie nennt ihr das –, das Handtuch zu werfen?«

»Niemals. Ich weiß überhaupt nicht, wovon du sprichst.«

»Katy.« Mit gespielt strengem Blick griff er hinter seine Empfangstheke und gab ihr eine kleine Tüte. Sie kannte das Design. Ihr Lieblingssüßwarenladen in der Stadt. »Er weiß, welche Pralinen du magst.«

»Ach, mein neuer Mandant«, sagte sie mit einem Blick auf die Karte – Medina dankte ihr für den Vormittag.

»Mandant … hm.« Mit einem Kopfschütteln gab Giuseppe ihr den Schlüssel. »Bevor du jetzt gleich wieder verschwindest, trinken wir noch ein Glas auf dem Dach?«

»Auf jeden Fall. Gib mir zwanzig Minuten.«

Vier Stockwerke weiter oben öffnete Kate die Tür zu ihrem Zimmer, stellte ihre Taschen ab und drehte das heiße Wasser in der Dusche auf. Als sie ihre Turnschuhe aufband, rief Medina an.

»Hi. Danke. Was hat dir Max sonst noch verraten?«, fragte Kate, weil sie wusste, dass Medina Max angerufen haben musste, um die Lieferung zu ermöglichen.«

»Dass du nicht aufhören kannst, an mich zu denken.«

»Scheiße, wie konnte er nur?«

»Kate, wegen morgen. Ich habe eine Verabredung zum Abendessen, aber danach …«

»Versuchst du, mich in meiner Arbeit zu behindern?«

»Na ja, ich dachte mir, vielleicht lässt du dich ja jetzt zu einem Rendezvous herab, nach dem…«

»Was heute Vormittag passiert ist?«

»Hm-hm.«

»Aber das war doch nur ein Mitleidskuss. Du warst verletzt. Hatte nichts zu bedeuten.«

»Lügnerin.«

»Hast du was gesagt? Mein Telefon hatte eben einen Aussetzer«, scherzte Kate.

»Sag, was du willst. Sobald du wieder hier bist…«

»Kann ich dir sagen, was in diesem letzten Bericht Marlowes steht, und vielleicht auch, was auf den restlichen Seiten steht. Nach meinem Einsatz heute Abend bleibe ich dran, bis…«

»Moment mal. Du hast die letzte Seite geknackt?«

»Noch nicht, aber bald. Es ist komplizierter, als ich dachte, deshalb habe ich sie Max geschickt. Der ist mit Zahlen und Entschlüsselung besser als ich. Er braucht nicht lange dafür. He, wie steht's mit Sergeant Davies? Konnte er deinen Angreifer schon identifizieren?«

»Arbeitet noch daran. Der Kerl trug Handschuhe und eine Baseball-Kappe, als er hereinkam – und hielt auch den Kopf gesenkt. Die Überwachungskameras bekamen kein sauberes Bild. Davies ließ mich mit einem Phantomzeichner arbeiten. Vielleicht führt das ja zu einem Führerschein oder sonst was. Der Mistkerl war mindestens zwanzig Jahre alt.«

»Ja. Leider hat er aller Wahrscheinlichkeit nach den Mann, der ihn anheuerte, nie gesehen. Außerdem kann ich mir vorstellen, dass Jade Dragon sich jemanden ausgesucht hat, der schwer aufzuspüren ist – einen illegalen Einwanderer vielleicht.«

»Hm.«

»Ein gebräuchliches Messer, oder?«

»Ziemlich. Ein Gerber Expedition IIB.«

»Okay. Ich ruf dich morgen an. Hoffentlich mit ein paar Antworten.«

»Klingt gut.«

Als Kate zehn Minuten später aus der Dusche trat, zog sie ein paar Sachen aus ihrem Koffer und der Schultertasche. Nichts wirkt weniger bedrohlich als Blumenmuster und Brille, dachte sie, und schlüpfte in einen bodenlangen schwarzen Seidenrock mit blauen und grünen Blumen. Die intellektuell wirkende, schwarz gerahmte Brille, die sie aufsetzte, sollte ein bisschen einschüchternd wirken… zumindest auf de Tolomei. Auf dem Weg vom Flughafen in die Stadt hatte sie die Brille in Slades örtlichem Büro abgeholt. In der Brille versteckte sich ein Iris-Scanner. Dann streifte Kate einen Bügel-BH über, den sie speziell für solche Anlässe benutzte. Er sah aus wie ein ganz gewöhnlicher Büstenheber von Victoria's Secrets, die ursprünglichen Verstärkerbügel waren jedoch entfernt und dafür war ein Audio-Aufnahmegerät eingebaut worden. Die winzige Batterie lieferte nur Strom für drei Minuten, das war jedoch mehr als ausreichend, um eine bearbeitbare Stimmprobe zu erhalten.

Dann zog sie einen maßgeschneiderten schwarzen Pullover darüber und musterte sich im Spiegel. Die Haare auf jeden Fall offen, beschloss sie. Goldene Kreolen für die Ohren. *Und fertig ist Betsy Johnson auf dem Weg in die Bibliothek. So schöpft er auf keinen Fall Verdacht.*

Il Borgo, Rom – 19 Uhr 53

»Paolo!«, rief ein kleiner Junge und rannte über die Pflastersteine. Sekunden später rollte ein Fußball auf ihn zu. Er täuschte rechts an und stürmte dann links an seinem Gegner vorbei, aber ein vorbeisausender Motorroller bremste seinen Lauf auf das provisorische Tor. »*Vaffanculo!*«, schrie er.

Als er sich umdrehte, stand er direkt vor Kate.

Sie lachte. Der Junge hatte dem Rollerfahrer das berühmte Götz-Zitat hinterhergeschrien.

Eine plötzliche Röte färbte sein entrüstetes Gesicht.

»Spielst du für Lazio?«, fragte sie auf Italienisch, um ihm zu

schmeicheln. Lazio, das wusste sie, war eine von Italiens Spitzen-
mannschaften.

»*Mai! Manco morto!*«

Im Leben nicht?

»Forza Roma!«, rief er mit angewidertem Augenverdrehen.

*Oh, falsche Mannschaft. Verdammt, Kate. Hast dich von einem
Zehnjährigen vorführen lassen. Klasse Arbeit.*

Sich zwischen Tischen mit Rosenkränzen und Nonnen mit
Tüten voller Gemüse hindurchschlängelnd, durchquerte Kate den
Borgo, ein lebhaftes Viertel, das seit Jahrhunderten katholische
Pilger und Angestellte des Vatikans mit dem Lebensnotwendigen
versorgte. Bei einem kurzen Blick auf den Petersplatz – eingerahmt
von aufgehängter Wäsche oben und grellen Hotelschildern links
und rechts – kehrten ihre Gedanken zu de Tolomei zurück. Er
wollte ihre Hilfe beim Aufspüren eines Kunstgegenstands, hinter
dem er seit Jahren her war, und er führte außerdem etwas im
Schilde, das Slade so aus der Fassung brachte, wie Max es noch nie
erlebt hatte.

Ersteres war nahe liegend; de Tolomei war ein erfolgreicher
Kunsthändler, der Leute wie sie engagierte, um die häufig mühselige Detektivarbeit zu erledigen, die nötig war, um verschwundene
oder gestohlene Kunstwerke aufzuspüren. Aber die zweite Sache
– die mysteriöse Kiste, die sich jetzt in Tunesien befand –, worum
ging es dabei? Max zufolge handelte de Tolomei sowohl mit Kunst-
werken wie mit Geheimnissen, aber was für eine Art von Geheimnis wurde in einer Holzkiste transportiert? Und was, wenn es
keine Waffe war, konnte Slade so bedrohlich finden?

Dann erinnerte sich Kate an das eigenartige Gefühl, das sie bei
der Sotheby's-Auktion beschlichen hatte, dass de Tolomei nämlich
ebenso sehr mit ihr spielte, wie sie mit ihm, als hätte er bereits gewusst, wer sie ist. Aber das war unmöglich, oder? Den Auftrag
hatte sie erst vor wenigen Tagen bekommen und darüber nur in der
gesicherten Umgebung ihres Büros und, auf sehr diskrete Art, mit
Edward Cherry gesprochen. Konnte de Tolomei wissen, dass sie
gegen ihn ermittelte?

Als Kate sich dem Kontrollposten der *Vigilanza*, der Polizei des

Vatikans, näherte, kam ihr der Gedanke, dass ein professioneller Erpresser wie de Tolomei sich natürlich sehr für *Die Anatomie der Geheimnisse* interessieren würde. Hatte er irgendwie von Medinas Entdeckung erfahren? Konnte das der Grund sein, warum er seine Pläne geändert hatte und in letzter Minute doch noch zu der Auktion bei Sotheby's gekommen war? Er hatte gesagt, er brauche ihre Hilfe nicht beim Aufspüren eines Gemäldes, sondern einer »anderen Kunstform«. War Phelippes Manuskript der Gegenstand, nach dem er seit mehr als zehn Jahren suchte? Nein, diese beiden Fälle können sich unmöglich so überschneiden, dachte Kate. Das wäre ein zu großer Zufall.

»Ich bin hier wegen der Kunstführung, Sir«, sagte sie zu dem Beamten hinter dem Schreibtisch und gab ihm ihren Pass.

Nachdem er den Pass durchgeblättert und ihr Gesicht gemustert hatte, schaute er auf einer Liste nach, die vor ihm lag, rief kurz irgendwo an und gab ihr dann einen Stift und ein Formular. Nachdem sie es ausgefüllt hatte, stellte er ihr eine Kennkarte aus und deutete in die Richtung des Apostolischen Palastes. »Sie warten am Bernini-Tor, Signorina.«

Und somit betrat Kate den kleinsten Staat der Welt, der, wie sie einmal gehört hatte, nur ein Achtel so groß war wie der Central Park. Sie kam an einer Schar von Ministranten vorbei und entdeckte dann die Gruppe. Kardinäle in schwarzen Kutten und scharlachroten Kappen mischten sich mit Geschäftsmännern in teuren Anzügen, das Häufchen legerer gekleideter Männer und Frauen hielt Kate dagegen für Journalisten und Polizisten in Zivil.

Edward Cherry zufolge war diese Veranstaltung als Feier einer bevorstehenden Ausgrabung gedacht, die von einer Gruppe Bankiers finanziert wurde – das sind die Maßanzüge, dachte Kate. Aber der Abend war auch eine Belohnung für Leute, die hohen Tieren des Vatikans Gefallen erwiesen. De Tolomei könnte ihr wichtigster Kunsthändler sein, dachte sie. Der Vatikan besaß eine so riesige Sammlung, dass immer nur ein Bruchteil davon ausgestellt war, und es gab Gerüchte, dass eine Reihe von Werken in den Archiven während des Zweiten Weltkriegs illegal beschafft worden waren. Ein Schwarzmarkthändler wie de Tolomei konnte hier und dort diskrete Verkäufe organisieren und so dem Heiligen Stuhl weitere negative Schlagzeilen ersparen. Sie überflog die Gruppe, aber er war noch nicht da.

Den Blick nach oben gerichtet zu den Statuen, die Berninis eindrucksvollen Säulengang schmückten – von hinten erhellt vom Licht, das aus den Privatgemächern des Papstes fiel –, ging Kate auf einen Schweizer Gardisten zu, der vor dem Haupteingang des Palastes stand. Mit Pluderhose, blau und gelb gestreiften Ärmeln und Stiefeln, schwarzem Cape und Barett sah er fast aus wie ein Hofnarr, aber das Schwert an seiner Seite und die etwa zwei Meter lange Hellebarde in seiner Hand – halb Lanze und halb Streitaxt – deuteten darauf hin, dass seine Anwesenheit nicht der Belustigung diente. Die Führung würde am Anfang beginnen, sagte er ihr, mit der Ausgrabung unter dem Petersdom, dann durch ausgewählte Räume in zwei Museen führen und mit einem Empfang im Palast enden.

Kate ging zu einer allein herumstehenden, älteren Nonne und stellte sich vor. Die Frau, so erfuhr sie, war Leiterin der Gobelin-Restaurationswerkstatt. Augenblicke später begrüßte ein Kurator die Versammelten, und die Führung begann.

Luca de Tolomei wählte eben eine Krawatte aus. Er entschied sich schließlich für eine Dolce & Gabana mit rotem Paisley-Muster. Das Muster erschien ihm angemessen: schlangenförmig. Teuflisch. Dann drehte er sich seinem Ganzkörperspiegel zu und band sie sorgfältig.

Heute Abend würde es die Ouvertüre geben. Ein unerwartetes, aber sehr willkommenes Vergnügen.

Was für eine merkwürdige Wendung war es doch, dachte de Tolomei, dass Morgans Tochter versuchte, ihn als Mandanten zu angeln. Er fand sie charmant, das musste er zugeben – spürte sogar ein gewisses Zögern –, aber er würde sie dennoch vernichten. Zu viel stand auf dem Spiel.

Der lange, enge Tunnel war feucht. Elektrische Kerzen in Wandhaltern richteten gegen die Dunkelheit kaum etwas aus. Schritt für Schritt stieg Kate tiefer durch Schichten römischer Geschichte, und die Gobelin-Restauratorin klammerte sich an ihren rechten Ellbogen.

Ganz unten winkte ein blasses, bläuliches Licht. In ehrfürchtigem Schweigen betrat die Gruppe die uralte Begräbnisstätte und zog an Grabsteinen und Urnen in Wandnischen vorbei. Mosaikfliesen glänzten an der Decke, und an den Wänden waren Fresken-Fragmente zu sehen, bei denen sich heidnische mit christlichen Symbolen vermischten – ein trunkener Bacchus hob seinen Becher, lateinische Inschriften waren im Überfluss vorhanden, und über ihren Köpfen lenkte ein Apollo seinen Wagen, hinter seinem Kopf ein kreuzähnliches Muster aus glänzenden Strahlen.

Der Kurator, der vor einer mit unlesbaren Zeichen bedeckten Wand stand, deutete nun auf ein Loch in dieser Wand, in dem hinter Glas eine Ansammlung von Knochen zu sehen war, angeblich die Überreste des Heiligen Petrus. Der Kurator begann nun mit einer Erläuterung des 1939 begonnenen Ausgrabungsprojekts, das zu dieser Entdeckung geführt hatte.

Kate, die noch nie in solchen Tiefen gewesen war, hörte fasziniert zu. Dennoch kehrten ihre Gedanken immer wieder zu de Tolomei zurück, und langsam verklang die Stimme des Kurators zu einem unverständlichen Auf und Ab. Und plötzlich – vielleicht wegen der abgestandenen Luft, der gespenstischen Beleuchtung und der Nähe der Überreste von Menschen, die unter entsetzlichen Qualen gestorben waren – beschlich Kate ein großes Unbehagen. Sie stand vor einem Fresko-Rest mit tanzenden Satyrn, und für einen Sekundenbruchteil erwachten sie vor ihren Augen zum Leben und verspotteten sie mit ihrem hasserfüllten Grinsen.

Der Schleier, der de Tolomeis wahre Identität verhüllte, war zum Greifen nah – sie konnte ihn beinahe an ihren Fingerspitzen fühlen –, aber warum überfiel sie so unvermittelt eine so düstere

Vorahnung? So etwas hatte sie seit ihrer Kindheit nicht mehr erlebt.

Adrenalinstöße, die Erwartung unmittelbarer körperlicher Gefahr, das alles war nichts Ungewöhnliches für sie, aber dies hier war es auf jeden Fall.

Obwohl es in Rom bereits Nacht war, schien in New York noch die Nachmittagssonne, als Connor Blacks Anruf auf Slades gesicherter Leitung hereinkam.

»Wir sind unterwegs«, sagte Connor. »Wir bleiben verdunkelt, bis wir den Strand erreicht haben.«

Als Slade den Hörer wieder auflegte, merkte er, dass er betete. An wen oder was das Gebet gerichtet war, wusste er nicht. Eben hatten sehr lange dreißig Minuten begonnen.

20

Am Hellespont, von wahrer Liebe Blut befleckt,
Standen, Aug in Aug gegenüber, zwei Städte,
An Meeresufern, getrennt von Neptuns Macht:
Die eine Abydos', die andere Sestos' hohe Wacht.

aus Marlowes Hero und Leander

Chislehurst, Kent – Nachmittag, Mai 1593

Marlowe streckte die Arme über den Kopf, lehnte sich zurück und griff nach seiner Tonpfeife.

Ein unbeschriebenes Blatt Papier lag vor ihm auf dem Tisch. Als er hinüberschaute zu Tom Walsinghams Haus, sah er eine Frau, die im Küchengarten Kräuter pflückte, und einen Schmetterling, der über den Primeln flatterte.

Er stieß ein paar Rauchringe aus und schrieb dann die ersten Zeilen seines neuen Gedichts nieder.

Der Wald war dicht. Zu Robert Poleys Rechter erhob sich über den Baumwipfeln eine ferne Hügelkette. Zu seiner Linken rauschte ein Wasserfall.

Noch eine Meile.

Mit einem leichten Tritt trieb er sein erschöpftes Pferd zu einem kurzen Galopp an. Jeden Augenblick konnte der Haftbefehl für Marlowe ausgestellt werden. Es konnte sogar schon passiert sein. Es war allgemein bekannt, dass der Stückeschreiber den größten Teil des Monats in Scadbury House verbracht hatte, und der Kronrat würde ihn in Kürze dort verhaften lassen. Poley wollte vor ihnen dort sein.

Er musste zugeben, dass Teresas Enthüllung ihn bestürzt hatte.

Es wäre ihm nie in den Sinn gekommen, dass Phelippes – Marlowes gegenwärtiger Auftraggeber – der Mann war, der ihn vernichten wollte.

Wenn Phelippes bereit war, einen seiner besten Kundschafter zu opfern, dann musste er sich ganz sicher sein, dass die Sache es wert war. Hatte er Wind von der Münzfälschung bekommen? Möglich war es, das wusste Poley, und falls Marlowe es gestehen sollte…

Poley schüttelte den Kopf. Ohne Zweifel würde es ein schlechtes Licht auf Cecil werfen, aber eine unter der Folter erzwungene Aussage genügte nicht, um einen Mann von seiner Größe zu stürzen. Wenn allerdings eine Ermittlung eingeleitet würde und das Vertrauen der Königin – wenn auch nur ein ganz klein wenig – schwinden würde…

Wie auch immer. Jetzt bin ich am Zug.

London – Nachmittag

Im Essex House stand Thomas Phelippes am Fenster, starrte auf den Fluss hinunter und trommelte mit den Fingerspitzen gegen das Glas.

Unmittelbar nach der Lektüre von Richard Baines' Bericht hatte der Ausschussvorsitzende genau das getan, was Phelippes geplant hatte – er hatte Marlowes sofortige Festsetzung angeordnet und innerhalb von Minuten einen Wachtmeister losgeschickt. Baines war in der Sternkammer und erwartete Marlowes Ankunft.

Phelippes wusste, dass die Zeit noch nicht gekommen war, aber er konnte nicht anders, als jedes Boot, das aus der Richtung Westminster kam, zu kontrollieren. Bald würde Baines die Stufen vom Wasser heraufeilen und ihm in allen Einzelheiten Bericht erstatten.

21

Die tunesische Küste – 23 Uhr 47, Gegenwart

Die Nacht war perfekt für diese Operation. Eine dichte Wolkendecke ließ kein Mondlicht durch, Sterne waren nur vereinzelt zu sehen. Der Wind wurde stärker, und entferntes Donnergrollen hatte die meisten Leute in die Häuser getrieben.

Revere steuerte das Sechzehn-Fuß-Schnellboot. Vom Hafen aus war er nach Nordwesten gefahren, hinaus aus dem Golf von Tunis. Deshalb lag jetzt ein Vorgebirge, die Klippen von Sidi Bou Said, zwischen ihnen und den Männern, die die Küstenvilla bewachten. Und das war gut so. Früher an diesem Abend hatte er beobachtet, dass einer der Wachen ein Fernglas trug, das er kannte. Ein Rigel 2150, das nicht nur einen Restlichtverstärker, sondern auch einen Infrarotaufheller besaß. Damit konnte der Wachmann trotz beinahe völliger Dunkelheit jedes warme Objekt in seinem Sichtfeld entdecken.

Einen halben Kilometer vor der Küste stellte er den Motor ab. Schweigend krochen Connor Black und Jason Avera unter einer Plane hervor. Aus ihrer extragroßen Kühlbox zogen sie Taucheranzüge, Masken und Flossen, schnallten sich dann Sauerstoffflaschen auf den Rücken und wasserdichte Beutel an die Taille. Dann setzen sie sich einander gegenüber auf die Steuerbord- und Backbord-Dollborde, nickten sich einmal zu, kippten simultan nach hinten und tauchten ins Wasser.

Revere sah, wie zwei Spuren aus Luftblasen sich schnell auf den Golf zu bewegten. Als sie weit genug weg waren, startete er den Motor wieder und kehrte zum Hafen zurück.

Während er das Boot vertäute, sagte er leise: »Sie sind unterwegs.«

Gegenüber der Villa saß der Waldmensch an einem Baum gelehnt und aß einen Energieriegel, als er Reveres Meldung hörte. Er stand auf, holte eine weiße *Dischdascha* – eine Art Kutte aus Baumwolle – aus seinem alten Lederrucksack und zog sie an. Dann kamen ein graumelierter Bart, ein gemusterter *Keffiya* – das Palästinenser-tuch – und ein Paar alte Ledersandalen. Da er türkischer Abstam-mung war, hatte er eine dunkle Haut und ging in dieser Verklei-dung leicht als Einheimischer durch. Seine Ausrüstung versteckte er im Rucksack und setzte sich dann parallel zur Straße in Bewe-gung.

Fünfzig Meter von der Villa entfernt blieb er stehen. Er schaute auf die Uhr und schätzte, dass es noch etwa fünf Minuten dauern würde.

Washington, D.C. – 16 Uhr 09

In einem Konferenzraum im Hart Building des Senats versuchte Donovan Morgan den Ausführungen eines ranghohen Analysten der Defense Intelligence Agency zu folgen, der eine Erosion des technologischen Vorsprungs der amerikanischen Streitkräfte vor-hersagte. Gewisse Feinde, sagte der Analytiker eben, seien bald in der Lage, die GPS-Signale, das Global Positioning System, zu stören, das amerikanische Truppenbewegungen und Bomben steu-erte. Der DIA-Mann war ein engagierter Redner, aber für Morgan verschmolzen seine Worte immer wieder zu einem unverständ-lichen Gebrabbel.

Morgans Pager steckte in seiner Hemdtasche und drückte auf seine Brust. Jeden Augenblick konnte Slade ihn anrufen und ihm vom Ausgang ihrer Rettungsmission berichten. Die Schmerzen von dem Knoten in seinem Magen registrierte sein Hirn nicht, das ge-ringe Gewicht des Pagers – und seine Stille – allerdings sehr wohl.

Der Golf von Tunis – 0 Uhr 10

Es war dunkel wie in einem Schrank. Gut zwei Meter unter der Oberfläche schwamm Jason Avera direkt hinter Connor Black, aber wenn seine Tauchermaske keinen Infrarot-Aufheller gehabt hätte, hätte er ihn nicht sehen können.

Connor hielt inne. Sie stoppten alle paar Minuten, um auf die Kompasse und GPS-Geräte an ihren Handgelenken zu sehen. Nach einer schnellen Berechnung wusste Jason, dass die Villa nur noch zwanzig Meter vor ihnen lag.

Sie schwammen weiter. In weniger als einer Minute war der glatte, sandige Meeresboden in Reichweite ihrer Arme. Drei Meter weiter stoppte Connor. Jason schwamm neben ihn und wartete.

In geduckter Haltung, die Füße auf dem Meeresboden, hob Jason langsam den Arm, bis seine Finger die Wasseroberfläche durchbrachen. Als sie es taten, stand er schnell auf. Noch nicht nahe genug. Sie schwammen ein Stückchen weiter, und Connor probierte es noch einmal. Perfekt. Das Wasser reichte ihnen ungefähr bis zur Taille.

Er drückte auf einen Knopf an seiner Uhr und starrte auf die Ziffern. In sechzig Sekunden würde es losgehen.

Als der Waldmensch zwei Pieptöne in seinem Ohrstöpsel hörte, trat er auf die Straße. Revere saß hinter dem Steuer eines abgestellten Transporters. Der Waldmensch gab ihm den Rucksack, und Revere reichte ihm die Wagenschlüssel.

Gebückt und schlurfend wie ein alter Mann, ging der Waldmensch auf die Villa zu und warf dabei den Schlüssel von einer Hand in die andere.

»Entschuldigung«, sagte er auf Arabisch, nachdem er an die Tür geklopft hatte.

»Was ist denn?«, kam die gedämpfte Antwort.

»Mein Auto. Ist mir ein Stückchen weiter unten abgestorben. Wären Sie wohl so freundlich, mich telefonieren zu lassen?«

Die Tür ging auf. »Ich nehme an, das ist ...«

»Schlaf gut, mein Freund.« Der Waldmensch hatte eine schallgedämpfte Betäubungspistole aus seinem weiten Ärmel hervorgezogen und schoss.

Der Wachmann beendete seinen Satz nicht.

Obwohl Connor und Jason sich ziemlich sicher waren, dass ihre Ankunft unbemerkt geblieben war, gab es noch eine andere Gefahr. Falls der Wachmann mit dem Nachtsichtglas zufällig in dem Moment den Strand absuchte, in dem sie auftauchten, würde er ungefähr eineinhalb Sekunden brauchen, um zu reagieren und nach seinem M4 zu greifen. Das Gewehr an die Schulter zu heben und zu zielen, würde noch einmal zwei Sekunden dauern. Das hieß, Connor und Jason hatten nur ungefähr drei Sekunden, um sich unsichtbar zu machen. Mit etwas Glück wäre der Wachmann jedoch zu abgelenkt von der Störung an der Haustür, um irgendetwas zu bemerken.

Die Füße auf dem Sand, die Finger an den Reißverschlusslaschen der wasserdichten Beutel an ihren Hüften, richteten sie sich langsam auf. Kaum hatten ihre Kapuzen die Oberfläche durchstoßen, schnellten sie hoch und warfen zwei granatenartige Gegenstände ans Ufer. Diese »Verdunkelungs«-Geräte waren das genaue Gegenteil ihrer bekannteren Pendants, den Blendgranaten. Blendgranaten raubten jedem, der in ihre Richtung schaute, mit einem Lichtblitz kurzfristig die Sicht und ließen bei allen in der näheren Umgebung die Trommelfelle platzen. Verdunkelungsgranaten desorientierten – so unsichtbar und still, wie der Name es andeutete – auf eine ganz andere Art.

Auf dem Strand hatten die unhörbaren Explosionen zwei Auswirkungen. Sofort quoll schwarzer Rauch aus den Granaten, und ein heißer Kohlenstoffnebel wurde freigesetzt. Die so entstehende, etwa zehn Meter in die Höhe steigende Wolke machte Connor und Jason für jeden in der Villa unsichtbar. Obwohl die Wachen modernes Nachtsichtgerät hatten, war das nun nutzlos. Der Rauch machte eine Restlichtverstärkung unmöglich, und der Nebel – zusammengesetzt aus feinen Partikeln, die wärmer waren als die Körpertemperatur – neutralisierte die Infrarotaufhellung.

In ihren Taucheranzügen, die ihre Haut schützten, rannten Conner und Jason den Strand hoch. Etwa fünf Meter von der Villa entfernt gingen sie in Position, richteten schallgedämpfte Betäubungsgewehre auf den Balkon und warteten, bis der Nebel sich abgekühlt hatte. Als es so weit war, feuerten sie.

Vatikanstadt – 22 Uhr 16

»Immer wenn Hitler nach Rom kam, um Mussolini zu besuchen, befahl der Papst, diesen Raum wegen Renovierung zu schließen«, sagte der Kurator. »Zuerst Pius XI., dann Pius XII. Seit seiner Kindheit hatte Hitler davon geträumt, diese Kapelle einmal zu sehen, bekam aber nie die Gelegenheit dazu.«

Die Gruppe hatte eben die Sixtinische Kapelle betreten, als Luca de Tolomei zu ihnen stieß. Er flüsterte dem Kurator eine Entschuldigung zu und begann ein Gespräch mit einem korpulenten Kardinal.

Kate beobachtete ihn einige Sekunden und richtete den Blick dann wieder zur Decke. Sie war zwar schon einmal hier gewesen, aber während der normalen Besuchszeiten, wenn sich die Touristen gegenseitig auf die Füße treten und alle paar Sekunden Anweisungen aus Lautsprechern hallen – nicht gerade die günstigsten Umstände, um sich in einen der erhabensten Kunstschätze der Welt zu vertiefen.

Den Kopf in den Nacken gelegt, ging sie langsam durch den Raum und betrachtete jedes einzelne Motiv, als sie spürte, dass de Tolomei sich ihr näherte. Sie tat so, als würde sie sich an der Schulter kratzen und schaltete dadurch ihr Aufnahmegerät ein.

»Guten Abend, Kate.«

»Seien Sie lieber vorsichtig«, sagte sie und deutete zum *Jüngsten Gericht* auf der Altarwand. »Der heilige Peter ist sauer auf Sie, weil Sie ihn heute Abend haben sitzen lassen.«

De Tolomei lachte. »Eigentlich habe ich schon vor langer Zeit aufgehört zu glauben.«

»Warum?« Kate wusste, dass die Frage aufdringlich war, aber sie konnte nicht anders.

»Meine Tochter wurde vergewaltigt und ermordet, als sie sieben Jahre alt war.«

»O Gott«, sagte Kate leise, bestürzt über dieses freimütige Eingeständnis.

»Das ist schon viele Jahre her.«

»Trotzdem. Ich… wie taktlos von mir. Können Sie mir…?«

»Natürlich«, warf de Tolomei dazwischen. Dann wechselte er schnell das Thema. »Weil wir gerade von Vätern und Töchtern sprechen, vor sehr langer Zeit habe ich Ihren Vater kennen gelernt. In einem anderen Leben, könnte man sagen.«

In Kates Kopf setzte sich ein Mahlstrom in Bewegung. Mit unbewegtem Gesicht und ruhiger Stimme fragte sie: »Wie haben Sie sich kennen gelernt?«

»Ich habe früher in Washington gelebt«, erwiderte er. »Gewisse Kreise, Sie wissen schon…«

Und dann traf es sie wie ein Blitz. Wenn es stimmte, was de Tolomei sagte, dann konnte ihr Vater wahrscheinlich seine Stimme wieder erkennen. Vielleicht konnten sie de Tolomeis wahre Identität noch an diesem Tag aufdecken.

»Übrigens, Sie können ihm sagen, dass sein Geheimnis bei mir sicher ist.«

Als Kate diesen Satz hörte, widerstand sie dem Impuls, nach oben zu Michelangelos Decke zu schauen. Sie wusste bereits, dass sie direkt unter der Darstellung des Sündenfalls standen, und sie wusste auch, dass das kein Zufall war. De Tolomei forderte sie heraus, aber womit?

Die tunesische Küste – 0 Uhr 21

Als der Waldmensch das Zimmer betrat, in dem Mr. und Mrs. Nightingale schlafen sollten, blieb er wie angewurzelt stehen. Ein blasses und sehr blondes nordisches Paar lag auf dem Bett.

Er hob den Kopf, schaute zu den Glastüren auf der gegenüberliegenden Seite und traf dort Connor Blacks Blick. Ihr Wortwechsel vom Nachmittag kam ihm wieder in den Sinn. Binnen Sekunden dämmerte ihm die Erkenntnis. Der Transporter musste eine Trennwand gehabt haben. Vorne Klimaanlage voll aufgedreht, hinten warm. Die Blonden ins Haus, die Nightingales ins Auto.

»Scheiße.«

Weniger als hundert Meilen nordöstlich des fluchenden Waldmenschen hatte die *Sabina,* de Tolomeis Jacht, eben die Westküste von Sizilien umrundet. In der Kapitänskajüte hielt Surina Khan die Hand ihres Patienten und flüsterte ihm ins Ohr.

22

Da Ihr nun die Karten in Euren Händen haltet,
zu mischen oder abzuheben, schaut, dass Ihr eins erstrebt,
dass Ihr Euch, Recht oder Unrecht, einen König gebt.

GUISE in Marlowes *Das Massaker von Paris*

Chislehurst, Kent – Nachmittag, Mai 1593

Schwere graue Wolken zogen über den Himmel. Nur ein paar entschlossene Sonnenstrahlen brachen noch durch und funkelten hier und dort auf den wilden Blumen am Straßenrand. Donner grollte laut. Sekunden später fielen die ersten Regentropfen.

Zum Teufel auch!

Die Hände in Fesseln, saß Marlowe auf seinem Pferd und folgte dem mürrischen Wachtmeister nach London. Warum, zum Teufel, hatte er sich von dieser Tarot-Frau die Karten legen lassen? Was für ein elender Fehler! Unterbrochen zu werden, wenn die Worte flossen wie ein Wasserfall und wilder aufschäumten als der Hellespont, den er beschrieb? Er hätte sie nie besuchen dürfen.

Robert Poley galoppierte die vertraute baumbestandene Allee entlang. Regen troff von der Krempe seines Samthuts und durchtränkte sein Wams.

»Kit!«, rief er, und band sein Pferd an einen Zaun.

Beim Überqueren der Zugbrücke von Scadbury House versuchte er es noch einmal. Lauter. »Kit!«

Als er die große Halle betrat, hallten Schritte auf der Treppe. Hohe schwarze Stiefel tauchten auf. Dann rostfarbene Strümpfe, die wohlgeformte Beine umspannten. Doch zu Poleys Bestürzung war es nicht Marlowes Gesicht, das erschien.

»Wo ist er?«, fragte er Tom Walsingham.

Die beiden kannten sich seit Jahren. Tom war es gewesen, der Poley zu seiner Anstellung bei Sir Francis, dem letzten Staatssekretär, verholfen hatte, und Poley würde ihm dafür immer dankbar sein.

»Er wurde vor zwanzig Minuten von einem städtischen Wachtmeister abgeführt – Maunder war sein Name. Weißt du …«

Poley unterbrach ihn mit einem Nicken. »Gegen ihn wird wegen Aufwiegelung ermittelt. Und wegen Verbreitung atheistischer Gedanken.«

Tom zuckte ziemlich ungerührt die Achseln. »Dann wird sich wie bisher sein Arbeitgeber – Essex, Cecil, wer es gerade sein mag – einschalten und dafür sorgen, dass die Männer der Sternkammer die Lügen als solche erkennen. Dass sie erkennen, dass Kit seiner Königin dient und dass jedes gegenteilige Verhalten nichts als Verstellung ist.«

»Diesmal geht es über Hörensagen hinaus«, sagte Poley. »Es begann in der Nacht des Fünften. An die Mauer einer holländischen Kirche wurde ein Gedicht genagelt – voller Morddrohungen und unterzeichnet mit ›Tamerlan‹. Machte auch noch andere Anspielungen auf Kits Stücke. Kein Mensch dachte sich viel dabei, bis ein angeblich ketzerisches Dokument in Kits alter Unterkunft auftauchte. Thomas Kyd behauptete, es müsse Kit gehört haben, zusammen mit anderem Unsinn. Dann reichten zwei Spitzel Berichte ein, in denen sie Kit der Gotteslästerung beschuldigten und schworen, er würde Menschen zum Atheismus verführen.«

Tom wurde blass. »Wer würde …«

»Phelippes«, spuckte Poley verächtlich aus. »Er ist ein Mitglied des Ausschusses, der in der Sache der fremdenfeindlichen Plakate ermittelt. Er hat den Schreiberling angeheuert, der das Gedicht verfasste, dann die Ermittlungen immer wieder in Marlowes Richtung gelenkt, und als der Ausschussvorsitzende nicht anbiss, hat er diese Spitzelberichte selbst zusammengeschustert. Schaute seinen Handlangern buchstäblich über die Schulter und sagte ihnen, was sie schreiben sollten.«

»Aber Kit arbeitet für ihn. Leistet ihm gute Dienste. Ich verstehe nicht, warum …«

»Phelippes ist der Ansicht, dass das, was Kit über Cecil weiß oder auch nicht, viel mehr wert ist als seine Fähigkeiten als Spion… oder auch sein Leben.«

»Wirst du ihn aufhalten?«

»Ja«, sagte Poley, und seine schwarzen Augen funkelten. »Cecil hat es befohlen, aber auch wenn er es nicht getan hätte, würde ich…«

Poley beendete den Satz mit einem Kopfschütteln. Die Zeit drängte. »Kit war am Abend des Fünften bei dir, nicht?«

Tom nickte.

»Schreib einen Brief, in dem du das beschwörst.«

»Natürlich.«

»Und hast du eine Schriftprobe von ihm?«

»Ja.«

»Gut.« Poley legte Tom die Hand auf die Schulter und fügte hinzu: »Wir holen ihn dort raus.«

Nun wieder beruhigt, lächelte Tom ein wenig. Dann drehte er sich um und ging zu seinem Arbeitszimmer. Er nahm ein Blatt Papier und setzte sich an seinen Schreibtisch.

Poley zog einen Stuhl heran. »Was ist mit mir? Auch ich habe einen Brief zu schreiben.« Dann zog er einen Ring aus der Tasche und zeigte Tom die gravierte Platte.

Tom zog die Augenbrauen hoch. »Cecil vertraut dir sein Siegel an?«

»Natürlich nicht. Ich habe eine Kopie anfertigen lassen.«

Nachdem Poley die Anrede verfasst hatte, fügte er hinzu: »Wenn wir hier fertig sind und du mir ein frisches Pferd leihst, dann bin ich vielleicht noch vor ihnen in der Stadt.«

Westminster – Abenddämmerung

Das Gewitter war vorübergezogen, und der Himmel war rosig wie eine errötende Jungfrau, als Marlowe in die Sternkammer gebracht wurde. Das Kollegium, das am anderen Ende des Saals saß – bestehend aus Angehörigen des Kronrats und Richtern sowohl des Zivil- wie des Strafgerichts –, hörte eben eine Zeugenaussage. Der Zeuge behauptete, er habe gesehen, wie eine gewisse Frau in weniger als einer Stunde drei Geldbörsen gestohlen und fünf fremde Taschen geleert habe, und zwar in der Nähe des Südaufgangs zur London Bridge.

Marlowe reckte den Hals, um die Beschuldigte sehen zu können, eine gut gekleidete junge Frau, deren Füße gefesselt waren. Vielleicht war das ihre Hand, die ich vor ein paar Tagen gespürt habe, dachte er.

Zwei weitere Zeugen traten vor – Opfer, wie sie behaupteten –, um sie zu identifizieren. Dann beriet sich das Kollegium. »Eine Woche am Pranger«, verkündete der Sprecher, und das Mädchen wurde weggeführt.

Marlowe drehte sich um. Die Sternkammer war ein öffentlicher Ort und zog viele Schaulustige an, vor allem, wenn die Theater geschlossen hatten. Gut, dachte er. Alle Plätze waren besetzt. Wenn man ihn in Haft stecken sollte, dann würde das schnell die Runde machen, und Phelippes würde noch vor Einbruch der Nacht hier sein.

Marlowe überflog die Gesichter und erkannte ein paar vertraute – eine alte Frau mit schmutzigem Gesicht und Haferkuchen in den Händen und ein puritanischer Prediger mit säuerlicher Miene, der immer denselben ausgefransten schwarzen Mantel trug. Dann entdeckte Marlowe Richard Topcliffe. Der Königliche Foltermeister unterhielt sich leise mit einem Mann, dessen Gesicht von einem taubengrauen Filzhut verdeckt wurde. Als würde er Marlowes Blick spüren, hob Topcliffe den Kopf. *Er schaut mich an, als wäre ich sein Abendessen. Der glaubt doch wohl nicht…*

Maunder stupste ihn am Ellbogen an, und Marlowe ließ sich vor die Richterbank führen.

»Christopher Marlowe. Seid Ihr davon in Kenntnis gesetzt worden, dass Ihr Euch den Vorwürfen des Atheismus und der Aufwiegelung zu stellen habt.«

»Aufgrund welcher Beweise, Milord?«

»Uns liegen drei Zeugenaussagen bezüglich einer Unzahl

schändlicher, gotteslästerlicher Behauptungen vor. Diese Männer berichteten unter Eid, dass Ihr Gottes Wort mit Spott überzieht und Männer zum Atheismus verführt. Wo immer Ihr seid.«

»Lügen, Milord.«

»Ihr habt gehört, dass ich drei gesagt habe, oder etwa nicht? Drei Berichte, die sich alle gegenseitig bestätigen.«

»In dem Fall, Milord, muss ich Euch zu meinem Bedauern mitteilen, dass es in England mindestens drei Männer gibt, deren Eide käuflich sind.«

Es wurde laut im Zuschauerraum. Schallendes Gelächter war zu hören.

»Ruhe!«, bellte der Sprecher.

Marlowe schaute hoch zu den goldenen Sternen am Deckengewölbe. *Was macht ihr mit mir?*

Der Sprecher setzte sich nun seine Brille auf die Nase und beugte sich über einen Stapel Papiere vor ihm auf dem Tisch. »Hier steht, Ihr glaubt, dass die Religion erfunden worden sei, um den gemeinen Mann einzuschüchtern? Dass das Neue Testament schlecht geschrieben sei, und falls Ihr es neu schreiben würdet, es besser und bewundernswerter wäre? Dass, wenn es einen Gott oder eine gute Religion gäbe, diese nur der Katholizismus sein könne, weil der bessere Zeremonien hat? Aber dass Ihr es vorzieht, die Sakramente in einer Tabakspfeife verabreicht zu bekommen?«

Am Ende war die Stimme des Sprechers zu einem wütenden Schreien angeschwollen. Jeder Muskel in Marlowes Gesicht war angespannt. Er kämpfte einerseits gegen den Drang zu lachen an, und bemühte sich zugleich mannhaft, entsetzt zu wirken.

Als der Sprecher nun umblätterte, verzog er angewidert das Gesicht. »Ihr habt behauptet, der Erzengel Gabriel sei nichts als ein Kuppler für unseren Herrn, weil er Maria den Gruß überbrachte?«

Hinter sich hörte Marlowe Kichern. »Milord, ich schwöre feierlich, dass ich dergleichen nie gesagt habe.«

»Dann sagt mir, wie erklärt Ihr diese hier?«, fragte der erzürnte Sprecher und gab einem Gerichtsdiener mehrere Blätter Papier.

Auf dem ersten Blatt sah Marlowe ein Gedicht. Er überflog die holperigen Verse und schüttelte dann den Kopf. »Der Rhythmus ist völlig falsch. Sie können doch unmöglich glauben, dass ich das geschrieben habe.«

Keiner der Männer des Kollegiums schien von Marlowes Logik beeindruckt zu sein.

»Und das andere?«, fragte der Sprecher. »Das Dokument, das in Eurer ehemaligen Unterkunft gefunden wurde? Das die Göttlichkeit Christi leugnet. Thomas Kyd gestand, dass es Euch gehöre.«

»Dann… irrt er sich, Milord. Ich habe es noch nie zuvor gesehen, und es ist eindeutig nicht meine Handschrift.«

Eine neue Stimme meldete sich. »Milords, ich kann beweisen, was Marlowe sagt.«

Die Menge murmelte überrascht. Marlowe drehte sich um. *Poley?*

»Tretet näher!«, befahl der Sprecher.

Robert Poley tat, wie ihm geheißen. Marlowe sah, dass er zwei versiegelte Rollen trug und ein zweimal gefaltetes, abgenutztes Blatt Papier.

Nach einigen Minuten der Prüfung verkündete der Sprecher: »Allem Anschein nach sind weder das Gedicht noch das häretische Dokument in Eurer Handschrift verfasst. Und Thomas Walsingham schwört, dass Ihr Euch am Abend des fünften Mai in seinem Landhaus aufgehalten habt…«

Marlowe fragte sich, ob Toms Brief ihm helfen konnte. Tom hatte mit den Regierungsgeschäften nichts mehr zu tun, aber er war ein wohlhabender Grundbesitzer, dessen Familienname noch immer einiges Gewicht hatte.

Einen Augenblick später wurde die Frage jedoch irrelevant. Als der Sprecher das Siegel der zweiten Rolle erbrach, veränderte sich sein Gesichtsausdruck völlig. »Ich verstehe«, sagte er und gab das Dokument an das Kollegium weiter.

Deren stumme Bestürzung konnte nur eines bedeuten. Ein wirklich Mächtiger hatte eingegriffen. Marlowe hatte erwartet, dass Essex, angesichts der Menge an Arbeit, die er in letzter Zeit für das Netz des Grafen erledigt hatte, es tun würde, da aber Poley der Überbringer war, musste der Brief von Cecil kommen.

Der Sprecher winkte Marlowe zu sich.

Im Gesicht dieses Mannes sah Marlowe, wie der anfängliche Abscheu nun widerwilliger Bewunderung wich.

»Ihr werdet nicht in Haft genommen, junger Mann. Aber wegen der Schwere der Anklagen erhaltet Ihr bis zur endgültigen Klärung dieser Angelegenheit die Auflage, Euch täglich beim Kronrat zu melden, der morgen in Greenwich tagen wird.«

Marlowe nickte feierlich.

Innerlich staunte er über diese wunderbare Fügung. Anscheinend hatte sein Glück sich doch nicht gewendet. Nun musste er sich nicht mehr auf einen riskanten Plan verlassen, um am nächsten Tag Zutritt zu den schwer bewachten, königlichen Ländereien Greenwichs zu erlangen – einen Plan, den er sich erst noch hätte überlegen müssen –, nein, nun wurde ausdrücklich von ihm verlangt, dass er eintrete. Das war zwar nicht gerade eine Einladung zum Maskenball, aber auch nicht schlecht.

»Ich vermute, du bist hier, um mir die Zunge herauszuschneiden?«

Poley lachte. »Kit, wir haben uns viel zu lange nicht gesehen. Sag mir, hast du gewusst, dass dein Lächeln inzwischen im französischen Hof hängt? Ich dachte, es ist einzigartig, aber …«

»Wie bitte?«

»Ein sehr beliebter italienischer Maler. Leonardo irgendwas.«

»Ich nehme an, er sieht unglaublich gut aus?«

»Leonardo?«

»Der Abgebildete.«

»Es ist eine Frau. Ein hübsche dunkelhaarige, um genau zu sein.«

Marlowe formulierte eben eine Erwiderung, als er spürte, dass ihn jemand am Arm packte. Er drehte sich um und sah den puritanischen Prediger in dem ausgefransten Mantel. Der Mann war ihnen aus dem Saal gefolgt und drückte ihm nun ein Pamphlet in die Hand. Auf der Titelseite sah Marlowe den Holzschnitt eines geflügelten Mannes, der ins Meer stürzte. Ikarus. Er kniff die Augen zusammen, um die blasse lateinische Inschrift lesen zu können: »Werde nicht stolz, sondern fürchte dich«, gefolgt von: »Was über uns ist, gehört uns nicht.«

»Höre auf mich«, mahnte der Puritaner. »Der Teufel hat dich in die Irre geführt, mein Sohn, aber du kannst deine Seele noch retten. Bereue! Widerrufe deine dunklen Worte!«

»Morgen vielleicht.«

»Rette deine Seele, bevor es zu spät ist. Der Herr wird dich strafen, wenn du nicht ...«

»Später«, sagte Marlowe, gab das Pamphlet zurück und schüttelte die Hand des Mannes ab. »Und jetzt lasst mich bitte in Frieden!«

Poley lachte, während sie eine Treppe hinaufgingen. »Kit, ich kann kaum glauben, dass ich das sage, aber ich stimme ihm zu. Nicht in Bezug auf deine Seele, wohlgemerkt, aber in Bezug auf dein Leben.«

Im ersten Stock führte Poley Marlowe in ein leeres Zimmer. »Ich möchte dir dringend raten, die Stadt zu verlassen.«

»Wegen dem bisschen Verleumdung? Robert, du weißt, ich habe schon ...«

»Diesmal ist es anders. Phelippes steckt dahinter.«

»Deine Finten greifen bei mir nicht, Rob. Hast du das vergessen?«

»Das ist keine Finte. Phelippes will dich foltern lassen, weil er das für den sichersten Weg hält, Cecil in Verruf zu bringen. Ich glaube nicht, dass er so schnell aufgibt. Ich habe einen Plan, wie du England heimlich verlassen kannst. Ich sage dir Bescheid, sobald ...«

Marlowe verdrehte die Augen. »Es ist einfach zu offensichtlich, was du vorhast. Ich ...«

»Cecil ist in der Tat ziemlich besorgt, dass du die Falschmünzerei verraten könntest, aber das ist nicht der Grund, warum ich ...«

»Um Himmels willen, gib doch einfach zu, dass du mich davon abhalten willst, den Moskowiter Schmuggler zu entlarven?«

»Warum sollte mir daran gelegen sein?«

»Weil Cecil mein Hauptverdächtiger ist, und den Beweis für seine Schuld halte ich schon fast in Händen.«

Poley starrte ihn überrascht an.

»Weißt du, dass er Raleigh fünfzigtausend Pfund für seine Reise auf der Suche nach El Dorado versprochen hat?«

»Fünfzigtausend? Unmöglich. Er hat doch nicht ... oh.«

Er scheint ehrlich entsetzt zu sein. Heilige Maria, das heißt ...

»Was du über Phelippes gesagt hast ...«

»Bei meinem Leben. Ich schwöre, dass es wahr ist.«

Marlowe schloss einen Augenblick die Augen und seufzte.

»Cecil hat eine Cousine in Deptford. Eleanor Bull. Sie führt dort einen Gasthof und ist sehr verschwiegen. Von heute Abend an wird niemand sonst dort sein. Sie erwartet dich. Geh hin, und ich bringe dir alles, was du brauchst – neue Ausweispapiere, Kleidung ... Raleigh hat ein Freibeuterschiff im Hafen liegen, das übermorgen ins Mittelmeer ausläuft. Der Kapitän ist bereit, dich mitzunehmen und dich an Land zu lassen, wo du willst.«

»Du verlangst von mir, dass ich dem Mann Englands vertraue, dem am meisten misstraut wird? Jeder, der das getan hat, ist am Galgen gelandet.«

Poley lächelte. »Du hast doch noch nie ein Risiko gescheut, Kit.« Dann wurde seine Miene ernst. »Und es bleibt dir kaum etwas anderes übrig.«

»Was springt für dich dabei heraus?«

»Ich hasse Phelippes«, erwiderte Poley. »Ich verachte ihn für das, was er Mary Stuart angetan hat. Ich selbst habe sie gewarnt. Ich habe ihr gesagt, sie dürfe in keinem Brief je einen Mordanschlag erwähnen, und das tat sie auch nicht. Die Beweise, die zu ihrer Hinrichtung führten, waren falsch. Er hat sie gefälscht. Diese Runde ging an ihn«, schloss Poley. »Diesmal habe ich vor zu gewinnen.«

Marlowe atmete tief durch. »In Ordnung. Aber nicht heute Abend. Ich brauche noch einen Tag.«

»Kit, ich glaube nicht ...«

»Ich halte mich bedeckt, ich verkleide mich. Morgen Abend treffe ich mich mit dir. Bei der Witwe Bull. Ich weiß, wo das ist.«

Poley nickte widerwillig.

»Kannst du für Kyds Freilassung sorgen?«, fragte Marlowe.

»Ich versuche es.«

»Dann bis morgen Abend.«

Während Marlowe und Poley das Zimmer verließen, nahm der Mann in dem grauen Filzhut das Ohr von der Tür und eilte aus dem Palast. Von dem Ausgang, der dem Fluss am nächsten lag, lief Richard Baines direkt zur Westminster Bridge.

London – Abenddämmerung

Nachdem Baines seinen Bericht über die Vorkommnisse im Palast beendet hatte, entließ ihn Phelippes. In der großen Halle des Essex House auf und ab gehend, überlegte er seine nächsten Schritte.

Marlowe war aus der Falle entwischt, die Phelippes ihm gestellt hatte, aber merkwürdigerweise war das sogar ein Vorteil. Zu Phelippes' großer Überraschung übertraf die Moskowiter-Ermittlung seine kühnsten Erwartungen. Offensichtlich war der Mann, der von einer ungesetzlichen Allianz mit einem Barbaren-Piraten profitierte, kein anderer als sein und Essex' Feind, Robert Cecil. Und aus irgendeinem Grund war Marlowe entschlossen, trotz seiner Beinaheverhaftung zu beenden, was er angefangen hatte, und er stand tatsächlich kurz davor, Beweise für Cecils Schuld zu entdecken. Was für ein Glücksfall. Ohne Frage würde Cecil vom Hofe verstoßen, vielleicht sogar hingerichtet werden. Und schon im nächsten Sommer konnte Essex Staatssekretär sein.

Aber es gab noch ein Problem. Da er fest entschlossen war, Cecil noch in diesem Frühjahr zu vernichten, hatte er seine Intrige gegen Marlowe begonnen, bevor die Moskowiter-Ermittlung abgeschlossen war. Er hatte die Ermittlung als ziemlich aussichtslos betrachtet, eine Folterung Marlowes dagegen war ihm vielversprechender erschienen. Wie sehr er sich doch getäuscht hatte. Und jetzt hatte Marlowe leider genau zum falschen Zeitpunkt von diesem Verrat erfahren. Wer wusste schon, was der sture Kerl mit seinen Beweisen gegen Cecil anfangen würde? Nun ja, dachte Phelippes, dann muss ich sie Marlowe eben mit Gewalt abnehmen.

Baines, das glaubte Phelippes, konnte mit einer so delikaten Sache nicht betraut werden. Aber wer dann? Es musste jemand sein, der ausschließlich für Essex' Netz arbeitete, was fast jeden Spion ausschloss, den er in letzter Zeit eingesetzt hatte, bis auf... ah ja, Nick Skeres. Er und Marlowe waren befreundet, wie Phelippes sich erinnerte, aber das wäre kein Problem. Skeres war käuflich. Und er war außerdem noch gut mit dem Schwert.

Phelippes rief einen Boten aus einem oberen Stockwerk und schickte den Jungen zu Skeres' Haus im nahen Blackfriars. Dann wandte er sich dem zerfledderten Porträt Cecils an der Nordwand der Halle zu. Es war an vielen Stellen zerrissen und so gut wie unkenntlich. Essex hatte gesagt, er wolle es ersetzen lassen, aber... *jetzt sieht es so aus, als wäre das gar nicht mehr nötig.*

23

Rom – 22 Uhr 43, Gegenwart

Kate lief über den Borgo Santo Spirito und wählte dabei Slades Nummer. Von dem Augenblick an, da de Tolomei erwähnt hatte, er kenne ihren Vater, hatte sie den Vatikan nur noch schnell verlassen wollen, aber sie hatte gewartet. Da sie wollte, dass alles normal wirkte, war sie noch auf einen Cocktail zu dem Empfang nach der Führung gegangen. Erst nach einer angemessenen Zeitspanne hatte sie sich verdrückt.

Als Slade nicht antwortete, versuchte sie es bei ihrem Vater und dann bei Max.

»Kann im Augenblick nicht reden«, sagte Max. »Muss für Slade die *Sabina* aufspüren.«

»Die was?«

»De Tolomeis Jacht. Sie hat Sidi Bou Said vor ein paar Stunden verlassen.«

»Oh. Okay, dann lasse ich dich in Frieden. Aber sag Slade, dass ich de Tolomei eben getroffen habe und er gesagt hat: ›Das Geheimnis Ihres Vaters ist bei mir sicher.‹ Ich schätze, mein Dad weiß, was das heißt – offensichtlich kennen sich die beiden von früher. Ich habe eine Stimmaufnahme von ihm, ich schicke sie dir in ein paar Minuten. Mein Dad ist im Augenblick in einer Konferenz, aber Slade dürfte ziemlich bald wissen, mit wem er es zu tun hat.«

»Verstanden.«

»Rufst du mich an, wenn du fertig bist?«

»Mache ich.«

Während Kate auf der Vittorio-Emanuele-Brücke den Tiber überquerte, dachte sie über ihre Begegnung mit de Tolomei nach. Sie hatte die Aura eines inszenierten Auftritts samt sorgfältig ausgewähltem Bühnenbild. Kate glaubte, dass er sie absichtlich genau zu dem Zeitpunkt angesprochen hatte, als sie das sechste Motiv des Deckengemäldes erreichte, das Satan zeigte, wie er, in Gestalt einer Schlange mit einem Frauengesicht und um den Baum des Wissens gewickelt, Adam und Eva die verbotene Frucht anbietet, sowie ihre Vertreibung aus dem Paradies. Indem er das so genannte Geheimnis ihres Vaters genau an dieser Stelle erwähnte, hatte Kate den Eindruck bekommen, de Tolomei wolle darauf hinaus, dass er Informationen besitze, die sie desillusionieren würden.

Nach de Tolomeis Worten hatten er und ihr Vater sich »vor sehr langer Zeit, in einem anderen Leben« kennen gelernt, was zweifellos vor mindestens dreizehn Jahren bedeutete, also bevor er seine Identität wechselte. Ihr Vater war zu der Zeit noch im Washingtoner Büro des Generalstaatsanwalts gewesen. Hatte er damals gegen de Tolomei ermittelt?, fragte sich Kate. Falls das so war – falls de Tolomei als Verfolgter aus den USA geflohen war –, dann würde das erklären, warum er seine Identität gewechselt hatte. Oder hatte es etwas mit de Tolomeis Tochter zu tun? War bei der Verfolgung ihres Mörders irgendetwas schief gegangen, für das de Tolomei ihrem Vater die Schuld gab?

Sie hatte den Empfang verlassen, bevor er die Gelegenheit hatte, ihr Genaueres über die »andere Kunstform« zu erzählen, hinter der er her war. Es war kein Gemälde, hatte er gesagt, also… eine Skulptur? Das Manuskript? Vielleicht handelte es sich aber auch um eine nicht materielle Kunstform. Vielleicht war es Rache, auf die er seit mehr als einem Jahrzehnt wartete. Eine Rache, die vielleicht durch einen Eintrag in der *Anatomie der Geheimnisse* möglich gemacht wurde? Konnte de Tolomei der Jade Dragon sein?

Zum zweiten Mal an diesem Abend tat Kate diese Hypothese als unwahrscheinlich ab, weil ihr ein solcher Zufall einfach zu groß erschien. Zwei voneinander unabhängige Ermittlungen, die miteinander verschmolzen? Nicht sehr plausibel. Doch was immer dahinter steckte, sie verstand plötzlich, warum Slade am vergangenen Abend so erpicht darauf war, sie von diesem Auftrag abzuziehen. De Tolomei hatte ein persönliches Interesse an ihr und ihrem Vater, und es schien nicht gerade ein freundschaftliches zu sein.

Zurück in ihrem Hotelzimmer hatte Kate eben die digitalisierte Aufnahme von de Tolomeis Stimme per E-Mail an Max geschickt, als sie sah, dass eine Nachricht von ihm auf sie wartete. Er hatte sie früher abgeschickt, ungefähr zu der Zeit, als ihre Maschine in Rom gelandet war.

»Scheiße«, sagte sie beim Überfliegen der Zeilen. Max hatte es nicht geschafft, den numerischen Code der letzten Seite der *Anatomie* zu knacken – die Seite, die nach Kates Überzeugung Marlowe kurz vor seinem Tod verfasst hatte.

»Schlechte Nachrichten«, hatte Max geschrieben. »Kein Glück beim Ziffernknacken. Der Code bezieht sich anscheinend auf Wörter oder Sätze in einem Buch. Oder es ist eine Art Einmal-Code, der nur für diese Nachricht vereinbart wurde.«

Kate hatte so etwas befürchtet, aber sie hatte gehofft, Max' überragendes Dechiffrierungsgeschick würde ihr das Gegenteil beweisen. Sie seufzte. Leider, das wusste sie jetzt, würde es extrem zeitraubend sein, hinter die Bedeutung von Marlowes Ziffern zu kommen, sofern es überhaupt möglich war. Er hätte jeden beliebigen Text als Basis für seinen Code verwenden können. Da er Zugang zu Tausenden von Büchern und unzähligen Pamphleten und Gedichten gehabt hatte, waren die Möglichkeiten endlos. Und auch wenn er eines seiner eigenen Stücke als Ausgangspunkt genommen hätte, würde sie den Code dennoch nicht knacken können. Die überlieferten Texte waren, seit Marlowe sie geschrieben hatte, zu vielen Änderungen unterworfen gewesen, durch Fehler beim Abschreiben, Druckfehler und Überarbeitungen durch andere Dramatiker. Die Ziffern mit Wörtern in einer bestimmten Szene gleichzusetzen war so gut wie undurchführbar.

Aber aufgeben wollte Kate deswegen noch lange nicht. Irgendwann, wenn sie Zeit hatte, würde sie eine Liste mit allen Büchern zusammenstellen, die Marlowe vermutlich gelesen hatte, und überprüfen, ob ihr eines davon helfen könnte, seinen letzten Geheimdienstbericht zu entschlüsseln. Unterdessen jedoch hatte sie einen Mörder zu fangen. Jade Dragon trieb noch immer sein Unwesen, und heute Vormittag hätte er es fast geschafft, Medina umzubringen. Und irgendwo in der *Anatomie der Geheimnisse* – irgendwo in den Seiten, die sie entziffern *konnte* – lag der Schlüssel zu seiner Identität. Sie verstaute ihren Laptop im Rucksack und machte sich auf zu einem Café in der Nähe des Pantheons, in dem es auch nach Mitternacht noch Kaffee gab. Heute Nacht würde sie die Arbeit abschließen, egal, wie lange es dauerte.

Nach zwei Stunden war sie bei den letzten vierzig Berichten angelangt und hatte noch immer nicht gefunden, wonach sie suchte. Frustriert bestellte sie sich ihren dritten Kaffee. Sie hielt eben den Zuckerspender über die Tasse, als ein Gespräch am Nebentisch sie so ablenkte, dass sie fast den ganzen Zucker in die Tasse gekippt hätte.

Nach wenigen Sekunden fasste sie sich wieder, entschuldigte sich beim Kellner, gab ihm ein riesiges Trinkgeld und eilte hinaus.

Die beiden jungen Mädchen hatten übers Kino gesprochen. Ihre Lieblingsfilme. Es war eine Bemerkung über *Titanic*, die zu Kates Missgeschick mit dem Zucker führte.

»Ich habe nie das Ende gesehen«, sagte das eine Mädchen.

»Warum nicht?«, fragte die andere erstaunt.

»Der Film war wunderbar. Die Geschichte war so schön, dass ich es einfach nicht ertragen konnte, ihn sterben zu sehen. Also habe ich den Videorecorder einfach abgeschaltet und mir meinen eigenen Schluss ausgedacht.«

Beim Zuhören erinnerte sich Kate an eine Unterhaltung, die sie vor Jahren mit ihrem Professor über das Drama der Renaissance geführt hatte. Sie hatten über Marlowes *Hero und Leander* gesprochen. Vor allem über den Grund, warum das Epos unvollendet wirkte, da Hero und Leander am Ende noch am Leben waren. Viele Spezialisten glaubten, dass Marlowe im Mai 1593 an dem Gedicht gearbeitet hatte, und nahmen an, dass er es nicht fertig stellen konnte, weil er zuvor getötet wurde. Kate hatte diese Hypothese als einleuchtend akzeptiert. Ihr Professor jedoch hatte eine andere Theorie: Das Gedicht war kein unvollendetes Fragment. Marlowe hatte Hero und Leander absichtlich am Leben gelassen, weil er einer Geschichte eine Form geben wollte, in der alles auf eine Bestrafung hinauslief, um sie dann zu beenden, ohne die Strafe darzustellen. Zum Untergang verurteilte Liebende porträtieren, ihren tragischen Abgang aber auslassen.

Jack und Rose tanzen noch immer auf dem Schiff, dachte Kate, als sie die Treppe zu ihrem Zimmer hinaufrannte. Leander ertrinkt nicht. Hero stürzt sich nicht hinab zu seiner Leiche. Das Unheilschwangere der Tragödie ohne das herzzerreißende Leid am Ende.

Während Kate sich über ihren Laptop ins Internet einloggte, hoffte sie inständig, dass jemand Marlowes *Hero und Leander* online gestellt hatte. Die Buchläden Roms waren geschlossen, und sie wollte keine Zeit verlieren. Sie ließ eine schnelle Suche laufen und – danke, an wen auch immer – holte sich eine der vielen Online-Versionen auf ihren Bildschirm.

Was der Grund für das ungewöhnliche Ende auch sein mochte, veröffentlicht wurde das Gedicht erst fünf Jahre nach Marlowes Tod, und das machte es in Kates Augen zum perfekten Schlüssel für die codierte Nachricht, die er im Mai 1593 geschrieben hatte. Falls er noch daran arbeitete und es immer bei sich hatte, wäre es eine nahe liegende Wahl gewesen, und außerdem hätte niemand die Nachricht entschlüsseln können, ohne eine handgeschriebene Kopie des Gedichts zu besitzen. Für Kate war Letzteres das Entscheidende. Falls Marlowe das Ergebnis seiner letzten Ermittlung als besonders bedeutend betrachtet hatte, hätte er die Information vermutlich nicht Thomas Phelippes anvertraut.

Während sie das Gedicht über den Bildschirm rollen ließ, war sie sich ziemlich sicher, dass sie Recht hatte. Jedes numerische »Wort« in Marlowes Bericht enthielt zwischen drei und sechs Ziffern und begann mit einer »1« oder einer »2«. Marlowes Hero und Leander bestand aus zwei Sestinen, die erste mit 484 Zeilen, die zweite mit 334 Zeilen. Keine Zeile schien mehr als zehn Wörter zu haben.

Und los geht's. Die erste Nummer in dem Bericht war 12986. Kate schaute sich die erste Sestine an, ging zu Zeile 298 und las dann das sechste Wort der Zeile: *meist.* Die zweite Nummer war 12144. Erste Sestine, Zeile 214, viertes Wort: *geliebte.*

Dann 123... erste Sestine, zweite Zeile, drittes Wort: *und.*

21204... zweite Sestine, Zeile 120, drittes Wort: *mächtige.*

Er schreibt an Elizabeth!

»Meist geliebte und mächtige Königin«, las sie laut und arbeitete sich langsam weiter durch den Brief. »Ich muss Eurer Majestät von einem Verrat berichten…«

Nachdem sie den Text ein paar Minuten später entschlüsselt hatte, rief sie Medina an.

»Bist du wach?«

»Hm-hm.«

»Cidro, ich hab's. Das Motiv. Und es ist etwas völlig anderes, als wir dachten. Wo bist du morgen – sagen wir mal, so gegen Mittag?«

»In der City.«

»Kannst du dich für eine Weile loseisen?«

»Für dich? Natürlich.«

»Wir machen eine Fahrt den Fluss hinunter und planen einen kleinen Einbruch. Ist das okay für dich?«

Er lachte. »Absolut. Aber was den tatsächlichen, ähm…«

»Den Einbruch? Wir reden morgen darüber. Wie wär's, wenn wir uns im St. Katherine's Marina treffen? Es gibt da einen Pub mit dem Namen Dickens Inn.«

»Ich werde dort sein.«

»Und hast du zufällig einen Picknickkorb?«

»Ja.«

»Kannst du ihn mitbringen?«

»Klar. Aber was genau…«

»Morgen Mittag erfährst du es«, unterbrach ihn Kate.

»Du willst also wirklich, dass ich wegen deiner Geheimniskrämerei die ganze Nacht nicht schlafen kann.«

»Du hast doch gesagt, du brauchst mehr Aufregung in deinem Leben«, neckte sie. »Ich versuche nur, dir zu helfen.«

Nachdem sie aufgelegt hatte, zog sie sich aus. Da sie nicht wusste, dass man ihr am vergangenen Abend eine Wanze ins Telefon gepflanzt hatte, ging sie davon aus, dass ihr Anruf bei Medina nicht abgehört worden war. Das war ein Irrtum.

Zwanzig Minuten später, Kate starrte gerade die Decke an und fragte sich, ob sie in dieser Nacht würde schlafen können, rief Max an.

»Bist du noch in Rom?«

»Ja.«

»Wo?«

»In meinem üblichen Hotel. In der Nähe des Campo dei Fiori.«

»Zwei Jungs vom römischen Büro werden in weniger als zwanzig Minuten bei dir sein. Sie bringen dich zum Flughafen, warten mit dir und begleiten dich zur ersten verfügbaren Maschine in die Heimat. Slade will dich so schnell wie möglich wieder hier in New York haben.«

»Okay. Ich kann sofort aufbrechen«, sagte sie und schaltete das Licht an. »Aber ich muss zurück nach London.«

»Slade meint es todernst, Kate. Er hat zwar nicht genau gesagt, warum, aber du bist in Gefahr. Hat etwas damit zu tun, dass de Tolomei einen Rachefeldzug gegen deinen Vater führt. Er will dich hier haben, und zwar auf der Stelle.«

»Also doch ein Rachefeldzug… was hat Slade darüber gesagt?«

»Dass er sich darum kümmert. Sonst nichts.«

»Okay. Ich komme heim, aber ich brauche noch einen Tag in London. Ich habe in Medinas Fall den Durchbruch geschafft, und ich – ich muss das einfach tun. Ich kann dir gar nicht sagen, wie viel mir das bedeutet.«

»Vielleicht ist es ein Racheakt wegen seiner Tochter, ich weiß auch nicht, aber Slade denkt, dass de Tolomei es auf dich abgesehen hat. Dass diese Inszenierung in der Sixtinischen Kapelle nur eine Ouvertüre war.«

»Du weißt, wer er ist.«

»Ja. Slade hat es mir nicht gesagt, aber nachdem ich deine E-Mail gelesen habe, fing ich an, nach jemandem zu suchen, gegen den dein Vater ungefähr zu der Zeit ermittelte, als de Tolomei seine neue Identität annahm, jemanden, der verschwand, während er auf Kaution frei war. Es gab nur einen möglichen Kandidaten: ein früherer FBI-Agent namens Nick Fontana. Er war in der Abteilung Terrorismusbekämpfung, bevor er heiratete, und dann in der Abteilung Kunstdiebstahl. Das erklärt auch, woher er die Verbindungen hatte, um sein neues Leben anzufangen. Wie auch immer, wie de Tolomeis wurde auch Fontanas Tochter vergewaltigt und ermordet. Sie hieß übrigens Sabina. Aber der Täter kam ungeschoren davon – hatte wohl was mit dem Vierten Verfassungszusatz zu tun – und...«

»Fontana brachte ihn um.«

»Ja. Aber nicht nur das. Wir reden hier von brutaler Folter. Ungefähr drei Tage lang – genauso lange, wie das Mädchen gefangen gehalten worden war.«

»Und mein Dad ermittelte gegen ihn?«

»Ja.«

»Okay, auch wenn vielleicht einige seine Handlungsweise verständlich finden, musste de Tolomei – Fontana – doch gewusst haben, dass er nie damit durchkommen würde. Als Bundesagent kann er doch unmöglich jemanden drei Tage lang foltern. Vor allem nicht in einem Fall, der, da bin ich mir sicher, landesweite Aufmerksamkeit erregte. Ihn laufen zu lassen wäre gleichbedeutend gewesen mit einer öffentlichen Sanktionierung der Selbstjustiz. Jeder, der zu der Zeit gegen Mörder ermittelte, hätte genauso gehandelt wie mein Vater.«

»Ja, aber da ist noch was. Fontana verwischte seine Spuren sehr gut. Hinterließ keine Indizien. Und dann brachte dein Vater Fontanas Frau irgendwie dazu, gegen ihn auszusagen. In keinem Artikel steht, wie er das geschafft hat.«

»Max, ich glaube, das ist es. In der Sixtinischen Kapelle hatte ich den Eindruck, de Tolomei wollte mir etwas sagen, das mich dazu bringen würde, schlecht über meinen Vater zu denken. Mir seine dunkle Seite zeigen. Vielleicht soll das die Rache sein. Mein Dad hat de Tolomeis Frau gegen ihn aufgehetzt, und jetzt glaubt er wohl, er kann mich gegen meinen Vater aufhetzen.«

»Entweder das, oder er hat vor, dich umzubringen, damit dein Dad merkt, was es heißt, eine Tochter zu verlieren.«

»Oh. Daran habe ich gar nicht gedacht.«

»Willst du immer noch in London herumlaufen, obwohl dieser Kerl hinter dir her ist?«

»Ich brauche nur vierundzwanzig Stunden. Ist Slade in der Nähe, oder...«

»Er ist unterwegs zum Flughafen. Die Operation in Tunis lief nicht so wie geplant.«

»Hältst du mir einen Tag lang den Rücken frei?«

»Ich soll dir dabei helfen, dich umbringen zu lassen? Nie und nimmer.«

»Was ist, wenn ich einen Decknamen und eine Verkleidung benutze? De Tolomei findet mich dann nicht. Ich kann den Medina-Fall abschließen und zu Hause sein, bevor Slade was merkt. Was meinst du?«

»Dieser Fall, der ist wirklich wichtig für dich, was?«

»Ja.«

»Ich schätze, dann kann ich dich sowieso nicht aufhalten«, sagte Max widerwillig. »Aber melde dich, sagen wir, alle zwei Stunden, okay?«

»Klar. Ach, noch eins. Hättest du was dagegen, für mich ein wenig Ahnenforschung zu betreiben?«

»Überhaupt nicht.«

»Danke. Ich habe vier Männer – ich schicke dir jetzt gleich ihre Namen –, und ich brauche die Namen aller lebenden Nachkommen.«

»Geht das morgen? Ich bin schon auf dem Heimweg.«

»Natürlich. Und danke.«

Der Mann, der sich Jade Dragon nannte, genoss ein hausgemachtes Tiramisu, als er die Nachricht bekam, dass Kate Morgan die kritische Seite entschlüsselt hatte.

Morgen, das wurde ihm nun bewusst, würde er das Unrecht wieder gutmachen können, das man seinem Vorfahren vor so vielen Jahren angetan hatte. Was für ein Glück war es doch, dass Kate Morgan so clever war. Er war beeindruckt. In wenigen Tagen hatte sie einen Code geknackt, mit dem Thomas »der Entzifferer« Phelippes sich jahrelang erfolglos herumgeschlagen hatte. Und was für ein Pech für sie, dass sie die Früchte ihrer Bemühungen nie würde genießen können.

24

Ich halte die Parzen in eisernen Ketten
Und meine Hand am Schicksalsrade dreht...

> TAMERLAN in Marlowes
> *Tamerlan der Große*, Teil 1

Greenwich – Abend, Mai 1593

Während das Flussboot sich schnell dem Palast näherte, erhaschte Robert Poley einen kurzen Blick auf die buckelige Gestalt seines Arbeitgebers in einem der oberen Fenster. Cecil ging auf und ab, etwas schien ihn zu beunruhigen. Poley überraschte das nicht. Vor einigen Stunden hatte er Cecil eine Nachricht zukommen lassen, in der er ihm von Marlowes Versuch berichtete, Schmuggler innerhalb der Moskowiter Gesellschaft ausfindig zu machen. Zu der Zeit hatte Poley natürlich noch nicht gewusst, dass Cecil der Hauptverdächtige war. Außerdem hatte Poley geschrieben, dass Phelippes, ihr Erzfeind, hinter dem Plan steckte, Marlowe in die Folterkammer zu werfen, einzig und allein aus dem Grund, um noch mehr belastende Informationen über Cecil aus ihm herauszuholen.

Oben im zweiten Stock, nur einige Türen von Cecils Gemächern entfernt, hörte Poley die leisen Töne einer gedämpften Unterhaltung. Geräuschlos schlich er sich zur Tür.

»...wahrscheinlich, dass ich Marlowe heute Abend finde«, sagte eine Stimme.

»Wenn nicht?«, fragte Cecil.

»Dann morgen, Sir. Es wird auf jeden Fall erledigt.«

Poley zog sich zurück, ging um eine Ecke und versteckte sich hinter einem Wandbehang. Während er still dastand, überdachte er das ganze Ausmaß von Marlowes Zwangslage – Phelippes wollte ihn unbedingt auf der Folterbank sehen, und Cecil hatte jetzt vor, ihn ermorden zu lassen. Der eine wollte, dass er redete, der andere wollte ihn zum Schweigen bringen. Zwei der mächtigsten Männer Englands hatten gewisse Räder in Bewegung gesetzt. Konnte Poley die noch anhalten?

Schwere Schritte knirschten auf den frischen Bodenbinsen des Flurs. Als Poley hinter dem Wandbehang hervorspähte, sah er den Mörder, den Cecil gedungen hatte. Es war Ingram Frizer, ein Geschäftsmann, der allgemein als elender Betrüger betrachtet wurde. Gerüchten zufolge hatte er erst kürzlich einen jungen Edelmann im Verlauf eines Warengeschäfts, bei dem es um zwölf Radschlosspistolen ging, um vierunddreißig Pfund betrogen. Poley hatte keine Ahnung, woher er die Waffen hatte.

Nach ein paar Minuten trat Poley wieder in den Gang und ging zu Cecils Gemächern. »Habt Ihr meine Nachricht erhalten?«, fragte er.

»Ja.«

»Ich habe getan, was Ihr wolltet, Sir. Marlowe ist auf freiem Fuß, und ich habe alle Vorbereitungen für seine sichere Flucht aus England getroffen.«

»Ihr wisst, wo er ist?«

»Nein«, log Poley und war froh darüber, dass er Nelly Bulls Herberge in seiner letzten Nachricht nicht erwähnt hatte. »Marlowe hielt es leider nicht für nötig, das Land sofort zu verlassen. Er geht davon aus, dass Phelippes sein tückisches Ränkespiel aufgibt, da ...«

»Nun, da täuscht er sich«, warf Cecil dazwischen. »Phelippes lässt sich nicht so leicht einen Strich durch die Rechnung machen. Es ist jedoch ohne Bedeutung. Ich habe beschlossen, die Sache auf anderem Wege zu bereinigen.«

»Lasst mich raten. Ihr habt einen Mörder auf ihn angesetzt.«

Cecil nickte. »Ja. Marlowe stellt inzwischen eine zu große Gefahr dar. Die Münzfälscherei – eine Ermittlung in dieser Sache hätte ich durchstehen können. Aber dies?«

»Sir, ich weiß nicht, wovon Ihr sprecht.«

»Marlowe dürfte ziemlich bald von einer Allianz Kenntnis erhalten, die ich mit einem der Feinde der Krone geschmiedet habe.

Eine finanzielle Übereinkunft, nicht mehr. Aber da es bei dem Handel um englische Waffen geht, ohne dass die Königin etwas davon weiß... «

»Da stimme ich Euch zu«, sagte Poley. »Das darf nicht herauskommen.«

»Ich habe einen Mann, der Marlowes verschiedene Unterkünfte kennt und geschworen hat, ihn binnen eines Tages zu finden. Und sollte Marlowe seine Meinung doch noch ändern und versuchen, England zu verlassen, wird man ihn aufhalten. Ich lasse jeden Hafen bewachen. Er wird nicht mehr sehr lange eine Bedrohung darstellen.«

»Fürchtet Ihr eine Verwicklung in einen Mord nicht mehr?«, fragte Poley resigniert.

»Nein. Dieser Mann wird es als Notwehr hinstellen. Und sein Wort wird man nicht anzweifeln. Er ist ein Gentleman. Ein Grundbesitzer. Und kein Mensch weiß, dass wir uns kennen.«

»Dennoch würde ich es für das Beste halten, wenn Ihre Eure... finanzielle Übereinkunft abbrecht, Sir. Auch wenn Ihr Marlowe aufhalten könnt, könnte doch ein anderer sie aufdecken.«

»Das glaube ich nicht. Diese Sache ist raffiniert eingefädelt. Und keiner der Spione, die Phelippes zur Verfügung hat, ist auch nur ein Zehntel so schlau wie Marlowe.«

»Das stimmt«, erwiderte Poley.

»Dazu kommt die Tatsache, dass sie enorm viel einbringt, und es ist eine teure Angelegenheit, die Gunst der Königin zu gewinnen.«

»Sie bestehlen, um sie zu beeindrucken... ein hübscher Kreislauf, das muss ich zugeben«, bemerkte Poley.

Doch Cecil hörte nicht mehr zu. Während er gedankenverloren in den Park hinunterstarrte, verfinsterte sich plötzlich seine Miene.

Poley ging zu den Fenstern und folgte den Blicken seines Arbeitgebers. Elizabeth und Essex spazierten Hand in Hand durch die Dunkelheit.

Cecil deutete auf die beiden und sagte: »Er hat seine Art, ich habe die meine.«

Southwark – Vormittag

Ohne die Schutzkappe an der Spitze hätte der Degen Marlowes Brust durchbohrt.

Ingram Frizer stand im Parkett des Rose Theatre und sah zu, wie Marlowe schwitzend mit einem jungen, blonden Knaben fechten übte. Stoßend und parierend jagten sie sich gegenseitig über die Bühne, dass die Bretter knarzten und Stroh aufwirbelte.

Mein Lieber, dieser Bursche weiß einen Degen zu führen. Da ist ein anderer Schauplatz mehr als angebracht.

Als Marlowe Frizer sah, hielt er inne. »Wir haben geschlossen, falls Euch das entgangen sein sollte.«

»Und völlig zu Recht«, entgegnete Frizer. Mit einem Blick durch das vieleckige Fachwerk-Gebäude murmelte er: »Eine verruchte Höhle voller Krankheit und Verderbtheit ist dieser Ort.«

»Ich nehme an, Ihr seid nicht wegen der Unterhaltung hier?«

Er und Marlowe kannten sich entfernt. Frizer war Marlowe bei mehreren Gelegenheiten auf Tom Walsinghams Landgut begegnet. Warum Walsingham einen so unverschämten Rüpel unter seine Fittiche nahm, verstand Frizer nicht.

»Master Walsingham will Euch sprechen, Kit. Es ist dringend. Ihr kommt besser mit mir.«

In diesem Augenblick ertönte von oben eine erzürnte Stimme. »Seht Ihr denn nicht, dass er an einem neuen Stück arbeitet?«

Frizer drehte sich nach links und schaute hoch. Ein dicker, rotgesichtiger Mann stand in einer Tür. Es war der Besitzer des Rose, Philip Henslowe, der eben aus seinem Büro kam. Zweifellos war er fest entschlossen, sein wertvollstes Gut zu beschützen: Marlowe.

»Seht Ihr diese gefranste, golddurchwirkte Robe?«, blaffte Henslowe und deutete auf einen Kleiderstapel, der am Bühnenrand über zwei Stühlen hing. »Diesen glänzend weißen Seidenunterrock? Den roten Brustpanzer, den ich selbst eben fertig gemalt habe? Marlow schreibt über Penthesilea, die Königin der Amazonen. Und weder Ihr noch sonst wer wird sich ihm in den

Weg stellen. Also, wer Ihr auch seid, entfernt Euch. Oder ich lasse Euch entfernen.«

Mit finsterer Miene wandte Frizer sich zum Gehen. Doch zu seiner Überraschung hielt Marlowe ihn auf.

»Wartet.«

Frizer ging zum Bühnenrand.

Mit leiser Stimme sagte Marlowe: »Ihr könnt Tom sagen, dass er mich morgen gleich in der Früh in Deptford finden kann. Bei Eleanor Bull. Ich weiß noch nicht genau, wann ich dort eintreffe, aber irgendwann im Verlauf der Nacht.«

»Ach, das genügt, Kit. Das genügt vollkommen.«

Als Frizer das Rose verließ, war er zuversichtlich, dass er seine todbringende Aufgabe ohne Schwierigkeiten würde erfüllen können, so dass der unrechtmäßige Handel, bei dem er Robert Cecil half, ungehindert weitergehen konnte. Nachdem er Marlowe verlassen hatte, als dieser in Kostümen und Requisiten stöberte, war Frizer sicher, dass Marlowe keine weiteren Entdeckungen machen würde, die ihrem heimlichen Handel schaden konnten. Und als erfreuliche Dreingabe, dachte er mit Befriedigung, würde der Stückeschreiber tot sein, bevor er seinen letzten Unrat auf die Bühne bringen konnte.

Das glaubte Frizer zumindest. Er war ein Mann von beschränkter Vorstellungskraft, und es kam ihm gar nicht in den Sinn, dass Marlowe dasselbe tat, was er selbst vor einigen Tagen getan hatte – ein Waffenarsenal plündern. Denn die Waffen, die Marlowe benutzen würde, um seinen jüngsten Gegner zu besiegen, gehörten zu den Requisiten und Kleidungsstücken, die von der Theatergruppe *Admiral's Men* zurückgelassen worden waren, als sie die Stadt verlassen hatten. Auch kam Frizer nicht auf den Gedanken, dass Marlowe für sein nächstes Drama eine viel größere Bühne im Sinn hatte als die Henslowes.

Greenwich Palace – Abenddämmerung

Der schrille arabische Fluch hallte durch den großen Saal.

Der Wachposten an der Tür war verwirrt und wusste nicht so recht, wie er darauf reagieren sollte. Er deutete hinaus in den Park, wo sich zahlreiche, üppig kostümierte Gäste aufhielten. Über ihren Köpfen krachten und sprühten Feuerwerkskörper, aus marmornen Brunnen floss gefärbtes Wasser, Akrobaten schlugen Räder, ein Jongleur warf brennende Fackeln in die Höhe – wer wollte da schon hineingehen?

Die bezaubernde junge Frau in der gefransten golddurchwirkten Robe stampfte mit dem Fuß auf. Noch mehr unverständliche Schimpfwörter kamen aus ihrem Mund. Außer sich vor Wut schlug sie ihren Schleier zurück und warf ihn über die mit Juwelen besetzte Krone.

Eine wohlhabende Ausländerin, vermutete der Wachposten, nach ihrem kostbaren Gewand und den unverständlichen Worten zu urteilen. Aber wen sollte ihre Verkleidung darstellen? Welche Königin trug Schwert und Brustpanzer? *Einen roten Brustpanzer?* Und wichtiger noch, was konnte sie wollen? Abgesehen von drei Mitgliedern des Kronrats, die einen Schreiberling von der Bankside verhörten, war der Palast so gut wie leer.

Doch dann, während ihres nächsten Ausbruchs, erhaschte er zwei kaum verständliche englische Wörter: *Schlafgemach* und *Zofe*.

Aha, einer unserer königlichen Gäste, dachte er. Mit einem Nicken ließ er sie eintreten.

Mit herrischen Schritten marschierte sie durch den Saal und eilte die Treppe hinauf.

Minuten später kehrte sie zurück, und eine gebeugte, weiß verhüllte Gestalt watschelte an ihrer Seite.

Trotz des juckenden Tuchs, das er sich eben um den Kopf gewickelte hatte, brauchte Marlowe nicht lange, um Robert Cecil zu entdecken. Gesichter konnten bei einem Maskenball verhüllt werden, aber missgebildete Schultern waren schwieriger zu verstecken. Außerdem erkannte Marlowe den Papagei auf Cecils Unterarm. Cecil, der die schlichte weiße Kutte eines maurischen Falkners trug, hatte offensichtlich die Federn seines sonst weißen Vogels mit Asche geschwärzt, Asche, die nun, das sah Marlowe, Cecils Ärmel beschmutzte.

Der kleinwüchsige Meisterspion stand auf einer leichten Anhöhe und unterhielt sich mit einer Meerjungfrau, einer Dame, die ein fleischfarbenes Mieder und bauschige blaue Seidenröcke trug und von deren Taille ein reich mit Juwelen geschmückter, grüner Schwanz baumelte. Zwischen Fabelwesen aus Eis und echten Tieren an Ketten hindurch führte Marlowe Helen auf ihr Opfer zu. Er beobachtete, wie ein königlicher Löwe ein lebendiges Huhn verschlang, und suchte dann die Menge nach seiner Herrscherin ab. Frauen mit weiß geschminktem Gesicht und roter Perücke gab es zuhauf, aber…

Wo waren die Hofknickse und Kratzfüße? Wo war Königin Elizabeth? Ihr Thronsessel war leer, das fiel ihm auf. Und ihr Hofherr sah sich verwundert in der Menge um. Anscheinend schaut sie von einem Fenster aus zu, dachte Marlowe. Er hatte viele Geschichten über ihre Neigung gehört, ihren Gästen und Untertanen den Wind aus den Segeln zu nehmen. Vor allem ging das Gerücht, sie habe vor Jahren den französischen Gesandten mit klaffend offenem Mieder empfangen, so dass dieser nur noch errötend stammeln konnte.

Wenige Meter von Cecil entfernt blieb Helen kurz stehen, wie um eine Tänzergruppe zu bewundern. Während sie sich ihm dann langsam näherte und versuchte, seine Unterhaltung zu verstehen, dämmerte es Marlowe, dass ein echter Diener in diesem Augenblick etwas tun würde. Er ging weg, um ihr ein Getränk zu holen.

Er betrachtete das Angebot und nahm einen Kelch, der, dem Geruch nach, gewürzten Wein enthielt.

»Ihr dient Eurer Königin gut«, sagte hinter ihm leise eine Stimme.

Marlowe drehte sich zu einem großen, knochigen Mann um, der offensichtlich als Charon verkleidet war, dem griechischen Fährmann der Toten. Der Mann trug einen langen schwarzen Umhang mit tief ins Gesicht gezogener Kapuze, dazu eine schwarze Maske und Handschuhe, auf die ein Schädel und Fingerknochen gemalt waren, und er hatte ein Paddel in der Hand.

»Schon eine ganze Weile«, erwiderte Marlowe in seinem besten Falsett.

Mit einem Zwinkern erwiderte Charon: »Das wissen wir.«

Vor Verblüffung konnte Marlowe nur stumm den Mund öffnen.

»Schließt sofort Euren Mund!«, befahl Königin Elizabeth. »Und wagt es nicht, Euch zu verbeugen, Master Marlowe. Sonst verratet Ihr uns.«

Atemlos brachte Marlowe nur ein einziges Wort heraus. »Woher…«

»Sir Francis hat in so hohen Tönen von Euren… Bemühungen gesprochen, dass wir uns im Rose Euer Gesicht angesehen haben.«

Als Marlowe sich wieder etwas gefangen hatte, fiel ihm die Ironie in der Wahl ihres Kostüms auf. Zwar fuhr die Königin nicht persönlich Seelen über den Styx, doch eine ganze Reihe von ihnen wurden um ihretwillen in die Unterwelt geschickt.

»Wir nehmen an, Ihr seid auch heute in einer solchen Angelegenheit hier?«

Marlowe nickte.

»Dann wollen wir Euch nicht länger davon abhalten. Aber sagt mir«, sagte sie und deutete auf die Tintenflecken auf seinen Fingern, »woran schreibt Ihr denn diesmal?«

»Hero und Leander, Euer Majestät.«

»Ein leichtsinniger Schwimmer und die Närrin, die hinter ihm hersprang?«

»Eure Majestät mögen keine tragischen Liebenden?«

»Im Gegenteil, die tragischen Narren sind es, die wir nicht mögen. Und des Nachts mitten in einem Sturm schwimmen? Und sich auf einen leblosen Körper werfen, um von den Felsen in der Tiefe zerschmettert zu werden?« Die Königin schüttelte verächtlich den Kopf.

»Ah, aber so wird das Gedicht nicht enden, Eure Majestät«, sagte Marlowe.

»Erklärt mir das.«

»Neptun gestattet Leander, das Ufer zu erreichen.«

»Interessant«, sagte die Königin mit einem bedächtigen Nicken. »In diesem Fall würden wir es gerne lesen.«

Als sie geendet hatte, erregte ein lautes Klatschen ihre Aufmerksamkeit. Einige Schritte entfernt versuchte ein muskulöser Mann in der weißen Tunika und dem federgeschmückten, goldenen Helm eines griechischen Kriegers, die Meerjungfrau zu küssen, die Marlowe zuvor schon bemerkt hatte. Die Meerjungfrau ließ sich das nicht gefallen.

Die Königin wandte sich wieder Marlowe zu. »Wir haben ein Couplet, das Ihr in Eurem Gedicht verwenden könnt, wenn Ihr wollt.«

»Es wäre mir eine Ehre.«

Sehr leise sagte sie: »Erobert ist die Maid nicht mit Gewalt und Macht, sondern mit Worten, voller Anmut und Pracht.«

»Die Worte Eurer Majestät funkeln wie die Juwelen in Eurer Krone, edle Königin. Sie werden mein Papier zum Leuchten bringen.«

»Wenn das so ist, Kit Marlowe«, sagte sie und vergaß ihren gewohnten Pluralis majestatis, »bin ich es, die sich geehrt fühlt.«

»Bist du taub geworden? Hast du dir Watte in die Ohren gesteckt?«, fragte Helen und riss Marlowe aus seiner Träumerei.

»Was?«

»Du hattest Recht. Der Bucklige. Er ist es.«

Marlowe nickte. Seit er von den fünfzigtausend Pfund erfahren hatte, die Cecil Raleigh für seine Guyana-Reise versprochen hatte, war er sich ziemlich sicher, dass Cecil der Schmuggler war.

»Was nun?«, fragte sie.

»Zu seinem Haus. Er ist ein Verräter. Wir suchen für die Königin Beweise.«

Helen straffte die Schultern und rümpfte die Nase. »Ich habe nicht befohlen …«

»Die *andere* Königin«, entgegnete Marlowe grinsend.

Nachdem er sich den Schleier wieder so um den Kopf gewickelt hatte, dass nur seine Augen sichtbar waren, folgte er ihr zum Fluss.

25

London – 12 Uhr 05, Gegenwart

Das Dickens Inn war gesteckt voll. Jeder Platz auf den drei Etagen der Holzveranda war besetzt, und jeder Fensterkasten war dicht mit bunten Blumen bepflanzt.

Cidro Medina saß an einem der Tische am Wasserrand, in Spuckdistanz zu einer auffällig gelb und schwarz lackierten Jacht, die am Pier vertäut lag. Er trank ein Mineralwasser und schaute auf den Hafen hinaus. Zu seinen Füßen stand ein Picknickkorb.

»Hallo, Seemann, spendierst du einem Mädchen einen Drink?«

»Ich warte hier auf jemanden«, sagte Medina, und sein Blick wanderte von ihrem Gesicht bis hinunter zu den Stahlkappen ihrer Stiefel. »Aber …«

Der enge Saum ihres schwarzen Minirocks fesselte seinen Blick.

»Was aber?«, fragte Kate lachend.

»Ach du meine Güte«, rief er, als er sie erkannte. Er streckte die Hand aus und berührte ihre Haare. »Sind die echt?«

»Nein. Eine Perücke«, sagte sie und meinte pechschwarze glatte Haare mit dicken dunkelroten Effektsträhnen. Dunkelbraune Kontaktlinsen verdeckten Kates grüne Augen, ihre Haut war – dank einer Selbstbräunungslotion – um einige Töne dunkler, und ein falsches Stacheldrahttattoo wand sich um ihren rechten Oberarm. Das Aussehen, das noch vervollständigt wurde von Victoria's Secrets wunderbarstem BH, entsprach einem Zweitpass, den sie von zu Hause mitgebracht hatte. Mit ihrem echten Pass war sie von Rom nach Paris geflogen und hatte noch auf dem Flughafen Charles de Gaulle ein paar schnelle Einkäufe erledigt und ein Hotel für eine Nacht gebucht, damit sie eine Kreditkartenspur hinterließ. Dann war sie auf einer Toilette in ihre zweite Identität geschlüpft und so nach London geflogen.

»Erinnerst du dich noch an diesen langweiligen Auftrag, von dem ich dir erzählt habe?«

Medina nickte. »Schwieriger, als du gedacht hast?«

»Genau.«

»Ist es ernst? Bist du ...?«

»Mit meinem Aussehen sollte alles okay sein.«

»Aber man hat uns einige Tage lang zusammen gesehen. Derjenige, der dir auf den Fersen ist, würde der nicht ...«

»He, ein Kerl wie du – nach *Hello!* einer der begehrenswertesten Junggesellen –, jeder, der dich überwacht, würde erwarten, dass du heute mit einem neuen Mädchen auftauchst, nicht?«

Er grinste. »Gutes Argument.«

»Was dagegen, mich für heute Vanessa zu nennen?«

Medina stand auf, legte ihr die Arme um die Taille und zog sie an sich. »Hätte Vanessa was dagegen, wenn ich das tue?«

»Na ja, *ich* würde dir alle Gründe nennen, warum es keine gute Idee ist ... aber Vanessa? Die ist ganz locker.«

Medina lachte und küsste sie. Zuerst sanft. Dann fester, leidenschaftlicher. Kate hatte keine Ahnung, wie lange.

Nachdem sie den Picknickkorb gefüllt hatten, gingen Kate und Medina zum Tower Pier. An einem Kartenhäuschen kauften sie Tickets, gaben sie dem Kapitän und fanden dann einen Platz auf dem Oberdeck des Ausflugsboots.

»Du hast gesagt, wir wollen so 'ne Art Bruch machen?«, fragte Medina leise und zog ihre Beine auf seinen Schoß.

»Hm.«

»Im Greenwich Park?«

»Ja.«

»Das ist, äh, königlicher Besitz.«

»Stimmt.«

»Bewacht von einer speziellen königlichen Polizeitruppe, könnte ich mir vorstellen.«

»Und worauf willst du hinaus?«

»Du kommst mir einfach nicht vor wie jemand, der diese Art von Gesetz bricht«, sagte Medina. »Der Gefängnis riskiert, meine ich.«

»Natürlich tue ich das nicht«, erwiderte sie ernst. »Wir von Slade's brechen nie das Gesetz.«

»Aber...«

»Vanessa Montero ist allerdings eine Kellnerin mit weniger Skrupeln. Was meine Firma betrifft, bin *ich* schon auf dem Heimweg. Was gut ist, weil *das*«, fügte sie hinzu und drückte ihre Stirn an die seine, »sich ein wenig komisch anfühlen würde, wenn noch Geld fließen würde.«

Die Stimme des Kapitäns unterbrach ihren schnellen Kuss. »Willkommen auf der *Millennium of London*«, verkündete er über die Lautsprecher. »Wir befinden uns ungefähr fünfzig Meilen landeinwärts der Nordsee. Die Themse ist ein Gezeitenfluss, der knapp neun Meter steigt und fällt...«

Der Motor sprang grummelnd an, und das Boot setzte sich in Bewegung. »Direkt zu Ihrer Linken«, fuhr der Kapitän fort, »das Traitor's Gate. Eine der ersten Einbahnstraßen Londons.«

Als Kate jemanden kichern hörte, drehte sie sich in die Richtung dieses so genannten Verrätertors. Der einst so gefürchtete Einlass war jetzt mit moosüberwachsenen Steinen zugemauert.

»Ebenfalls zu Ihrer Linken das Executioner's Dock. Piraten und Schmuggler wurden daran festgebunden, so dass sie bei steigender Flut ertranken. Captain Kidd war der Letzte. Wurde 1701 ans Dock gekettet. Und der Fachwerk-Pub direkt dahinter – Charles Dickens schrieb viele seiner Romane im Obergeschoss.«

Kate lehnte sich in Medinas Arme und sah zu, wie heruntergekommene Kaianlagen und Lagerhäuser vorbeizogen, unterbrochen von Neubauten mit Luxuswohnungen, die aus ihrer Umgebung herausstachen wie UFOs.

»Also... Vanessa«, sagte Medina und drückte ihre Schulter. »Willst du mich weiter auf die Folter spannen oder erzählst du mir jetzt, was du letzte Nacht herausgefunden hast?«

Mit einem Lächeln wandte Kate sich ihm zu. »Okay. Erinnerst du dich noch an diesen numerisch verschlüsselten Bericht, über den wir gesprochen haben? Die letzte Seite des Manuskripts? Ich bin mir ziemlich sicher, dass es der Richtige ist und dass ich mich in Bezug auf Jade Dragons Absichten geirrt habe. Er versucht nicht, irgendeine Information unter Verschluss zu halten, weil er Angst hat, sie könnte irgendwie seine Brieftasche treffen. Sein Motiv hat zwar offensichtlich mit Geld zu tun, aber es geht darum, zu unverhofften Reichtümern zu kommen, nicht einen Verlust zu verhindern.«

»Also ist der Bericht selber in irgendeiner Form von Wert... und nicht nur ein Werkzeug, um jemanden zu erpressen?«

Kate nickte und zog ein Blatt Papier aus einer Tasche ihres Rocks. »Weißt du noch, ich habe dir gestern erzählt, dass Marlowe 1593 gegen die Moskowiter Gesellschaft ermittelte. Und entdeckte, dass eines der hohen Tiere illegale Beziehungen mit einem Barbaren-Piraten pflegte.«

Medina nickte.

»Hör dir das mal an«, sagte sie und faltete das Papier auf. »›Höchst geliebte und mächtige Königin, ich muss Eurer Majestät von einem Verrat berichten. Euer buckliger Mann...‹«

Kate hob den Kopf und erklärte: »Marlowe meinte Robert Cecil, der einen Buckel hatte. Und außerdem einer der wichtigsten Höflinge und einer der Direktoren der Moskowiter Gesellschaft war.«

»Verstanden.«

Kate las weiter. »›...stahl Waffen, die er dann auf See gegen Kostbarkeiten eintauschte. Wenn Ihr mir nicht glaubt, dann glaubt Euren eigenen Augen. In der Erde unter dem Schiffsrumpf neben Eurem Baum werdet Ihr sehen, was in seinem Haus am Fluss gefunden wurde, und dann fragt ihn, woher dies stammt. Ein pflichtbewusster Mann, der aussieht wie ein mächtiger Hügel, wird bald in Eure so entbehrten Arme zurückkehren...‹«

»›Euer Baum‹?«, warf Medina dazwischen. »Weißt du, was das heißt?«

»Ja. In der Tudorzeit gab es dort, wo jetzt das Royal Naval College steht, einen königlichen Palast. Es war Elizabeths Lieblingsresidenz. Und in dem Park dahinter gab es eine Eiche, die man *ihre* Eiche nannte. Angeblich pflegten ihre Eltern – Henry VIII. und Anna Boleyn – in seinem Schatten zu tanzen, und angeblich versteckte Elizabeth sich als kleines Mädchen in seiner Höhlung.«

»Dieser Baum steht noch dort?«, fragte Medina.

Kate nickte.

»Und du glaubst, dass der Brief die Königin nie erreichte? Nicht einmal eine Kopie? Dass das, was er dort vergrub, noch immer dort ist?«

»Möglich ist es.«

»Was ist mit... wie hieß er gleich wieder? Äh...«

»Phelippes?«

»Genau. Wenn Marlowe ihm das Versteck eines Schatzes verraten hätte, dann hätte er sich doch mit Sicherheit darauf gestürzt.«

»Wenn er in der Lage gewesen wäre, Marlowes Nachricht zu entziffern«, erwiderte Kate. »Aber ich glaube nicht, dass er das je schaffte. Denn wenn er sie entziffert hätte, dann hätte es mit Sicherheit Nachforschungen in Bezug auf Marlowes Anschuldigungen gegen Cecil gegeben, und darauf gibt es nirgendwo einen Hinweis. Cecil wurde in diesem Frühling nicht unehrenhaft verstoßen, und er gewann letztendlich auch das Rennen gegen den Grafen von Essex um die Position des Staatssekretärs und erhielt später sogar selbst den Grafentitel. Meiner Ansicht nach ist es so gut wie ausgeschlossen, dass Phelippes Marlowes letzten Bericht je las. Es ist sogar durchaus möglich, dass ihn nie irgendjemand gelesen hat.«

»Bis jetzt. O Mann. Wie hast du das geschafft?«

»Ich hatte einen bedeutenden Vorteil. Marlowe benutzte als Vorlage für seinen Code ein Gedicht, an dem er zu der Zeit schrieb, das aber erst fünf Jahre nach seinem Tod veröffentlicht wurde. Phelippes wusste wahrscheinlich überhaupt nicht, dass Marlowe daran arbeitete. Ich konnte es mir aus dem Internet holen.«

»Aber da muss man erst mal draufkommen...«

Kate zuckte die Achseln. »War eben gut geraten.«

»Was meinst du, ist dieser so genannte Schatz?«, fragte Medina. »Ein echter Jadedrachen?«

»Könnte sein. Marlowe erwähnte Kostbarkeiten aus dem Osten, und in der Ming-Dynastie, die zu dieser Zeit herrschte, benutzten chinesische Kunsthandwerker eine Menge Jade. Und Drachenabbildungen waren auch sehr populär.«

»Was meinst du, warum er den Schatz vergraben hat? Wenn er

ihn der Königin zurückgeben wollte, warum in ihrem Hinterhof und nicht über ihren... ich weiß auch nicht, ihren Hofherrn oder sonst jemanden?«

»Wahrscheinlich wollte er ein Druckmittel haben. Er war ja verhaftet worden und war... auf Kaution frei, würde man heute sagen. Auf jeden Fall noch nicht aus dem Schneider wegen dieser Atheismusgeschichte. Und zur selben Zeit stieg er zwei der mächtigsten Männer Englands auf die Zehen. Phelippes musste eine Stinkwut gehabt haben, weil Marlowe ihm den Namen des Schmugglers nicht lieferte, und Cecil war sicher auch nicht sehr erfreut darüber, dass Marlowe sein Geheimnis entdeckt und seinen Schatz gestohlen hatte. Ich nehme mal an, er suchte sich in diesem ganzen Durcheinander einfach nur einen Weg, um am Leben zu bleiben.«

»Nachdem du Marlowes letzten Bericht entziffert hast, weißt du jetzt, wer ihn umgebracht hat?«

»Sicher kann ich es nicht sagen, aber ich habe eine bessere Idee«, erwiderte Kate. »Habe ich dir vielleicht schon erzählt, dass es nach dem Bericht des Leichenbeschauers drei Zeugen für Marlowes Tod gab? Der eine war Cecils Topspion, der zweite arbeitete für Essex' Netz, und der dritte war ein zwielichtiger Geschäftsmann – eigentlich ein Betrüger.«

»Zwei Spione und ein Betrüger? Die Aussagen müssen ja einiges Gewicht gehabt haben«, sagte Medina trocken.

Kate lächelte. »Angeblich hatten sie sich in einem Raum eines Deptforder Wirtshauses getroffen, um einen Tag lang zu essen, zu rauchen und im Garten spazieren zu gehen. Nach dem Abendessen, behaupteten sie, erst habe Marlowe auf dem Bett gelegen, während sie zu dritt an einem Tisch gesessen hätten – nebeneinander, wohlgemerkt –, um zu essen oder Backgammon zu spielen, wie ein späterer Bericht behauptete. Später hätten Marlowe und der Betrüger – ein Kerl namens Frizer – angeblich einen Streit über die Rechnung angefangen. Marlowe zieht Frizer dessen Dolch aus dem Gürtel, sticht auf dessen Hinterkopf ein, und Frizer dreht sich irgendwie um und schafft es, obwohl seine Beine unter dem Tisch sind und er zwischen zwei Männern eingeklemmt ist, Marlowe den Dolch zu entreißen und ihn ihm in die Augenhöhle zu jagen. Frizer gab Notwehr an, und der königliche Leichenbeschauer schloss sich in seiner Entscheidung dieser Behauptung an.«

»Klingt für mich nach einem ziemlichen Blödsinn.«

»Wem sagst du das?«, entgegnete Kate lächelnd. »Ich meine, da ist zum einen diese komische Positionierung – welche drei Leute sitzen in einer Reihe nebeneinander, wenn sie miteinander essen oder Backgammon spielen? Und die Bewegungsabläufe – soweit ich weiß, war Marlowe ziemlich geschickt mit dem Schwert und hatte offensichtlich ein hitziges Temperament. Wenn er also Frizer hätte verletzen wollen, dann hätte er ihn mit Sicherheit ziemlich übel zugerichtet. Stattdessen hatte Frizer nur ein paar leichte Fleischwunden und schaffte es aus einer wirklich sehr ungünstigen Position heraus, Marlowe zu überrumpeln, während die beiden anderen nur dabeisaßen oder -standen wie gelähmte Idioten. Das ergibt alles keinen Sinn. Und dazu kommt noch die Tatsache, dass diese vier nicht die Leute waren, die nur zusammenkommen, um sich zu amüsieren.«

»Also…«

»Ich glaube, die Behauptung, sie hätten den Tag zusammen verbracht, ist eine Lüge«, sagte Kate. »Sie waren keine Kumpel. Ich vermute, dass der Mörder zuerst bei Marlowe war, und dann die anderen aus irgendeinem Grund auftauchten und übereinkamen, ihn zu decken. Aber wer und warum…«

»Cecils Spion? Um Marlowe wegen des Schmuggels zum Schweigen zu bringen?«, fragte Medina.

»Ausgezeichnet. Du hast gut aufgepasst«, staunte Kate. »Ja, auch für mich ist Cecils Spion, Robert Poley, der wahrscheinlichste Kandidat. Oder Phelippes wollte Marlowe zwar nicht tot sehen, was ich auch nicht glaube, aber auf jeden Fall wollte er, dass sein Spion, Nick Skeres, Marlowes letzten Bericht an sich brachte. Und Frizer, vielleicht kam er dazu, um Marlowe zu helfen. Er arbeitete für einen von Marlowes engsten Freunden.«

»Aber warum hätte er dann die Schuld auf sich nehmen sollen?«

»Vielleicht drängten ihn die anderen dazu. Als der einzige Nichtspion war Frizer der Glaubwürdigste. Raufereien mit tödlichem Ausgang waren damals ziemlich häufig, aber bei einem Spion als

Täter hätte man sofort ein politisches Motiv dahinter vermutet. Und da alle drei Männer an diesem Tag dieses Zimmer betreten hatten, hätten sie alle in Schwierigkeiten kommen können, wenn die Notwehrgeschichte nicht glaubwürdig klang.«

Als der Kapitän verkündete, dass sie nun rechter Hand an Deptford und links an der Isle of Dogs vorbeikämen, schaute Kate sich die Ufer zu beiden Seiten an. Wie anders das alles heutzutage ist, dachte sie, als sie nichts als Kaianlagen und dicht stehende Wohnkomplexe sah. Die Farben waren fast nur schlammige Erdtöne, Grün war kaum zu sehen.

Zur Isle of Dogs deutend, erklärte sie Cidro: »Das war früher alles Wald. Im sechzehnten Jahrhundert war die Insel ein Versteck für Flüchtlinge.«

Als sie sich dem Greenwich Park näherten, lenkte der Kapitän ihre Aufmerksamkeit auf eine Wassertreppe, an deren Absatz Sir Walter Raleigh in einer berühmten Geste seinen Umhang über eine Pfütze gelegt hatte, damit Königin Elizabeth trockenen Fußes und ungehindert darüber hinwegsteigen konnte.

Minuten später stiegen Kate und Medina ebenfalls aus. Vorbei an Souvenirläden, Pubs und dem National Maritime Museum gingen sie zum Park, einer ausgedehnten Grünfläche mit Bäumen und ein paar Blumenbeeten. Direkt hinter dem Parkeingang war ein Plan aufgestellt. Der Park, das sahen sie nun, war ein großes Rechteck mit gepflasterten Wegen am äußeren Rand entlang und kreuz und quer hindurch.

Medina wandte sich mit einem eigentümlichen Lächeln an Kate. »Sag mir noch einmal, warum du lieber ein Verbrechen begehst, als die zuständigen Behörden zu informieren.«

»Wenn wir den offiziellen Weg gehen«, sagte sie, »wird rotes Absperrband jede Ausgrabung für Monate unmöglich machen, wir beide werden aus dem Spiel sein und nie herausfinden, wer hinter all dem steckt.«

»Gutes Argument«, sagte er, noch nicht völlig überzeugt. »Aber ich glaube trotzdem...«

»Was wir finden, können wir der Krone ja auf anonymem Weg zukommen lassen. Ich will jetzt nur unbedingt herausfinden, ob es das ist, worauf es der Jade Dragon abgesehen hat. Wenn die Truhe dort ist, und sich darin die Jadestatue eines Drachens befindet ...«

»Wissen wir es sicher.«

»Ja.« Kate deutete auf einen Punkt in der Mitte der Karte und fragte: »Können wir uns dort treffen? Bei der Queen Elizabeth Oak?«

Medina nickte.

»Ich brauche jetzt nur gut zwanzig Minuten allein für den nächsten Schritt.«

»Klar. Und ich könnte ein Nickerchen vertragen.«

Zehn Minuten später war es Zeit für ihren dritten Versuch.

Sie ging eben den Pfad am Westrand des Parks entlang, als sie eine Frau mittleren Alters bemerkte, die ihr mit ihrem Hund entgegenkam. Kate bückte sich, um das Tier zu streicheln. Dann lächelte sie zu der Frau hoch und sagte: »Ganz entzückend.«

»Vielen Dank.«

»Was für ein wunderschöner Park. Ich kann mir gar nicht vorstellen, wie es ist, so einen in der Nachbarschaft zu haben.«

»Sehr angenehm«, erwiderte die Frau ungeduldig und machte dabei deutlich, dass sie von Kates Aufzug ganz und gar nicht beeindruckt war.

»Entschuldigen Sie, dass ich Sie belästige. Ich weiß, ich sollte es nicht, aber es ist mein erster Tag in London, und ich war noch nie allein auf Reisen ...«

»Denken Sie sich nichts«, sagte die Frau und wurde ein bisschen zugänglicher.

Nachdem sie die Parkanlage noch einmal bewundert hatte, wiederholte Kate den Satz, den sie schon bei zwei früheren Passanten benutzt hatte. »Ich kann mir vorstellen, dass die Jugend aus der Gegend nachts hier drinnen ihr Unwesen treibt.«

»O nein«, entgegnete die Frau. »Nach Einbruch der Dunkelheit fährt die Parkaufsicht in regelmäßigen Abständen hier durch und lässt ihre Hunde frei laufen.«

Die Eiche der Königin, Queen's Oak, das sah Kate nun, war längst umgestürzt. Ein faulender Stumpf – gut drei Meter lang – lag, umgeben von einem gusseisernen Zaun, auf der Erde.

Wenige Meter entfernt lag Medina ebenfalls auf dem Gras. Seine Augen waren noch geschlossen, als Kate ihn erreichte.

»Wach auf, Dornröschen«, sagte sie und kniete sich neben ihn.

Er umfasste sie und zog sie auf sich. »Wie lief's?«, fragte er, das Gesicht nur Zentimeter von ihrem entfernt.

»Sehr gut«, antwortete sie und stemmte sich wieder hoch. »Komm mit.«

Sie nahm ihn bei der Hand und führte ihn zu einem großen, merkwürdig geformten Loch im Boden. Ein riesiger Graben, der an einen Schiffsrumpf erinnerte. »Genau hier werden wir graben, Cid.«

»Einen Monat lang jede Nacht?«, fragte er sarkastisch. Der Graben war mehr als hundert Meter lang. »Nennt dieser Brief keine konkrete Stelle?«

»Die Formulierung ist ein bisschen vage, aber es gibt nur zwei mögliche Stellen.«

»Scheint machbar.«

»Ja. Jetzt lass uns was essen, und dann besprechen wir die Vorgehensweise.«

Belvedere von Punta Cannone, Capri – 14 Uhr 34

»Wo ist sie?«, fragte de Tolomei, als er seinen Überwachungsraum betrat.

»Im Osten von London«, antwortete sein Assistent. »In Greenwich.«

»Das Team macht sich bald auf den Weg?«

»Ja, Sir. In wenigen Stunden.«

26

Fahrt fort, mein Herr, und sagt an, wie es heißt.
Zu Siegern macht uns heute Euer Geist.

MYCETES in Marlowes *Tamerlan*, Teil 1

London – Abend, Mai 1593

Die beiden Gestalten gingen langsam über The Strand. Der eine
humpelte und stützte sich auf einen kräftigen Spazierstock, der
andere sah aus, als würde er bewusst seinen Schritt verlangsamen.

Der Humpelnde trug einen dunklen Umhang und eine dazu passende flache Kappe. Er hatte dichte graue Haare, einen langen,
zottigen Bart und ein rot lackiertes Holzkreuz in der linken Hand.
Sein jüngerer Begleiter trug eine weiße Schürze über einem schlichten Gewand und einen Steinkrug im Arm.

An der Schwelle des Backstein- und Holzhauses von Robert
Cecils Vater klopfte Marlowe mit seinem Spazierstock an die Tür.

Sie ging einen Spalt auf, und eine junge Magd schaute heraus.
»Wer seid Ihr?«

»Ein Arzt, Mistress«, erwiderte Marlowe. »Ich wurde heute Morgen gerufen.«

»Warum denn?«, fragte sie besorgt.

»Eine Form der Pest.«

Der Magd klappte vor Schreck der Mund auf.

»Ich bringe ein Kreuz für die Tür«, fuhr Marlowe fort, »und
einen Apotheker mit Arzneien für den Rest von euch, damit ihr, so
Gott will, der Krankheit entkommt.«

»Mumie«, ergänzte nun Helen. »Die Asche eines Toten. Man
rührt vier Unzen in die doppelte Menge Wein...«

Das Mädchen verschwand und kehrte Augenblicke später mit

einer anderen Magd zurück – dem Anschein nach ihre Schwester –, und zusammen rannten sie die Straße hinunter.

Marlowe und Helen setzten sich auf die Schwelle und warteten, bis das Haus sich leerte.

»Wie's aussieht, bewahrt er nichts Schriftliches über die Allianz auf, Kit«, sagte Helen und schob eine Schublade zu. Ihr Besuch in Cecils Büro früher an diesem Abend war ähnlich ergebnislos geblieben.

Sie hatten jeden Winkel von Cecils Schlafgemach durchsucht und stöberten jetzt bereits seit fast einer Stunde in seinem Arbeitszimmer.

»Vielleicht nicht, aber bestimmt hat er noch immer den Jadedrachen, den er von deinem Kapitän erhalten hat.«

Helen, die auf dem Boden saß und sich an die Wand lehnte, nickte. »So wie er davon sprach, glaube ich nicht, dass er ihn verkauft hat. Aber ein Mann seines Rangs, hat der denn nicht auch ein Landhaus? Was vielleicht ein sicherer Ort wäre, um…«

»Ich würde wetten, dass er das Ding lieber bei sich hat«, warf Marlowe dazwischen und spähte hinter eine gerahmte Weltkarte. Dann strich er mit dem Finger über die Kassetten der Wandtäfelung. »Vielleicht verbirgt sich hinter einer von denen…«

»Moment mal, halt!«, rief Helen aufgeregt. »Schau nach unten.«

»Sie sind abgenutzt, ich weiß«, sagte Marlowe und betrachtete seine Stiefel. »Ich wollte mir schon lange…«

»Nein. Unter den Stiefeln.«

Er stand auf einem kleinen, in kräftigen Farben gemusterten Teppich. Ein ägyptischer Mamluk, dachte Helen. »In der Halle, im Salon, in den Schlafgemächern, überall liegen die feinen Teppiche auf Bänken und Truhen«, sagte sie. »So als würde man sie für zu wertvoll halten, um darauf zu gehen. Aber hier…«

»Natürlich«, murmelte Marlowe und kniete sich auf den Boden.

Gemeinsam rollten sie den Teppich zusammen, und darunter kamen drei Bodendielen zum Vorschein, die kürzer waren als alle anderen. Helen zog ihr Messer aus dem Stiefel und stemmte sie hoch. Darunter befand sich ein Geheimfach ... und darin eine kleine Holztruhe.

Die Truhe stand auf dicken, etwa ein Zoll hohen Füßen und zeigte vorne und an den Seiten feine Schnitzmuster. Als sie den glatten, polierten Deckel anhoben, sahen sie nichts als zusammengelegten Seidensamt in einem kräftigen blutroten Farbton. Marlowe schlug den Stoff auf. Zum Vorschein kam ein Fächer aus Pfauenfedern, reich verziert mit Saphiren und Smaragden. Als Helen das Seidenpäckchen heraushob, fand sie ein zartes, geschnitztes Elfenbeinkästchen und einen Satz Elfenbeinmesser.

Außerdem gab es mehrere Stücke türkischen Porzellans – mit feinen Mustern in Königsblau, Meeresgrün und Ocker –, einen goldenen Teller mit einem Lotusmuster, einen Spucknapf aus vielfarbigem Cloisonné und, eingewickelt in mehrere Schichten Samt, den weidengrünen Jadedrachen mit Rubinen als Augen. Das Ganze lag auf einem Bett aus Edelsteinen von der Größe von Rotkehlcheneiern.

»Unendliche Reichtümer auf kleinstem Raum«, bemerkte Helen.

»Schön gesagt«, erwiderte Marlowe grinsend. »Woher kennst ...«

»Ich habe dein Theaterstück gesehen, als ich letzten Februar in London war. Zwei Mal.«

Marlowes *Der Jude von Malta* war im vergangenen Winter im Rose aufgeführt worden. Helen staunte noch immer über das, was sie an diesem Vormittag erlebt hatte. Da sie sich vor dem leeren, verschlossenen Rose verabredet hatten, hatte sie angenommen, dass sie einbrechen würden, und war deshalb sehr überrascht, als Marlowe seinen eigenen Schlüssel aus der Tasche zog. Hatte er ihn gestohlen? Oder war er ein Schauspieler?, fragte sie sich. Doch drinnen hatte sie dann die Ehrerbietung erlebt, die der Besitzer ihm entgegenbrachte, und verblüfft erkannt, dass Kit – der Spion, mit dem sie nun schon mehrere Tage verbrachte – *der* Kit war: Londons beliebtester Stückeschreiber.

»Ist vielleicht nicht gerade wie ein von ihm verfasstes Geständnis«, sagte Marlowe mit Zufriedenheit in der Stimme. »Aber solche Schätze – bei den beschränkten Handelswegen, wie wir sie im Augenblick haben – werden zumindest Fragen aufwerfen.«

Er stand auf.

»Greenwich?«, fragte Helen.

Marlowe nickte.

»Es ist spät.«

»Die beste Zeit, um in den Park zu schleichen.«

»Aber doch nicht durch den Haupteingang, oder?«

»Es ist noch zu früh, um alles zu enthüllen. Noch ist zu viel…
unsicher. Aber unterdessen weiß ich genau das richtige Versteck.«

Während sie die Ivy Lane entlang zum Fluss gingen, versuchte
Helen zu verdrängen, dass sie dabei war, sich in einen Mann zu
verlieben, der sie mit nichts als Freundschaft in den Augen anlächelte.

Am Strand von Deptford – Nacht

Das Schwert auf den Knien, saß Nick Skeres auf einem Baumstumpf auf der Weide gegenüber von Eleanor Bulls Haus. Seit
Stunden spähte er schon durch die Hecke. Thomas Phelippes hatte
gesagt, wenn Marlowe eintreffe, würde er die eine oder die andere
Art von Beweis bei sich tragen, dass Sir Robert Cecil in einen Verrat verwickelt sei. Phelippes hatte Skeres zwanzig Pfund angeboten, wenn er diese Beweise an sich bringe. Für fünf Minuten Arbeit
war das eine unwiderstehliche Summe.

Wenn es so lief, wie er es sich ausgedacht hatte, würde er sich
von hinten an Marlowe heranschleichen und ihm das Heft seines
Schwerts über den Kopf ziehen. Denn er hoffte, ihre Freundschaft
bewahren und Marlowes Leben verschonen zu können.

Nicht so Ingram Frizer.

Am anderen Ende der Stadt, in einem Gasthaus am gegenüberliegenden Rand von Deptfords Dorfanger, schärfte Frizer sein
Schwert. Er hatte Sir Robert Cecil versichert, dass Marlowe noch
vor Sonnenaufgang tot sein werde, und er hatte vor, sein Wort zu
halten.

27

Nachdem sie am Westminster Pier aus dem Boot gestiegen waren, mussten Kate und Medina nicht weit gehen.

Dreißig Minuten später waren sie auf der anderen Seite des Flusses beim London Eye, dem gigantischen Riesenrad der Stadt, angekommen. Es war eine sehr belebte Gegend und vor allem bei Touristen sehr beliebt.

»Kann gut sein, dass wir unsere Lockvögel schon gefunden haben«, sagte Kate.

Die drei jungen Russinnen, denen sie sich eben vorgestellt hatte, waren Anfang zwanzig, und keine sprach mehr als ein paar Worte Englisch.

Mit ruhiger Stimme und in Russisch erklärte Kate ihnen noch einmal ihr Angebot in allen Einzelheiten. Anfangs schienen sie verwirrt, doch als sie geendet hatte, nickten sie begeistert.

In einem nahen Café besprachen die fünf die Details. Bevor die Mädchen gingen, gab Medina jeder von ihnen einen Umschlag. Ein Fünftel jetzt, sagte Kate, den Rest später an diesem Abend.

Wegen der Höhe des Betrags und der einfach zu bewerkstelligenden Aufgabe hatten Kate und Medina keinen Zweifel, dass die Mädchen tun würden, was sie von ihnen wollten.

»Ich bin furchtbar spät dran«, sagte Medina und fasste Kate an der Hüfte. »Der Verkehr ist entsetzlich, und meine Besprechung beginnt in fünfzehn Minuten.«

»Wenn du die U-Bahn nimmst, Mr. Weichei, dann sollte das kein Problem sein«, bemerkte sie. Sie standen in der Nähe des Eingangs zur Westminster Station. »Die Linie führt direkt in die City.«

»Gute Idee. Daran habe ich überhaupt nicht gedacht«, gab er zu. »Und was machst du?«

»Ich war fast die ganze letzte Nacht wach. Berichte entziffern, mein Aussehen verändern, reisen… ich brauche jetzt ein Nickerchen.«

»Aber du kannst doch nicht in dein…«

»In unserem Bürogebäude gibt es ein Gästeappartement«, erklärte Kate. »Und das ist seit gestern wieder frei.« Gemma George, die Empfangsdame von Slades Londoner Büro, hatte ihre Sachen bereits aus dem Connaught geholt.

»Aber wenn das Connaught überwacht wird, wird man dich sehen. Euer Büro ist doch gleich gegenüber.«

»Ja, aber es gibt einen Hintereingang.«

»Du bist natürlich in meinem Haus willkommen.«

»Danke, aber du bist eine Ablenkung, und…«

»Aber eine gute«, sagte er und zog sie an sich.

»Deshalb will ich dich jetzt ja nicht sehen. Ich will bis zehn Uhr schlafen. Du weißt schon, als Vorbereitung.«

»Wollen wir das wirklich durchziehen?

»Kalte Füße, Cid?«

»Ein bisschen«, sagte er verlegen. »Immerhin könnten wir ins Gefängnis kommen.«

»Nicht, wenn ich bei dir bin. Und vergiss nicht, die Parkaufsicht denkt, sie bewacht nur Bäume und Gras. Keine unbezahlbaren Schätze.«

»Da hast du allerdings Recht. Rufst du mich an, wenn du aufwachst?«

Kate nickte.

»Übrigens, wenn alles vorbei ist, dann möchte ich, dass du mit mir in Urlaub fährst. Wäre sowieso eine gute Idee, da doch dieser aufdringliche Italiener hinter dir her ist.«

»Ich fühle mich geschmeichelt«, erwiderte sie. »Und ich würde auch gern, aber mein Vater… macht gerade eine schwere Zeit durch. Ich habe vor, nach Washington zu gehen und ein bisschen bei ihm zu bleiben.«

Dabei fiel Kate ein, dass ihr Freund Jack sie zu einer gemeinsamen Reise eingeladen hatte, und sie nahm sich vor, ihn zu fragen, ob er auch mit Washington, D.C. zufrieden wäre. Jack hatte während der Grundschule mehr als ein Jahr bei ihnen gewohnt, und es wäre vielleicht eine gute Idee, das leere Haus ihres Vaters mit so etwas wie einer Familie zu beleben.

»Okay«, sagte Medina. »Aber wann sehen wir uns wieder?«

»Ich bin hin und wieder geschäftlich hier. Und in der Zwischenzeit«, ergänzte sie spöttisch, »dürftest du wohl kaum Schwierigkeiten haben, eine andere Picknick-Partnerin zu finden.«

Medina schüttelte langsam den Kopf. »Das ist wirklich tragisch«, jammerte er.

»Was?«

Er seufzte. »Ich glaube, du hast mich für alle Frauen ohne Hirn verdorben.«

Kate lachte. »Cidro, ich will dir eine kleine Geschichte erzählen. Du weißt doch noch, dass Marlowe eines seiner Gedichte als Code für seine letzte Nachricht benutzte?«

»Ja.«

»Na ja, es ging um Hero und Leander.«

»Das Paar, das durch einen Fluss oder so etwas getrennt war?«

»Ja. In der klassischen Version gab es eines Nachts einen Sturm, und als Leander hinüberschwamm, um Hero zu besuchen, ging die Lampe in ihrem Turm aus. So ohne jede Orientierung ertrank er, und seine Leiche wurde unter ihrem Fenster an Land gespült. Sie sprang hinaus, auf seinen Körper. Und starb, als sie unten auf die Felsen knallte.«

»Heißt das, du magst keine Distanzbeziehungen?«

Kate drückte die Hände auf die Ohren und ächzte, als würde sie hören, wie Fingernägel über eine Tafel kratzen.

»Vanessa?«, fragte Medina lachend.

Kate nickte. »Sie hat eben gekreischt, da würde sie lieber Spinnen essen.«

»Dann sag ihr, sie soll sich eine Gabel schnappen und bereit sein. Auch wenn sie eine harte Nuss ist, meine Überredungskünste sind unerreicht.«

Der St. James Park, früher ein Teil des Jagdgebiets von Henry VIII. wegen des dichten Wildbestands, war jetzt eine öffentliche Grünfläche mit einem dichten Bestand an Sonnenhungrigen, Kindermädchen samt Kinderwagen, und Beamten, die leise Staatsgeschäfte besprachen. Der Park war einer von Kates Lieblingsplätzen in London. Weiden rauschten an einem See voller schwankendem Riedgras und dümpelnden Gänsen, und die Blumenbeete, obwohl makellos gepflegt, waren unregelmäßig geformte und wild zusammengemischte Farborgien.

Während Kate am Birdcage Walk entlang nach Westen zu ihrem Büro ging, hinterließ sie Max eine Nachricht, in der sie ihn fragte, ob er Glück bei seiner genealogischen Recherche gehabt habe – ob er irgendwelche potenziellen Kandidaten für den Jade Dragon gefunden habe.

Der Mann, den Kate identifizieren wollte, war in seinem Schlafzimmer und bereitete sich auf den bevorstehenden Abend vor. Hatte er erst den Schatz seiner Familie in Händen, würde er noch vor Sonnenaufgang nach Bangkok aufbrechen.

Da die Mittel, mit denen er sein Vermögen aufgebaut hatte, alles andere als legal waren, beschäftigten sich die Behörden seit einiger Zeit sehr eingehend mit ihm. Nachdem er ihnen jahrelang ein Schnippchen nach dem anderen geschlagen hatte, wurden jetzt seine Konten, auch die in den Steueroasen, aufs Genaueste geprüft. Er wusste nicht, welche Regierungsstelle sein Sicherheitsnetz durchbrochen hatte, aber er wusste, dass man seine Konten demnächst einfrieren würde.

Zum Glück hatte er letzte Woche, dank eines verblüffenden und wirklich überraschenden Anrufs, von der Entdeckung eines Manuskripts erfahren, das höchstwahrscheinlich die Informationen enthielt, die er schon sein ganzes Leben lang suchte.

Nach einer alten Familienlegende hatte Christopher Marlowe im Mai 1593 Sir Robert Cecil eine Truhe mit außerordentlichen Kostbarkeiten gestohlen und kurz vor seinem Tod einen Bericht mit Angaben über ihr Versteck geschrieben. Dieser Bericht, so hieß es, sei in die Hände von Thomas Phelippes gefallen, der ihn allerdings nie hatte entziffern können.

Der Diebstahl selbst war für seinen Vorfahren kein Desaster gewesen. Cecil hatte sich finanziell wieder erholt, und was er an illegalen Aktivitäten unternommen hatte, um in den Besitz dieses Schatzes zu kommen, war nie aufgedeckt worden. Seine politische Karriere hatte sich auf eine beeindruckende Weise weiterentwickelt. Elizabeth I. ernannte ihn schließlich zum Staatssekretär, und James I. erhob ihn als Dank für die Niederschlagung des Gunpowder Plot in den Grafenstand. Er hatte alle seine politischen Rivalen ausgestochen – hatte sogar miterlebt, wie Essex wegen Hochverrats geköpft wurde –, aber bis zu seinem Lebensende hatte Cecil den Verlust eines ganz besonderen Gegenstands aus dieser Truhe beklagt. Ein wundervoll geschnitzter, mit Edelsteinen verzierter Jadedrachen.

Jade Dragon fluchte laut, denn ihn bedrückte die Trauer um seinen Freund Simon Trevor-Jones, »die Katze«. Er würde Simon vermissen. Aber die Zeit war knapp gewesen, und er hatte in London keine anderen fähigen Diebe gekannt. Dabei hätte er jemanden von Simons Kaliber gar nicht gebraucht, sondern nur einen Dieb, der in ein Haus einsteigen und einen Safe knacken konnte, ohne Alarm auszulösen.

Doch dann schüttelte er die düsteren Gedanken ab und packte weiter. Simon war gut gewesen, aber kein Mensch war unbesiegbar. Irgendwann wäre Simon gefasst worden, und da es so aussah, als hätte er vorgehabt, im Augenblick seiner Verhaftung Selbstmord zu begehen, war sein früher Tod unvermeidlich.

Er war allerdings nicht vergebens gewesen, dachte Jade Dragon. Schätze, deren Herkunft für niemanden zu eruieren gewesen war, waren für ihn jetzt zum Greifen nah. Erfreulich war es auch, dachte er, dass der peinliche Verlust seines Vorfahren nun korrigiert würde.

Kate durchquerte eben den Green Park, als Max sie anrief. Seinem Namen entsprechend, war der Park völlig grün, mit der Ausnahme eines einzelnen, rosa blühenden Baums und ein paar Dutzend welkender Narzissen.

»Slade schüttet mich zu mit Arbeit, aber ich werde mich bald um die Nachfahren dieser Jungs kümmern«, sagte Max. »Robert

Cecil, Ingram Frizer, Robert Poley und Nicholas Skeres? Das sind alle, nicht?«

»Im Augenblick. Ich dachte, es wäre sinnvoll, mit den Hauptbeteiligten an Marlowes Mord anzufangen, mit der Ausnahme von Thomas Phelippes«, sagte Kate. »Bei denen ist es am wahrscheinlichsten, dass sie Zugang zu den relevanten Informationen gehabt und sie über die Jahrhunderte weitergegeben hatten... du weißt schon, heimlich, still und leise.«

»Kapiert. Außerdem wollte ich dir noch was sagen. Diese Handynummer, die ich nicht zuordnen konnte.«

»Der Anruf bei der Katze letzte Woche?«

»Genau. Es hat sich gezeigt, dass dieses Gerät nur ein einziges Mal benutzt wurde, für diesen einen Anruf.«

»Gekauft unter einem fiktiven Namen.«

»Ja. Und inzwischen wahrscheinlich weggeworfen.«

»Passt zu Jade Dragons Stil«, sagte Kate.

»Hey, wegen heute Nacht. Glaubst du, dass er dich heute in den Park verfolgen ließ?«

»Nein. Ich habe keinen Menschen gesehen. Wenn jemand Medina von seinem Büro weg verfolgte, dann ist er offensichtlich auf meine Verkleidung hereingefallen – dachte wohl, Medina geht mit einem neuen Mädchen zum Essen und kann deshalb in Ruhe gelassen werden.«

»Und heute Nacht, wie willst du...«

»Medina und ich gehen in eine Disco und verschwinden durch die Hintertür.«

»Klingt gut. Trotzdem, der Gedanke, dass du ohne Rückendeckung...«

»Wenn ich geschnappt werde, dann als Vanessa, eine Kellnerin aus New York mit einem authentischen Pass, um es zu beweisen. Ich kann doch von niemandem aus Slades Londoner Büro verlangen, mit mir in königlichen Besitz einzubrechen.«

»Stimmt. Und das ist der Grund, warum du für einen Fall aus dem privaten Sektor eigentlich kein solches Risiko eingehen solltest. Kein Kunde ist das wert.«

»Max, das heute Nacht ist für mich, nicht für Cidro. Ich habe aufgehört, ihm Rechnungen zu stellen, als ich nach London zurückkam. Der Fall ist so gut wie abgeschlossen. Sobald wir wissen, welcher dieser Nachfahren in solch großen Geldnöten ist, dass er eine lange Gefängnisstrafe riskiert oder, besser noch, dass seine Verbindung zu Simon Trevor-Jones aufgedeckt wird ...«

»Okay. Aber ich will, dass du morgen früh in der allerersten Maschine sitzt. Ich habe Slade gesagt, dass ich dich hier im Büro eingesperrt halte, weißt du noch?«

»Kein Problem«, sagte Kate und stieg die Treppe zum Gästezimmer der Londoner Filiale hinauf.

»Ruf mich an, wenn du die Flugzeiten hast, und ich hole dich am Gate ab.«

»Jawohl, Sir.«

Nachdem er die Kleidungsstücke herausgesucht hatte, die er mitnehmen wollte, ging Jade Dragon in sein Arbeitszimmer. Er öffnete eine verschlossene Schublade seines Schreibtisches, holte seine Lieblingspistole heraus und schraubte einen Schalldämpfer darauf. Allerdings steckte er sie nicht in den Koffer. Er würde sie an diesem Abend noch benutzen.

28

Welch starker Zauber lockt meine schwache Seele?

THERIDAMUS in Marlowes *Tamerlan*, Teil 1

Deptford – Nacht, Mai 1593

Nick Skeres schlug sich auf die Stirn.

Half nichts.

Er versuchte es noch einmal.

Er fühlte sich benebelt, die Lider wurden immer schwerer. Der Schlaf schlich sich heran.

Vielleicht hat Phelippes sich geirrt, dachte Skeres. Vielleicht kam Marlowe an diesem Abend gar nicht zur Witwe Bull. Und auch wenn er es tat, würde er dann nicht bis weit nach Sonnenaufgang schlafen? Ja, folgerte Skeres. Sonnenaufgang wäre die beste Zeit, um sich die Beweise zu schnappen, die Marlowe gegen Cecil haben mochte.

Links des Baumstumpfs, auf dem er gesessen hatte, lockte ein dichter Fleck weichen Grases. Skeres legte sich hin, schloss die Augen und vertraute darauf, dass die Sonne ihn wecken würde.

Während er einschlief, hatte er keine Ahnung, dass Marlowe und die Beweise sich kaum zwanzig Meter entfernt in einem Boot befanden, das schnell die Themse hinunter in Richtung Greenwich fuhr.

Als Marlowe bei der Witwe Bull eintraf, begrüßte ihn die dralle Frau mittleren Alters und führte ihn in eine schlichte und doch bequeme Schlafkammer im Obergeschoss.

Er war allein. Nachdem sie Roberts Cecils Truhe vergraben hatten, hatten er und Helen sich getrennt. Sie machte sich auf den

Weg in das Dorf, in dem sie aufgewachsen war, in der Tasche eine Hand voll von Cecils Juwelen für ihre Familie. Sie würde erst am nächsten Morgen zurückkehren. Marlowe klopfte sich auf seinen linken Stiefel. Er hatte sich ebenfalls ein paar Steine genommen. Er und Helen hatten eine Bezahlung für ihre Dienste verdient, dachte er. Außerdem, wer wusste, wie lange er ohne Bezahlung für seine Stücke oder fürs Spionieren würde überleben müssen? Wer wusste, ob er überhaupt je nach England zurückkehren könnte?

Er setzte sich an den Tisch in der Mitte des Zimmers und breitete die Seiten seines Gedichts vor sich aus. Dann holte er Tinte, eine Feder und ein frisches Blatt Papier aus seiner Tasche und verfasste einen codierten Brief an die Königin.

London – Nacht

Thomas Phelippes schrieb ebenfalls.

Über seinen Schreibtisch gebeugt, kopierte er das Sendschreiben, das er tags zuvor aus dem Versteck in der Kapelle an der London Bridge geholt hatte – Marlowes Bericht über den ungenannten Engländer, der eine Allianz mit einem Barbaren-Piraten eingegangen war. Obwohl Phelippes das Original über eine Kerze gehalten hatte, deren Flamme die bis dahin unsichtbaren Buchstaben dunkelbraun gefärbt hatte, war die Nachricht unverständlich geblieben, da Marlowe einen einfachen Code verwendet hatte. Dennoch musste er sie kopieren. Der üble Gestank von Zwiebelsaft war für Phelippes' geheimes Kompendium völlig unpassend. Diese Abschrift würde jedoch einen herausragenden Platz einnehmen: die zweitletzte Seite.

Danach legte er die Feder weg, klappte das Tintenfass zu und verbrannte Marlowes Original. Nun kehrten seine Gedanken zu der Suche nach einem Titel zurück. Die Entscheidung musste bis Sonnenaufgang getroffen sein. Der Buchbinder erwartete ihn.

Phelippes griff nach seiner Liste mit Vorschlägen:

Über Geheimnisse: Enthaltend einen Auszug aus der Arbeit von Sir Francis Walsingham, Erster Sekretär, 1573–1590.

Ein Schatzkästlein der Taschenspielerei: Worin enthalten sind ausgewählte Geheimnisse des Sir Francis Walsingham, einschließlich angefügter Zusätze.

Eine Sammlung der denkwürdigsten Geheimnisse Englands, enthaltend ausgewählte Schriften von Sir Francis Walsingham und Thomas Phelippes.

Verdammt. Keiner passte.

Phelippes fragte sich, wann Nick Skeres mit den Informationen eintreffen würde, die den Abschluss dieser Sammlung bilden sollten. Die würden ihn schon auf die richtige Idee für den Titel bringen, dachte er. Zweifellos würde die Lektüre von Marlowes letztem Bericht ein höchst inspirierender Augenblick sein.

Deptford – Nacht

Kurz nachdem Marlowe seine letzte Zahlenreihe niedergeschrieben hatte, ertönte an der Haustür ein Klopfen. Als er hörte, dass Witwe Bull die Tür öffnete, schob er seine Papiere zusammen und steckte sie in seine Tasche.

Die Treppe knarzte. Die Tür zur Nachbarkammer öffnete und schloss sich wieder. Dann weitere Schritte.

Robert Poley erschien mit einer Flasche Wein und zwei Bechern in der Hand. »Raleighs Schiff läuft mit der nächsten Flut aus«, sagte er. »Bei Anbruch des Morgens bringe ich dich, versteckt in einem kleinen Karren, dorthin.«

Marlowe nickte.

»Sollen wir einen trinken, Kit?«

»Was kann ich denn sonst noch tun?«

»Hast du die Beweise für Cecils Mittäterschaft bei dem Schmuggel gefunden, wie du erwartet hast?«, fragte Poley später.

Marlowe antwortete nicht. Seine Lippen und seine Zunge kribbelten, und er fragte sich, warum.

»Der Beweis für Cecils Schuld«, fragte Poley noch einmal. »Hast du ihn gefunden?«

Marlowe merkte, wie sein Blick unwillkürlich zu seiner Tasche wanderte. Mit großer Mühe schaffte er es, die Augen zu schließen, aber es war zu spät. Was geschah nur mit ihm?

»Leider hat die Lage sich geändert«, sagte Poley düster und zog einen Dolch aus seinem Ärmel.

Marlowe sah das Licht der Kerze auf der Klinge funkeln und dachte an sein Schwert, das über dem Bett hing. Konnte er die Beine unter dem Tisch herausziehen und das Schwert ergreifen, bevor Poley ihn erreichte?

Er versuchte, sich zu bewegen, aber seine Glieder rührten sich nicht. Es war, als hätte sich eine Decke aus Eisenfäden über seinen Körper gelegt.

Als der Schmerz kam, raubte er ihm fast die Besinnung. Marlowe spürte eine warme Flüssigkeit über sein Gesicht rinnen, und sein rechtes Auge schien in die tiefsten Feuer der Hölle gestoßen worden zu sein.

Er hörte einen markerschütternden Schrei und fragte sich noch, ob das sein eigener war, als alles schwarz wurde.

29

Ruislip, London – 0 Uhr 53, Gegenwart

Auf dem RAF Northolt, einem nicht öffentlichen, militärischen Flugplatz, der von Königshaus, Politikern, Prominenten und anderen VIPs genutzt wurde, stand auf der Rollbahn eine Gulfstream G550, die vor kurzem aus Neapel gekommen war. Vier durchtrainierte Männer stiegen aus.

»Wir steigen jetzt in den Hubschrauber, Sir«, sagte einer der Männer in sein Handy.

»Hat sie Greenwich schon erreicht?«, entgegnete de Tolomei.

»Noch nicht. Wir werden kurz nach ihrem Eintreffen dort sein.«

In ihrem Hauptquartier am Südende des Greenwich Park saßen zwei Beamte der Royal Park Constabulary und schauten sich verwirrt an. Was war das für ein Lärm? Junge Frauen, die lachten und kreischten, so wie es klang. Fuhren da Jugendliche mit offenem Verdeck vorbei? Leute, die von einer Party in der Nähe kamen?

Sie wandten sich wieder ihrer Lektüre zu. Da sie erst vor zehn Minuten von einer Patrouille zurückgekehrt waren, bei der sie die Hunde hatten laufen lassen, hielten sie es für unwahrscheinlich, dass Eindringlinge am Werk waren.

Plötzlich waren aus der Entfernung Planschgeräusche zu hören.

Vom Fluss? Oder von dem Teich am Nordtor?

Kate und Medina gingen schweigend die Maze Hill entlang, die Straße am östlichen Rand des Greenwich Park.

Als sie sahen, dass der Polizeiwagen die zentrale Allee des Parks hinuntersauste, schlüpften sie durch das Maze Hill Gate. Kate hatte es ein paar Minuten zuvor mit Simon Trevor-Jones' Pistolendietrich geöffnet, um die Russinnen einzulassen.

»Du kennst das Sprichwort über Griechen, die Geschenke bringen?«, fragte sie und fing an zu laufen.

»Hüte dich vor Russinnen in Bikinis«, erwiderte er leise.

In weniger als einer Minute hatten sie den wie einen Schiffsrumpf geformten Graben erreicht. Da die Bäume in der Umgebung ihnen fast das gesamte Mondlicht nahmen, stiegen sie sehr vorsichtig den etwa sieben Meter tiefen Abhang hinunter.

»Von hier aus«, sagte Kate und stellte sich an den imaginären Schiffsbug, »sagt Marlowe, müssen wir ein, zwei Schritte in Richtung Heck gehen. In seinem Gedicht kommen die Wörter ›drei‹ und ›zwölf‹ nicht vor, deshalb gehe ich davon aus, dass er eins der beiden meinte. Fangen wir mit drei an.« Kate setzte sich in Bewegung und machte drei Schritte, die sie für Männerschritte hielt.

Medina öffnete unterdessen die Werkzeugtasche, zog einen Metalldetektor heraus und hielt ihn über die Stelle, wo Kate stand. Nichts passierte.

Kate machte nun neun weitere Schritte. Medina versuchte es noch einmal. Als das Gerät leise zu piepsen begann, packten sie die Spaten aus und fingen an zu graben.

Zum Entsetzen der Beamten des Royal Park hielten drei junge Frauen in Badeanzügen eine Art Spritzwettbewerb ab.

»Entschuldigen Sie. Der Park ist schon seit Stunden geschlossen«, verkündete einer der Beamten.

Die Mädchen beachteten ihn nicht.

Er versuchte es noch einmal. »Ladies, der Park ist geschlossen! Und Schwimmen ist unter allen Umständen verboten.«

Die Mädchen hielten inne und drehten sich um. Grinsend fingen sie an, in einer Sprache zu reden, die wie verwaschenes, alkoholisiertes Russisch klang.

Medinas Spaten traf auf etwas Hartes.

Behutsam weitergrabend, legte er eine glatte, hölzerne Oberfläche von fünfundvierzig mal dreißig Zentimetern Kantenlänge frei. »O Gott«, rief er aufgeregt und beugte sich über das Loch, um Kate zu küssen.

»Cid, für das ist später noch Zeit«, sagte sie lachend und stieß ihn weg. Sie fing an, auf ihrer Seite des Lochs Erde wegzuschaufeln, dann hoben sie die Truhe behutsam aus dem Loch und stellten sie auf ein Stück Wiese, das von einem durch die Blätter fallenden Strahl Mondlicht erhellt wurde.

Kate schlug Medina auf die Hand, als der nach dem Deckel greifen wollte. »Nicht so schnell, Mister ›Springt zum Schluss‹.«

Mit einem Geschirrtuch, das er von zu Hause mitgebracht hatte, wischte sie den gröbsten Schmutz weg. Auf der Vorderseite der Truhe waren in drei gleich große, umrahmte Felder Sträuße Gänseblümchen ähnlicher Blumen eingeschnitzt, und diese Felder umrahmte eine dicke Einfassung aus sich windenden, blühenden Ranken, die an Kletterklematis erinnerten. Die Seiten, das sah sie nun, waren ähnlich verziert, nur kleiner, mit je einem Gänseblümchenfeld.

»Sind wir jetzt soweit?«, fragte Medina trocken.

Kate nickte lächelnd.

Er hob den Deckel an, und darunter kam verknitterter, sich zersetzender Samt zum Vorschein. Behutsam stieß er den Stoff mit den Fingerspitzen an. Rötlicher Staub stieg auf und wirbelte in dem Lichtstrahl wie Blut in einem Reagenzglas.

Etwas Hellgrünes war nun zu sehen. Eine Spitze.

»Der Drachenschwanz?«, hauchte Kate.

Medina deutete mit geöffneter Handfläche darauf.

»Was für ein Gentleman«, sagte sie und nahm den Gegenstand behutsam in die Hand.

Als sie den Kopf senkte, um die Samtschichten zurückzuschlagen, fiel ihr ein Vorhang aus schwarzen und roten Haaren vors Gesicht.

In diesem Augenblick griff Medina nach hinten, und zog die schallgedämpfte Hämmerli 280, die er unter seinem Sweatshirt versteckt hatte.

30

Ach, dass sein Herz in meine Hand nur spränge.

Ein Mörder in Marlowes
Das Massaker von Paris

Deptford – Nacht, Mai 1593

Bald würde die Sonne aufgehen.

Auf dem Weg zum Deptford-Strand durchquerte Ingram Frizer den stillen Ort. Als er sich dem Fluss näherte, unterlag der Wohlgeruch der Pflaumen- und Kirschbäume dem Gestank der Fleischereien, Fischgeschäfte und Abwasserkanäle. Er bog in einen schmalen Feldweg ein, blieb stehen und musterte Eleanor Bulls Haus.

Alles war still.

Der Hintereingang lag in einem von einer Mauer umgebenen Garten. Das Tor war mit Kette und Vorhängeschloss versperrt. Frizer kletterte über die Mauer, knackte das einfache Schloss der Hintertür und schlüpfte geräuschlos ins Haus.

Direkt hinter der Tür blieb er stehen und lauschte. Nichts. Behutsam stieg er die Treppe hinauf.

Er betrat die erste Schlafkammer. Sie war leer. Er versuchte die zweite. Ebenfalls leer. In der dritten sah er Scheite im Kamin glühen und einen Körper auf dem Bett liegen. Frizer meinte, das Wams zu erkennen, das Marlowe an diesem Tag im Rose getragen hatte. Die Silberknöpfe auf der Vorderseite glänzten im Schein des Feuers, und sie hatten eine merkwürdige, einprägsame Form.

Während seine Augen sich an das Dämmerlicht gewöhnten, ging er langsam auf das Bett zu. Er bemerkte, dass Marlowes Schwert auf dem Tisch in der Zimmermitte lag. Ausgezeichnet. Frizer hob seinen Dolch und stöhnte dann vor Ekel auf.

Offensichtlich hatte irgendjemand seine Arbeit bereits für ihn erledigt. Marlowes rechter Augapfel baumelte neben seinem Ohr, in der Augenhöhle steckte ein Dolch. Blut war auf seiner unnatürlich blassen Haut getrocknet, und ein großer Fleck verdunkelte das Kissen unter seinem Kopf.

Aufgeschreckt von einem Geräusch, drehte Frizer sich um.

Robert Poley trat ins Zimmer. »Ingram, ein guter Zeitpunkt«, sagte er und faltete ein großes, weißes Laken auf. »Cecil sagte mir, du sollst das aussehen lassen wie Notwehr?«

Frizer nickte.

»Dann sollten wir uns sofort die entsprechende Geschichte überlegen«, sagte Poley und deckte Marlowes Leiche mit dem Laken zu. Er setzte sich auf eine der Bänke am Tisch. »Ich hatte Glück, dass ich ihn heute Nacht antraf, aber du bist der Einzige, der dieser Geschichte Glaubwürdigkeit verleihen kann. Setz dich.«

Frizer setzte sich. »Marlowes aufbrausendes Temperament ist allgemein bekannt«, sagte er. »Vor allem, wenn er getrunken hat. Ich halte es für angebracht, zu sagen, dass wir…«

Bevor Frizer den Satz beenden konnte, ertönte von unten ein leises Quietschen. Es war die Vordertür, erkannte er. Jemand war auf der Treppe.

Nick Skeres kam herein.

Frizer sah, dass Skeres zu erfassen versuchte, was er und Poley in *dieser* Nacht in *diesem* Zimmer zu schaffen hatten. Er kannte Skeres ziemlich gut. Sie hatten regelmäßig geschäftlich miteinander zu tun. Skeres arbeitete außerdem für Thomas Phelippes, aber zum Glück stellte das keine Gefahr mehr dar. Denn er und Poley hatten Marlowe aufgehalten, bevor er sich seinen so genannten Beweis für Cecils unrechtmäßige Unternehmungen beschaffen konnte, was immer das hätte sein können.

»Ich suche Marlowe«, sagte Skeres. »Phelippes will mit ihm sprechen. Ist er hier?«

Frizer deutete zu dem Umriss des Körpers unter dem Laken. »Er hat sich geweigert, für sein Essen zu bezahlen. Wir haben gestritten. Er ist mit dem Dolch auf mich losgegangen.«

Skeres schüttelte ungläubig den Kopf. »Du hast ihn getötet?«

»Ich hatte keine andere Wahl«, erwiderte Frizer.

Poley stand auf, nahm die lederne Tasche vom Tisch und hielt sie Skeres hin. »Das ist Marlowes«, sagte Poley. »Ich habe darin eine verschlüsselte Nachricht gesehen. Vielleicht ist sie ja das, was du brauchst.«

Skeres streckte die Hand aus.

Poley trat einen Schritt zurück. »Nur wenn du mittags zurückkommst und vor dem Leichenbeschauer schwörst, dass das, was Frizer sagt, der Wahrheit entspricht.«

»Natürlich«, sagte Skeres.

Frizer sah zu, wie Poley die Tasche übergab, und staunte, wie geschickt der Mann die Lage für sich ausgenutzt hatte. Was der Inhalt von Marlowes Nachricht auch sein mochte, Frizer war sicher, dass es nicht das sein konnte, wonach Phelippes suchte, doch Poley hatte Skeres vom Gegenteil überzeugt. Und dabei hatte Poley sich eines weiteren Zeugen zur Bekräftigung ihrer Geschichte versichert. Brillant.

Nachdem Skeres das Zimmer verlassen hatte, wandte Poley sich an Frizer. »Hättest du was dagegen, den Königlichen Leichenbeschauer zu holen?«, fragte er. »Wohnt in Woolwich, fünf Meilen östlich von hier.«

»Ganz und gar nicht«, erwiderte Frizer. »Ich habe ein Pferd hier.«

31

Greenwich – 1 Uhr 04, Gegenwart

Kühles, blasses Minzgrün mit einem leichten Schimmer. Blitzende Rubine unter zornigen Brauen. Eingebettete kleine Diamanten bildeten ein Schuppenmuster. Die Flügel und der nach oben gebogene Schwanz waren mit zarten, goldenen Intarsien akzentuiert.

Der Jadedrachen war ein Meisterstück.

Als Kate hinter sich eine Bewegung spürte, hob sie den Kopf. Medina stand eben auf und richtete eine Pistole auf ihren Kopf.

»Cid? Was soll... du warst das also die ganze Zeit?«

Er antwortete nicht.

»Jade Dragon – er war nur eine Illusion«, murmelte sie und stand nun ebenfalls langsam auf. »Um uns Gefahr und Dringlichkeit vorzuspielen... um mich dazu zu bringen, das Manuskript zu entziffern, ohne damit an die Öffentlichkeit zu gehen.«

Er löste den Sicherungshebel seiner Pistole.

»Du hast das Manuskript überhaupt nicht selbst gefunden, oder?«, fragte sie mit zitternder Stimme. »Es war Andrew Rutherford. Diese Akte, die ich in seinem Büro fand... bei der man den Eindruck bekam, als hätte er selbst schon eine ganze Weile daran gearbeitet... er hatte es tatsächlich getan. Mein Gott, du hast ihn umgebracht. Ein wehrloser alter Mann, der über der Entdeckung seines Lebens brütete. Wie konntest du nur?«

»Ich betrachte es lieber als Erlösung von seinem Leiden«, erwiderte Medina knapp. »Und wenn du nicht so penibel mit den Details in Marlowes Brief gewesen wärst, dann hätte sich das hier vermeiden lassen.« Er zielte und spannte den Finger um den Abzug.

»Jetzt haben wir ihn«, hörte Detective Sergeant Colin Davies Max in seinem Ohrhörer rufen. Wie sie alle wussten, war ein Geständnis die einzige Möglichkeit, Medina mit dem Mord an dem Professor in Verbindung zu bringen.

»Sie ist wirklich gut«, bemerkte Davies. »Das Zittern in ihrer Stimme! Respekt.«

»Das brauchen Sie mir nicht zu sagen. Und übrigens, danke für alles«, sagte Max.

»Ebenso.«

Anfangs hatte Davies sich gesträubt, bei Kates Plan für den Abend mitzumachen, weil er meinte, es sei zu gefährlich für sie, doch als sie ihn fragte, ob er wolle, dass Medina mit einem Mord davonkomme, hatte er nachgegeben.

Den Blick auf den Teich am nördlichen Tor gerichtet, sah Davies zu, wie die frustrierten Parkaufseher die russischen Mädchen in ihren Jeep verfrachteten. Einer von ihnen sagte etwas über einen Dolmetscher, der in zwanzig Minuten in ihrem Hauptquartier eintreffen solle.

Perfekt.

Dann joggte er nach Süden zum Maze Hill Gate.

Medina war verwirrt.

Er versuchte es noch einmal.

Nichts.

Der Jeep der Parkpolizei sauste, ohne anzuhalten, vorbei. Von der Straße aus waren er und Kate unten im Graben nicht zu sehen. Als er zum dritten Mal den Abzug drückte, sprang sie auf ihn zu und stieß ihm das Knie zwischen die Beine.

Eine Stunde zuvor hatte Kate heimlich die Patronen aus der Pistole genommen. Kurz nachdem sie an diesem Nachmittag eingeschlafen war, hatte Max sie angerufen und ihr gesagt, dass er mit der genealogischen Recherche angefangen und herausgefunden habe, dass Medina über seine Mutter ein indirekter Nachfahre von Robert Cecil sei. Danach hatten sie nur noch zwei und zwei zusammenzählen müssen.

Medina klappte zusammen und stöhnte vor Schmerz.

»Das war für die Katze«, sagte Kate kalt. »Den so genannten Freund, den du verraten hast. Und das«, fuhr sie fort und zog den

Reißverschluss ihres Sweatshirts ein paar Zentimeter auf, »ist für Andrew Rutherford.«

Als Medina den Kopf hob, sah er das Mikro, das auf ihrer Brust klebte. Er blieb stumm, aber seine Augen schossen Blitze.

Kate drehte den Kopf nach links. Medina folgte ihrem Blick – ins Leere –, sie drehte sich auf dem Ballen ihres linken Fußes und rammte ihm die rechte Ferse ins Genick.

»Und das, du Scheißkerl«, sagte sie zu seinem bewusstlosen Körper, »war für mich.«

»Die russischen Mädchen erhalten eine strenge Verwarnung und werden dann wieder auf freien Fuß gesetzt«, sagte Sergeant Davies, als er bei Kate ankam.

»Cool.« Und Max, das wusste sie, hackte sich eben in eines von Medinas Offshore-Konten, damit sie an den Rest ihres Honorars kamen.

In der Ferne war eine Sirene zu hören.

»Die Presse wird bald hier sein«, sagte Davies zu ihr, während er Medina Handschellen anlegte.

»Dann wird's Zeit, dass ich mich auf die Socken mache«, sagte Kate und sah Medina noch ein letztes Mal an. Ein hübsches Stück kosmischer Gerechtigkeit, dachte sie. Sir Robert Cecils Verrat war nun endlich aufgedeckt, und sein gestohlener Schatz ging zurück an den Staat; und das alles wegen der Gier seines Nachfahren.

»Keine fürs Rampenlicht, was?«

»Einen Kunden in die Falle zu locken, damit er vor Kameras verhaftet werden kann, ist keine gute PR für unsere Firma.«

»Dann sehen wir uns morgen früh«, sagte Davies. »Gute Arbeit, übrigens.«

»Danke.« Kate drehte sich um und kletterte aus dem Graben hinaus.

Als sie eine große Lichtung überquerte, tauchten plötzlich zwei Männer vor ihr auf. Beide ganz in Schwarz. Die Autos der Metropolitan Police sind noch unterwegs, dachte sie, weil sie die näher kommenden Sirenen hörte. Und diese beiden waren auf keinen Fall Reporter oder Beamte der Royal Park Constabulary. Hatte

Medina vorausgeahnt, was sie vorhatte, und deshalb für eigene Verstärkung gesorgt?

»Hallo«, sagte sie seelenruhig und zog einen Lippenstift aus ihrer Tasche. Auch wenn sie wusste, dass die beiden nicht auf ihrer Seite standen, mussten sie nicht wissen, dass sie es wusste. »Sie müssen Sergeant Davies' Partner sein«, sagte sie und hob den Lippenstift an die Lippen. »Ich weiß, ich habe ungefähr dreißig Sekunden, bevor die Presse hier ist, und deshalb ...«

Bevor auch nur einer der Männer es für angebracht hielt, seine Waffe zu ziehen, hatte Kate zwei Betäubungspfeile auf sie abgeschossen. Sekundenbruchteile später stürzten sie zu Boden.

Hinter ihr knackte ein Zweig. Es gab also noch einen Dritten. Okay, dachte sie und versuchte abzuschätzen, wie weit er entfernt war. Zwei Meter vielleicht?

Sie machte zwei schnelle Schritte rückwärts, wirbelte herum und ließ ihren Fuß in die Höhe schnellen. Sie spürte, wie ihre Ferse den Schädel des Mannes traf, bevor ihre Augen registrierten, dass er am Boden lag.

Mit einem Seufzen wandte sie sich nun noch einmal zum Gehen. Doch bevor sie einen Schritt machen konnte, spürte sie, wie ein starker Arm sie packte und ein feuchtes, stechend riechendes Stück Stoff auf ihr Gesicht gepresst wurde. Sofort umnebelte sich ihr Bewusstsein, und ihre Glieder wurden schlaff und nutzlos. *Ein Vierter ... Scheiße.* Kate spürte, wie sie hochgehoben und über eine Schulter gelegt wurde. Sie sah noch die Beine des Mannes, der sie irgendwohin trug, dann wurde sie ohnmächtig.

New York City – 20 Uhr 38

Max wusste, dass etwas nicht stimmte. Schon vor mehr als zehn Minuten hätte Kate den Park verlassen haben und sich bei ihm melden sollen.

Besorgt beschloss er, wenigstens herauszufinden, *wo* sie war, wenn schon nicht, *wie* es ihr ging. Wie alle Außendienstler Slades hatte Kate einen Mikrosender in ihrer Schulter implantiert. Max holte das Signal auf seinen Bildschirm und sah, dass sie sich sehr schnell genau nach Westen bewegte.

Anhand der geraden, vogelähnlichen Bewegungsrichtung über Gegenden, wo es keinen der Route entsprechenden Straßenverlauf gab, erkannte er, dass sie sich in einem Hubschrauber befand.

32

Bös' Schicksal, nun weiß ich, dass auf deinem Rad
Ein Punkt verzeichnet ist, den anzustreben,
Kopfüber fallen heißt; den Punkt berührt' ich,
Und da ich sah, dass Höheres nicht zu erklimmen war,
Warum sollt ich jetzt meinen Sturz betrauern?
Lebt wohl, edle Königin, weint nicht um Mortimer,
welcher die Welt verschmäht, und als ein Reisender
hingeht, um Länder zu entdecken, die noch keiner sah.

MORTIMER in Marlowes *Edward II.*

Deptford – Mittag, Mai 1593

Sechs schwarz gewandete Träger schritten mit dem Sarg auf ihren Schultern auf die Kirche von St. Nicholas zu. Dutzende Trauernde folgten ihnen. Es habe einen Kampf gegeben, sagten die Leute. Er hatte versucht, einen Mann umzubringen. Ein Streit zwischen rivalisierenden Liebhabern, meinten einige. Nein, ein Zwist wegen einer Rechnung, verbesserten sie andere.

Robert Poley verfolgte die Prozession aus der Entfernung. Die Anhörung war ziemlich glatt über die Bühne gegangen, dachte er. Ingram Frizer hatte den Königlichen Leichenbeschauer ohne Schwierigkeiten gefunden, und auch Nick Skeres war pünktlich zurückgekehrt. Der Leichenbeschauer hatte die drei draußen im Garten befragt und dann die Wunden und das Zimmer samt Einrichtung vermessen. Sechzehn Geschworene hatten die Beweisführung gehört. Männer aus dem Ort – Grundbesitzer, Bäcker und so weiter. Das Urteil lautete so, wie Poley es erwartet hatte. Ihre Geschichte wurde als zutreffend erklärt. Frizer hatte Marlowe getötet, um sein eigenes Leben zu verteidigen und zu retten.

Es war alles ziemlich einfach gewesen.

Mit Vergnügen erinnerte Poley sich daran, wie er Nick Skeres über den Tisch gezogen hatte. Er hatte den Inhalt von Marlowes Tasche natürlich im Voraus untersucht. Als er erkannte, dass der Zifferncode für die Nachricht, die er dort gefunden hatte, auf dem Fragment von Hero und Leander fußte, hatte er alle Seiten des Gedichts aus der Tasche genommen und sie in sein Wams gesteckt. Es sei das einzige Exemplar, hatte Marlowe gesagt, und deshalb würde niemand – Phelippes eingeschlossen – in der Lage sein, Marlowes Brief an die Königin zu lesen.

Poley hatte nur Zeit gehabt, den Anfang zu entschlüsseln. Frizer und Skeres waren früher eingetroffen, als er erwartet hatte. Aber er hatte genug gelesen. »Höchst geliebte und mächtige Königin«, begann der Brief. »Ich muss Eurer Majestät von einem Verrat berichten. Euer buckliger Mann stahl Waffen, die er dann...« Obwohl Marlowe Cecils ungesetzliche Handelsbeziehungen tatsächlich aufgedeckt hatte, würde niemand sonst je davon erfahren.

Poley hatte keine Skrupel gehabt, Marlowe derart zu hintergehen. Er hatte nie damit gerechnet, dass sein Versprechen, dem Stückeschreiber zu helfen, seinen eigenen Lebensunterhalt gefährden würde. Doch als dies deutlich wurde, wusste Poley, dass er sein Vorgehen ändern musste. Es war eine Schande, was er Marlowe hatte antun müssen, aber es gab keinen anderen Weg. Das Hemd war ihm näher als der Rock.

In einigen Jahren würde er Marlowes Gedicht einem Verleger anbieten. Bis dahin, so überlegte er, hätte Phelippes die Angelegenheit vergessen und würde nicht auf den Gedanken kommen, das Gedicht zur Entschlüsselung der Ziffern zu benutzen.

Nach dem, was Poley Marlowe angetan hatte, war dies das Mindeste, was er *für* ihn tun konnte.

Essex fand seine Königin bei einem Spaziergang auf einem abgelegenen Stück des Flussufers. Die kühle Luft duftete üppig nach Geißblatt und Erdbeeren, und vom Meer her wehte eine salzige Brise. Möwen schwebten über ihnen, und in den Binsen am Ufer planschten und trällerten Wasservögel. Sonnenlicht tanzte auf den Juwelenblumen und Goldstickereien ihres Gewands.

»Geliebte, was ist denn?«, fragte er, als er ihre Melancholie spürte.

»Christopher Marlowe. Er ist tot.«

Essex legte ihr die Hände auf die Schultern.

»Er wollte uns sein neuestes Gedicht geben«, fuhr sie leise fort und ließ sich von Essex in die Arme nehmen.

Der Trauerzug erreichte den Friedhof am Rande der Gemeindewiese. Die Träger machten sich daran, den Sarg in das frisch ausgehobene Grab sinken zu lassen.

Robert Poley stand in der Nähe von drei Dichtern.

»Er war der Liebling der Muse«, klagte der eine.

»Eine wahrlich begnadete Kehle«, sagte der zweite traurig.

»Einer der geistreichsten Buben, die Gott je erschuf... mit einer Feder, so scharf und spitz wie das Messer, das ihn tötete.«

Als der Pfarrer zu sprechen anhub, wandte Poley sich zum Gehen. Jetzt endlich, dachte er, konnte er heimkehren und sich ausruhen. Seine Arbeit war getan.

33

New York City – 23 Uhr 01, Gegenwart

»Keine Bewegungen, Senator«, meldete Max über Telefon Donovan Morgan.

Er hatte Kate vom RAF Northolt zum Internationalen Flughafen von Neapel und von dort weiter nach Capri verfolgen können. Seitdem hatte sie sich nicht mehr gerührt.

»Was bedeutet, er hat sie entweder unter Drogen gesetzt … oder gefesselt«, entgegnete Morgan.

»Genau.« Max hoffte, dass Morgan Recht hatte und dass de Tolomei sie nicht getötet hatte. »Slade wird jeden Augenblick dort sein, Senator. Ich rufe Sie an, sobald ich etwas höre.«

»Danke.«

Beim Auflegen fragte sich Max, was Slade und Morgan vor ihm verheimlichten. Aus irgendeinem Grund hatten beide nicht den geringsten Zweifel daran, dass de Tolomei Kate lebendig brauchte. Max wünschte sich, er könnte sich auch so sicher sein.

Außerdem wünschte er sich, er hätte das alles nie passieren lassen.

Bucht von Neapel – 5 Uhr 03

Zwei aufblasbare Zodiak-Schnellboote rasten von der Sorrentiner Halbinsel nach Südwesten. Discomusik und die Lichter blieben hinter ihnen zurück. In jedem Boot saßen vier Männer. In Kürze würde die Nordflanke Capris vor ihnen auftauchen.

Zu ihrer Linken lag die hell erleuchtete Marina Grande. Ihr Ziel lag weiter im Westen. Wenige Minuten später legten sie bei der weltberühmten Blauen Grotte der Insel an. Ein grauhaariger Capreser erwartete sie. Er half ihnen, die Boote zu vertäuen, und dann stiegen die acht Männer die wackelige Zickzack-Treppe zum Klippenrand hinauf.

Jeremy Slade teilte die Männer in Zweiergruppen auf, und dann machten er und seine sieben Angestellten sich auf verschiedenen Routen auf den Weg zu de Tolomeis Villa.

Washington, D.C. – 23 Uhr 07

Er hatte es erst erfahren, als es schon zu spät war.

Seit mehr als sechs Monaten hatte Kate von einem Freund erzählt, einem Archäologen. Er habe einen walisischen Namen, hatte sie gesagt. Rhys, weil seine Mutter walisischer Abstammung war, wie Donovan Morgan selbst.

Er hatte seine Tochter noch nie so glücklich gesehen.

Morgan sollte Rhys an diesem Thanksgiving kennen lernen, doch Rhys musste auf eine Exkursion, irgendwelche abschließenden Recherchen, um einen Vortrag zu vervollständigen, den er halten sollte. Es hatte irgendwas mit einer uralten Schrift zu tun.

An ebendiesem Thanksgiving war ein amerikanischer Spion mit Codenamen Acheron nach Jordanien geschickt worden, um eine Terrorzelle zu neutralisieren, die Nervengas im New Yorker U-Bahn-System freisetzen wollte.

Morgan hatte keinen Zusammenhang gesehen. In Harvard gab es Tausende junger Männer, und eine solche Möglichkeit war ihm nie in den Sinn gekommen. Slades Spion war in Ägypten aufgewachsen, und Kates Archäologe war Waliser.

Dann kam die Neujahrseinladung: Kate sollte die Tage bei der Familie Khouri in Kairo verbringen. Morgan hatte noch immer nichts begriffen.

»Habe ich dir das nicht erzählt?«, hatte sie gefragt, »Rhys' Vater ist Ägypter. Er wuchs dort auf. Kam erst zum Studium hierher.«

Wie standen die Chancen?

Morgan hatte versucht, Kate die Beziehung auszureden, hatte ihr gesagt, sie sei noch zu jung, um sich ernsthaft mit jemandem einzulassen, aber sie wollte nichts davon hören. Und als er Rhys dann kennen lernte, die beiden zum ersten Mal zusammen sah, begriff er. Die Verlobung folgte bald danach. Rhys wollte Kate von seinem Doppelleben erzählen, aber erst nach dem Irak, wie er Morgan sagte. Nach der Operation Hydra. Er wollte nicht, dass Kate sich in diesen Monaten Sorgen um ihn machte.

Ihr zu sagen, dass er mit seinem Bruder in den Himalaja reise, war Rhys' Idee gewesen. Er brauchte eine Erklärung dafür, warum er sich ein paar Monate lang nicht bei ihr würde melden können. Und dann war er verschwunden, und Morgan hatte nichts gesagt, weil er Kate nicht noch unglücklicher machen wollte.

Belvedere von Punta Cannone, Capri – 5 Uhr 09

De Tolomei schaute zu.

Er hatte schon vor ein paar Jahren überall in Donovan Morgans Haus Kameras installieren lassen. Alles nur für diesen Augenblick. Um den vertrauten Ausdruck zu sehen, denjenigen, den er selbst so lange im Gesicht getragen hatte. Diese Mischung aus Kummer und tiefstem, von nichts gemildertem Selbsthass.

Jason Avera und Connor Black waren die Ersten, die eintrafen.

Wieder einmal als Touristen verkleidet, stiegen sie die schmalen, gewundenen Stufen der Via Costello in Capri hinauf, vorbei an weißen Stuckhäusern und terrassierten Gärten voller Palmen und Zitronenbäumen.

De Tolomeis Haus stand am Ende der Straße in der Nähe des Klippenrands. Auf seinen drei Inlandsseiten war es umgeben von einer bogenförmigen, mit Efeu überwachsenen Steinmauer mit einem schwarzen Stahlgitter obendrauf.

»Chef«, meldete Jason leise und schaute dabei zu einem Funkeln in der Mauer. »Wir werden beobachtet.«

Slade, der inzwischen wahrscheinlich schon in Rufdistanz war, antwortete nicht. Kameras hatten sie erwartet.

Während Jason langsam an der Mauer entlangging, fuhr er fort. »Und hier liegt genug Semtex, um uns alle in die Luft zu jagen. Einen Stolperdraht kann ich erkennen, und ich schätze, es gibt noch andere. Wahrscheinlich auch einen oder mehrere Zünder drinnen.«

Irgendwo über dem Mittelmeer – 5 Uhr 16

»Eine Falle?«, fragte die CIA-Direktorin Alexis Cruz Slade. Ihr Privatjet befand sich eben im Anflug auf den Internationalen Flughafen von Neapel.

»Rein zur Verteidigung, würde ich sagen. Ich glaube, er will das alles ein bisschen genießen… nicht uns alle auf einmal fertig machen.«

»Außer sie sind bereits tot, und er inszeniert das alles nur, um Donovan so lange wie möglich zu quälen.«

»Ich glaube nicht, dass de Tolomei Todessehnsucht hat, Lexy.«

»Will er eine Begnadigung? Geld?«

»Vielleicht beides.«

»Du hast einen Blankoscheck, das weißt du.«

»Gut. Haltet den Sanitätshubschrauber bereit. Es dürfte nicht lange dauern.«

Blinzelnd wachte Kate auf. Sie saß in einem Sessel am Fenster eines ansonsten leeren Zimmers. Draußen sah sie nichts außer mitternachtsblauen Himmel.

»Kaffee?«, fragte de Tolomei, der eben das Zimmer mit einer dampfenden Tasse betrat.

Noch immer benebelt, nickte Kate argwöhnisch. Bestürzt musste sie feststellen, dass er den Kaffee genauso gemacht hatte, wie sie ihn am liebsten trank. Wie lange beobachtete und belauschte er sie schon?

Ihre Augen brannten. Dann fielen ihr die gefärbten Kontaktlinsen wieder ein, und sie nahm sie heraus. Die Perücke lag auf dem Tisch neben ihr, das sah sie jetzt, und sie legte die Linsen darauf.

»Keine schlechte Verkleidung«, sagte de Tolomei. »Wir hätten Sie wahrscheinlich gar nicht gefunden, wenn ...«

»Sie nicht eine Wanze und einen Überwachungschip in mein Handy eingebaut hätten?«, beendete Kate den Satz.

Er lächelte. »Meine Männer hätten sich nie vorgestellt, dass es so schwierig sein könnte, Sie zu überwältigen.«

Kate zuckte die Achseln.

»Haben Sie meine Nachricht übermittelt?«

»Ich habe mit meinem Vater seit ein paar Tagen nicht gesprochen, aber ich glaube, das wissen Sie bereits.«

»Ich war mir nicht ganz sicher.«

»Und jetzt wollen Sie mich also umbringen. Oder mir sagen, was er tat, um sich die Zeugenaussage Ihrer Frau zu beschaffen?«

»Weder noch. Ich bin kein Mörder. Ich habe einen Mann getötet, und Sie wissen, warum. Was Letzteres angeht, wenn Sie es unbedingt wissen wollen: An dem Tag, an dem meine Tochter gekidnappt wurde, sollte ich sie von der Schule abholen, hatte mich aber um zwanzig Minuten verspätet. Meiner Frau sagte ich, ich hätte länger arbeiten müssen. Ihr Vater jedoch sagte ihr, ich hätte eine kurze Affäre mit meiner Partnerin gehabt, und deutete an, dass ich zur Zeit der Entführung mit ihr im Bett gewesen wäre.«

»Stimmt das?«, fragte Kate.

»Ja, wie ich zu meiner Schande zugeben muss. Aber ein Kollege und Freund – ein Mann, der immerhin auch ein Kind hat –, verrät der etwas, das ich ihm vertraulich gesagt hatte, nur um eine Verurteilung für *dieses* Verbrechen zu erreichen?« De Tolomei schüttelte angewidert den Kopf.

»Haben Sie erwartet, dass der Generalstaatsanwalt Folter und Mord verzeiht? Begangen von einem Bundesbeamten? Und dass er damit der Öffentlichkeit zu verstehen gibt, dass Selbstjustiz okay ist?«

»Unter diesen Umständen, ja«, sagte de Tolomei. »Mein eigener Fehler hat mich meine Tochter gekostet, aber die Enthüllungen Ihres Vaters haben mich meine Frau gekostet. Und seit dieser Zeit will ich, dass er denselben Kummer und dasselbe Bedauern erlebt wegen etwas, das er getan hatte – dass er eine drohende Aufdeckung fürchten und Angst haben muss, auch noch das Letzte zu verlieren, was von seiner Familie übrig ist.«

»Viel Glück.«

»Vielen Dank, aber das brauche ich jetzt nicht mehr.«

»Sie können doch unmöglich erwarten, dass ich glaube, er hätte etwas Schlimmeres getan als Ehebruch, Vernachlässigung eines Kindes und Mord. Sie wissen, was für ein Mann er ist.«

»Einige Dinge sprechen lauter als Worte, Kate. Kommen Sie mit.«

Max starrte gebannt auf seinen Computermonitor. Endlich bewegte sich Kate. Er wusste, das konnte auch bedeuten, dass sie getragen wurde, aber er hoffte, es bedeutete, dass sie ging.

De Tolomei führte Kate eine Treppe hinauf und einen gewundenen Korridor entlang und deutete dann auf einen überwölbten Türeingang.

»Vor drei Jahren schickte die CIA ihren besten Agenten in den Irak als Teil einer Mission zum Sturz Saddam Husseins. Ihr Vater, damals Vorsitzender des SSCI, wusste darüber Bescheid. Der Spion wurde vom iranischen Geheimdienst gefasst und ins schlimmste Gefängnis Teherans gesteckt. Eine Rettung wurde nie versucht, ich glaube, man hielt das politisch für zu brisant. Seinen Angehörigen sagte man, er sei tot. Und ihn hat man im Stich gelassen. Der Mann, der diese Entscheidungen traf, war Jeremy Slade, wenn meine Quellen sich nicht irren.«

»Sie müssen sich irren.«

»Sehen Sie selbst.«

Kate stand in der Tür und schaute in einen Raum, der aussah wie ein Krankenzimmer in einer luxuriösen Privatklinik. Da die Morgensonne die andere Seite des Hauses beschien, lag das Zimmer noch im Dunkeln. Nur langsam gewöhnten sich ihre Augen an das Dämmerlicht.

Auf der anderen Seite des Zimmers sah sie einen abgemagerten Mann in einem Bett liegen, Infusionsschläuche steckten in seinen

Armen. Bis auf das Heben und Senken seines Brustkorbs war er völlig bewegungslos. Kate fühlte sich gezwungen, näher hinzugehen, auch wenn sie nicht genau wusste, warum.

Die Lider des Patienten, das sah sie jetzt, öffneten sich flackernd. Sekunden später drehte er ihr das Gesicht zu.

Elhamadulillah, er ist wach!

Surina Khan stand in der Tür zum Nebenzimmer. Sie trug ein Tablett mit neuen Medikamenten, Salben und Infusionsbeuteln. Von ihrem Standpunkt aus konnte sie ihren Patienten und die junge Frau mit den braunen Haaren und dem merkwürdigen Tattoo sehen.

Die beiden starrten einander an. Stumm.

Ohne Frage erkannte die Frau ihn. Ihre Lippen waren leicht geöffnet, das Gesicht war blass, der Körper wie erstarrt. Sie schien überhaupt nicht zu atmen.

Zuerst schien Surinas Patient völlig ruhig. Sein Gesichtsausdruck war offen, vielleicht sogar freundlich, aber auch irgendwie leer. Dann neigte er den Kopf kaum merklich zur Seite und presste die Lippen zusammen.

Sekunden später breitete sich ein strahlendes Lächeln auf seinem Gesicht aus.

Als Surina wieder zu der Frau schaute, sah sie Tränen über ihre rechte Wange kullern, am Kinn kurz innehalten und dann herunterfallen.

Und dann wurde die Stille unterbrochen. Ihr Patient öffnete den Mund, um etwas zu sagen. Zuerst kam nur ein heiseres Flüstern heraus. Er räusperte sich und versuchte es noch einmal. Er schaute der Frau in die Augen, und seine Stimme klang zögerlich, aber herzlich. Hoffnungsvoll. »Surina?«

Einen Augenblick lang hing das Wort in der Luft. Ein Blatt trudelte in einer sanften Brise.

Dann ein lautes Scheppern.

Die junge Frau mit dem merkwürdigen Tattoo hatte keinen Muskel gerührt, aber Surina hatte ihr Tablett fallen lassen.

34

Ach, wäre dieser üble Schurke nur am Leben wieder,
Dass wir ihn martern könnten mit einem neu erfund'nen Tod!

PERNOUN in Marlowes *Das Massaker von Paris*.

London – früher Nachmittag, Mai 1593

Thomas Phelippes saß an seinem Schreibtisch und starrte wütend
die Ziffernbotschaft an. Skeres hatte sie ihm an diesem Morgen
überbracht, und seitdem versuchte er, sie zu entziffern, jedoch ohne
Erfolg.

»Marlowe!«, bellte er voller Zorn. »Der Dolch war noch viel zu
gut für dich!«

Robert Cecil hegte dieselben Gefühle.

Er spähte in den leeren Hohlraum unter den Bodendielen in seinem Arbeitszimmer. Noch nie hatte die Wut so heiß in ihm ge-
brannt. Was für eine Schande, dass Marlowe jetzt endgültig außerhalb seiner Reichweite war.

Hätte Cecil gewusst, was in diesem Augenblick ein Stückchen
flussabwärts geschah, wäre er wohl doppelt so wütend gewesen.

Deptford – früher Nachmittag

Mit drei Zollbeamten im Schlepptau marschierte Oliver Fitzwilliam die privaten Kaianlagen entlang zu den Schiffen der Moskowiter Gesellschaft. Kit hatte ihn gebeten, eine Inspektion durch-
zuführen, kurz bevor sie in See stachen, und dabei durchblicken

lassen, dass wahrscheinlich eine Schmuggeloperation im Gange sei.

Fitzwilliam war niedergeschmettert vom plötzlichen Tod seines Freundes und voller Wut auf denjenigen, der ihn verursacht hatte. Die Geschichte über den Streit wegen einer Rechnung glaubte er keinen Augenblick. Mit Sicherheit war der Mörder – oder zumindest sein Auftraggeber – und der Mann, der hinter diesem Schmuggel steckte, ein und dieselbe Person. Doch da Kit den Tod gefunden hatte, bevor diese Ermittlung abgeschlossen war, würde der Betreffende zweifellos unerkannt bleiben. Aber da diesem Schurken die Mittel und Wege zur Beförderung seiner Schmuggelware bald nicht mehr zur Verfügung stehen würden, blieb wenigstens zu hoffen, dass er sein unrechtmäßiges Treiben nicht so leicht würde weiterführen können.

»Aufgrund der Machtbefugnisse, die mir vom Hof verliehen wurden«, verkündete Fitzwilliam zornig, »inspiziere ich diese Schiffe nach Konterbande.«

Helen stellte Kits Pferd in den Stallungen von Deptford unter und ging dann zum Flussufer. Anscheinend hatte sein Freund Robert Poley Plätze für sie beide auf einem von Sir Walter Raleighs Kaperschiffen, der *Bonaventure,* beschafft.

Wie sie sah, herrschte am Handelskai große Unruhe. Vier Uniformierte schleppten Kisten von einem der Schiffe der Moskowiter Gesellschaft. Den Dicken erkannte sie sofort. Es war der Zollbeamte, der ihre Papiere beschlagnahmt und ihr ihr Geld abgenommen hatte. Er und seine Untergebenen, das hörte sie im Vorübergehen, beschlagnahmten Bestände an gestohlenen Waffen.

Ihrem Kapitän würde das kein Vergnügen bereiten, dachte Helen. Aber Kit schon. Sie konnte es kaum erwarten, es ihm zu erzählen. Sie vermisste ihn, das merkte sie, obwohl sie kaum einen Tag lang voneinander getrennt gewesen waren.

35

Capri – 5 Uhr 36, Gegenwart

De Tolomei zog die Tür seines Überwachungsraums hinter sich zu.
Kate fand er im Gang, wo sie leise weinte.

Als sie ihn bemerkte, wischte sie sich mit dem Ärmel die Tränen
ab und packte ihn am Hemd. »Sie haben ihn hier behalten, obwohl
Sie wussten, was er alles durchgemacht hat? Er braucht eine richtige medizinische Versorgung. Er braucht einen Arzt!«

Seelenruhig schaute de Tolomei auf den zerknitterten Stoff in
ihrer Hand und sagte: »Und die hat er auch bekommen. Dreimal
täglich, seit er in Tunis ankam.«

Kate trat einen Schritt zurück. »Und was sagt der Arzt?«

De Tolomei nickte den Gang entlang, drehte sich dann um und
ging in seinen Garten. Obwohl er gut gepflegt war, wirkte er irgendwie gespenstisch, melancholisch. Pinien und Zypressen warfen lange Schatten. Das üppige Grün wucherte zu dicht, und die
Blumen zeigten fast ausschließlich dunkle Blau- und Purpurtöne.
Jasmin und Aloe wucherten in den Ritzen der moosigen Mauern.

»Rhys erholt sich sehr gut«, sagte de Tolomei, während sie sich
vom Haus entfernten.

»Hat er …« Die Stimme versagte ihr, und sie setzte noch einmal
an. »Hat er Schmerzen?«

»Jetzt nicht mehr.«

»Findet er … sein Gedächtnis wieder?«

»Er wurde jahrelang extrem unter Drogen gesetzt. Man kann es
jetzt noch nicht sagen.«

»Wie konnte … das alles … geschehen?«

»Vor drei Jahren verriet jemand in Langley die Details von Rhys'
Mission im Irak an den iranischen Geheimdienst. Speziell an einen
Mann, den ich inzwischen sehr gut kenne. Mein Freund hatte schon

länger vor zu fliehen und dachte, wenn er einen amerikanischen Spion in seinen Händen hätte, könnte er mit Langley um seinen Schutz verhandeln. Er wollte sich selbst eine Versicherungspolice ausstellen. Vor ein paar Wochen fragte er mich um Rat.«

»Aber wie sind Sie auf die Verbindung gekommen? Mit meinem Vater? Mit mir?«

»Ich lasse Sie beide seit Jahren überwachen. Als ich das Gesicht des amerikanischen Spions sah, den mein Freund gefangen hielt, erkannte ich ihn und... bot eine beträchtliche Summe für ihn.«

»Wie viel?«, fragte Kate. Sie war sich ziemlich sicher, dass sie die Antwort bereits kannte, wollte aber eine Bestätigung.

»Elf Millionen Dollar.«

»Ich weiß, dass Sie das nicht für Rhys oder für mich getan haben«, sagte sie leise. »Trotzdem danke.«

»Nichts zu danken«, erwiderte de Tolomei und wunderte sich, dass seine Worte so aufrichtig klangen. Und was noch überraschender war, er fühlte eine Fröhlichkeit in seinem Herzen und wusste, dass sie nichts mit Donovan Morgans Kummer zu tun hatte. Der Ausdruck auf Kates Gesicht – von tiefer, wenn auch zwiespältiger Dankbarkeit – war der Grund, warum er vor so vielen Jahren zum FBI gegangen war.

Kate öffnete de Tolomeis Gartentor und ging auf den Aussichtspunkt am Ende der Via Costello zu. Sie lehnte sich ans Geländer und schaute durch die Pinien hinunter auf das leuchtend türkisfarbene Wasser.

Nach kaum einer Minute hörte sie Schritte. Als sie sich umdrehte, sah sie Jeremy Slade.

»Ist er okay?«

»Auf dem Weg der Besserung«, sagte Kate.

»Ich dachte, er ist tot. Dass es einfacher für alle wäre, die ihn liebten, wenn sie Gewissheit hätten. Und man musste ja auch ans Protokoll denken. Aus dem Himalaja war ein Vorfall berichtet worden, in der Nähe des Everest, und deshalb...«

»Dieser Arm?«

Slade war bestürzt. »Du hast den Sarg geöffnet?« Er schloss für einen Augenblick die Augen. »Wir brauchten etwas für die Leute vom Bestattungsinstitut. Er... gehörte einem der deutschen Touristen, die bei dem Angriff getötet worden waren. Rhys' Bruder war in der Nähe ihres Lagers, und...«

»Er war derjenige, der mir die Postkarten geschickt hat«, sagte Kate langsam.

Slade nickte. »Du musst wissen, ich habe im Lauf der Jahre Hunderte von irakischen Überläufern befragt. Und als Saddam vor dem Krieg seine Gefängnisse leerte – außer Spionen kam so ziemlich jeder frei –, schickte ich Teams, die Befragungen anstellten. Monatelang. Es kam mir einfach nie in den Sinn, dass...«

»Ich kann verstehen, was du dachtest«, unterbrach ihn Kate. »Aber wenn du nicht gelogen hättest, dann wäre vielleicht jemand auf den Gedanken gekommen, dort nachzusehen, wo du es nicht getan hast.«

Slade blieb stumm.

Sein Blick, das sah Kate, war voller Schuldbewusstsein. »Das Leck, Rhys' Verschwinden – war das einer der Gründe, warum du die Agency verlassen hast?«

Er nickte.

»Seit wann weißt du, dass er am Leben ist?«

»Dein Vater erhielt vor fünf Tagen ein Video, aber...«

»Mein Vater weiß es schon seit *fünf* Tagen?«

»Wir wollten ihn finden und sicher nach Hause bringen, bevor wir es dir sagen«, entgegnete Slade leise. »Hat de Tolomei dich als Unterhändlerin geschickt?«

»Nein.«

»Was will er?«

»Nichts. Er hat bereits alles, was er will.«

»Er will keine Begnadigung?«

»Er hat nicht die Absicht, wieder als Nick Fortuna zu leben oder in die USA zurückzukehren. Er sagt, du kannst reingehen und Rhys sehen. Und du kannst einen Sanitätshubschrauber in seinem Garten landen lassen.«

»Du redest, als ob...«

»Die Wachen hat er schon letzte Nacht weggeschickt. Und inzwischen ist auch er verschwunden«, sagte Kate. Bevor sie seinen Garten verließ, hatte de Tolomei ihr von dem Aufzugsschacht erzählt, den er in die Klippe unter seinem Keller hatte bohren lassen.

»Er ist nicht mehr so im Training wie du... du hättest ihn aufhalten können.«

»Nach dem, was er für Rhys getan hat?« Kate schüttelte den Kopf. »Außerdem hat er nicht die Absicht, irgendjemandem zu erzählen, was er weiß.«

»Du glaubst ihm?«

»Ja. Er ist keine Gefahr für irgendeinen von uns, solange du nicht versuchst, ihn ausliefern oder umbringen zu lassen.«

»Hat er gesagt, wer die Wahrheit über Rhys kennt?«

»Nur Hamid Azadi, aber Azadi ist übergelaufen. Er hat die Welt der Spionage hinter sich gelassen. Der verrät nichts.«

Slade antwortete nicht. Er holte sein Handy aus der Tasche. »Wir sind so weit«, hörte Kate ihn sagen. »In seinem Garten. Nein, es wird keine Probleme geben.«

Zehn Meter unter der Meeresoberfläche saß de Tolomei in einem kleinen, zweisitzigen, tauchfähigen Tragflächenboot und raste auf das Festland zu.

Neapel – 8 Uhr 04

Der Himmel war grau. Ein leichter Morgennebel hing in der Luft. Zitternd sah Kate zu, wie die Bahre auf die schnittige weiße Gulfstream, Alexis Cruz' Privatjet, zugerollt wurde. Zwei Männer schoben sie über den Asphalt, und an der Gangway hoben sie sie an und trugen Rhys an Bord.

Die junge Krankenschwester, Surina Khan, folgte ihnen in die Maschine. Sie hatte darum gebeten, ihn begleiten zu dürfen, und als Kate und Slade sahen, wie gut Rhys auf sie reagierte, hatten sie zugestimmt.

Der Jet beschleunigte die Rollbahn entlang und hob dann mit dem Ziel Washington ab.

Kate drehte sich um und ging zum Hauptgebäude des Flughafens.

»Du musst mir alles erzählen«, sagte Adriana, kaum dass Kate den Hörer abgenommen hatte. »Alle reden von Medinas Verhaftung. Riesige Schlagzeilen in jeder Zeitung, so wie's aussieht. Ich habe noch keinen der Artikel gelesen, aber ich dachte mir, ich wende mich gleich an die Quelle. Kannst du drüber reden oder nicht?«

»Hey«, sagte Kate herzlich und froh über die Ablenkung. »Was mich anbelangt, hat er, als er mich mit der Waffe bedrohte, sein Recht auf Vertraulichkeit verloren.«

»Ach du meine Güte. Bist du okay? Ich habe ja gar nicht gewusst, dass du im Greenwich Park warst. Jeder glaubt, die Polizei hätte es allein geschafft.«

»Ich erzähl's dir später einmal. Mir geht's … mir geht's gut.«

»Du klingst krank.«

»Ja. Eine leichte Erkältung.«

»Können wir uns auf einen Kaffee treffen?«

»Das wäre toll«, sagte Kate. »Mein Flug ist bereits aufgerufen. Ich dürfte so gegen elf wieder in London sein.«

»Was soll das heißen? Wo bist du jetzt?«

»Ich hatte … noch was anderes zu erledigen. Ich bin in Neapel.«

»Wie ist deine Flugnummer? Ich hole dich ab.«

»Ach, das ist nicht nötig. Ich muss sowieso zuerst ins Büro – duschen, ein paar Sachen holen …«

»Wie wär's, wenn wir uns im Shepherd Market treffen. Am Hauptplatz. Da besorgen wir uns was zu essen.«

»Das wäre schön. Viertel nach zwölf?«

»Perfekt.«

36

Ich gehe so wie Wirbelwinde vor einem Sturme wüten.

GUISE in Marlowes *Das Massaker von Paris*

London – später Nachmittag, Mai 1593

Er konnte nicht länger warten. Seine Sammlung musste sofort gebunden und versteckt werden.

Phelippes schaute zum Fenster hinaus. Dunkle Wolken brauten sich zusammen. Bald würde es Regen geben. Gut.

Mit einem kleinen Messer ritzte er Marlowes Ziffernbotschaft in die Sohle seines linken Stiefels. Dann legte er das vermaledeite Original an den ihm zukommenden Platz ganz unten in das Zinnkästchen mit seinem Stapel Berichte. Phelippes war es zwar zuwider, seine Sammlung binden zu lassen, bevor er sich vergewissert hatte, dass die letzte Seite tatsächlich Beweise für Cecils verräterische Verbindung mit einem Barbaren-Piraten enthielt, aber er hatte keine andere Wahl. Sobald Cecil herausfand, dass er, Phelippes, derart belastendes Material in Händen hielt, würde er Männer in seine Unterkunft schicken. Männer, die nicht aufgeben würden, bevor auch noch die letzte Ritze durchsucht und jede scheinbar massive Oberfläche nach Hohlräumen abgeklopft war. Phelippes würde somit nicht nur der Mittel beraubt, Cecil zu besiegen, es würde ihm auch das so gewissenhaft zusammengetragene Arsenal der Geheimnisse entrissen. Und das durfte nicht geschehen.

Zeit für den Titel.

Phelippes holte ein Blatt Papier aus seinem Schreibtisch und schraubte ein Glas mit Zitronensaft auf. Diese Flüssigkeit war zwar entsetzlich teuer, aber diese Sache war es wert.

Er schaute noch ein letztes Mal auf seine Liste mit den möglichen Titeln und hielt sie dann an die Kerzenflamme. Keiner davon gefiel ihm.

Zu lang vielleicht?

Wegen dieses verschlagenen Halunken Marlowe war er jetzt gezwungen, eine Sache zu überstürzen, für die er sich gerne länger Zeit genommen hätte. War Marlowes Tod schnell gewesen?, fragte er sich. Löschte ein Messer im Auge das Leben sofort aus? Oder hatte Marlowe noch ein paar Augenblicke gehabt, um sich an dem Gedanken zu ergötzen, dass er sein Geheimnis mit ins Grab nehmen würde?

Plötzlich fiel ihm der Titel ein. Er war kürzer als alle anderen, und auch wirksamer. Wie ein Dolchstoß. *Die Anatomie der Geheimnisse.*

Phelippes schrieb die Wörter mit Zitronensaft. Dann öffnete er das Tintenfass, nahm eine zweite Feder und schrieb mehrere Zeilen mit Nichtigkeiten über, unter und zwischen die Zeilen mit der Zitronenschrift. Wenn die Seite getrocknet war, würden nur die Zeilen mit den Nichtigkeiten sichtbar sein. Zufrieden legte er die Seite oben auf seine Sammlung, steckte das Kästchen in einen großen Leinensack und stand auf.

Sein Buchbinder wartete auf ihn.

Zurück in seinem Arbeitszimmer, nahm Phelippes sich sofort Marlowes Ledertasche vor. Er hatte noch etwas anderes gefunden, das ihn interessierte, etwas, mit dem er seiner Enttäuschung Luft machen konnte. Es war ein Gedicht, das Sir Walter Raleigh über seine Liebesaffäre mit der Königin geschrieben hatte.

Das Gedicht, es war Tausende von Zeilen lang, hatte wohl große Mühe gekostet. Es war höchstwahrscheinlich das Original, dachte Phelippes, da eine Vielzahl von Wörtern ausgestrichen und überschrieben war.

»Nun, dann soll er es vermissen.« Nachdem er ein Feuer im Kamin entzündet hatte, warf er Seite um zerknüllte Seite in die Flammen.

Trotz der enormen Beliebtheit von Raleighs und Marlowes geschriebenen Werken, war Phelippes überzeugt, dass *sein* Manuskript die einzig würdige Schöpfung war. Deren Worte, deren Seiten würden schnell vergessen sein. Wie auch Marlowe, dachte er, als ihm einfiel, dass der spionierende Poet an diesem Tag beerdigt wurde.

Phelippes konnte nicht wissen, dass Jahrhunderte später Renaissance-Gelehrte das verlorene Gedicht Raleighs vermissen und Marlowes vorzeitigen Tod beklagen würden, während seinen Namen kaum noch jemand kannte.

Nachdem die Arbeit getan war, legte Phelippes sich aufs Bett und schloss die Augen. Jetzt würde es nicht mehr lange dauern. Wahrscheinlich noch vor Einbruch der Nacht.

Ein lautes Hämmern war zu hören. Dann noch eines.

Die Tür. Phelippes hatte sie verriegelt, aber ... mit einem lauten Krachen gab sie nach. Cecils Männer waren da.

Phelippes war allein. Wenn er seine Gewohnheiten geändert und an diesem Tag Männer zu seinem Schutz angeheuert hätte, dann hätte Cecil sicher gewusst, dass er etwas zu verbergen hatte.

»Wo ist es?«, fragte ein großer, ungeschlachter Kerl.

»Ich habe keine Ahnung, wovon Ihr sprecht«, antwortete Phelippes und gab sich Mühe, verwirrt auszusehen.

Sie waren zu dritt, und sie stürmten herein und begannen ohne weitere Umschweife mit der Durchsuchung. Sie blätterten in Büchern, schlitzten sein mit Stroh gefülltes Lager auf und schauten unter und hinter allem nach.

Vier Stunden später hatten sie genug davon. »Ausziehen«, befahl der Große.

Phelippes weigerte sich nicht. Er knöpfte sein Wams auf und zog sein Hemd aus. Einer der Männer durchsuchte seine Taschen und riss das Futter des Wamses heraus. Die beiden anderen kicherten, als sie seinen jungenhaft dürren Körper sahen. Nun setzte sich Phelippes, um seine Stiefel auszuziehen. Sofort griffen Hände in die Schäfte und prüften, ob eine der Sohlen locker war, ob zwischen Sohle und Stiefel ein gefaltetes Blatt Papier steckte.

Der Stiefelprüfer runzelte die Stirn. Seine Hände waren voller Schlamm. »Was seid Ihr doch für ein Schwein«, murmelte er.

Phelippes zuckte die Achseln. Er hatte sich aus gutem Grund die Stiefel nicht abgewischt.

37

Paris – 11 Uhr 34, Gegenwart

Jeremy Slade richtete eine schallgedämpfte Browning Automatik auf einen Mann, dessen Gesicht bandagiert war.

»Das ist reine Zeitverschwendung«, sagte der Mann. »Hamid Azadi ist bereits tot. Ich will nichts anderes, als in Frieden leben, am Meer.«

»Bilden Sie sich wirklich ein, dass ich Ihnen vertraue?«

»Nein. Ich vertraue Ihnen. Mein neuer Name ist Cyril Dardennes. Ich habe Geld von einer reichen französischen Großmutter geerbt, und ich ziehe nach Key West. Davon träume ich seit Jahren.«

»Sie haben Träume nicht verdient, Azadi. Sie haben einem Mann, den ich liebe wie einen Bruder, drei Jahre gestohlen. Ganz zu schweigen von den Leben wer weiß wie vieler Unschuldiger, die hätten gerettet werden können, wenn dieser Mann in den drei Jahren einsatzfähig gewesen wäre.«

»Es tut mir Leid, dass Ihr Freund Zeit verloren hat. Aber vergessen Sie nicht, hätte ich nicht eingegriffen, wäre er höchstwahrscheinlich von den Irakern gefangen genommen und getötet worden.«

»Ganz im Gegenteil, ich glaube, er hätte einen Krieg verhindert.« Mit einem hörbaren Klicken spannte Slade den Hahn seiner Pistole.

»Ihre Quellen in meinem früheren Land sind ziemlich mager. Eines Tages werden Sie mich brauchen. Zumindest werden Sie wissen wollen, wer mir überhaupt den Tipp gegeben hat.«

Slade kniff die Augen zusammen. Er hatte angenommen, dass der Verräter seine Identität geheim gehalten hatte. »Sie wissen, wer das war?«

Azadi nickte. »Und ich sage es Ihnen... irgendwann, wenn Sie nicht mit einer Waffe auf mich zielen.«

Sekunden später drehte Slade sich um und ging. Er hatte nicht geschossen.

Mayfair, London – 11 Uhr 54

Nachdem Kate sich die nassen Haare gekämmt hatte, klappte sie ihren Koffer auf und holte ihren Make-up-Beutel hervor. Sie war noch nicht bereit, über das zu reden, was in Capri passiert war, und sie wollte nicht, dass Adriana die Tränensäcke unter ihren Augen und die Flecken auf den Wangen sah. Sie schraubte ihren Abdeckstift auf und verschmierte das Make-up mit den Fingerspitzen an den Stellen, wo es nötig war, legte dann eine Schicht Puder darüber und trug dunkelbraunen Eyeliner und kupferig goldenen Lidschatten auf.

Nachdem sie sich die Lippen nachgezogen hatte, betrachtete sie ihr Spiegelbild. Nur die geröteten Augen verrieten, was in ihrem Herzen los war. Sie setzte eine Schildpatt-Sonnenbrille auf, hängte sich ihre Schultertasche um und ging zur Straße hinunter.

Shepherd Market war nicht weit von Slades Londoner Büro entfernt. Nach wenigen Minuten überquerte sie die Curzon Street und betrat den Markt über einen lauschigen, mit großen Steinplatten gefliesten und mit Sandwich-Läden gesäumten Korridor. In der anheimelnden Fußgängerenklave herrschte reges Treiben. Auf dem Hauptplatz sah Kate Adriana vor einem Bistro mit einer leuchtend roten Markise und passenden Tischen sitzen.

»Danke, dass du hierher gekommen bist«, sagte sie und beugte sich zu Adriana hinunter, um sie auf die Wange zu küssen.

»Natürlich. Ich bin doch neugierig darauf, was letzte Nacht passiert ist.«

Kate setzte sich auf den Korbstuhl ihrer Freundin gegenüber. »Ich bin am Verhungern«, sagte sie. »Zuerst bestellen?«

»Ja.«

»Was nimmst du?«

»Hm. Kaffee und ein Feta-Tomaten-Omelett.«

»Klingt gut«, sagte Kate, die keine Lust hatte, lange die Speise-
karte zu lesen. »Das nehme ich auch.«

Adriana winkte dem Kellner. Nachdem er gekommen und wieder
gegangen war, wandte sie sich erneut Kate zu. »Also, wegen Cidro.
Ich bin verwirrt. Die Leute in der Arbeit redeten von einer Pira-
tentruhe, was natürlich aufregend ist, jeder hätte gerne so eine, aber
dass Cidro für so etwas Gefängnis riskiert, wo er doch ein Spitzen-
Fondsmanager ist, dem das Geld bei den Ohren herauskommt.«

»Das sieht nur so aus«, sagte Kate. »Sein so genanntes goldenes
Händchen? Er hatte da einen Freund in einer der angesehensten
Steuerberatungskanzleien, der ihm sagte, welche Firmen ihre Bücher frisierten, damit er sie fixen konnte. Als dieser Buchhalter ge-
feuert wurde, ging Cidros Fond den Bach runter. Nach einer Weile
bekam er wieder Oberwasser, indem er Tarnorganisationen benutzte, um falsche Gerüchte über Firmen zu verbreiten, die er fixen wollte. Die Börsenaufsicht ermittelte schon eine ganze Weile
gegen ihn. Außerdem ist er so gut wie pleite. Vor nicht allzu langer Zeit hat er Firmen gefixt, deren Kurse dann in die Höhe gingen. Da kommen massive Nachforderungen auf ihn zu, die er nicht
erfüllen kann.«

»O Gott, ich hatte ja keine Ahnung.«

»Ich auch nicht. Er hat seine Rolle wirklich gut gespielt – die des
blasierten Reichen, den nicht die kleinste Sorge drückt –, ich habe
keinen Augenblick daran gezweifelt.«

»Wie hast du herausgefunden, dass er dahinter steckte?«

»Ich wusste, dass der, äh… na ja, der böse Bube Zugang zu gewissen historischen Informationen hatte, von denen die meisten
heutigen Wissenschaftler keine Ahnung haben. Also nahm ich an,
dass es sich um eine Art Familiengeheimnis handelte. In privat ver-
wahrten Papieren vielleicht, die von Generation zu Generation
weitergegeben werden. Max spürte die Nachfahren der Elisabethaner auf, bei denen es wahrscheinlich war, dass sie damals Zugang zu diesen Informationen hatten, und…«

»Cidro war einer von ihnen.«

»Genau«, sagte Kate. Sie hatte gewusst, dass Marlowe das Versteck von Robert Cecils Truhe irgendjemandem hätte verraten können, einem Freund oder einem Angehörigen zum Beispiel, aber sie war sich ziemlich sicher gewesen, dass es sich bei dem betreffenden Elisabethaner entweder um Cecil oder einen der drei Zeugen bei Marlowes Ermordung gehandelt hatte. Sie glaubte, dass Marlowe eine solche Information sicher für sich behalten hätte, bis er zuverlässige Mittel und Wege fand, den Brief seiner Königin zukommen zu lassen.

Der Kellner brachte ihren Kaffee.

»Wann hast du es herausgefunden?«, fragte Adriana und goss ihnen beiden Milch ein. »Dass es Cidro war, meine ich.«

»Gestern Abend. Ein paar Stunden, bevor wir uns in den Greenwich Park schlichen.«

»War ziemlich knapp, was?«

»Ich hatte Glück. Max hatte eigentlich gar nicht geplant, die Recherche noch gestern abzuschließen. Die Nachfahren von vier Elisabethanern aufspüren, über sie recherchieren und dann versuchen, einen von ihnen mit dem Fall in Verbindung zu bringen? Wir dachten, das würde Tage dauern. Vielleicht sogar Wochen, weil so viele der nötigen Informationen nicht online zu haben sind. Aber dann hatte er eine Stunde frei und beschloss, mit dem einzigen Aristokraten anzufangen, einem Mann namens Robert Cecil. Du weißt schon, weil der Stammbaum dieses Kerls mit Sicherheit im Internet zu finden wäre. Er spürte die direkte Linie auf, fand aber niemanden, der ernsthafte finanzielle Probleme oder eine Verbindung mit der Katze hatte – dem Dieb, den der geheimnisvolle Bösewicht anheuerte. Als Max aber dann anfing, sich die Seitenlinien anzuschauen – Cecils indirekte Nachfahren –, stieß er schließlich auf Cidro.«

»Und das war's? Da wusstest du Bescheid?«

»Erst als Max sich seine finanzielle Lage vornahm – die Ermittlungen der Börsenaufsicht, die Tatsache, dass Cidro Aktiva verkaufte und die Erlöse auf Offshore-Konten transferierte…«

»Aber wo kommst du da mit ins Spiel?«, fragte Adriana und

streute Salz auf eins der Omelettes, die der Kellner eben gebracht hatte. »Warum hat er dich engagiert?«

»Um die Truhe zu finden, brauchte er jemanden, der das Manuskript entziffern konnte, das er angeblich in der City gefunden hatte.«

»Angeblich?«

»Er hatte sein Büro schon vor einer Weile verkauft, aber genau dort wollte er es letzte Woche gefunden haben. Das Manuskript wurde tatsächlich in dieser Gegend gefunden, in Leadenhall Market, also war das wahrscheinlich die sicherste Lüge. Cidro setzte völlig zutreffend darauf, dass ich, da ich den Tatort zu untersuchen und Hunderte von Berichten zu entziffern hatte, nichts tun würde, was den Fall nicht unmittelbar weiterbrachte – zum Beispiel, den angeblichen Fundort zu untersuchen.«

»Und wer hat das Manuskript gefunden?«

»Ein Geschichtsprofessor vom Christ Church College«, sagte Kate. »Ein Mann namens Andrew Rutherford.«

Nachdem Max ihr am vergangenen Abend gesagt hatte, was er über Medina herausgefunden hatte, hatte Kate angenommen, dass es so gewesen sein musste, dann aber bei Inspector Hugh Synclair in Oxford angerufen, um ganz sicher zu sein. Sie ging davon aus, dass das Manuskript in Rutherfords Testament erwähnt sein würde, wenn er es selbst entdeckt hätte. Und sie behielt Recht. In seinem Testament berichtete Rutherford, dass er es bereits einen Monat zuvor entdeckt habe, und bat seine Kollegen, ihm zu verzeihen, dass er damit nicht sofort an die Öffentlichkeit gegangen sei. Das sei falsch gewesen, das wisse er, aber die Vorstellung, in den letzten Monaten, die ihm noch blieben, so etwas zu entziffern, sei einfach unwiderstehlich gewesen.

Ein Student sei es gewesen, so berichtete er weiter, der ihn zu diesem Fund inspiriert habe. Vor fünfzehn Jahren habe ihm einer seiner Schüler von einem mysteriösen Brief erzählt, den Marlowe kurz vor seinem Tod geschrieben hatte und der in den Händen von Thomas Phelippes gelandet war. Der Student habe behauptet, ein großes Unglück würde seine Familie treffen, sollte dieser Brief je wieder auftauchen.

Kate wusste, dass der namenlose Student in Rutherfords Testament Cidro Medina und die Geschichte über seine Familie nur ein schamloser Trick gewesen war, um Rutherford dazu zu bringen, ihm Bescheid zu sagen, wenn neue elisabethanische Dokumente ans Licht kamen.

Obwohl nicht sein offizielles Spezialgebiet, war die elisabethanische Spionage doch Rutherfords heimliche Liebe, und die Enthüllung seines Studenten hatte ihn sehr neugierig gemacht. Seit dieser Zeit suchte er nach diesem Brief Marlowes. Mehr als ein Dutzend Jahre lang hatte er alle Archive Großbritanniens durchkämmt und sich über alle Bauarbeiten in und um Leadenhall Market auf dem Laufenden gehalten. Er wusste, dass Thomas Phelippes eine große Liebe für die Instrumente der Spionage hegte, vor allem für Chiffren und Geheimfächer, und hielt es deshalb für durchaus möglich, dass Phelippes etwas in seinem Haus versteckt hatte, das dann verloren ging, als das Gebäude während des Großen Feuers 1666 zerstört wurde. Im Monat zuvor hatte ein Bautrupp mit strukturellen Verstärkungsarbeiten an einem der historischen Gebäude in der Gegend begonnen, und dabei waren sie durch Zufall auf Phelippes' Zinnkästchen gestoßen. Da Rutherford sich im Lauf der Jahre mit dem Vorarbeiter des Bautrupps angefreundet hatte, übergab ihm der Mann das Kästchen, nachdem sie es ausgegraben hatten.

»Letzte Woche lud Rutherford Cidro zum Abendessen ein«, erzählte Kate Adriana. »An diesem Abend musste Cidro von dem Manuskript erfahren haben. Später ging er dann in Rutherfords Büro und brachte ihn deswegen um.«

»Warum stahl er es nicht einfach?«

»Weil sein Professor keinem Menschen etwas von seiner Entdeckung erzählt hatte. Er wollte es bis nach dem Abschluss des Buches, das er über dieses Manuskript schrieb, geheim halten. Cidro musste ihn umbringen, um den Diebstahl zu vertuschen.«

»Ein Mörder... das kann man sich kaum vorstellen. Er war so charmant.«

»Glaube mir, ich weiß es.«

Kate öffnete den Reißverschluss des Außenfachs ihrer Schultertasche und hielt sie so, dass Adriana Simon Trevor-Jones' Pistolendietrich sehen konnte. »Wenn wir hier fertig sind«, sagte sie, »bringe ich dich zu seinem Haus und zeige dir, wie man so ein Ding benutzt.«

Kate führte Adriana zu Medinas Arbeitszimmer. Sie stemmte die Bodendielen hoch, die seinen Safe verdeckten, und drehte die Wählscheibe.

»Du kennst die Kombination?«

»Wir haben das Ding eingebaut«, sagte Kate und hob die Safetür an. Sie griff nach Phelippes' Kästchen und steckte es in ihre Tasche.

»Weißt du, an so was könnte ich mich gewöhnen«, sagte Adriana.

»In Häuser eindringen, in denen du nichts zu suchen hast?«

»Hm. Ich habe ja auch schon einiges Illegale getan, aber so was noch nie. Was mich auf die nächste Frage bringt. Dieser berühmte Dieb, der jetzt in aller Munde ist, die Katze, er und Cidro waren doch Freunde, oder?«

»Ja.«

»Warum hat Cidro ihn angeheuert, damit er in sein eigenes Haus einbricht?«

»Das gehörte zu seinem Plan, die Illusion eines Bösewichts zu erzeugen, der ihn bedroht, damit ich das Manuskript schnell und in aller Stille entziffere und denke, ich würde ihn schützen, indem ich irgendeinen gefährlichen Strippenzieher aufspüre.«

»Aber ... die Katze kam doch dabei um. Wenn das Cidros Absicht war, wie brachte er seinen Freund dazu, in eine so tödliche Falle zu tappen?«

Kate deutete zu den Wänden des Arbeitszimmers. »Nichts Persönliches, siehst du? Keine Fotos von Freunden oder Angehörigen. Kein Krimskrams. Das war kurzfristig angemietet. Ich wette, die Katze hatte keine Ahnung, dass Cidro selbst hier erst vor kurzem eingezogen war. Und ich bin sicher, Cidro hat ihm auch nicht gesagt, dass auf dem Grundstück ein Wachmann patrouillierte.«

»Glaubst du, er hat gewusst, dass sein Freund Selbstmord begehen würde, wenn man ihn schnappte?«

»Nein. Das war wirklich eine Überraschung für ihn. Gestern

Abend rief ich den Wachmann an, der an diesem Abend hier gewesen war. Es ist ein junger Kerl, noch ziemlich neu im Job. Keiner der unseren. Er sagte mir, Cidro habe behauptet, er bekomme Todesdrohungen, und jeden Augenblick könnten bewaffnete Eindringlinge hier auftauchen. Cidro musste ihn so nervös machen, dass er schießen würde, denn wenn der Dieb überlebt hätte, hätte er erfahren, dass man ihn in eine Falle gelockt hatte, und dann wäre Cidros Spiel aufgeflogen.«

»Ziemlich riskant«, sagte Adriana. »Ich meine, der Wachmann hätte sich sicher selbst schützen, aber den Eindringling doch wohl kaum umbringen wollen, oder?«

»Ja. Aber der ganze Plan war riskant. Scheint Cidros Masche zu sein – große Risiken für große Profite.«

»Ich bin froh, dass du dich nicht mit ihm eingelassen hast.«

Kate schwieg.

Als Adriana sie anschaute, sah sie Verdruss auf ihrem Gesicht. »O Gott. Was ist denn los?«

Kate sah auf die Uhr. »Oh, schau dir das an«, neckte sie. »Ich muss um zwei jemanden treffen. Ich muss los.«

»Das kannst du dir gleich aus dem Kopf schlagen«, verkündete Adriana streng.

Kate zuckte in gespielter Hilflosigkeit die Achseln, als sie auf die Treppe zugingen.

»Wo ist denn dieses so genannte Treffen?«

»Bei New Scotland Yard. Der Polizist, mit dem ich gearbeitet habe – wir bringen das Manuskript und das Kästchen ins British Museum.«

»Du hast genügend Zeit. Das Yard ist doch direkt am Südende des St. James Park, nicht?«

»Ja.«

»Ich bringe dich hin«, sagte Adriana und öffnete Medinas Haustür.

»Gegen Begleitung habe ich nichts.« Kate schloss ab, und die beiden machten sich auf den Weg zum Park.

»Und?«

»Es war eigentlich nichts«, sagte Kate. »Ich hatte mich nicht in ihn verknallt oder sonst was, aber ich hielt ihn für aufrichtig und glaubte ihm, dass sein Interesse an dem Manuskript genau das war, was er behauptete: nämlich schlichte Neugier. Und, du weißt schon... das Flirten mit ihm hat mir Spaß gemacht.«

»Du hattest ja auch keinen Grund, ihm zu misstrauen. Er hatte die Dienste deiner Firma doch vorher schon in Anspruch genommen, nicht?«

»Ja.«

»Was bedeutet, dass sie ihn zuvor überprüft hatte, und das verleitete dich dazu, ihm alles zu glauben, was er sagte.«

»Hm hm. Es ist einfach erniedrigend, wenn die eigenen Tricks gegen einen selbst angewendet werden. Ich hatte keine Ahnung, dass er sich so heftig ins Zeug legte, ausschließlich um mein Urteilsvermögen zu vernebeln. Ich habe das bei meiner Arbeit jahrelang mit Leuten gemacht, habe es aber nicht gemerkt, als man es mit mir machte.«

»Vielleicht wirkte er so aufrichtig, weil er es aufrichtig meinte. Ich möchte wetten, dass er dich sehr gemocht hat, aber einfach...«

»Ana, er wollte mich erschießen.«

»Scheiße. Wie hast du...«

»Ich hatte ihm die Patronen aus der Pistole genommen«, erwiderte Kate lächelnd. »Wir hatten vor, in einen Club zu gehen und von dort durch die Hintertür zu verschwinden, für den Fall, dass wir beschattet wurden. Ich nahm an, dass er irgendwie bewaffnet sein, aber die Waffe nicht mit in den Club nehmen würde, aus Angst, dass ich sie bemerken könnte. Als er die Drinks bestellte, tat ich so, als würde ich aufs Klo gehen, lief aber hinaus zu seinem Auto. Dort fand ich die Pistole unter seinem Sitz.«

»Wäre es denn nicht viel sinnvoller gewesen, wenn er vor dir in den Park gegangen wäre? Oder jemanden geschickt hätte?«

»Das habe ich unmöglich gemacht, ohne dass es mir bewusst war. Er versuchte, die genaue Stelle aus mir herauszubekommen – so beiläufig, dass ich es gar nicht bemerkte –, aber die Formulierung in Marlowes Brief war etwas vage, und ich hatte zu der Zeit keine Lust, es ihm zu erklären.«

»Auch wenn er es letzte Nacht geschafft hätte, sich aus dem

Staub zu machen, wäre doch dein Chef für den Rest seines Lebens hinter ihm her gewesen, wenn er dich erschossen hätte. Warum hat er dich nicht einfach betäubt?«

»Entweder hatte er nicht die Zeit, sich eine Betäubungspistole oder Ähnliches zu besorgen – es war schon fast sechs Uhr, als wir uns gestern trennten, und er hatte nur ein paar Stunden, um seinen Plan entsprechend anzupassen –, oder es war ihm einfach egal.«

Kate seufzte, es war Zeit für ein Geständnis. »Ana, auch wenn es vielleicht schwer zu glauben ist, aber ich habe mit jemandem herumgemacht, der keine Skrupel hatte, mich zu töten.«

»*Endlich.*«

»Wie bitte?«

»Ich kenne dich seit fast zehn Jahren, und jetzt hast du zum ersten Mal eine bizarre erotische Anekdote erzählt, die ich nicht übertreffen kann.«

New Scotland Yard, London – 14 Uhr 26

»Ich bin schockiert. Einfach schockiert«, verkündete Lady Halifax, als sie den Rubinring in ihre Handtasche steckte.

Sergeant Davies verspätete sich, und deshalb hatte Kate sich nach dem Ring erkundigt und dann Lady Halifax angerufen, um ihr zu sagen, dass sie ihn abholen könne. Nachdem alle nötigen Formulare unterzeichnet waren, verließen die beiden gemeinsam die Polizeizentrale.

»Als ich Simons attraktiven Kumpel in den Morgennachrichten sah, fiel es mir wieder ein«, fuhr Lady Halifax fort. »Ich habe die beiden ziemlich häufig zusammen gesehen. Die halten zusammen wie ein Gaunerpärchen, dachte ich mir damals. Und wie Recht ich doch hatte ... allerdings aus den völlig falschen Gründen. Wie auch immer, ich hätte nie geglaubt, dass der eine den anderen betrügen würde. Und so skrupellos.«

»Ich weiß«, stimmte Kate ihr zu.

»Es tut mir Leid, dass ich Ihnen nicht hatte helfen können. Ella und ich kamen einfach nicht auf seinen Namen.«

»Ach, zerbrechen Sie sich deswegen nicht den Kopf.«

»Das tue ich auch nicht. Es ist ziemlich offensichtlich, dass Sie auch ohne mich gut zurechtgekommen sind.«

»Vielen Dank.«

»Wenn Sie das nächste Mal nach London kommen, erwarte ich, dass Sie mich anrufen und wir zusammen Tennis spielen«, fügte Lady Halifax hinzu, während Kate ihr ins Taxi half.

Kate nickte lächelnd.

»Aber bitte, meine Liebe, wenn Sie nichts dagegen haben: bis dahin ein paar Übungsstunden?«

38

Sind dies Eure Geheimnisse, die kein Mensch kennen darf?
GUISE in Marlowes *Das Massaker von Paris*

London – später Nachmittag, Mai 1593

Phelippes wusste, dass er verfolgt wurde. Seit Stunden wanderte er schon langsam herum und achtete darauf, dass sein Beschatter ihn nie aus den Augen verlor. Das war nicht sonderlich schwer. Phelippes wollte den Mann in Sicherheit wiegen.

Er hatte auf dem Kirchhof von St. Paul's geplaudert, war dann die Cheapside entlanggeschlendert und hatte in mehreren Geschäften eingekauft. Jedem Ladenbesitzer hatte er Fragen gestellt. Wie ging es der Frau? Dem Sohn? Als Phelippes die Royal Exchange erreichte, war sein Verfolger gelangweilt und unterdrückte ein Gähnen.

In der Mitte des Innenhofs blieb Phelippes stehen, wie um die Pakete, die er trug, neu zu ordnen. Der Mann hinter ihm, das bemerkte er, wartete am Vordereingang. Erleichtert ging Phelippes weiter. Sein Buchbinder befand sich in der hintersten Ecke, nur wenige Meter von einem unauffälligen Ausgang entfernt. Phelippes betrachtete die Waren eines angrenzenden Juweliers. Da er wusste, dass sein Verfolger ihn genau im Blick hatte, nahm er eine winzige Uhr an einer Kette in die Hand, hielt sie sich an sein Wams und ging zu einem Spiegel. Er schüttelte den Kopf, als gefalle ihm die Uhr nicht, und wandte sich dann einer Auslage mit Hutnadeln zu. Der Juwelier half eben einem anderen Kunden, und kaum hatten die beiden ihm den Rücken zugedreht, verschwand Phelippes durch den Hinterausgang und lief nach links, in das geschlossene Zelt seines Buchbinders.

»Ich brauche es jetzt«, sagte er und gab dem Mann mehrere Shilling.

»Ich habe eben mit der Deckelverzierung angefangen«, sagte der Buchbinder. »In ein paar Stunden kann ich damit fertig sein.«

»Ich habe nicht einmal eine Minute«, erwiderte Phelippes hastig. Sein Bewacher zwängte sich in diesem Augenblick womöglich durch die Menge, um ihn wieder zu finden.

»Könnt Ihr nicht morgen früh wiederkommen?«

Phelippes schüttelte den Kopf. »Jetzt in diesem Augenblick ist ein Mann hinter mir her.«

Resigniert ging der Buchbinder zu seinem Arbeitstisch, hob ein Stück Stoff hoch und gab Phelippes die in schwarzes Leder gebundenen Seiten. »Von mir wird er nichts darüber erfahren.«

Nachdem er das Manuskript in seinem Zinnkästchen verstaut hatte, verließ Phelippes das Zelt und eilte tief gebückt, damit die Menge ihn verdeckte, zum nahen Ausgang. Noch immer geduckt, schlüpfte er hinaus, richtete sich dann auf und fing an zu laufen. Er war zwei Blocks von seinem Haus entfernt.

Ein anderer von Cecils Männern würde in seinen Gemächern warten, nahm Phelippes an, aber er hatte nicht vor, sie jetzt schon aufzusuchen. Stattdessen knackte er das Schloss zu der Wohnung im Erdgeschoss. Sie war leer, wie er erwartet hatte. Eine alte Frau lebte dort, und sie nahm jeden Tag zu dieser Zeit ihr Abendessen in einem nahen Wirtshaus ein.

Phelippes ging zur Feuerstelle und kniete sich auf den Boden. Dann zog er ein Messer aus dem Gürtel und stemmte mit der Klinge einen der großen, flachen Steine hoch. Schon vor Monaten hatte er darunter ein Loch gegraben. Ungefähr einen Fuß im Quadrat und fünf Fuß tief. Er stellte das Zinnkästchen hinein, stand dann auf und ging in die Schlafkammer der Frau. In einer Ecke befand sich ein großes, altes Eichenbett. Phelippes legte sich auf den Boden und schob seinen Körper darunter. Er streckte den Arm aus und tastete herum, bis er einen Sack spürte, den er vor Wochen dort versteckt hatte. Er zog ihn zur Feuerstelle, leerte die Erde, die er enthielt, in das Loch und legte den Stein wieder darüber.

Bevor er die Wohnung verließ, kontrollierte er die Sohle seines linken Stiefels. Marlowes Ziffern waren noch immer unter dem getrockneten Schlamm versteckt. Gut.

Er würde sie bald entziffern, davon war er fest überzeugt. Denn er hatte noch nie versagt.

Chislehurst, Kent – Abenddämmerung

Tom Walsingham saß in seinem Birnengarten. Es war ein wunderschöner Tag. Der Himmel war klar, die Luft noch warm, und überall um ihn herum sangen die Vögel.

Es machte ihn wütend. Sein bester Freund war tot, und all diese Schönheit wirkte wie eine Beleidigung, ein Hohn. Die Welt sollte traurig sein, die Lerchen eingeschlossen.

Als er in der Nähe Hufgetrappel hörte, stand er nicht auf, um seinen Besucher zu begrüßen. Er wollte mit niemandem sprechen. Zum Glück hielt sich derjenige nicht lange auf, und schon nach wenigen Minuten hörte er das Pferd davongaloppieren.

»Sir?« Sein Page näherte sich.

»Was es auch ist, es kann warten.«

»Sir, der Mann sagte, es sei dringend.«

Widerwillig nahm Tom die Schriftrolle und öffnete sie. Sein Blick huschte zum unteren Rand. Der Brief war mit »Gabriel« unterzeichnet. Er kannte keinen Gabriel. Der Bote hatte offensichtlich einen Fehler gemacht. Er hob den Kopf und wollte die Rolle seinem Pagen zurückgeben, doch der Junge war verschwunden.

Nun las Tom den einzigen Absatz, und dabei bestätigte sich sein Verdacht. Es ging um eine alltägliche, bedeutungslose Angelegenheit – eine, die nichts mit ihm zu tun hatte. »Mein Freund«, so begann der Brief, »ich schreibe dir, um dir ein ausgezeichnetes Wachs zu empfehlen, das ich in einem Geschäft in Canterbury erstanden habe. Es ist äußerst haltbar. Gestern ließ ich es in einem sehr warmen Zimmer stehen, und es schmolz nicht. Lass uns bald miteinander essen, dann erzähle ich dir mehr.«

Wachs ist Wachs. Warum, zum Teufel, sollte irgendjemand ...
oh. Oh!

Es war eine verschlüsselte Nachricht, erkannte Tom verblüfft.
Sie spielte mit Zeilen aus Kits *Dr. Faustus,* in denen der Chor den
tragischen Tod des Zauberers vorhersagte, indem er ihn mit Ikarus verglich. »Sein wächsernes Gefieder schwang zu hoch sich
auf«, verkündeten sie dem Publikum in der Anfangsszene, »und
schmolz, denn der Himmel wollte seinen Sturz!«

Poley berichtete ihm, dass Marlowe, der aus Canterbury
stammte und von vielen Ikarus genannt wurde, nicht wirklich tot
war. Denn Poley, der hier den Erzengel Gabriel spielte – den Überbringer von Gottes geheimen Botschaften an seine Auserwähl-
ten –, hatte es irgendwie geschafft, alle zum Narren zu halten.

»Rob, du gerissener Mistkerl. Wenn du jetzt hier wärst, würde
ich dich küssen.«

London – Nacht

Poley wachte schweißgebadet auf.

Er hatte eben gesehen, wie Ingram Frizer Kit erstach. Mein Gott,
ich habe versagt, dachte er, und das Herz wurde ihm schwer. Dann
verblasste der Albtraum, und die Wahrheit kam ihm wieder zu Bewusstsein. Frizer hatte Kits Körper nicht einmal berührt. Er hatte
seine Wärme nicht gespürt und deshalb auch nicht gemerkt, dass
man ihn übertölpelt hatte. Stattdessen hatte er sich voller Ekel
über den grausigen Anblick abgewandt.

Es war die Reaktion, mit der Poley gerechnet hatte.

Poley hatte ein schlechtes Gewissen wegen Marlowes Auge,
aber er bedauerte nicht, dass er es ausgestochen hatte. Er hatte gewusst, dass Cecil von der Vereinbarung erfahren würde, die er mit
Nelly Bull in Bezug auf Marlowes Unterbringung getroffen hatte,
und es war unbedingt nötig, dass Marlowe noch an diesem Abend
für tot erklärt wurde. Auf anderen Wegen würde er es nie schaffen, aus England herauszukommen, nicht, wenn Cecils Männer in

so hoher Alarmbereitschaft waren. Gott sei Dank hatte Nelly sich bereit erklärt, ihm zu helfen. Poleys Plan hing von einem kritischen Element ab – Marlowes Verletzung musste so grausig, so offensichtlich tödlich wirken, dass Frizer gar nicht auf den Gedanken käme, die Körpertemperatur zu prüfen oder nach Atembewegungen zu schauen. Weiße Schminke, ein versenkbares Bühnenmesser – beides wäre nicht gut genug gewesen. Frizer hätte erkennen können, dass Theaterrequisiten verwendet wurden. Und wenn das passiert wäre, dann hätte Marlowe einen tödlichen Stich erhalten, und Cecil hätte ohne Zweifel sein Versprechen eingelöst und Poley in die Folterkammer werfen lassen.

Der baumelnde Augapfel hatte verhindert, dass dies alles passierte.

Sobald Frizer und Skeres gegangen waren, waren Poley und Nelly Bull zu dem Karren gegangen, den er in ihrem Hof abgestellt hatte. Unter den Säcken mit Abfall hatte Poley eine Leiche versteckt.

Eigentlich hätte es ganz einfach sein müssen, sich in London eine frische Leiche zu besorgen. Dutzende Menschen starben jeden Tag an der Pest. Aber eine ohne verräterische Pusteln oder sichtbare Verletzungen zu finden, das war eine Herausforderung gewesen. Nachdem Poley von Cecils Entschlossenheit erfahren hatte, Marlowe umbringen zu lassen, hatte er die ganze Nacht mit der Suche zugebracht. Schließlich hatte er am folgenden Nachmittag von einem Mann – im richtigen Alter und mit der richtigen Größe – erfahren, der eben an der Fallsucht gestorben war.

Er und Nelly hatten diese Leiche ins Bett gelegt und Marlowe zu dem Karren getragen. Die Arznei, die Poley Marlowe gegeben hatte, war stark, und er war noch immer bewusstlos. Dann musste er nur noch der Leiche ein Auge ausstechen und eine Blase voller Schweineblut darüber ausgießen.

Als Skeres und Frizer für die Befragung zurückkehrten, hatte Poley es problemlos so einrichten können, dass sie die vertauschte Leiche nicht sahen. Poley hatte den Leichenbeschauer gebeten, seine Aussage im Garten machen zu dürfen, da das Zimmer im Obergeschoss von einem unerträglichen Gestank erfüllt sei. Skeres und Frizer waren seinem Beispiel begierig gefolgt.

Bei dem Gedanken an Thomas Phelippes empfand Poley tiefe Befriedigung. Diesmal hatte er seinen langjährigen Feind übers Ohr gehauen und auch die mörderischen Absichten seines eigenen Arbeitgebers, Robert Cecil, vereitelt, der nun mit Sicherheit Englands neuer Staatssekretär werden würde. Es war ein phantastischer Triumph. Bis dahin sein beeindruckendster.

Poley bedauerte nur, dass keiner von beiden je davon erfahren würde.

39

Westminster, London – 14 Uhr 48, Gegenwart

Er war am Leben. Er war ein Spion. Er erinnerte sich nicht mehr an sie.

Kate lehnte an einer Steinsäule neben dem Drehlogo von New Scotland Yard. Eben ging ein heftiger Schauer nieder, und das Regenwasser strömte von den Rändern ihres Schirms. Der Himmel war dunkel, und sie konnte kaum dreißig Meter weit sehen. Wie passend, dachte sie.

Etwas klingelte. Ihr Handy.

Es war ihr Vater. Sie nahm den Anruf nicht an. Was konnte er schon sagen, um all das wieder gutzumachen, was er in dieser ganzen Zeit nicht gesagt hatte?

Ein gepanzertes Auto kam aus der Tiefgarage, und durchs Fenster sah Kate Sergeant Colin Davies.

Sie schaltete ihr Handy aus und ging zu ihm.

40

Was ist es nun, das Leander wagt in seinem Wahn?

Marlowe, *Hero und Leander*

Im Mittelmeer – Juni 1593

Es war ein böiger, aber warmer Frühlingsnachmittag, als das Beiboot mit Seil und Flaschenzug an der Steuerbordseite des Schiffs
zu Wasser gelassen wurde. Ein junger Leichtmatrose namens Hal
sah verwundert zu. Die *Bonaventure* konnte nicht mehr als eine
halbe League von der Küste der Barbaren entfernt sein, die Heimat von Piraten, die so heimtückisch waren, dass schon bei ihrer
Erwähnung jedem englischen Seemann die Knie zitterten, ob er es
nun zugab oder nicht.

Als das Boot auf dem kabbeligen Wasser auftraf, schwankte es
und kenterte beinahe, doch dann richteten die beiden Männer an
Bord es aus und fingen an zu rudern. Direkt auf das Versteck des
Feindes zu. Waren sie von Sinnen? Hal wollte jemanden fragen,
aber der Kapitän hatte jede Unterhaltung über dieses Ereignis verboten. Auf besondere Anordnung ihres obersten Herrn, Sir Walter
Raleigh, hatte er gesagt. Jeder, der auch nur ein Wort darüber verlor, würde erstochen und über Bord geworfen werden.

Vom Achterdeck sah Hal zu, wie das kleine Beiboot sich immer
weiter von ihnen entfernte, bis die Köpfe der beiden Seeleute nicht
größer waren als Sandkörner. Als sie sich der schwachen, ver-
schwommenen Linie näherten, wo der Ozean an den Himmels
stößt, schüttelte er den Kopf – vor Ungläubigkeit, aber auch vor
Enttäuschung. Er hatte die beiden sehr gemocht. Der kleinere, Lee
Anderson, war ein ausgezeichneter Fechter und hatte ihm Unterricht gegeben, was natürlich großen Spaß gemacht hatte, aber es

war derjenige mit der Augenklappe, den er wirklich vermissen würde. Der Kerl hatte ihm das Leben gerettet. Es wurde allgemein als schlechtes Omen betrachtet, wenn ein Seemann schwimmen konnte, und als sich vor zwei Tagen ein Segel losriss und Hal über Bord stieß, war er sicher, dass es um ihn geschehen war. Hilflos um sich schlagend und Wasser spuckend, hatte er sein letztes Gebet hervorgewürgt, als er spürte, dass ein Arm sich um seine Brust legte und ihn in Sicherheit brachte.

Zurück an Deck hatte ein dankbarer Hal ihn nach seinem Namen gefragt. Vielleicht war es die Kälte des Meeres oder das Entsetzen über die nur knapp überstandene Gefahr, aber der Mann schien ihn vergessen zu haben. Er hatte den Mund geöffnet, um zu sprechen, doch dann mit verwirrter Miene innegehalten. Kein Wort kam aus seinem Mund. Deshalb hatte Hal für ihn gesprochen. »Wie er auch lauten mag, eines weiß ich sicher, bei Gott. Ihr seid ein wahrer Held, das seid Ihr. Ein Held.«

»In mehr als einer Hinsicht, könnte man sagen«, hatte sein Retter erwidert und dabei seinem Freund, Lee Anderson, einen Seitenblick zugeworfen.

Und dann hatte, zu Hals Überraschung, der junge Mann angefangen zu lachen.

41

**Bloomsbury, London –
15 Uhr 23, Gegenwart**

Der Drache stand auf seinem Schreibtisch.

»Höchst ungewöhnlich«, sagte der Kurator und betrachtete ihn durch ein kleines, an seinem Hals baumelndes Vergrößerungsglas. »Das Diamantenmuster, die goldenen Einlegearbeiten... ich habe dergleichen noch nie gesehen.«

»Ming, oder was meinen Sie?«

Der schmächtige Mann mit den schütteren Haaren hob den Kopf. »Die Chinesen haben Jade fast nie verziert«, sagte er und zupfte an seiner gelben Fliege. »Vor allem nicht mit Edelsteinen. Es könnte ein Mogul-Stück sein. Ich brauche etwas Zeit, um mir ein Urteil zu bilden.

Entschuldigen Sie mich bitte einen Augenblick?«, sagte er dann und griff nach seinem klingelnden Telefon.

Kate und Sergeant Davis nickten.

Der Kurator nickte aufgeregt, als er hörte, was die Person am anderen Ende zu sagen hatte. »Sehr interessiert, sagen Sie. O ja. Es ist wunderbar.«

Dann klappte ihm der Mund auf. »Sie will *was?*«, stammelte er, und Schweißtropfen traten ihm auf die Stirn. »*Heute?*«

Die kugelsichere Limousine hielt vor dem vergoldeten, schmiedeeisernen Tor an. Zwei Männer in gut geschnittenen Anzügen näherten sich ihr und sprachen mit dem Fahrer. Wenige Minuten später öffneten sich die schweren Torflügel, und die Limousine rollte über den Vorplatz des Buckingham Palace.

Kate und Sergeant Davies saßen nebeneinander im Fond. »Auch wenn es eine andere ist«, sagte sie und schaute ihn an. »Aber der

Brief, und die Truhe – jetzt kommen sie endlich in den Besitz einer Königin Elizabeth.«

»Wurde ja auch langsam Zeit, nicht?«

Anmerkung der Autorin

Als ich mit der Arbeit an *Der Marlowe-Code* begann, hatte ich nicht vor, Marlowe den Mordanschlag von Deptford überleben zu lassen. Eine solche Spekulation über einen nur vorgetäuschten Tod sollte meiner Ansicht nach Verschwörungstheoretikern vorbehalten bleiben, die etwa auch meinen, Marlowe sei Shakespeare gewesen. Doch als einer meiner früheren Professoren, ein Spezialist für die Literatur der Renaissance, mir von seiner Theorie über Marlowes *Hero und Leander* erzählte – eine Theorie, die ich den Lesern in Kapitel 23 vorgestellt habe –, brachte mich das dazu, meine Entscheidung noch einmal zu überdenken.

Die meisten Leute halten das Gedicht für ein unvollständiges Fragment – den Anfang einer tragischen Geschichte, die Marlowe nie hatte vollenden können, vielleicht, weil er zum Zeitpunkt seines Todes daran arbeitete. Mein Professor jedoch stellte die Hypothese auf, dass Marlowe Hero und Leander vielleicht mit voller Absicht am Leben ließ. Vielleicht spielte er nur mit der konventionellen Form der Tragödie, um dann der allgemeinen Erwartung des Untergangs ein Schnippchen zu schlagen, indem er das Gedicht vor der Nacht des verhängnisvollen Sturms enden ließ.

Zuerst war ich fasziniert von der Möglichkeit, dass Marlowe diese literarische Technik benutzt hatte, doch ich dachte noch nicht daran, dies auch bei meiner eigenen, dem Untergang geweihten Figur zu versuchen. Ich wollte meine Marlowe-Geschichte nicht vor dem 30. Mai 1593 enden lassen, da ich mich darauf freute, die noch immer ungeklärten Ereignisse dieses mysteriösen Abends zu dramatisieren. Doch als ich einige Zeit später Marlowes *Hero und Leander* noch einmal las, kam mir der Gedanke, dass Marlowe vielleicht mehr getan hatte, als nur das Gedicht vor der Nacht des Sturms zu beenden, um seine tragischen Liebenden am Leben zu lassen. Vielleicht war er von der Konvention noch viel dramatischer abgewichen, indem er zwar

den verhängnisvollen Sturm darstellte, aber den Ausgang veränderte und Leander nicht ertrinken, sondern überleben und das
andere Ufer erreichen ließ.

In der klassischen Version durchschwimmt Leander einen ganzen Sommer lang jede Nacht den Hellespont, um Hero zu besuchen, und ertrinkt schließlich, als ein heftiger Sturm losbricht.
Marlowes Version dramatisiert nur eine einzige Durchquerung,
aber ich glaube, das Gedicht kann auch als komprimierte Version
des Mythos gelesen werden.

In Marlowes *Hero und Leander* kommt tatsächlich ein Sturm
vor. Das Zitat am Anfang von Kapitel 40, »Was ist es nun, das Leander wagt in seinem Wahn?«, stammt von der Stelle, wo Leander
am Rand des »wogenden« Hellespont steht und sehnsüchtig zu
Heros Turm hinüberstarrt. Er springt dann ins Wasser, fängt an zu
schwimmen und ertrinkt beinahe – »die Wogen ihn umschlangen
und zum Grunde zogen«, wo er »beinahe tot« ist. Doch dann kam
Neptun, der »ihn hochhievte«, »die dreisten Wellen mit seinem
Dreizack niederschlug« und »schwor, dass nie die See ihm ein
Leids tun dürfe«. Ich halte es für möglich, dass dies *der* Sturm
war – dass Marlowes Leander dem Schicksal seines klassischen
Vorbilds entgeht.

Als ich das Gedicht auf diese Art betrachtete, kam ich auf den
Gedanken, dieselbe Technik auf meine Marlowe-Figur anzuwenden
– den Augenblick des sicheren, allgemein erwarteten Untergangs
darzustellen, doch die tragische Figur überleben zu lassen. Die Tatsache, dass der Meeresgott Neptun Leander das andere Ufer erreichen lässt, brachte mich darauf, in *Der Marlowe-Code* eine Art
pseudogöttlicher Intervention zu benutzen. Die Kartenlegerin sagte
zu Marlowe, wie sich der Leser vielleicht erinnert: »Wenn kein
Engel Euch zu Hilfe eilt, erlebt Ihr den nächsten Vollmond nicht«,
und am Ende des Romans spielt Robert Poley den Schutzengel, indem er Marlowe hilft, Cecils Mordbefehl zu entkommen.

Mein Entschluss, die Marlowe-Geschichte mit seinem vorgetäuschten Tod und der Flucht übers Meer enden zu lassen, war darüber hinaus auch inspiriert von seinem Werk. In *Dr. Faustus*
wünscht sich der Zauberer, kurz bevor der Teufel kommt, um ihn

in die Hölle zu holen, er könne der Verdammnis entgehen, indem er im Meer verschwinde. »Ach Seele, verwandle dich in kleine Wassertropfen und falle in den Ozean, wo man dich niemals findet.« Und in *Edward II.* nennt Mortimer, als er dem Tod ins Auge blickt, sich einen »Reisenden«, »welcher die Welt verschmäht« und »hingeht, um Länder zu entdecken, die keiner kennt«.

Während der Ausgang der elisabethanischen Geschichte in *Der Marlowe-Code* mehr von Marlowes Werk als von historischen Indizien beeinflusst wurde, hält sich der Rest so weit wie irgend möglich an die Fakten, indem er die bekannten Ereignisse von Marlowes letztem Monat darstellt. Ein Gedicht mit der Unterschrift »Tamerlan«, das die Londoner Immigranten mit Mord bedrohte, wurde tatsächlich am Abend des 5. Mai 1593 an die Mauer der holländischen Kirche in der Londoner Broad Street geheftet. Ein spezieller Fünf-Mann-Ausschuss – dem wirklich Thomas Phelippes angehörte – erhielt den Auftrag, den unbekannten Autor zu ermitteln und zu verhaften. Die Männer des Ausschusses fanden tatsächlich ein so genanntes ketzerisches Dokument in Thomas Kyds Unterkunft, das, wie Kyd behauptete, Marlowe gehörte. Kyd wurde am 11. oder 12. Mai 1593 verhaftet, und gemäß vieler Aussagen wurde er auch gefoltert. Ein Haftbefehl für Marlowe wurde am 18. Mai 1593 ausgestellt, und zwei Tage später erschien er vor hohen Regierungsbeamten. Ein Spion namens Richard Baines schrieb tatsächlich einen Informantenbericht mit dem Titel »Eine Aufzeichnung der Ansichten eines gewissen Christopher Marlowe, bezüglich seines verdammenswerten Urteils über die Religion und seiner Verhöhnung des Wortes Gottes«, der angeblich am 27. Mai 1593 dem Kronrat vorgelegt wurde. Und nach dem Bericht des Leichenbeschauers wurde Marlowe am 30. Mai erstochen, wobei die Anhörung und die Beerdigung erst zwei Tage später, am 1. Juni, stattfanden. Aus dramaturgischen Gründen habe ich die Zeitspanne komprimiert, so dass Marlowes letzte sechsundzwanzig Tage eher wie eine Woche wirken, und außerdem habe ich die Vorlage von Baines' Bericht vorgezogen, so dass er Marlowes Verhör vorausgeht und nicht folgt.

Über Marlowes Karriere als Spion ist sehr wenig bekannt. Genau genommen ist ein Brief, der 1587 vom Kronrat an die Universität von Cambridge geschickt wurde, um das Gerücht aus der Welt zu schaffen, er sei ein katholischer Verräter, und seine Ausweisung zu verhindern, der einzige einigermaßen stichhaltige Beweis dafür, dass er für den Geheimdienst arbeitete. Der Brief selbst existiert nicht mehr, aber in den Protokollen des Rats ist er sehr detailliert beschrieben. Marlowe, besagt demnach dieser Brief, habe nicht die Absicht, zur katholischen Sache überzulaufen; stattdessen habe er »Ihrer Majestät gute Dienste erwiesen« und verdiene »eine Belohnung für sein loyales Handeln«. Man solle ihm den Titel »Magister« verleihen, drängte der Rat, »denn es entspreche nicht dem Willen Ihrer Majestät, dass irgendjemand, der, wie er es gewesen, mit Dingen beauftragt war, die dem Wohle seines Landes dienten, von jenen diffamiert werde, die von den Angelegenheiten mit denen er beschäftigt war, keine Ahnung hatten«.

Da niemand mit Bestimmtheit sagen kann, mit welchen Angelegenheiten Marlowe tatsächlich beschäftigt war, vertraute ich bei meinen Beschreibungen von Marlowes Spionageaktivitäten auf die Hypothesen von Renaissance-Spezialisten. Zum Beispiel weisen Unterlagen tatsächlich darauf hin, dass Marlowe Anfang 1592 in den Niederlanden wegen Münzfälscherei verhaftet wurde. Dass dieser Vorfall Teil einer Geheimdienstoperation war, ist eine Theorie, die von Charles Nicholl in seinem Essay »*At Middleborough*«: *Some Reflections on Marlowes Visit to the Low Countries in 1592* wie auch in seiner wunderbar fesselnden, nicht fiktionalen Darstellung des Mordes an Marlowe *The Reckoning* dargelegt wurde.

Dass Marlowe den Auftrag hatte, gegen die englische Moskowiter Gesellschaft zu ermitteln, ist eine reine Erfindung meinerseits, wie auch die Idee, dass Robert Cecil, einer ihrer Direktoren, die Schiffe dieser Gesellschaft benutzte, um Waffen an Barbaren-Piraten zu liefern. Ganz aus der Luft gegriffen ist jedoch beides nicht. Es gibt Hinweise, dass Marlowe über den illegalen Waffenhandel der Moskowiter Gesellschaft mit Iwan dem Schrecklichen Bescheid wusste und dass der Oberaufseher der Londoner Transaktionen der Gesellschaft tatsächlich ein Mann namens Anthony Marlowe war, angeblich ein entfernter Cousin von Christopher. Es war bekannt, dass Männer der Gesellschaft ziemlich häufig in Schmuggeloperationen verwickelt waren, und es ist durchaus möglich, dass Cecil zu irgendeinem Zeitpunkt daran teilgenommen hatte.

Die Anatomie der Geheimnisse ist zwar ebenfalls eine Erfindung, doch Francis Walsinghams Akten verschwanden tatsächlich nach seinem Tod im Jahr 1590, und sie sind bis heute nicht wieder aufgetaucht. Thomas Phelippes ist schon seit langem einer der Hauptverdächtigen. Was den Inhalt der Manuskripte angeht, so habe ich größtenteils Lösungen für ungelöste elisabethanische Rätsel präsentiert. Dass gegen Anthony Bacon wegen Vorwürfen der widernatürlichen Unzucht ermittelt wurde, ist die einzige Behauptung in der fiktionalen *Anatomie der Geheimnisse*, die allgemein als wahr betrachtet wird.

In Bezug auf Thomas Hariots Benutzung eines Fernrohrs habe ich mir Freiheiten herausgenommen. Es ist nicht bekannt, wann er sein erstes Teleskop konstruierte, aber es ist unwahrscheinlich, dass er es 1593 tat. Man geht allgemein davon aus, dass das Teleskop Anfang des siebzehnten Jahrhunderts von holländischen Brillenherstellern erfunden wurde und dass diese neue Technik danach sofort weite Verbreitung fand. Doch als Rechtfertigung für diese Szene muss gesagt werden, dass Hariot über seine ausgedehnten wissenschaftlichen Bemühungen sehr wenig veröffentlichte, und da er ein Experte für Optik war und intellektuell mit Galileo auf gleicher Stufe stand, wäre es möglich, dass er 1593 ein Teleskop konstruierte, wenn auch sehr unwahrscheinlich, denn eine solche Erfindung wäre nur äußerst schwer geheim zu halten gewesen.

In allen historischen Kapiteln habe ich mich bemüht, die Details so authentisch wie möglich zu halten. Die Klagen, die Robert Poley bei Marlowes Begräbnis hört, stammen zum Beispiel aus Gedichten, die kurz nach Marlowes Tod verfasst wurden. Poley bekam wirklich einen Diamanten von Anthony Pabington geschenkt, einem der jungen katholischen Verschwörer, die dank Poleys Mithilfe an den Galgen kamen, als er in den 1580ern als *agent provocateur* arbeitete. Poleys Arbeitgeber, Robert Cecil, hielt sich tatsächlich exotische Vögel aus dem Orient als Haustiere, und er war einer der Hauptsponsoren von Walter Raleighs Reise nach Guyana. Angeblich stammte der Großteil der sechzigtausend Pfund, die Raleigh letztendlich zusammenbrachte, von ihm. In Bezug auf den puritanischen Prediger, der Marlowe in Kapitel 22 am Arm packte, kann man sagen, dass Pamphlete, die den Leser vor intellektueller Neugier warnten, damals weit verbreitet waren, und das Bild des vom Himmel stürzenden Ikarus eine allgemein bekannte Metapher war. Und obwohl Thomas Hariot nur wenige Aufzeichnungen hinterließ, deutet doch vieles darauf hin, dass er Experimente über die Entstehung des Regenbogens durchführte.

Als Schlussbemerkung möchte ich noch ein paar Worte über den echten Christopher Marlowe verlieren. Die Geheimnisse um das Leben und den Tod dieser kontroversen Gestalt sind seit Jahrhunderten Gegenstand heftigster Debatten. Die meisten der historischen Dokumente, die seinen Charakter, sein Verhalten und seine Ansichten betreffen, enthalten die zweifelhaften Aussagen von bezahlten Informanten, literarischen Konkurrenten und eines Folteropfers, und, wie Kates und Medinas Unterhaltung in Kapitel 25 deutlich macht, der Bericht des Königlichen Leichenbeschauers über die Umstände seines Todes ist ein sehr angreifbares Dokument, das ein höchst unwahrscheinliches Szenario beschreibt. Die Tatsachen, wie faszinierend sie auch sein mögen, sind ebenfalls offen für die unterschiedlichsten Interpretationen. Dass er dem Anschein nach für den Geheimdienst arbeitete, sagt uns nicht, ob er wirklich ein Patriot war; vielleicht ging es ihm ausschließlich um Geld und Abenteuer. Dass man ihm Atheismus vorwarf, sagt wenig über seine tatsächlichen religiösen Überzeugungen aus; in den meisten Fällen waren solche Anschuldigungen ein politisches Mittel, um einen Feind zu verleumden. Natürlich lassen seine Stücke auf einen starken religiösen Skeptizismus und eine tiefe Verachtung für den Fundamentalismus seiner Kultur schließen. Sie stellen auch oft eine so wilde Gewalt und Grausamkeit dar, dass viele glauben, Marlowe sei ein bösartiger und herzloser Mensch gewesen. Jedoch waren seine Stücke mit Sicherheit beeinflusst von den einander widersprechenden Ansprüchen, einerseits abgestumpfte Theaterbesucher in einer blutigen Zeit zu schockieren, anzuregen und zu fesseln, andererseits Gönner bei der Stange zu halten, dabei die Zensur zu umgehen und vielleicht seine Pose als politischer Dissident zu bekräftigen. Die Stücke als Schlüssel zum wirklichen Marlowe zu benutzen ist ein riskantes Unterfangen.

Viele Renaissance-Experten glauben, dass Marlowe war, was man heute als homosexuell bezeichnen würde – ein Begriff, der, wie auch dessen Bedeutung, zu der Zeit nicht existierte. Auch wenn es niemand mit Sicherheit sagen kann, stelle ich mir, ausgehend von den in seinen Gedichten und Stücken immer wieder vorkommenden homoerotischen Bildern, vor, dass er beide Geschlechter genoss, wenn nicht ausschließlich Männer. In *Hero und Leander,* zum Beispiel, ist es der »lüsterne« Neptun, der Leanders Ertrinken in die Wege leitet. Neptun zieht Leander in die Tiefe, weil er glaubt, der bezaubernde Jüngling sei Zeus' unsterblicher Lustknabe Ganymed, und trägt ihn erst wieder in die Höhe, als er erkennt, dass Leander ein beinahe schon toter Sterblicher ist. Ich beschloss, die Frage nach Marlowes Sexualität in meinem Buch außer Acht zu lassen. Vielleicht erinnert sich der Leser jedoch daran, dass mein fiktiver Marlowe in Kapitel 12 enttäuscht ist, als er erkennt, dass Lee Anderson tatsächlich ein Mädchen ist.

Da Marlowe als Mensch ein Rätsel darstellt und wohl immer eines bleiben wird, wird es kaum überraschen, dass es ebenso viele verschiedene fiktive Versionen seines Lebens und Sterbens gibt wie Autoren, die sie verfasst haben. Unzweifelhaft werden ihrer noch mehr werden. Aber welche der Wahrheit am nächsten kommt, werden wir wohl nie erfahren. Mehrere Dokumente kamen in diesem Jahrhundert ans Tageslicht, die dem vagen, fragmentarischen Lebensbild Marlowes einige Mosaiksteine hinzufügten, und vielleicht werden ihnen noch mehr folgen. Selbst wenn, ist es doch sehr wahrscheinlich, dass das, was sich am 30. Mai 1593 in jenem Zimmer in Deptford ereignete, auf ewig ein Geheimnis bleiben wird.

Danksagungen

Vor allem möchte ich meiner literarischen Agentin und verehrten Freundin Joanna Pulcini und meinem wunderbaren Lektor Greer Hendricks danken, weil sie an *Der Marlowe-Code* glaubten, lange bevor er überhaupt fertig war. Ihr Weitblick, ihre ansteckende Begeisterung und ihre unermüdliche Unterstützung machten diesen Text überhaupt erst möglich.

Ungemein dankbar bin ich auch allen bei Atria Books, weil sie mit Überzeugung, Geduld und Stil für dieses Buch eintraten, vor allem Judith Curr, die es von Anfang an liebte. Vielen Dank auch an Suzanne O'Neill und an all die herausragenden Leute von Werbung, Vertrieb und Presse.

Für ihre wunderbaren Anregungen geht mein Dank an Liza Nelligan, Michele Tempesta, Ken Salikoff und Nina Bjornsson. Ebenso an meinen bewunderten Freund und Mentor Jack Devine, nach zweiunddreißig Jahren Dienst ein Veteran des CIA, für seine Ermutigung und Führung. Und an meine Eltern, meine Schwester und all die Freunde, die Fassung um Fassung kommentierend begleiteten, vor allem an Christian D'Andrea und Priya Parmar.

Mein Dank geht auch an Sarah McGrath, deren wohl überlegte Ratschläge so hilfreich waren während jeder Phase des Schreibens.

Sehr zu schätzen weiß ich all die harte Arbeit von Linda Michaels und Teresa Cavanaugh von Linda Michaels Limited; ebenso wie Lynn Goldberg und Brooke Fitzsimmons von Goldberg McDuffie Communications; Matthew Snyder von Creative Artists Agency; sowie von Linda Chester, Gary Jaffe und Kelly Smith.

Meine aufrichtige Dankbarkeit an die Fachbereiche für Wissenschaftsgeschichte und Englisch an der Harvard University, vor allem an den brillanten Stephen Greenblatt, dem Autor meines absoluten Lieblingsessays über Marlowe, dafür, dass er mir seine Theorie über Marlowes *Hero und Leander* erläuterte und mich für das Ende dieses Romans inspirierte. Dank außerdem an John Parker, weil er mir so großzügig alle meine Fragen beantwortete und mich ein wenig an seiner scheinbar unendlichen Weisheit teilhaben ließ, wie auch an Anne Harrington, James Engell, Katharine Park und John Guillory für ihre Ermutigung und Unterstützung. Kates Ausführungen über Kopernikus, Bruno und Galilei hätten nicht entstehen können ohne die faszinierenden Vorlesungen von Steven Harris, einem ganz außerordentlichen Wissenschaftshistoriker. Für alle oben Erwähnten gilt: Fehler in diesem Buch sind ausschließlich die meinen.

Schließlich möchte ich noch ein Loblied singen auf Charles Nicholls erschöpfend recherchiertes Buch, *The Reckoning: The Murder of Christopher Marlowe*, das mir eine unschätzbare Hilfe bei der Arbeit an *Der Marlowe-Code* war, ebenso wie Richard Wilsons faszinierender Essay über Marlowe und die Moskowiter Gesellschaft, *Visible Bullets: ›Tamburlaine the Great and Ivan the Terrible.‹*